최상위 3%를 위한 책

산부인과 FINAL TEST

부인과

GYNECOLOGY

최원규 지음

산부인과 FINAL TEST | 부인과

첫째판 1쇄 인쇄 | 2022년 5월 9일
첫째판 1쇄 발행 | 2022년 5월 20일
첫째판 2쇄 발행 | 2023년 9월 1일

지 은 이 최원규
발 행 인 장주연
출 판 기 획 최준호
편집디자인 주은미
표지디자인 김재욱
발 행 처 군자출판사(주)
등록 제 4-139호(1991. 6. 24)
본사 (10881) **파주출판단지** 경기도 파주시 회동길 338(서패동 474-1)
전화 (031) 943-1888 팩스 (031) 955-9545
홈페이지 | www.koonja.co.kr

ISBN 979-11-5955-879-5
979-11-5955-877-1 (세트)

정가 70,000원

최상위 3%를 위한 책

산부인과 FINAL TEST

부인과

Contents

산부인과 FINAL TEST | 부인과

산부인과
FINAL TEST

부인과

GYNECOLOGY

CHAPTER 01

임상 연구(Clinical research)

01

다음 중 건강수준의 측정 값으로 잘못된 것은 무엇인가?

Status determined by screening	True disease state	
	Positive	Negative
Positive	a	b
Negative	c	d

① Sensitivity = a/(a+c)

② Specificity = d/(b+d)

③ Positive predictive value = a/(a+c)

④ Negative predictive value = d/(c+d)

01

정답 ③

해설

비율과 측정 값의 계산

1. Sensitivity = a/(a+c)
2. Specificity = d/(b+d)
3. Positive predictive value = a/(a+b)
4. Negative predictive value = d/(c+d)

참고 *Final Check 부인과 4 page*

02

다음 중 특이도(specificity)를 올바르게 계산한 것을 고르시오.

Status determined by screening	True disease state	
	Positive	Negative
Positive	a	b
Negative	c	d

① a/(a+c)

② d/(b+d)

③ a/(a+b)

④ d/(c+d)

⑤ d/(b+c)

02

정답 ②

해설

특이도(Specificity)

1. 진단 검사법으로 검사한 후 병이 없는 사람을 병이 없다고 판정할 수 있는 능력 또는 확률
2. Specificity = d/(b+d)
3. 유병률이 낮은 질환에는 특이도가 높은 검사가 유리

참고 *Final Check 부인과 5 page*

03

강화도 주민을 대상으로 자궁경부암 백신의 접종 여부에 따른 추후 자궁경부암 발생률을 조사하는 연구를 계획 중이다. 이와 같은 연구의 형태는 무엇인가?

① Cohort study

② Meta analysis

③ Case report series

④ Case control study

⑤ Cross sectional study

03

정답 ①

해설

코호트 연구(Cohort study)

1. 특정 요인에 노출된 집단과 노출되지 않은 집단을 추적하고 연구 대상 질병의 발생률을 비교하여, 요인과 질병 발생의 관계를 조사하는 연구 방법
2. 종류
   a. 전향적 코호트(prospective cohort)
   b. 후향적 코호트(retrospective cohort)

참고 *Final Check 부인과 1 page*

CHAPTER 02

여성의 해부학(Female anatomy)

01

다음 중 자궁동맥이 분지되는 혈관을 고르시오.

① Aorta

② Obturator artery

③ Common iliac artery

④ External iliac artery

⑤ Internal iliac artery

02

다음 중 대동맥(aorta)에서 직접 기원하는 혈관을 모두 고르시오.

(가) Hypogastric artery
(나) Inferior mesenteric artery
(다) Iliolumbar artery
(라) Left ovarian artery

① 가, 나, 다　② 가, 다

③ 나, 라　④ 라

⑤ 가, 나, 다, 라

01

정답 ⑤

해설

Internal iliac artery의 Anterior division

1. Obturator artery
2. Internal pudendal artery
3. Umbilical artery
4. Superior, middle, inferior vesical artery
5. Middle rectal (hemorrhoidal) artery
6. Uterine artery
7. Vaginal artery
8. Inferior gluteal artery

참고 *Final Check 부인과 10 page*

02

정답 ③

해설

대동맥(Aorta)에서 직접 분지하는 혈관

1. Ovarian artery
2. Superior rectal artery (Inf. mesenteric a.)
3. Lumbar artery
4. Vertebral artery
5. Middle sacral artery

참고 *Final Check 부인과 9 page*

03

Paravesical space와 pararectal space 사이를 가르는 구조물은 무엇인가?

① Obliterated umbilical artery

② Obturator internus muscle

③ Hypogastric artery

④ Levator ani muscle

⑤ Cardinal ligament

04

근치적 자궁절제술에서 paravesical space와 pararectal space를 구분 짓는 구조물을 쓰시오.

05

광인대(broad ligament) 속을 지나는 혈관은 무엇인가?

(가) 난소동맥
(나) 폐쇄동맥
(다) 자궁동맥
(라) 속엉덩동맥

① 가, 나, 다 ② 가, 다
③ 나, 라 ④ 라
⑤ 가, 나, 다, 라

03

정답 ⑤

해설

기인대(Cardinal ligament)

1. Broad ligament가 uterosacral ligament 하방으로 가면서 견고해진 구조
2. Paravesical space와 pararectal space를 가르는 구조물
3. 자궁동맥(uterine artery)이 지나감
4. 기능 : 자궁이 아래로 빠져나가지 못하게 함(uterine prolapse를 방지)

참고 *Final Check 부인과 19 page*

04

정답 기인대(Cardinal ligament)

해설

기인대(Cardinal ligament)

1. Broad ligament가 uterosacral ligament 하방으로 가면서 견고해진 구조
2. Paravesical space와 pararectal space를 가르는 구조물
3. 자궁동맥(uterine artery)이 지나감
4. 기능 : 자궁이 아래로 빠져나가지 못하게 함(uterine prolapse를 방지)

참고 *Final Check 부인과 19 page*

05

정답 ②

해설

광인대(Broad ligaments)

1. 자궁의 외측 경계로부터 골반벽까지 뻗어 있는 두 개의 날개 모양 구조물로서 골반강을 앞, 뒤 구획으로 나눔
2. 자궁동맥(uterine artery) : Broad ligament의 바닥에서 올라옴
3. 난소동맥 & 정맥(ovarian artery & vein) : Infundibulopelvic ligament를 통해 broad ligament로 들어감

참고 *Final Check 부인과 18 page*

06

누두골반인대(infundibulopelvic ligament)를 지나는 동맥은 무엇인가?

① 난소동맥

② 폐쇄동맥

③ 내장골동맥

④ 자궁동맥

⑤ 외장골동맥

06

정답 ①

해설

광인대(Broad ligaments)

1. 자궁의 외측 경계로부터 골반벽까지 뻗어 있는 두 개의 날개 모양 구조물로서 골반강을 앞, 뒤 구획으로 나눔
2. 자궁동맥(uterine artery) : Broad ligament의 바닥에서 올라옴
3. 난소동맥 & 정맥(ovarian artery & vein) : Infundibulopelvic ligament를 통해 broad ligament로 들어감

참고 *Final Check 부인과 18 page*

07

다음 중 자궁에 연결된 인대가 아닌 것은 무엇인가?

① Broad ligament

② Uterosacral ligament

③ Pubococcygeal ligament

④ Round ligament

⑤ Pubocervical ligament

07

정답 ③

해설

자궁인대(Ligaments)

1. 광인대(Broad ligaments)
2. 자궁천골인대(Uterosacral ligament)
3. 자궁원인대(Round ligament)
4. 기인대(Cardinal ligament)
5. 치골자궁경부인대(Pubocervical ligament)

참고 *Final Check 부인과 18 page*

08

Anterior cervix의 고정에 중요한 역할을 하는 (A)는 무엇인가?

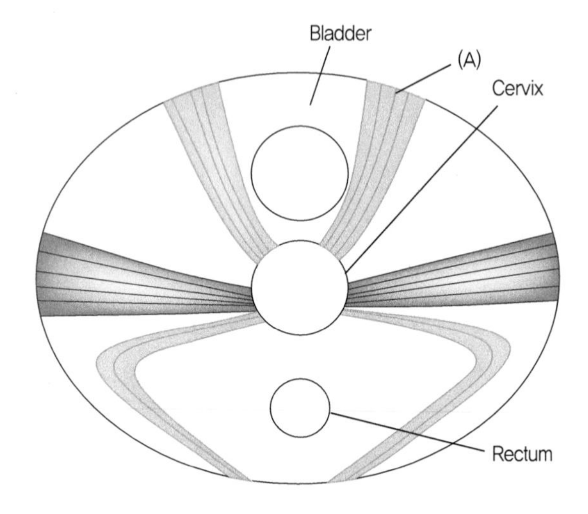

① Round ligament

② Pubocervical ligament

③ Broad ligament

④ Cardinal ligament

⑤ Uterosacral ligament

08

정답 ②

해설

치골자궁경부인대(Pubocervical ligament)

1. Pubis의 posterior aspect에서 시작되어 자궁경부의 anterolateral portion에 부착된 인대
2. 약해지면 cystocele 발생

참고 *Final Check 부인과 19 page*

09

Deep perineal compartment에서 (A)가 가리키는 것은 무엇인가?

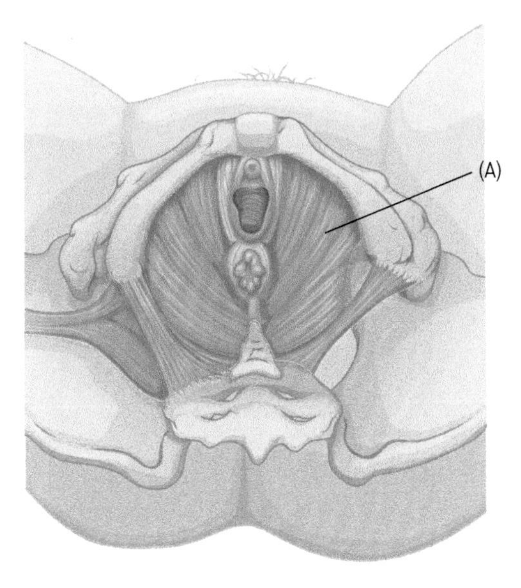

① Pubococcygeal muscle

② Deep perineal muscle

③ Iliococcygeal muscle

④ Superficial transverse perineal muscle

⑤ Ischiocarvernosus muscle

09

정답 ①

해설

골반횡격막(Pelvic diaphragm)의 구성

1. Levator ani : pubococcygeus, puborectalis, iliococcygeus로 구성
2. Coccygeus muscles

참고 *Final Check 부인과 8 page*

10

태아 성선(gonad)이 없는 경우 내부 생식기관은 어떻게 되는가?

① 정상 남자

② 정상 여자

③ 뮬러관 일부 생성

④ 남녀 내부 생식기관 모두 없음

⑤ 남녀 내부 생식기관 모두 있음

10

정답 ③

해설

Mullerian duct (Paramesonephric duct)

1. 태생기 5주경 urogenital ridge의 upper pole에서 발생
2. 구성 : Mesonephros, gonad, associated duct
3. Upper ends : oviduct를 형성
4. 융합(fusion)된 부분 : uterus를 형성
5. 다음 구조물을 형성 : fallopian tube, uterus, upper 1/3 vagina

참고 *Final Check 부인과 14 page*

11

생식기 발달 과정 중 잘못된 것은 무엇인가?

① Mesonephric duct → Fallopian tube

② Distal gubernaculum → Round ligament

③ Genital tubercle → Clitoris

④ Urogenital fold → Labium minor

⑤ Labioscrotal swelling → Labium major

정답 ①

해설

초음파 이상소견

발생 기관	여성	남성
Paramesonephric duct	Fallopian tube Uterus	
Genital tubercle	Penis	Clitoris
Urogenital fold	Labium minor	Penile urethra
Labioscrotal swelling	Labium major	Scrotum
Urogenital sinus	Vaginal vestibule	

참고 *Final Check 부인과 15 page*

12

다음 중 발생학적으로 paramesonephric duct에서 유래하는 장기를 모두 고르시오.

(가) 난자수는 임신 20주에 최대이다
(나) 사춘기 전까지는 감수분열 제2기에서 정지하고 있다
(다) 배란 전 LH surge가 감수분열 재개의 신호이다
(라) 감수분열은 정자 침투 직전에 완성된다

① 가, 나, 다 ② 가, 다

③ 나, 라 ④ 라

⑤ 가, 나, 다, 라

12

정답 ②

해설

Mullerian duct (Paramesonephric duct)

1. 태생기 5주경 urogenital ridge의 upper pole에서 발생
2. 구성 : Mesonephros, gonad, associated duct
3. Upper ends : oviduct를 형성
4. 융합(fusion)된 부분
   a. Uterus를 형성
   b. fallopian tube, uterus, upper 1/3 vagina

참고 *Final Check 부인과 14 page*

13

태아 성 분화에 작용하는 각 요소 및 분비 물질, 작용으로 적절한 것을 고르시오.

① Y 염색체 - TDY - 성선 분화

② Leydig cell - AMH - Mullerian duct 발달 억제

③ Sertoli cell - Testosterone - Wolffian duct 발달

④ 고환 - Activin - 외부 생식기 발달 결정

⑤ 난소 - Estrogen - Müllerian duct 발달

13

정답 ①

해설

1. Y chromosome의 TDY에 의해 sexual development 조절
2. Sertoli cell : AMH (anti–Müllerian hormone)을 분비해 paramesonephric duct를 퇴화 시킴
3. Leydig cell : Testosterone 분비
4. Germ cell : Oogonia로 분화하고 primary oocytes로 first meiotic division

참고 *Final Check 부인과 14 page*

14

다음 그림과 같은 자궁기형의 명칭은 무엇인가?

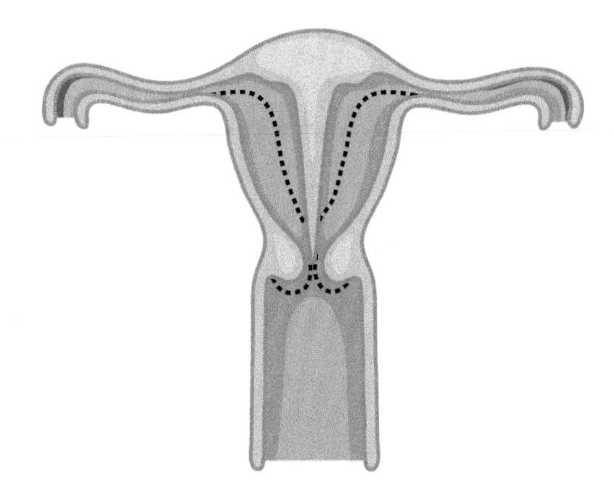

① Rudimentary uterine horn

② Blind uterine horn

③ Septate uterus

④ Uterus didelphys

⑤ Bicornuate uterus

14

정답 ③

해설

Septate uterus

1. External configuration of the uterus is relatively normal with a septum within uterus
2. 수술로 생식능력 향상을 기대할 수 있는 유일한 기형
3. 치료 : 자궁경을 통한 절제

참고 *Final Check 부인과 16 page*

15

근치적 자궁절제술(radical hysterectomy) 후 대퇴부 내측의 무감각과 경미한 보행 장애가 발생하였다. 다음 중 손상된 신경은 무엇인가?

① Genitofemoral nerve

② Lateral femoral cutaneous nerve

③ Obturator nerve

④ Femoral nerve

⑤ Inguinal nerve

15

정답 ③

해설

Obturator nerve

1. Motor : adductor muscles of thigh
2. Sensory : medial thigh and leg, hip and knee joints

참고 *Final Check 부인과 12 page*

16

골반 림프절절제술(pelvic lymph node dissection) 중 obturator nerve가 손상되었다. 수술 후 발생할 수 있는 증상은 무엇인가?

① Knee extension 장애

② Low leg 감각장애

③ Anterior thigh 감각장애

④ Hip extension 장애

⑤ Thigh adduction 장애

16

정답 ⑤

해설

Obturator nerve

1. Motor : adductor muscles of thigh
2. Sensory : medial thigh and leg, hip and knee joints

참고 *Final Check 부인과 12 page*

17

근지적 자궁절제술(radical hysterectomy) 후 다리를 안쪽으로 돌리는 게 힘들다는 주소로 내원한 환자에서 손상 받았을 가능성이 높은 신경을 쓰시오.

17

정답 Obturator nerve

해설

Obturator nerve

1. Motor : adductor muscles of thigh
2. Sensory : medial thigh and leg, hip and knee joints

참고 *Final Check 부인과 12 page*

18

근치적 자궁절제술을 시행 받은 환자가 수술 후 anterior vulva, middle & upper anterior thigh의 감각 저하를 호소하였다. 수술 중 손상되었을 것으로 예상되는 신경은 무엇인가?

① Inguinal nerve
② Ilioinguinal nerve
③ Pudendal nerve
④ Obturator nerve
⑤ Genitofemoral nerve

18

정답 ⑤

해설

Genitofemoral nerve

1. Sensory : anterior vulva(genital branch), middle/upper anterior thigh(femoral branch)
2. Common iliac and external iliac L/N dissection 시 가장 흔하게 손상되는 신경

참고 *Final Check 부인과 12 page*

19

Common iliac and external iliac lymph node dissection 시 가장 손상되기 쉬운 신경을 고르시오.

① Epigastric nerve
② Pudendal nerve
③ Genitofemoral nerve
④ Obturator nerve
⑤ Presacral plexus

19

정답 ③

해설

Genitofemoral nerve

1. Sensory : anterior vulva(genital branch), middle/upper anterior thigh(femoral branch)
2. Common iliac and external iliac L/N dissection 시 가장 흔하게 손상되는 신경

참고 *Final Check 부인과 12 page*

20

다음 신경의 신경분포에 대하여 기술한 내용으로 빈 칸에 알맞은 말을 쓰시오.

- Genitofemoral nerve의 (A) branch는 anterior vulva, (B) branch는 Middle/upper anterior thigh에 분포된다
- Obturator nerve는 medial thigh, leg, hip, knee joints의 (C)를 담당하고, thigh의 adductor muscles의 (D)를 담당한다

20

정답

(A) : Genital
(B) : Femoral
(C) : Sensory
(D) : Motor

해설

Nerve innervation

1. Genitofemoral nerve
   a. Sensory : anterior vulva(genital branch), middle/upper anterior thigh(femoral branch)
   b. Common iliac and external iliac L/N dissection 시 가장 흔하게 손상되는 신경
2. Obturator nerve
   a. Motor : adductor muscles of thigh
   b. Sensory : medial thigh and leg, hip and knee joints

참고 *Final Check 부인과 12 page*

21

다음은 자궁내막소파술(endometrial curettage)을 시행하기 전 국소마취를 시행하는 그림이다. 이 방법으로 마취하는 신경은 무엇인가?

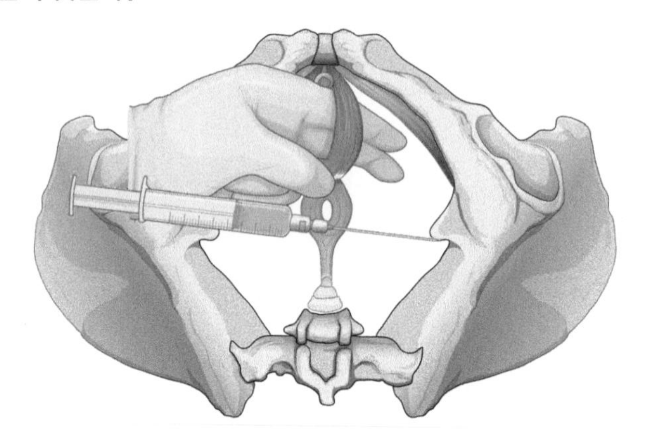

① Ilioinguinal nerve
② Femoral nerve
③ Obturator nerve
④ Pudendal nerve
⑤ Genitofemoral nerve

21

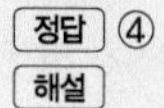

정답 ④

해설

Sacrospinous ligament

1. Vaginal suspension의 장소
2. Pudendal nerve block의 위치
   a. Sensory : perianal skin, vulva and perineum, clitoris, urethra, vaginal vestibule
   b. Motor : external anal sphincter, perineal muscles, urogenital diaphragm

참고 *Final Check 부인과 8, 12 page*

22

회음체(perineal body)를 구성하는 구조물을 쓰시오.

22

정답

Bulbocavernosus, external anal sphincter, superficial transverse perineal muscle의 tendon attachment

해설

회음체(Perineal body)

1. Triangle–shaped structure separating the distal portion of the anal and vaginal canals
2. Bulbocavernosus, external anal sphincter, superficial transverse perineal muscle의 tendon attachment로 구성
3. Separating the anorectal from the urogenital compartment
4. Important anchoring role in the musculofascial support of the pelvic floor

참고 *Final Check 부인과 9 page*

23

다음 중 urogenital diaphragm인 것을 모두 고르시오.

(가) Levator ani muscle
(나) Deep transverse perineal muscle
(다) Coccygeus muscle
(라) Sphincter urethrae

① 가, 나, 다
② 가, 다
③ 나, 라
④ 라
⑤ 가, 나, 다, 라

24

Upper vagina, cervix 부위의 림프액 흡수를 담당하는 림프절은 무엇인가?

(가) Parauterine lymph node
(나) Obturator lymph node
(다) External iliac lymph node
(라) Inguinal lymph node

① 가, 나, 다
② 가, 다
③ 나, 라
④ 라
⑤ 가, 나, 다, 라

23

정답 ③

해설

Urogenital diaphragm의 구성

1. Deep transverse perineal
2. Sphincter urethrae
   a. Ext. urethral sphincter
   b. Compressor urethrae
   c. Urethrovaginal sphincter

참고 *Final Check 부인과 8 page*

24

정답 ①

해설

생식기의 림프액 흡수를 담당하는 림프절

1. Inguinal : vulva, lower vagina
2. Int. iliac : upper vagina, cervix, lower uterus
3. Ext. iliac : upper vagina, cervix, upper uterus, from inguinal
4. Common iliac : from internal & external iliac
5. Aortic/paraaortic : upper uterus, ovary, fallopian tube, from common iliac

참고 *Final Check 부인과 16 page*

25

반복 유산 환자에서 시행한 자궁난관조영술(HSG) 상에서 bicornuate uterus가 의심되었다. 다음으로 시행해야 할 처치로 올바른 것은 무엇인가?

① Jone's operation ② Tompkin's operation
③ Strassmann operation ④ Laparoscopy and hysteroscopy
⑤ 경과관찰

25

정답 ④

해설

자궁의 이상(Uterine malformation)

1. 진단 : Laparoscopy, hysteroscopy, hysterosalpingography, ultrasound, MRI, IVP 등
2. 비뇨기계 이상이 잘 동반

참고 *#Final Check 부인과 15 page*

26

난자의 제1감수분열 시기(A)와 제2감수분열 시기(B)는 언제인가?

26

정답

(A) 배란 직전
(B) 수정

참고 *Final Check 부인과 13 page*

27

난자가 제1감수분열 했을 때 관찰되는 것은 무엇인가?

① 1st polar body ② 2nd polar body
③ Pronucleus ④ Zygotene

27

정답 ①

해설

사춘기

1. LH surge에 의해서 감수분열이 재개
2. 배란 직전 난포의 성숙과 동시에 제1감수분열이 끝나고 제2난모세포(23,X)와 제1극체(first polar body)를 형성

참고 *Final Check 부인과 14 page*

28

난소의 난자 수가 최대일 때를 고르시오.

① 재태연령 10주　　② 재태연령 20주
③ 출생 직후　　④ 사춘기
⑤ 초경

28
정답 ②
해설
난소에 있는 생식세포의 수
1. 임신 5개월 : 난모세포 및 난조세포를 합하여 약 700만개로 최대
2. 출생 시 : 난조세포는 없으며 난모세포만 약 100만개
3. 사춘기 : 약 40~50만개

참고 *Final Check 부인과 13 page*

29

인간의 난자 발달에 관한 설명 중 틀린 것을 모두 고르시오.

(가) 난자수는 임신 20주에 최대이다
(나) 사춘기 전까지는 감수분열 제2기에서 정지하고 있다
(다) 배란 전 LH surge가 감수분열 재개의 신호이다
(라) 감수분열은 정자 침투 직전에 완성된다

① 가, 나, 다　　② 가, 다
③ 나, 라　　④ 라
⑤ 가, 나, 다, 라

29
정답 ③
해설
1. 난자 : 임신 20주경 최대, 이후 감소
2. 사춘기에는 LH surge에 의해서 감수분열이 재개되어 배란 직전 난포의 성숙과 동시에 제1감수분열이 끝나고 제2난모세포(23,X)와 제1극체(first polar body)를 형성
3. 제2감수분열은 배란 후에 일어나는데 수정된 경우에만 완전히 끝나 난자(ovum; 23X)와 제2극체(second polar body)가 형성되며, 수정이 일어나지 않을 때는 중기 II (metaphase II)에서 중단됨

참고 *Final Check 부인과 13 page*

30

다음 중 난자 발생에 대한 설명으로 옳은 것을 모두 고르시오.

(가) 태아에서 발생 초기부터 시작된다
(나) 출생 후부터 사춘기 사이에는 정지된 상태이다
(다) 배란과 수정 사이에 제1감수분열이 발생한다
(라) 수정 후 제2감수분열에 의해 난자가 생성된다

① 가, 나, 다　② 가, 다
③ 나, 라　④ 라
⑤ 가, 나, 다, 라

30

정답 ③

해설

임신 중 신장 기능의 변화

1. 임신 5~7주에 유사분열 시작
2. 배란과 수정 사이에는 제2감수분열이 발생

참고 *Final Check 부인과 13 page*

CHAPTER 03

분자생물학 및 유전학(Molecular biology and Genetics)

01

세포주기 중 단백질 합성 시기를 고르시오.

① M ② G1

③ S ④ G2

⑤ G0

02

다음 중 세포자멸사(apoptosis)에 관여하는 유전자가 아닌 것은 무엇인가?

① p53 ② c-myc

③ ced-9 ④ bcl-2

⑤ K-ras

01

정답 ④

해설

G2 phase : post-DNA synthesis

1. RNA와 protein을 합성하는 시기
2. DNA 복제 오류를 수정하는 시기
3. DNA 수정의 결합 발생 시 암 위험도가 증가

참고 *Final Check 부인과 21 page*

02

정답 ⑤

해설

세포자멸사(Apoptosis)

1. 정의 : Programmed cell death
2. 관여 유전자 : bcl-2, c-myc, p53, ced-9 등

참고 *Final Check 부인과 23 page*

03

세포자멸사(apoptosis)와 관련된 설명으로 잘못된 것을 고르시오.

① 예정된 세포사망이다

② 괴사와는 완전히 다른 과정이다

③ p53, bcl-2 유전자가 관여한다

④ 세포의 팽창, 용해가 일어난다

⑤ 세포수의 항상성 유지에 중요하다

03

정답 ④

해설

세포자멸사와 괴사의 특징

1. 세포자멸사(apoptosis)
   a. 특정 유전자의 발현에 의해 시작되는 energy dependent, active process
   b. Cells shrink and undergo phagocytosis
2. 괴사(necrosis)
   a. Cells expand and lyse
   b. Energy-independent and results from noxious stimuli

참고 *Final Check 부인과 23 page*

04

사람의 유전자(gene) 중 특정 DNA 구조가 특정한 하나의 amino acid를 합성할 수 있도록 하는 유전 정보를 함유하고 있는 부분을 무엇이라 하는지 쓰시오.

04

정답 Codon

해설

Codon

1. 사람의 유전자(gene) 중 특정 DNA 구조가 특정한 하나의 amino acid를 합성할 수 있도록 하는 유전정보를 함유하고 있는 부분
2. 구성 : 3 base pair of nucleotide

참고 *Final Check 부인과 23 page*

05

작은 금속이나 유리표면 위에 수백만 또는 수십만 개의 oligonucleotide나 cDNA 탐침을 고밀도로 고정시켜 많은 유전자를 동시에 확인할 수 있는 분자유전학적인 방법은 무엇인가?

① Polymerase chain reaction (PCR)

② Southern blot

③ Direct sequencing

④ Microarray chip

⑤ DNA cloning

05

정답 ④

해설

Microarray chip technology

1. 작은 금속이나 유리 표면 위에 수백만 또는 수십만 개의 oligonucleotide나 cDNA 탐침을 고밀도로 고정시켜 많은 유전자를 동시에 확인할 수 있는 분자유전학적인 방법
2. DNA와 proteins의 분석 및 target specific disease mechanisms의 치료 방법으로도 각광

참고 *Final Check 부인과 23 page*

CHAPTER 04

생식생리(Reproductive physiology)

01

배란 중 LH 급등(LH surge)의 역할로 옳은 것을 모두 고르시오.

(가) 난자의 감수분열을 재개시킨다
(나) 단백분해효소의 분비를 촉진하여 난포막을 용해한다
(다) 과립막세포의 황체화를 촉진한다
(라) Prostaglandin 합성을 촉진한다

① 가, 나, 다 ② 가, 다
③ 나, 라 ④ 라
⑤ 가, 나, 다, 라

01

정답 ⑤

해설

배란기 상황의 요약

1. LH surge의 역할
   a. 난모세포(oocyte)의 감수분열의 재개
   b. 과립막세포(granulosa cell)의 황체화
   c. Progesterone과 prostaglandin의 합성 증가
2. Progesterone이 단백분해효소의 활성도를 높이고 prostaglandin과 함께 난포에 구멍을 만들고 난자를 배출
3. Progesterone 영향에 의한 midcycle FSH 증가는 난모세포를 과립막세포로부터 분리하게 하며 plasminogen은 plasmin으로 전환

참고 *Final Check 부인과 34 page*

02

정상 월경주기에서 LH 급등(LH surge)의 역할을 모두 고르시오.

(가) 과립막세포의 황체화
(나) Plasmin을 유도하여 난포벽을 융해
(다) 난자의 감수분열을 재개
(라) Prostaglandin의 합성 억제

① 가, 나, 다 ② 가, 다
③ 나, 라 ④ 라
⑤ 가, 나, 다, 라

02

정답 ①

해설

배란기 상황의 요약

1. LH surge의 역할
   a. 난모세포(oocyte)의 감수분열의 재개
   b. 과립막세포(granulosa cell)의 황체화
   c. Progesterone과 prostaglandin의 합성 증가
2. Progesterone이 단백분해효소의 활성도를 높이고 prostaglandin과 함께 난포에 구멍을 만들고 난자를 배출
3. Progesterone 영향에 의한 midcycle FSH 증가는 난모세포를 과립막세포로부터 분리하게 하며 plasminogen은 plasmin으로 전환

참고 *Final Check 부인과 34 page*

03

정상 월경주기에서 FSH 작용에 대하여 잘못 설명한 것은 무엇인가?

① Primordial follicle에는 FSH 수용체가 없다

② Preantral follicle의 granulosa cell의 FSH 수용체의 수를 증가시킨다

③ Preantral follicle의 granulosa cell LH 수용체를 유도한다

④ Follicular phase에서 FSH의 양이 점점 증가하여 dominant follicle을 성장시킨다

⑤ Granulosa cell의 세포분열을 촉진한다

03

정답 ④

해설

난포기의 내분비학적 변화

1. E2의 증가와 그에 따른 음성되먹임(negative feedback)에 의한 FSH 감소
2. 난포기 후반에는 estrogen의 양성되먹임(positive feedback)에 의한 LH surge 발생

참고 *Final Check 부인과 36 page*

04

배란 후 가장 먼저 나타나는 자궁의 조직학적 소견을 고르시오.

① Subnuclear vacuole

② Maximal secretion

③ Predecidual reaction

④ Stromal edema

⑤ Leukocyte infiltration

04

정답 ①

해설

핵하 소공(Subnuclear vacuole)

1. 배란 48시간 후 lipid와 glycogen이 풍부한 소공(vacuole)이 상피세포 기저부에 발현
2. 배란이 일어났다는 첫번째 징후

참고 *Final Check 부인과 38 page*

05

생리 주기에서 가장 늦게 나타나는 자궁내막의 조직학적 소견은 무엇인가?

① Subnuclear vacuoles

② Luminal vacuoles

③ Maximal stromal edema

④ Polymorphonuclear neutrophils

⑤ Decidualization

05

정답 ④

해설

백혈구 침윤(leukocytic infiltration)

1. Polymorphonuclear lymphocytes : 생리 전 증가
2. 간질의 탈락막화(decidualization) 유발
3. 월경 하루 전 국소적인 괴사와 출혈이 발생

참고 *Final Check 부인과 38 page*

06

생리가 28일로 규칙적인 여성에서 에스트로겐의 분비가 가장 증가해 있는 시기는 언제인가?

① 월경 직전　② 월경 직후
③ 중기 난포기　④ 배란 직전
⑤ 중기 황체기

07

월경 주기 중 자궁내막조직의 gland에서 subnuclear vacuole이 나타나는 시기는 언제인가?

① 12일　② 16일
③ 20일　④ 22일
⑤ 26일

06

정답 ④

해설

난포기(Follicular phase)

1. 우성난포의 형성과 배란이 일어나는 시기
2. 평균 기간 : 14~16일(젊은 여성)
3. 내분비학적 변화
   a. E2의 증가와 음성되먹임에 의한 FSH 감소
   b. 난포기 후반에는 estrogen의 양성되먹임에 의한 LH surge 발생

참고 *Final Check 부인과 36 page*

07

정답 ②

해설

핵하 소공(Subnuclear vacuole)

1. 배란 48시간 후 lipid와 glycogen이 풍부한 소공(vacuole)이 상피세포 기저부에 발현
2. 배란이 일어났다는 첫번째 징후

참고 *Final Check 부인과 38 page*

08

다음 그래프에서 화살표가 가리키는 것은 자궁내막의 조직학적 일자(dating of endometrium) 중 어떠한 것의 변화인가?

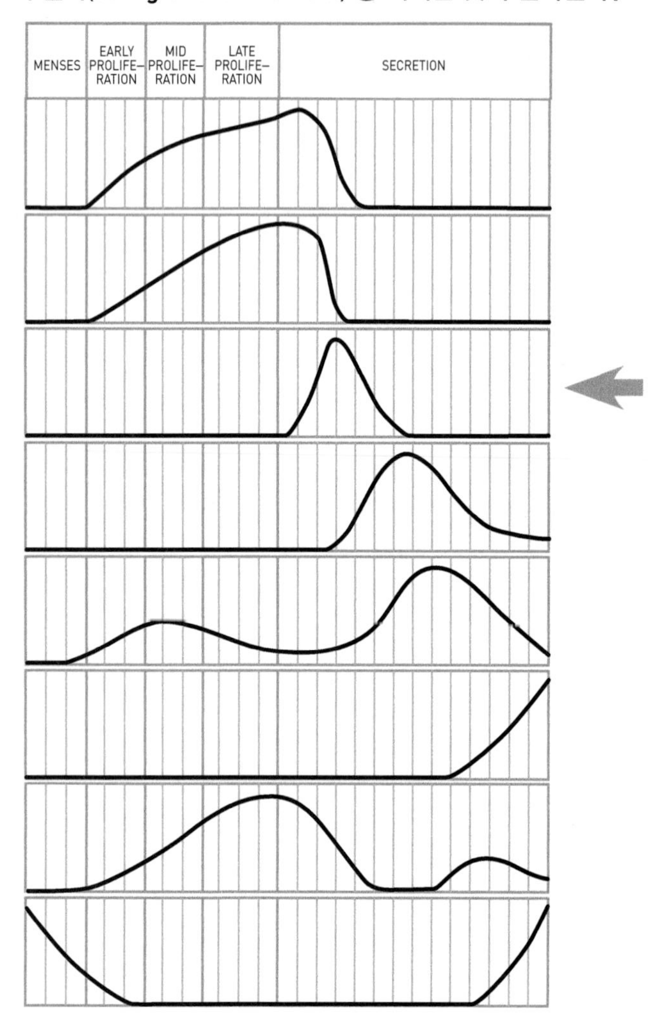

① Gland mitoses

② Basal vacuolation

③ Secretion

④ Pseudodecidual reaction

⑤ Stromal mitoses

08

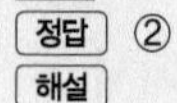

정답 ②

해설

그림 위에서부터 아래로

- Gland mitoses
- Pseudostratification of nuclei
- Basal vacuolation
- Secretion
- Stromal edema
- Pseudodecidual reaction
- Stromal mitoses
- Leucocytic infiltration

참고 *Final Check 부인과 37 page*

09

다음 초음파와 같은 시기의 주된 호르몬을 고르시오.

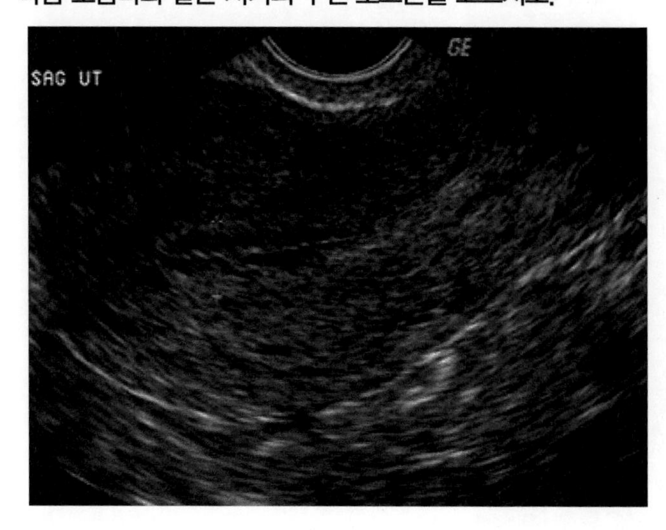

① Progesterone ② Estradiol
③ Prostaglandin ④ FSH
⑤ LH

09

정답 ②

해설

증식기(Proliferative phase)

1. Estrogen의 영향으로 기능층의 유사분열 증식
2. 자궁내막 분비선은 길고 굽은 형태로 성장
3. 기질(stroma)은 계속 밀도가 높고 치밀해짐
4. 혈관 구조는 매우 적음

참고 *Final Check 부인과 37 page*

10

다음 초음파에서 보이는 시기의 주된 호르몬을 아래 그래프에서 고르시오.

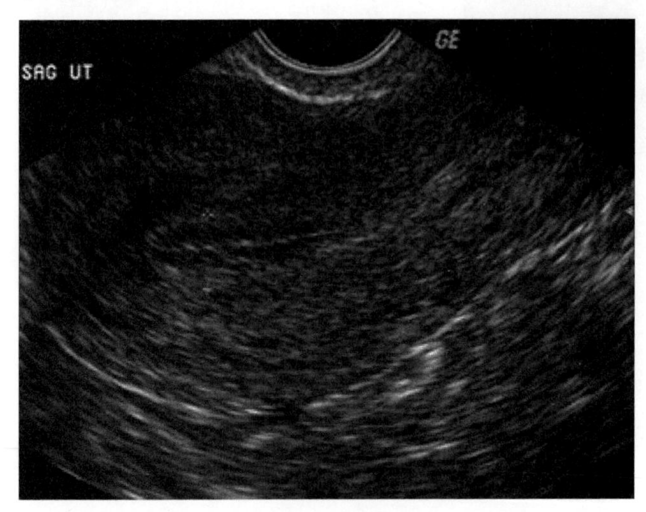

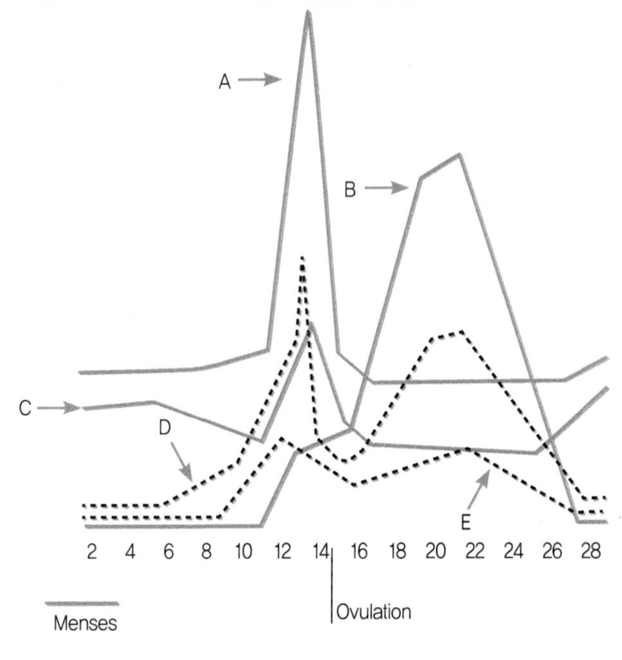

① A　② B
③ C　④ D
⑤ E

10
정답 ④
해설
A : LH
B : Progesterone
C : FSH
D : Estradiol
E : 17-OH Progesterone
참고 *Final Check 부인과 37 page*

11

월경 주기가 28일로 규칙적인 정상 여성에서 혈청 프로게스테론의 농도가 가장 높은 시기는 언제인가?

① Early follicular phase
② Late follicular phase
③ Ovulation
④ Mid luteal phase
⑤ Late luteal phase

11

정답 ④

해설

황체기(Luteal phase)

1. 배란부터 생리까지(황체 형성에서 소멸까지)
2. 평균 기간 : 14일
3. 내분비학적 변화
   a. Progesterone이 합성되며 황체기 중간 절정 (mid-luteal peak) 이후 점차 감소
   b. 황체기 후반에 FSH 증가

참고 *Final Check 부인과 36 page*

12

다음 중 Maximal secretion date는 언제인가?

① MCD 5~7
② MCD 10~12
③ MCD 14~16
④ MCD 21~23
⑤ MCD 26~28

12

정답 ④

해설

Maximal secretion date

1. 배란 후 6~7일이 지나면 분비선의 기능이 최고에 달하면서 배아 착상을 준비
2. MCD 21~23

참고 *Final Check 부인과 38 page*

13

다음 중 자궁에서 가장 많이 분비되는 prostaglandin은 무엇인가?

① PGI_2
② PGE_2
③ $PGF_{2\alpha}$
④ TXA_2
⑤ PGH_2

13

정답 ③

해설

$PGF_{2\alpha}$

1. Late secretory phase에 최고치
2. 수정란 착상 시 후 감소
3. 혈관수축 및 내막허혈 유발
4. 자궁근육 수축 유발

참고 *Final Check 부인과 39 page*

14

시상하부에서 분비되는 생식샘자극호르몬분비호르몬(GnRH)에 대한 내용으로 옳은 것은 무엇인가?

(가) 반감기가 매우 짧다
(나) 분비양상은 황체기에서 주기가 빨라지고 진폭이 커진다
(다) 생식샘자극호르몬의 생성과 분비를 자극한다
(라) 내인성 opioid는 GnRH의 분비를 촉진한다

① 가, 나, 다 ② 가, 다
③ 나, 라 ④ 라
⑤ 가, 나, 다, 라

14

정답 ②

해설

생식샘자극호르몬분비호르몬(GnRH)

1. 시상하부의 활꼴핵(arcuate nucleus)에서 분비
2. 반감기는 2~4분, LH로 간접 측정
3. 분비 빈도(frequency)
   a. 난포기 초기 : 약 1~2시간마다 분비, 배란 시기가 가까워 질수록 증가
   b. 황체기 : 난포기 초기보다 감소
4. 분비 강도(amplitude)
   a. 난포기 후기에 배란이 가까워질수록 증가
   b. 황체기에는 난포기보다 증가

참고 *Final Check 부인과 30 page*

15

생식샘자극호르몬분비호르몬(GnRH)에 대한 설명 중 잘못된 것을 모두 고르시오.

(가) 시상하부의 활꼴핵(arcuate nucleus)에서 분비된다
(나) 황체기(luteal phase) 때 난포기(follicular phase)보다 빈도와 강도가 크다
(다) 뇌하수체에 의해 feed-back inhibition을 받는다
(라) 지속적 분비에 의해 FSH, LH 분비를 촉진한다

① 가, 나, 다 ② 가, 다
③ 나, 라 ④ 라
⑤ 가, 나, 다, 라

15

정답 ③

해설

생식샘자극호르몬분비호르몬(GnRH)

1. 시상하부의 활꼴핵(arcuate nucleus)에서 분비
2. 반감기는 2~4분, LH로 간접 측정
3. 분비 빈도(frequency)
   a. 난포기 초기 : 약 1~2시간마다 분비, 배란 시기가 가까워 질수록 증가
   b. 황체기 : 난포기 초기보다 감소
4. 분비 강도(amplitude)
   a. 난포기 후기에 배란이 가까워질수록 증가
   b. 황체기에는 난포기보다 증가

참고 *Final Check 부인과 30 page*

16

난소와 난포의 성장과 기능에 대한 설명으로 올바른 것을 고르시오.

① 여성의 난소에서 난자의 수는 태생 초기부터 증가하기 시작하여 사춘기에 난자의 수가 가장 많아지면 그 후 점점 수가 감소한다

② 난소의 theca cell에서 LH의 작용으로 androgen이 만들어지며 이를 전구물질로 granulosa cell에서 FSH의 작용으로 estrogen이 만들어진다

③ 정자와 같이 하나의 난모세포에서 2회의 감수분열에 의해 4개의 성숙 난자가 형성된다

④ 일반적인 생리 주기에서 난자의 배란은 LH surge가 일어난 후 1시간 이내에 이루어진다

16

정답 ②

해설

2세포 2생식샘자극호르몬계

: 난포 발달에 의한 호르몬 생성 시 과립막세포와 난포막세포 두 종류의 세포와 난포자극호르몬과 황체형성호르몬 두 가지 생식샘자극호르몬을 이용하여 호르몬이 생성

참고 *Final Check 부인과 33 page*

17

다음은 난소의 steroid hormone 생성에 관한 이론에 대한 그림이다. (A), (B)에 알맞은 세포를 각각 쓰시오.

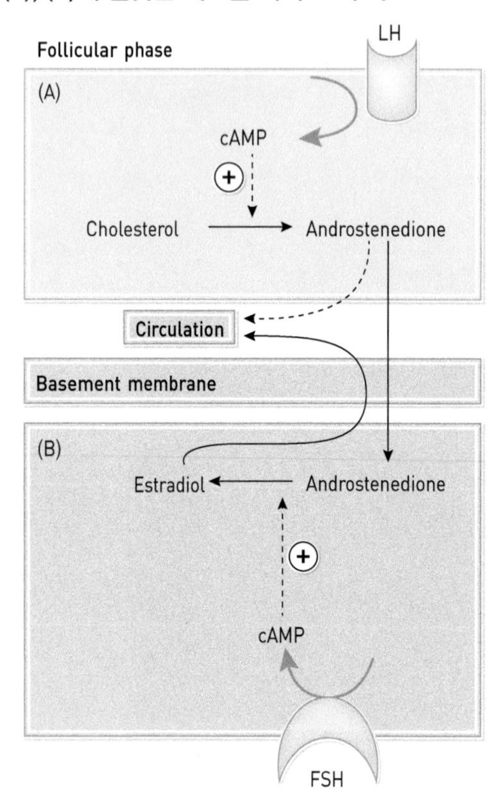

17

정답

(A) 난포막세포(Theca cell)

(B) 과립막세포(Granulosa cell)

해설

2세포 2생식샘자극호르몬계

(two-cell two-gonadotropin system)

참고 *Final Check 부인과 33 page*

18

다음은 gonadotropin에 대한 설명이다. 옳은 것을 모두 고르시오.

(가) hCG, TSH는 β-subunit은 같지만 α-subunit은 서로 다르다
(나) 생후 1년부터 사춘기 시작 직전까지 분비가 억제된다
(다) 계속적인 GnRH의 분비에 반응하여 간헐적으로 분비된다
(라) FSH는 8세경, LH는 10~12세경에 증가하기 시작한다

① 가, 나, 다 ② 가, 다
③ 나, 라 ④ 라
⑤ 가, 나, 다, 라

18
정답 ③
해설
1. hCG, TSH : α-subunit 동일, β-subunit 다름
2. 사춘기 전 GnRH에 뇌하수체는 반응 없음
3. GnRH에 의해 분비되므로 박동성 분비를 보임
4. FSH는 8세경, LH는 10~12세경 증가하기 시작

참고 *Final Check 부인과 32 page*

19

Sex steroid hormone과 이에 따른 자궁내막의 반응에 대한 기술 중 옳은 것을 모두 고르시오.

(가) 증식기에 시행한 양측 난소절제술 직후 나타나는 자궁출혈은 estrogen 변화에 의한 것이다
(나) Estrogen breakthrough 출혈의 형태는 급성 출혈이다
(다) Progesterone 소퇴성 출혈은 estrogen에 의해 증식된 자궁내막에서 나타난다
(라) Progesterone에 의한 출혈은 progesterone/estrogen ratio가 비정상적일 때 나타난다

① 가, 나, 다 ② 가, 다
③ 나, 라 ④ 라
⑤ 가, 나, 다, 라

19
정답 ⑤
해설
1. 증식기 이후 양측 난소절제술을 시행하면 상승되었던 estrogen이 자궁내막을 유지하는데 필요한 역치 이하로 감소되어 estrogen withdrawal bleeding이 발생
2. Estrogen breakthrough bleeding은 low dose estrogen은 간헐적 질 출혈을, high dose estrogen은 갑자기 많은 양의 출혈을 유발
3. Progesterone withdrawal bleeding은 estrogen에 의해 자궁내막이 증식되어 있을 때 corpus luteum의 제거, progesterone의 공급 중단 등 estrogen과 progesterone의 비율이 비정상이 되면 발생

참고 *Final Check 부인과 34 page*

20

다음 호르몬 곡선에서 C에 해당하는 호르몬을 고르시오.

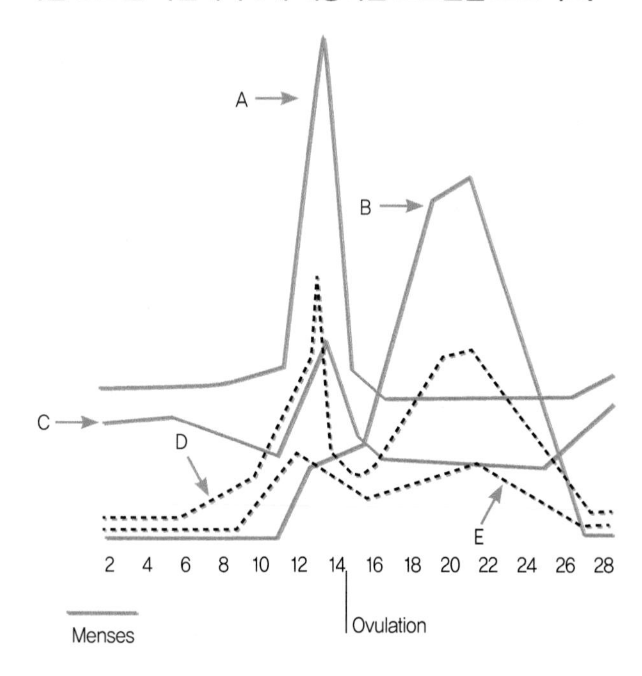

① LH ② Progesterone
③ FSH ④ Estradiol
⑤ Inhibin

20

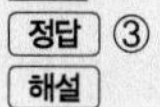

정답 ③

해설

A : LH
B : Progesterone
C : FSH
D : Estradiol
E : 17-OH Progesterone

참고 *Final Check 부인과 36 page*

21

다음 호르몬 곡선에서 (A)부터 (E)의 호르몬을 쓰시오.

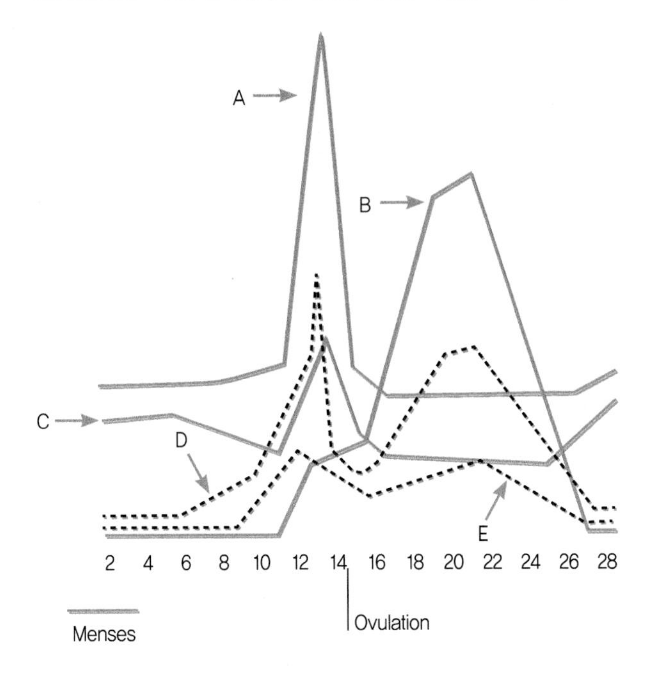

21

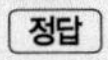

A : LH
B : Progesterone
C : FSH
D : Estradiol
E : 17-OH Progesterone

참고 *Final Check 부인과 36 page*

22

성 호르몬에 결합해서 호르몬의 작용을 비활성화 시키는 단백질을 쓰시오.(2가지)

22

정답

1. 성호르몬결합 글로불린(Sex hormone–binding globulin, SHBG)
2. 알부민(albumin)

참고 *Final Check 부인과 36 page*

CHAPTER 05

가족계획(Family planning)

01

다음 중 실패율이 가장 높은 피임법을 고르시오.

① 경구피임제

② 구리 자궁내장치(copper IUD)

③ Depot medroxyprogesterone acetate (DMPA)

④ 피임격막(diaphragm)

⑤ Levonorgestrel-IUS

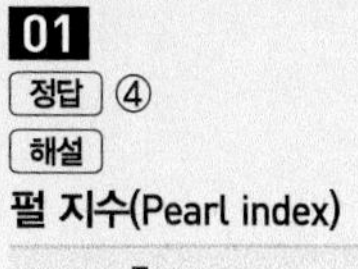

01

정답 ④

해설

펄 지수(Pearl index)

Types	Typical use	Perfect use
Combined OCs	8	0.3
Copper IUD	0.8	0.6
Depo-Provera	3	0.3
Diaphragm	16	6
LNG-IUS	0.1	0.1

참고 *Final Check 부인과 43 page*

02

다음 피임법 중 실패율이 가장 적은 방법을 고르시오.

① Combined oral contraceptive pills

② Levonorgestrel-IUS

③ Condom

④ Diaphragm

⑤ Tubal ligation

02

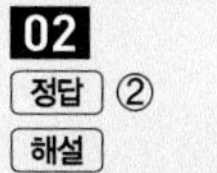

정답 ②

해설

펄 지수(Pearl index)

Types	Typical use	Perfect use
Combined OCs	8	0.3
LNG-IUS	0.1	0.1
Female condom	21	5
Male condom	15	2
Diaphragm	16	6
Tubal ligation	0.5	0.5

참고 *Final Check 부인과 43 page*

03

피임 방법으로 사용되는 날짜피임법의 이론적 근거를 모두 고르시오.

(가) 난자의 수정 가능 기간은 24시간을 넘지 못한다
(나) 정자의 생존 기간이 여성 생식기 내에서 4일 이상을 넘지 못한다
(다) 배란은 대개 다음 월경 전 14일에 일어난다
(라) 정상 월경 주기는 항상 28일이다

① 가, 나, 다 ② 가, 다
③ 나, 라 ④ 라
⑤ 가, 나, 다, 라

03

정답 ①

해설

날짜피임법의 이론

1. 난자의 수정 능력 : <24시간
2. 여성 생식기 내 정자의 생존기간 : <5~7일
3. 배란 : 다음 생리 예정일에서 약 14일 전

참고 *Final Check 부인과 56 page*

04

성전파성질환(sexually transmitted disease)을 예방할 수 있는 피임법을 모두 고르시오.

(가) Diaphragm
(나) Spermicide
(다) Condom
(라) Periodic abstinence

① 가, 나, 다 ② 가, 다
③ 나, 라 ④ 라
⑤ 가, 나, 다, 라

04

정답 ②

해설

차단피임법(barrier method)의 장점

1. 성전파성질환 위험성 감소
2. 자궁경부종양 위험성 감소(HPV 차단)
3. 사정 지연의 효과

참고 *Final Check 부인과 57 page*

05

콘돔 피임법의 장점을 모두 고르시오.

(가) 성병도 동시 방지 가능하다
(나) 남자의 성교감 높일 수 있다
(다) 조기 사정하는 남자에게 효과가 있다
(라) 피임실패율이 경구피임제와 비슷하다

① 가, 나, 다 ② 가, 다
③ 나, 라 ④ 라
⑤ 가, 나, 다, 라

06

구리 자궁내장치(Copper IUD)의 장점으로 옳은 것을 모두 고르시오.

(가) 삽입 시 자궁천공의 빈도가 낮다
(나) 생리 시 출혈량이 적다
(다) 한번 삽입하면 영구적이다
(라) 피임실패율이 낮다

① 가, 나, 다 ② 가, 다
③ 나, 라 ④ 라
⑤ 가, 나, 다, 라

05

정답 ②

해설

남성용 콘돔(male condom)

1. 장점
   a. 성전파성질환 위험성 감소
   b. 자궁경부종양 위험성 감소(HPV 차단)
   c. 사정 지연의 효과
2. 피임실패율 : 2~18% 정도

참고 *Final Check 부인과 57 page*

06

정답 ④

해설

Copper IUD

1. 삽입 시 자궁천공을 주의
2. 생리양, 생리통 증가
3. 사용기간 : 약 10년
4. 피임실패율 : 0.6% 정도

참고 *Final Check 부인과 48 page*

07

49세 여성이 미열과 복통을 주소로 내원하였다. 환자는 15년 전 자궁내피임장치를 하였으나 계속 사용 중이라고 하였다. 균 검사상 아래와 같은 소견이 관찰되었을 때 다음 처치로 가장 적합한 것을 고르시오.

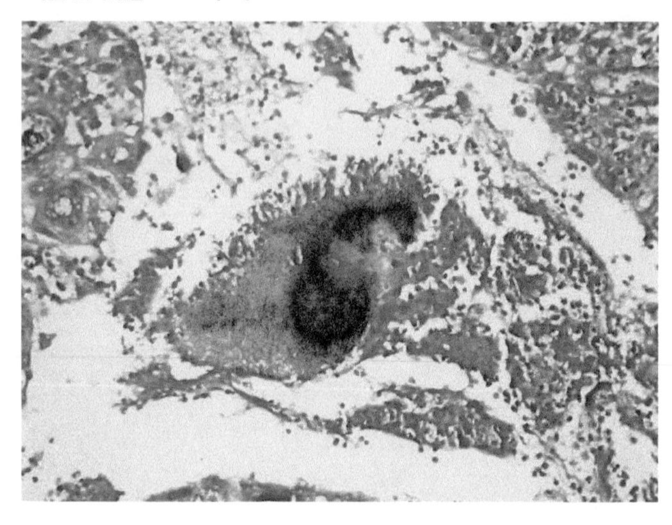

① 경과관찰　　② 항생제 치료
③ 방사선 치료　　④ 항암제 치료
⑤ 자궁절제술

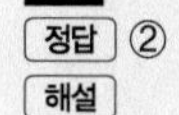

07

정답 ②

해설

방선균증(Actinomycosis)

1. 무증상 : IUD 유지, 항생제 치료 필요 없음
2. 감염 증상 : IUD 제거, 항생제 치료(penicillin G, ceftriaxone 등 그람 양성균에 유효)

참고 *Final Check 부인과 47 page*

08

60세 여자가 발열과 하복부 통증을 주소로 내원하였다. 골반 초음파상 자궁내장치가 있었고 다른 특이소견은 없었다. 균검사가 아래와 같이 확인되었을 때 다음 처치로 가장 적절한 것을 고르시오.

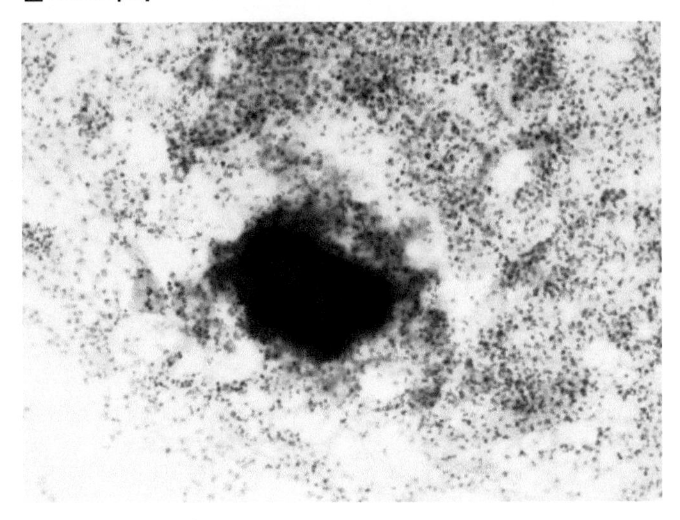

① 경과관찰 ② 자궁경부 생검
③ 자궁내장치 제거 ④ 자궁내막 생검
⑤ 진단적 복강경

08

정답 ③

해설

방선균증(Actinomycosis)

1. 무증상 : IUD 유지, 항생제 치료 필요 없음
2. 감염 증상 : IUD 제거, 항생제 치료(penicillin G, ceftriaxone 등 그람 양성균에 유효)

참고 *Final Check 부인과 47 page*

09

1년 전 자궁내장치를 삽입한 28세 여성이 건강검진을 위해 내원하였다. 골반검사는 정상이었고, 자궁경부세포진검사에서 방선균(actinomycosis)이 확인되었다. 다음 중 가장 적절한 처치는 무엇인가?

① 경과관찰 ② 자궁내장치 제거
③ 경구피임약으로 교체 ④ 자궁내막 조직검사 시행
⑤ 자궁절제술

09

정답 ①

해설

방선균증(Actinomycosis)

1. 무증상 : IUD 유지, 항생제 치료 필요 없음
2. 감염 증상 : IUD 제거, 항생제 치료(penicillin G, ceftriaxone 등 그람 양성균에 유효)

참고 *Final Check 부인과 47 page*

10

무월경 8주인 30세 여성이 내원하였다. 환자는 3년 전 피임을 위해 자궁내장치를 넣었는데 몇일 전 소변 임신검사에서 양성을 확인하였다. 초음파상 G-sac과 태아 심박동이 확인되었고, 자궁경부에서 자궁내장치의 실을 확인할 수 있었다. 다음 처치로 가장 적절한 것을 고르시오.

① Progesterone 투여

② 임신 유지가 어려움을 설명하고 D&C 시행

③ 경과관찰

④ IUD 제거

⑤ 항생제 투여

10

정답 ④

해설

자궁내장치 시술 후 임신

1. IUD 실이 보이는 경우 : 즉시 제거
2. IUD 실이 보이지 않는 경우
   a. 치료적 유산
   b. 초음파 유도 IUD 제거
   c. IUD를 놔둔 채 임신 유지

참고 *Final Check 부인과 47 page*

11

자궁내장치(IUD)가 있는 채로 임신된 경우의 설명으로 옳은 것을 고르시오.

① 자궁외임신은 배제된다

② 만약 실이 자궁경부를 통해 보여도 제거할 필요가 없다

③ 후기 유산(late abortion)이나 패혈증(sepsis)의 위험성은 낮다

④ 조기 진통의 위험성은 낮다

⑤ 선천 기형의 빈도가 증가한다는 보고는 없다

11

 ⑤

해설

1. IUD가 있어도 자궁 외 임신을 확인해야 함
2. IUD 실이 보이는 경우 즉시 제거
3. 패혈증 가능성 증가
4. 조산 가능성 증가
5. 선천성 기형은 증가하지 않음

참고 *Final Check 부인과 47 page*

12

분만력 1-0-1-1인 31세 여성이 자궁내피임장치를 지닌 채 임신 6주로 확인되어 내원하였다. 질경검사 시 자궁내피임장치의 실(string)이 관찰되었다. 환자가 임신 지속을 원할 경우 가장 적절한 처치를 고르시오.

① 패혈성 유산(septic abortion)의 위험이 매우 높으므로 즉시 소파술을 시행한다
② Progesterone을 투여하여 유산의 위험을 방지한다
③ 결국은 자연 유산이 될 것이므로 그때가지는 특별한 조치가 불필요하다
④ 자궁내피임장치를 제거한다
⑤ 항생제를 투여하고, 자궁내피임장치는 임신 제2삼분기에 제거한다

12

정답 ④

해설

자궁내장치 시술 후 임신

1. IUD 실이 보이는 경우 : 즉시 제거
2. IUD 실이 보이지 않는 경우
   a. 치료적 유산
   b. 초음파 유도 IUD 제거
   c. IUD를 놔둔 채 임신 유지

참고 *Final Check 부인과 47 page*

13

자궁내장치를 삽입한 여성에서 임신이 확인되었을 때 할 수 있는 처치를 쓰시오.

13

정답

1. IUD 실이 보이는 경우 즉시 제거
2. 치료적 유산
3. 초음파 유도 IUD 제거
4. IUD를 놔둔 채 임신 유지

해설

자궁내장치 시술 후 임신

1. IUD 실이 보이는 경우 : 즉시 제거
2. IUD 실이 보이지 않는 경우
   a. 치료적 유산
   b. 초음파 유도 IUD 제거
   c. IUD를 놔둔 채 임신 유지

참고 *Final Check 부인과 47 page*

14

IUD를 사용하고 있는 29세 여성이 무월경 6주를 주소로 내원하였다. 시행한 검사상 임신 6주임이 확인되었고 임신의 유지를 환자가 원할 때 올바른 처치를 서술하시오.

14

정답

1. 초음파를 시행하여 IUD 위치를 확인
2. 자궁저부에 위치하면 그대로 두고, 다른 곳이면 초음파 유도하 제거 시도
3. 감염 증상 동반 시 즉시 항생제 치료와 함께 태아 및 자궁내장치의 배출 시행

참고 *Final Check 부인과 47 page*

15

피임을 위해 자궁내장치를 삽입한 여성에서 임신이 확인 되었을 경우, 이것을 제거하지 못했을 때 증가하는 합병증을 쓰시오.(3가지)

15

정답

1. 패혈성 유산
2. 조기 양막파수
3. 조산

해설

자궁내장치의 임신에 대한 영향

1. 패혈성 유산, 조기 양막파수, 조산 가능성 증가
2. 선천성 기형은 증가하지 않음

참고 *Final Check 부인과 47 page*

16

다음 중 구리 자궁내장치(Copper IUD)를 사용할 수 있는 경우를 고르시오.

① 산욕기 자궁내막염
② 자궁기형
③ Wilson's disease
④ 1개월 전 골반염
⑤ 만성 고혈압

16

정답 ⑤

해설

자궁내장치(IUD)의 금기증

1. 임신(pregnancy)
2. 산욕기 패혈증(puerperal sepsis)
3. 최근 3개월 이내의 골반염의 과거력
4. 자궁내막암 또는 자궁경부암
5. 원인불명의 질 출혈
6. Copper allergy, Wilson's disease
7. 자궁기형(uterine anomaly)

참고 *Final Check 부인과 45 page*

17

33세 미혼 여성이 피임을 원하여 내원하였다. 평소 생리통이 심하고, 1개월 전 골반염으로 치료한 과거력 있었다. 이 환자에게 가장 적절한 피임법은 무엇인가?

① 살정제
② 생리주기조절법
③ 경구피임약
④ Copper IUD
⑤ LNG-IUS

17

정답 ③

해설

경구피임제의 피임이외의 이점

1. 생리양 감소
2. 생리통 개선
3. 1개월 전 골반염의 기왕력 → IUD 금기증

참고 *Final Check 부인과 54 page*

18

자궁내장치(IUD)의 금기증을 열거하시오.(3가지)

18

정답

1. 임신(pregnancy)
2. 산욕기 패혈증(puerperal sepsis)
3. 최근 3개월 이내의 골반염의 과거력
4. 자궁내막암 또는 자궁경부암
5. 원인불명의 질 출혈
6. Copper allergy, Wilson's disease
7. 자궁기형(uterine anomaly)

참고 *Final Check 부인과 45 page*

19

Copper IUD를 사용하고 있는 여성에서 월경과다가 생기는 원인에 대하여 서술하시오.

19

정답

지속적인 금속(metal)의 분비로 인한 염증(inflammation) 형성

참고 *Final Check 부인과 45 page*

20

다음 중 자궁내장치(IUD)에 대한 설명으로 틀린 것을 고르시오.

① 질염(vaginitis)이 있을 경우는 IUD를 제거하지 않아도 된다

② 골반통에는 NSAIDs를 써도 효과가 없다

③ IUD 삽입 시 예방적 항생제는 필요 없다

④ Embryo의 착상을 방해한다

⑤ 가장 흔한 부작용은 생리통과 생리과다이다

20

정답 ②

해설

IUD 삽입 후 생기는 증상

1. 출혈, 골반통 : 처음 몇 개월 동안 가장 흔함
2. 조절
   a. 출혈 : Progynova, Provera, Tranexamic acid, Combined OCs
   b. 골반통 : NSAIDs

참고 *Final Check 부인과 48 page*

21

37세의 기혼 여성이 생리과다를 주소로 내원하였다. 환자는 현재 흡연을 하고 있고, 빈혈이 있는 상태이다. 이 여성의 가장 적절한 피임 방법은 무엇인가?

① 살정제
② 콘돔
③ 경구피임약
④ Copper IUD
⑤ LNG-IUS

21

정답 ⑤

해설

Levonorgestrel-IUS (LNG-IUS)

1. 자궁내막을 얇게 하여 생리양이 감소
2. 빈혈, 생리과다증, 생리통, 생리전증후군에 치료목적으로 사용
3. 35세 이상, 흡연 → 경구피임약 금기증

참고 *Final Check 부인과 45, 54 page*

22

35세의 기혼 여성이 6개월간의 생리과다를 주소로 내원하였다. 시행한 초음파상 특이소견은 없었고, 혈액 검사상 Hb 10.5 g/dL로 확인되었다. 이 환자는 1년 전 유방암으로 치료를 받았고 현재 흡연을 하고 있다면 가장 적절한 치료는 무엇인가?

① Tibolone
② Mirena
③ NSIAD
④ Combined OC
⑤ Progesterone

22

정답 ②

해설

Levonorgestrel-IUS (LNG-IUS)

1. 자궁내막을 얇게 하여 생리양이 감소
2. 빈혈, 생리과다증, 생리통, 생리전증후군에 치료목적으로 사용
3. 35세 이상, 흡연, 유방암 과거력 → 경구피임약 금기증

참고 *Final Check 부인과 45, 54 page*

23

골반통과 성교통을 호소하는 28세 여성이 피임을 원하여 내원하였다. 생리는 규칙적이었으나 양이 매우 많았고 평소 하루 한 갑 정도 흡연을 하였으며 정맥혈전증의 과거력이 있었다. 초음파 검사상 자궁선근증이 의심되었다면 이 여성에게 가장 적합한 피임 방법은 무엇인가?

① Diaphragm
② Levonorgestrel-IUS
③ Copper IUD
④ Oral pills
⑤ Raloxifene

23

정답 ②

해설

Levonorgestrel-IUS (LNG-IUS)

1. 자궁내막을 얇게 하여 생리양이 감소
2. 빈혈, 생리과다증, 생리통, 생리전증후군에 치료목적으로 사용
3. 흡연, 정맥혈전증 → 경구피임약 금기증

참고 *Final Check 부인과 45, 54 page*

24

분만력 3-0-1-2인 35세 여성이 피임 상담을 위해 내원하였다. 환자는 특별한 이상소견은 없었으나 현재 당뇨병으로 치료를 받고 있다고 하였다. 다음 중 가장 적절한 피임 방법은 무엇인가?

① 경구피임약 ② 자궁내장치(IUD)
③ 콘돔 ④ 생리주기조절법
⑤ 황체호르몬 주사

24

정답 ③

해설

호르몬과 당 대사(Glucose metabolism)

1. Estrogen : 당 대사에 영향 없음
2. Progestin : Insulin을 방해하는 항인슐린작용(고용량인 경우 영향이 있음)
3. 당뇨 환자의 피임 : 경구피임제 보다는 자궁내장치(IUD)가 적합

참고 *Final Check 부인과 52 page*

25

35세 여성이 1개월 전 피임을 위하여 levonorgestrel-IUS를 삽입하였다. 이후 지속적인 부정출혈이 발생하였고 시행한 골반 초음파상 난소와 자궁에는 특이소견이 없었다. 이 환자에게 올바른 처치는 무엇인가?

① Tamoxifen ② NSAIDs
③ Progestin ④ Aromatase inhibitor
⑤ GnRH agonist

25

정답 ②

해설

자궁내장치 삽입 후 출혈과 골반통의 조절

1. 자궁내장치가 있는지 확인
2. 약물 처방
   a. Estradiol valerate
   b. Medroxyprogesterone acetate
   c. Tranexamic acid
   d. Combined oral contraceptive pills
   e. NSAIDs

참고 *Final Check 부인과 48 page*

26

자녀를 3명 둔 33세 기혼 여성이 5일 전 콘돔 없이 성관계를 가진 후 피임을 위해 내원하였다. 다음 중 이 여성에게 가장 적절한 방법을 고르시오.

① 살정제 ② Danazol
③ 구리 IUD ④ 복합 경구피임제
⑤ LNG-IUS

26

정답 ③

해설

구리 자궁내장치(Copper IUD)

1. 수정란의 착상을 방해
2. 성교 후 7일 이내에 사용이 권장
   a. 5일 이내에 사용하면 피임실패율 0.1%
   b. 7일 이후에 사용해도 낮은 피임실패율

참고 *Final Check 부인과 59 page*

27

30세 여성이 피임없이 성관계 후 6일만에 피임 상담을 위해 내원하였다. 다음 중 이 환자에게 가장 적절한 치료는 무엇인가?

① Copper IUD
② Levonorgestrel-IUS
③ High dose estrogen
④ Combined OC
⑤ Progestin-only implant

27
정답 ①
해설
구리 자궁내장치(Copper IUD)
1. 수정란의 착상을 방해
2. 성교 후 7일 이내에 사용이 권장
   a. 5일 이내에 사용하면 피임실패율 0.1%
   b. 7일 이후에 사용해도 낮은 피임실패율

참고 *Final Check 부인과 59 page*

28

26세 여자가 6일 전에 성폭행 피해를 당한 후 피임을 위해 내원하였다. 다음 중 가장 올바른 처치는 무엇인가?

① Ethinyl estradiol 50 μg + megestrol acetate 0.5 mg 주고, 12시간 후 한 번 더 투약한다
② Danazol 200 mg을 한 번 투약한다
③ Cooper IUD를 삽입한다
④ Conjugated estrogen 5 mg을 5일 동안 투여한다
⑤ LNG-IUS를 삽입한다

28
정답 ③
해설
구리 자궁내장치(Copper IUD)
1. 수정란의 착상을 방해
2. 성교 후 7일 이내에 사용이 권장
   a. 5일 이내에 사용하면 피임실패율 0.1%
   b. 7일 이후에 사용해도 낮은 피임실패율

참고 *Final Check 부인과 59 page*

29

다음 중 구리 자궁내장치(copper IUD)와 Mirena의 공통적인 부작용을 고르시오.

① 고혈압
② 부정출혈
③ 담석 질환
④ 정맥혈전증
⑤ 기능성 낭종

29
정답 ②
해설
IUD 삽입 후 통증 및 출혈
1. 가장 흔한 증상으로 주로 삽입 직후 발생
2. NSAIDs를 쓰면 6개월 이내에 호전

참고 *Final Check 부인과 46 page*

30

35세의 여성이 피임을 위해 구리 자궁내장치를 넣은 후 6개월이 되어 추적검사를 위해 외래로 내원하였다. 질경 검사상 자궁경부에서 실이 보이지 않았다면 다음 단계에서 시행할 검사로 가장 적절한 것은 무엇인가?

① 초음파 검사
② KUB
③ Laparoscopy
④ Hysterosalpingography
⑤ Laparotomy

30

정답 ①

해설

IUD의 분실

1. 삽입 후 첫 달에 자궁에서의 배출이 흔히 발생
2. 실이 보이지 않을 경우 초음파 및 방사선 검사 시행
3. 복강 내 위치할 경우 복강경으로 제거 시도

참고 *Final Check 부인과 46 page*

31

40세 여성이 건강 검진을 위해 내원하였다. 환자는 3년 전 IUD를 삽입하였다고 했지만 질경 검사 상 자궁경부에서 IUD의 실이 관찰되지 않았다. 초음파 검사를 시행하였으나 자궁강 및 자궁근층에서 음영 증가가 관찰되지 않았다. 다음으로 시행할 검사로 가장 적절한 것을 고르시오.

① KUB
② 복부 초음파
③ 복부 골반 CT
④ 진단적 복강경
⑤ 시험적 개복술

31

정답 ①

해설

IUD의 분실

1. 삽입 후 첫 달에 자궁에서의 배출이 흔히 발생
2. 실이 보이지 않을 경우 초음파 및 방사선 검사 시행
3. 복강 내 위치할 경우 복강경으로 제거 시도

참고 *Final Check 부인과 46 page*

32

복합 경구피임제의 작용 기전을 모두 고르시오.

(가) 배란 억제
(나) 정자의 자궁경부 통과 방지
(다) 자궁내막에서 수정란 착상 방지
(라) 난관의 운동 촉진

① 가, 나, 다 ② 가, 다
③ 나, 라 ④ 라
⑤ 가, 나, 다, 라

33

다음 중 경구피임제의 시작에 가장 적절한 시기를 고르시오.

① 생리 시작일 ② 성교 전
③ 성교 후 ④ 생리 시작 5일째
⑤ 생리 주기의 중간

34

다음 중 경구피임제의 절대 금기증인 경우를 고르시오.

① Thromboembolism ② Asthma
③ Varicose vein ④ Depression
⑤ Mild hypertension

32

정답 ①

해설

복합 경구피임제의 작용 기전

1. GnRH의 분비 억제를 통한 배란 차단
2. 자궁경부 점액을 변화시켜 정자 통과를 방해
3. 자궁내막을 위축시켜 수정란의 착상을 방지

참고 *Final Check 부인과 52 page*

33

정답 ①

해설

복합 경구피임제의 복용방법

1. 생리 첫날 복용 시작
2. 21일간 복용하고 7일간 중단
3. 생리 중단 여부에 관계없이 8일째부터 다시 복용을 시작
4. 소퇴성 출혈을 줄이기 위해 24일간 복용, 4일간 중단하는 제제도 존재

참고 *Final Check 부인과 51 page*

34

정답 ①

해설

경구피임약의 절대적 금기증

1. 임신 중 또는 분만 후 21일 이내
2. 35세 이상의 흡연자(하루 15개피 이상)
3. 활동성 유방암
4. 고혈압(수축기 ≥160 or 이완기 ≥100)
5. 심혈관질환의 위험요소가 여러 가지인 경우
6. 심부정맥혈전증, 폐색전증, 혈전성향
7. 합병증이 동반된 판막성 심장병
8. 수술 후 장기간 활동할 수 없는 경우
9. 간경화, 급성 활동성 간염, 간종양
10. 허혈성 심장질환, 뇌혈관질환
11. 전조증상이 있는 편두통
12. 전신홍반루프스

참고 *Final Check 부인과 54 page*

35

다음 중 경구피임약의 절대 금기증에 해당하는 것을 모두 고르시오.

(가) 혈전정맥염이 있는 여성
(나) 간기능이 매우 좋지 않은 여성
(다) 진단이 확실하지 않은 비정상적인 질 출혈이 있는 여성
(라) 유방암이 의심되는 여성

① 가, 나, 다 ② 가, 다
③ 나, 라 ④ 라
⑤ 가, 나, 다, 라

35

정답 ⑤

해설

경구피임약의 절대적 금기증

1. 임신 중 또는 분만 후 21일 이내
2. 35세 이상의 흡연자(하루 15개피 이상)
3. 활동성 유방암
4. 고혈압(수축기 ≥160 or 이완기 ≥100)
5. 심혈관질환의 위험요소가 여러 가지인 경우
6. 심부정맥혈전증, 폐색전증, 혈전성향
7. 합병증이 동반된 판막성 심장병
8. 수술 후 장기간 활동할 수 없는 경우
9. 간경화, 급성 활동성 간염, 간종양
10. 허혈성 심장질환, 뇌혈관질환
11. 전조증상이 있는 편두통
12. 전신홍반루프스

참고 *Final Check 부인과 54 page*

36

다음 중 경구피임제의 절대적 금기증을 고르시오.

① 난소의 기형종
② 원인을 알 수 없는 질 출혈
③ 140/90 mmHg의 고혈압
④ 천식
⑤ 두통

36

정답 ②

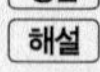
해설

경구피임약의 절대적 금기증

1. 임신 중 또는 분만 후 21일 이내
2. 35세 이상의 흡연자(하루 15개피 이상)
3. 활동성 유방암
4. 고혈압(수축기 ≥160 or 이완기 ≥100)
5. 심혈관질환의 위험요소가 여러 가지인 경우
6. 심부정맥혈전증, 폐색전증, 혈전성향
7. 합병증이 동반된 판막성 심장병
8. 수술 후 장기간 활동할 수 없는 경우
9. 간경화, 급성 활동성 간염, 간종양
10. 허혈성 심장질환, 뇌혈관질환
11. 전조증상이 있는 편두통
12. 전신홍반루프스

참고 *Final Check 부인과 54 page*

37

27세 여성이 피임 상담을 위해 내원하였다. 여성은 간헐적으로 눈앞이 번쩍거리는 증상이 있는 편두통이 있었고, 가족력상 외할머니는 최근 유방암으로 치료 중이고, 오빠는 5년 전 당뇨로 진단받고 치료 중이다. 위 병력 중에서 경구피임제 복용 시 그 위험성이 가장 증가되는 것은 무엇인가?

① 편두통　② 유방암
③ 당뇨　④ 심장 질환
⑤ 위험성 증가 없음

37
정답 ①
해설
경구피임약의 절대적 금기증
1. 임신 중 또는 분만 후 21일 이내
2. 35세 이상의 흡연자(하루 15개피 이상)
3. 활동성 유방암
4. 고혈압(수축기 ≥160 or 이완기 ≥100)
5. 심혈관질환의 위험요소가 여러 가지인 경우
6. 심부정맥혈전증, 폐색전증, 혈전성향
7. 합병증이 동반된 판막성 심장병
8. 수술 후 장기간 활동할 수 없는 경우
9. 간경화, 급성 활동성 간염, 간종양
10. 허혈성 심장질환, 뇌혈관질환
11. 전조증상이 있는 편두통
12. 전신홍반루프스

참고 *Final Check 부인과 54 page*

38

36세 여성이 피임 상담을 위해 내원하였다. 과거력상 1개월 전 골반염을 치료했고, 평소 하루에 한 갑씩 담배를 피운다고 하였다. 이 여성에게 가장 적합한 피임 방법은 무엇인가?

① Copper IUD
② LNG-IUS
③ Oral contraceptives
④ Medroxyprogesterone acetate
⑤ GnRH agonist

38
정답 ④
해설
프로게스틴 단일 제제의 금기증
1. 절대 금기증 : 현재의 유방암, 임신
2. 혈전증, 편두통, 35세 이상의 흡연자 등 심혈관 질환의 위험성이 있는 경우나 수유 중에도 사용 가능
3. 우울증이 있는 경우 처방 후 추적관찰 필요

참고 *Final Check 부인과 50 page*

39

다음 중 복합 경구피임제의 장기 복용 시 위험성이 증가하는 것을 고르시오.

① 담관암(cholangiocarcinoma)

② 간혈관종(hepatic hemangioma)

③ 간세포암(hepatocellular carcinoma)

④ 간샘종(hepatic adenoma)

⑤ 간내결석(intrahepatic stone)

39

정답 ④

해설

경구피임제와 간종양(hepatic tumor)

1. 양성 선종(benign adenoma) : 발생 위험도 증가, 피임제 중단 시 감소
2. 악성 종양과의 관계는 없음
3. 급 · 만성 간염의 경과, 간경화의 진행, 만성 간염에서 간암의 발생, B형 간염 보균자에서 간기능에 대한 영향은 없음

참고 *Final Check 부인과 53 page*

40

분만력 0-0-0-0인 27세 기혼 여성이 약 3년간 피임을 하려고 산부인과를 방문하였다. 신장 165 cm, 체중 50 kg, 특별한 과거력은 없었고 전체적인 신체 발육에도 이상 소견이 없었다. 이 기혼 여성에서 가장 적절하고 효과적인 피임 방법을 고르시오.

① 자궁내장치　　② 경구피임약

③ 콘돔　　④ 살정제

⑤ 날짜피임법

40

정답 ①

해설

LNG-IUS

1. 사용기간 : Mirena, Kyleena 5년, Jaydess 3년
2. 피임실패율 : 0.2%
3. 자궁외임신 : 감소
4. 생리양, 생리통 : 감소

참고 *Final Check 부인과 48 page*

41

다음 중 혼합 경구피임제에 대한 설명으로 옳은 것을 고르시오.

① 원인불명의 질 출혈 시 사용할 수 있다

② 유방암의 과거력이 있는 환자에겐 금기가 되며, 유방암의 위험도도 증가시킨다

③ 하루 한갑 이상의 흡연 중인 35세 이상 여성은 주의하여 사용해야 한다

④ 위험인자 없이 조절되는 고혈압 환자에게는 소량의 경구피임제를 사용할 수 있다

⑤ 당뇨 환자는 혈관 합병증이 없어도 경구피임제를 사용해서는 안 된다

41

정답 ④

해설

경구피임약의 절대적 금기증

1. 임신 중 또는 분만 후 21일 이내
2. 35세 이상의 흡연자(하루 15개피 이상)
3. 활동성 유방암
4. 고혈압(수축기 ≥160 or 이완기 ≥100)
5. 심혈관질환의 위험요소가 여러 가지인 경우
6. 심부정맥혈전증, 폐색전증, 혈전성향
7. 합병증이 동반된 판막성 심장병
8. 수술 후 장기간 활동할 수 없는 경우
9. 간경화, 급성 활동성 간염, 간종양
10. 허혈성 심장질환, 뇌혈관질환
11. 전조증상이 있는 편두통
12. 전신홍반루프스

참고 *Final Check 부인과 54 page*

42

복합 경구피임제(combination OCs)의 피임 이외의 작용이 아닌 것은 무엇인가?

① 월경통 감소
② 대장암 감소
③ 자궁근종 감소
④ 난소암 감소
⑤ 유방암 감소

42

정답 ⑤

해설

복합 경구피임제의 피임 이외의 건강상 이점

1. 골밀도 증가
2. 생리양 감소 및 빈혈 예방
3. 자궁외임신 예방
4. 자궁내막증으로 인한 생리통 개선
5. 생리전증후군 예방
6. 자궁내막암과 난소암 예방
7. 양성 유방질환 예방
8. 다모증과 여드름 호전
9. 난관염 예방
10. 죽상경화증 발생 예방
11. 류마티스관절염 개선

참고 *Final Check 부인과 54 page*

43

다음 중 복합 경구피임약 복용 시 부가적으로 위험도를 낮출 수 있는 종양은 무엇인가?

① 외음부암 ② 유방암
③ 자궁경부암 ④ 난소암
⑤ 간종양

43

정답 ④

해설

복합 경구피임제의 피임 이외의 건강상 이점

1. 골밀도 증가
2. 생리양 감소 및 빈혈 예방
3. 자궁외임신 예방
4. 자궁내막증으로 인한 생리통 개선
5. 생리전증후군 예방
6. 자궁내막암과 난소암 예방
7. 양성 유방질환 예방
8. 다모증과 여드름 호전
9. 난관염 예방
10. 죽상경화증 발생 예방
11. 류마티스관절염 개선

참고 *Final Check 부인과 54 page*

44

복합 경구피임약의 피임 이외의 이점을 열거하시오.(3가지)

44

정답

1. 골밀도 증가
2. 생리양 감소 및 빈혈 예방
3. 자궁외임신 예방
4. 자궁내막증으로 인한 생리통 개선
5. 생리전증후군 예방
6. 자궁내막암과 난소암 예방
7. 양성 유방질환 예방
8. 다모증과 여드름 호전
9. 난관염 예방
10. 죽상경화증 발생 예방
11. 류마티스관절염 개선

참고 *Final Check 부인과 54 page*

45

혼합 경구피임제가 발병 가능성을 낮추는 부인과 종양을 쓰시오.(2가지)

45

정답
1. 자궁내막암
2. 난소암

해설
경구피임약 복용으로 감소하는 여성암
1. 자궁내막암(Endometrial cancer)
2. 난소암(Ovarian cancer)

참고 *Final Check 부인과 54 page*

46

다음 중 경구피임약과 함께 복용하였을 때 효과를 떨어뜨리는 약물이 아닌 것은 무엇인가?

① Rifampin ② Efavirenz
③ Phenytoin ④ Acetaminophen
⑤ Primidone

46

정답 ④

해설
경구피임약의 효과를 감소시키는 약물
1. 항결핵약 : rifampin, rifabutin
2. 후천성 면역결핍증 치료제 : efavirenz, ritonavir–boosted protease inhibitors
3. 항경련제 : phenytoin, carbamazepine, oxcarbazepine, barbiturates, primidone, topiramate

참고 *Final Check 부인과 54 page*

47

복합 경구피임제의 부작용과 그에 대한 처치로 옳은 것은 무엇인가?

① 소퇴성 질 출혈 - 복용 중단
② 오심 - 고용량 에스트로겐이 함유된 피임제로 교체
③ 유방통 - 프로게스테론 작용이 강한 피임제로 교체
④ 체중 증가 - 고용량 에스트로겐으로 교체
⑤ 여드름 - 1세대 프로게스틴이 포함된 피임제로 교체

47

정답 ③

해설
피임약 부작용 대응법
1. 대개 몇 주기(cycle)가 지나면 호전
2. 유방통 : High potency progestin OCs로 교체
3. 오심 : Ethinyl estradiol 용량을 낮춰 사용
4. 체중 증가, 여드름 : Drospirenone/EE로 교체

참고 *Final Check 부인과 54 page*

48

경구피임약 복용 후 유방 압통이 있을 때 처치를 서술하시오.

48

정답

High progestin potency를 가진 피임약으로 교체

참고 *Final Check 부인과 54 page*

49

복합 경구피임제를 복용 중인 여성이 임신을 확인 후 내원하였다. 다음 중 이 환자에 대한 상담 내용으로 잘못된 것은 무엇인가?

① 복용을 중단한다

② 임신 중 합병증은 증가하지 않는다

③ 선천성 기형이 증가한다

④ 태아에게 영향을 주지 않는다

⑤ 자궁외임신 등을 자세히 확인해야 한다

49

정답 ③

해설

임신 초기 피임약의 복용

1. 즉시 복용 중단
2. 최근 연구에서는 피임제가 태아에게 무해하다고 보고

참고 *Final Check 부인과 53 page*

50

24세 여성이 복합 경구피임약 복용 중 어제 하루를 잊어버리고 안 먹어 불안해하며 상담을 위해 내원하였다. 상담 내용으로 올바른 것을 모두 고르시오.

(가) 괜찮다고 설명하고 다음 복용 시기에 복용하면 된다고 안심시킨다
(나) 소퇴성 출혈이 있을 수 있다고 설명한다
(다) 예방적 자궁소파술이 필요함을 설명한다
(라) 오늘 두 알을 복용하라고 한다

① 가, 나, 다 ② 가, 다
③ 나, 라 ④ 라
⑤ 가, 나, 다, 라

50

정답 ③

해설

피임약 한 알을 잊어버리고 안 먹었을 때

1. 고용량의 단상성(monophasic) 복합 경구피임제라면 다음날 두 알을 복용하고 그 다음 정제도 예정대로 복용
2. 소량의 파탄성 출혈이 발생 가능

참고 *Final Check 부인과 51 page*

51

Low dose oral contraceptive pill 사용 시 나타나는 효과를 고르시오.

① Cerebral stroke 증가
② LDL 증가
③ HDL 감소
④ Thrombosis 증가
⑤ Myocardial infarction 증가

51

정답 ④

해설

복합 경구피임제의 효과

1. Venous thrombosis, thromboembolism의 발생 위험도 증가(에스트로겐의 용량에 따라 혈액응고경향이 증가)
2. Estrogen : LDL 감소, HDL 증가, Triglyceride 증가
3. 심장 질환과 뇌졸중 : 저용량 경구피임약에서 발생 위험도 매우 낮음

참고 *Final Check 부인과 52 page*

52

복합 경구피임제 복용으로 정맥혈전증(venous thrombosis)의 위험성이 증가하지 않는 경우를 고르시오.

① Protein C deficiency

② Antithrombin III deficiency

③ Protein S deficiency

④ Prothrombin deficiency

⑤ ITP

52

정답 ⑤

해설

복합 경구피임약과 혈전성향증(Thrombophilia)

1. Antithrombin III, protein C, protein S의 부족 : Estrogen 치료와 임신 시 thrombosis의 위험률이 매우 높음(very high risk)
2. Factor V Leiden mutation, Prothrombin gene mutation : 위험이 더 증가

참고 *Final Check 부인과 52 page*

53

30세 여성이 피임 상담을 위해 내원하였다. 여성은 2개월 전 골반염의 과거력이 있었고, 현재 흡연을 하고 있다. 다음 중 가장 적절한 피임 방법을 고르시오.

① Copper-IUD

② LNG-IUS

③ 경구피임약

④ GnRH agonist

⑤ Depot medroxyprogesterone acetate (DMPA)

53

정답 ⑤

해설

프로게스틴 단일 제제의 금기증

1. 절대 금기증 : 현재의 유방암, 임신
2. 혈전증, 편두통, 35세 이상의 흡연자 등 심혈관 질환의 위험성이 있는 경우나 수유 중에도 사용 가능
3. 우울증이 있는 경우 처방 후 추적관찰 필요

참고 *Final Check 부인과 50 page*

54

다음 중 피임의 기전이 다른 하나는 무엇인가?

① Depo-Provera

② NuvaRing

③ Vimule

④ Implanon

⑤ Mirena

54

정답 ③

해설

질 방벽(Vaginal barriers)

1. Vaginal diaphragm, Cervical cap (Vimule), Vault cap
2. 국내에서는 쓰이지 않음

참고 *Final Check 부인과 57 page*

55

다음 중 응급피임법으로 사용할 수 있는 것을 모두 고르시오.

(가) Copper-IUD
(나) Levonorgestrel OCs
(다) Mifepristone
(라) Diaphragm

① 가, 나, 다　　② 가, 다
③ 나, 라　　④ 라
⑤ 가, 나, 다, 라

56

응급피임법으로 사용할 수 있는 방법을 열거하시오.(3가지)

55

정답 ①

해설

응급피임제

1. 복합 응급피임제
2. 프로게스틴 단일 응급피임제
3. Ulipristal acetate (UPA) 응급피임제
4. 구리 자궁내장치(Copper IUD)

참고 *Final Check 부인과 58 page*

56

정답

1. Yuzpe 응급피임법
2. 프로게스틴 단일 응급피임제
3. Ulipristal acetate (UPA) 응급피임제
4. 구리 자궁내장치(Copper IUD)

참고 *Final Check 부인과 58 page*

57

다음 중 골밀도가 감소할 수 있는 피임 방법은 무엇인가?

① Combined oral contraceptives

② Depot medroxyprogesterone acetate (DMPA)

③ Progestin-only contraceptives

④ Copper IUD

⑤ LNG-IUS

57

정답 ②

해설

DMPA의 부작용

1. 골소실이 일어날 수 있지만 중단 시 회복
2. 골절을 증가시키지 않음
3. 청소년의 골밀도 증가를 막을 수 있음

참고 *Final Check 부인과 50 page*

58

복강경 난관불임술(laparoscopic tubal ligation) 시 합병증이 증가될 수 있는 경우를 모두 고르시오.

(가) 복강 내 유착
(나) 급 · 만성 골반염
(다) 과도한 비만
(라) 심한 심장, 폐 질환

① 가, 나, 다　② 가, 다
③ 나, 라　④ 라
⑤ 가, 나, 다, 라

58

정답 ⑤

해설

난관불임술(Tubal sterilization)의 위험성

1. 수술 후 합병증이 증가하는 경우 : 전신마취, 복부 또는 골반수술의 과거력, 골반염의 과거력, 비만, 당뇨 등
2. 수술의 가장 흔한 합병증 : 의도하지 않은 개복술

참고 *Final Check 부인과 61 page*

59

난관 불임술(tubal sterilization) 시행 후 자궁 외 임신의 발생 빈도가 가장 높은 방법을 고르시오.

① Tubal ring 법　② Pessary 법
③ Electrical coagulation 법　④ Irving 법
⑤ Tubal clip 법

59

정답 ③

해설

복강경 난관 불임술의 종류

1. Bipolar electrical coagulation : 시행 후 자궁 외 임신의 빈도가 가장 높음(50%)
2. Falope ring application, Hulka clip

참고 *Final Check 부인과 61 page*

60

분만력 3-0-0-3인 30세 여성이 난관 복원수술을 위해 내원하였다. 이 여성은 4년 전 난관 불임술을 시행 받았으며, 1년 전 재혼하였다. 이 여성의 월경 주기는 28일 주기로 규칙적이고, 재혼한 남편의 정액 검사는 정상 소견을 보였다. 난관 복원 수술의 시기로 가장 적당한 월경 주기를 고르시오.

① 월경 주기 중 어느 시기도 관계없다

② 배란기(ovulation period)

③ 증식기(proliferative phase)

④ 분비기(secretory phase)

⑤ 월경 직전(late secretory phase)

60

정답 ③

해설

난관 불임술의 복원

1. Yoon's ring(mechanical occlusion)을 이용한 방법이 전기소작보다 복원 성공률이 우수
2. 복원 난관 길이가 5 cm 이상 시 예후가 좋음
3. 난관 복원술에 가장 적당한 주기 : 증식기

참고 *Final Check 부인과 62 page*

61

22세 여자가 5일 전 성관계 후 사후 피임을 원하여 내원하였다. 이 여성에게 가장 적절한 방법을 고르시오.

① Oral contraceptive

② Ulipristal acetate

③ Depot medroxyprogesterone acetate

④ Implanon

⑤ Dienogest

61

정답 ②

해설

Ulipristal acetate (UPA) 응급피임제

1. 성교 후 5일(120시간) 이내에 Ulipristal acetate 30 mg 1회 복용
2. 선택적 프로게스틴 수용체 조절인자
3. 응급피임 경구제제 중 가장 효과적

참고 *Final Check 부인과 58 page*

62

4주 전 분만한 당뇨 산모가 아이의 터울을 두고 싶다며 피임을 원해 내원하였다. 현재 모유수유 중으로 이 산모에게 가장 적절한 피임방법을 고르시오.

① Progestin 단일

② Estrogen 단일

③ Combined OCs

④ 패치형

⑤ Levonorgestrel IUD

62

정답 ①

해설

분만 후 수유 중 피임법

1. 분만 후 2~3주 이후 : 프로게스틴 단일 제제
2. 분만 후 6주 이후에 사용가능
   a. Depot medroxyprogesterone acetate
   b. Progestin implants or LNG–IUS
   c. Combined OCs

참고 *Final Check 부인과 60 page*

CHAPTER 06

성기능장애 및 성폭행
(Sexual dysfunction and Sexual assault)

01

여성의 성반응주기 4단계를 쓰시오.

01

정답
1. 욕구기(Desire)
2. 각성기(Arousal)
3. 극치기(Orgasm)
4. 해소기(Resolution)

참고 *Final Check 부인과 64 page*

02

다음 중 여성의 극치장애(orgasmic dysfunction) 치료법에 가장 효과적인 것을 고르시오.

① Insight-oriented psychotherapy

② Erotic fantasy를 이용한 masturbation

③ Sensation focus exercise

④ Kegel exercise

⑤ Propranolol 투여

02

정답 ②

해설

극치장애(Orgasmic dysfunction)
1. 진단기준(다음 1개 이상이 존재)
   a. 극치감(orgasm)의 현저한 지연, 드묾, 부재
   b. 뚜렷하게 감소된 극치감(orgasm)의 강도
2. 치료
   a. 성적 상상과 자위 : 유일한 치료법
   b. 성관계 중 음핵(clitoris) 자극

참고 *Final Check 부인과 68 page*

03

성반응주기 중 성 각성기(sexual arousal)에 분비물이 나오는 기관은 어느 것 인가?

① Bartholin gland ② Skene gland
③ Vaginal wall ④ Periurethral gland
⑤ Endocervical gland

03

정답 ③

해설

각성기(Arousal)의 신체변화

1. 음부팽만, 질 윤활 증가, 가슴 크기 증가 등
2. 혈압, 심박수, 호흡, 체온의 증가
3. 가슴, 얼굴에 혈관의 확장(sex flush)
4. 넓고 길어지는 질, 자궁의 골반 밖 상승

참고 *Final Check 부인과 64 page*

04

성적 자극 시 윤활 및 종창이 충분하지 않거나 지속되지 못하는 현상이 반복, 지속되는 여성의 성기능장애는 무엇인가?

① 욕구장애 ② 흥분장애
③ 극치장애 ④ 통증장애
⑤ 성혐오장애

04

정답 ②

해설

생식기 흥분장애(Genital arousal disorder)

1. 복합성 흥분장애 : 흥분이 없거나 감소
2. 주관적 흥분장애 : 약간의 음부팽만, 질 윤활이 있으며 애무에 대한 생식기의 성적감각이 감소
3. 생식기 흥분장애 : 생식기를 제외한 성적자극에 주관적인 흥분은 유지

참고 *Final Check 부인과 67 page*

05

성폭행을 당한 것으로 추정되는 16세 여성이 경찰과 동행하여 내원하였다. 다음 중 가장 먼저 시행해야 할 것을 고르시오.

① 진료동의서 확보 ② 외상부위 사진 촬영
③ 질 분비물 채취 ④ 임신에 대한 예방조치
⑤ 성병에 대한 예방조치

05

정답 ①

해설

성폭행 환자의 면담 시 유의사항

1. 문진과 증거 채취 전 환자에게 동의를 받음
2. 조용하고 안정적인 환경 면담 시행
3. 정신적인 지지가 될 수 있는 사람들을 대동
4. 환자를 혼자 두면 안됨
5. 소아의 경우 나이, 배경에 맞는 용어를 사용

참고 *Final Check 부인과 72 page*

06

성폭행을 당한 것으로 추정되는 16세 여학생이 질 출혈을 주소로 경찰과 동행하여 내원하였다. 가장 먼저 시행할 것을 고르시오.

① 성병 방지를 위한 항생제 투여

② 외상 확인을 위한 사진 촬영

③ 임신 방지를 위한 예방 치료

④ 정신과 자문 의뢰

⑤ 진료동의서 확보

06

정답 ⑤

해설

성폭행 환자의 면담 시 유의사항

1. 문진과 증거 채취 전 환자에게 동의를 받음
2. 조용하고 안정적인 환경 면담 시행
3. 정신적인 지지가 될 수 있는 사람들을 대동
4. 환자를 혼자 두면 안 됨
5. 소아의 경우 나이, 배경에 맞는 용어를 사용

참고 *Final Check 부인과 72 page*

07

다음 중 성폭행 피해를 당한 소아 환자에게 의사의 질문으로 적당한 것은 무엇인가?

① 너 성폭행 당했니?

② 너 성추행 당했니?

③ 너 성적 수치심을 느꼈니?

④ 너 강간 당했니?

⑤ 네가 싫다는데 누가 네 소중한 곳을 만졌니?

07

정답 ⑤

해설

성폭행 환자의 면담 시 유의사항

1. 문진과 증거 채취 전 환자에게 동의를 받음
2. 조용하고 안정적인 환경 면담 시행
3. 정신적인 지지가 될 수 있는 사람들을 대동
4. 환자를 혼자 두면 안 됨
5. 소아의 경우 나이, 배경에 맞는 용어를 사용

참고 *Final Check 부인과 72 page*

08

성폭행을 당한 환자가 왔을 때 의사의 처치로 잘못된 것을 고르시오.

① 환자의 동의를 얻어 증거를 수집한다
② 72시간 내에 응급 피임을 시행한다
③ VDRL, HBsAg, HIV Ab에 대한 검사를 시행한다
④ 환자와의 면담은 조용하고 보호적인 환경에서 혼자 단독으로 시행한다
⑤ Chlamydia 및 Gonorrhea에 대한 예방적 항생제를 투여한다

08
정답 ④
해설
성폭행 환자의 면담 시 유의사항
1. 문진과 증거 채취 전 환자에게 동의를 받음
2. 조용하고 안정적인 환경 면담 시행
3. 정신적인 지지가 될 수 있는 사람들을 대동
4. 환자를 혼자 두면 안 됨
5. 소아의 경우 나이, 배경에 맞는 용어를 사용

참고 *Final Check 부인과 72 page*

09

성폭행 피해자에 대한 처치로 올바른 것은 무엇인가?

① 두피를 긁어 보관한다
② 음모를 빗질하여 채취한다
③ 질 분비물을 주사기로 흡인하여 알코올에 보관한다
④ 소변을 보게 한 후 방광을 비운 후 질 초음파 검사를 시행한다
⑤ 피해자의 속옷이 마르지 않도록 비닐 봉투에 보관한다

09
정답 ②
해설
법적 증거물 수집
1. Wood light 검사
2. Pap smear
3. 질 분비물 채취
4. 피해자의 음모 채취
5. 손톱 및 조직 채취
6. 피해자의 침 채취
7. 피해자의 두경부, 어깨, 가슴에서 검체 채취

참고 *Final Check 부인과 72 page*

10

23세 미혼 여성이 성폭행을 당한 후 내원하였다. 법의학적 증거물을 확보하는 데 올바른 것을 모두 고르시오.

(가) Wood light 검사를 시행한다
(나) 질 분비물 내에 정자(sperm)의 존재 유무를 검사한다
(다) 환자의 몸이나 옷에 있는 음모(pubic hair)를 채취한다
(라) 질 분비물 내 alkaline phosphatase를 분석한다

① 가, 나, 다
② 가, 다
③ 나, 라
④ 라
⑤ 가, 나, 다, 라

10
정답 ①
해설
법적 증거물 수집
1. Wood light 검사
2. Pap smear
3. 질 분비물 채취
4. 피해자의 음모 채취
5. 손톱 및 조직 채취
6. 피해자의 침 채취
7. 피해자의 두경부, 어깨, 가슴에서 검체 채취

참고 *Final Check 부인과 72 page*

11

성폭행 피해자의 증거 확보에 있어서 시행해야 할 것을 모두 고르시오.

(가) 질 분비물 채취
(나) 혈청 매독검사
(다) 소변검사
(라) 손톱 및 조직 채취

① 가, 나, 다
② 가, 다
③ 나, 라
④ 라
⑤ 가, 나, 다, 라

11
정답 ⑤
해설
법적 증거물 수집
1. Wood light 검사
2. Pap smear
3. 질 분비물 채취
4. 피해자의 음모 채취
5. 손톱 및 조직 채취
6. 피해자의 침 채취
7. 피해자의 두경부, 어깨, 가슴에서 검체 채취

참고 *Final Check 부인과 72 page*

12

성폭행을 당한 여성 환자를 진료 시 산부인과 의사가 수행해야 할 사항을 모두 고르시오.

(가) 철저한 감염 예방
(나) 면밀한 검체 채취
(다) 손상부위에 대한 처치
(라) 임신 예방

① 가, 나, 다
② 가, 다
③ 나, 라
④ 라
⑤ 가, 나, 다, 라

12

정답 ⑤

해설

강간에 대한 검사 및 치료

1. 검사 : 면담 및 신체 검사, 검체, 증거 채취
2. 치료 : 응급 피임, 성 매개 질환에 대한 예방

참고 *Final Check 부인과 72 page*

13

26세 여자가 6일 전에 성폭행 피해를 당한 후 피임을 위해 내원하였다. 다음 중 올바른 처치는 무엇인가?

① EE2 50 ㎍과 megestrol acetate 0.5 mg 두 알을 주고, 12시간 후에 한 번 더 투약한다
② Danazol 200 mg을 한 번 투약한다
③ Cooper IUD를 삽입한다
④ Conjugated estrogen 5 mg을 5일 동안 투여한다
⑤ LNG-IUS를 삽입한다

13

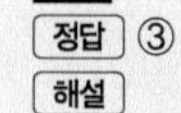

정답 ③

해설

구리 자궁내장치(Copper-IUD)

1. 성교 후 7일 이내에 사용이 권장
2. 7일 이후에 사용해도 낮은 피임실패율

참고 *Final Check 부인과 73 page*

14

4주 전 성폭행을 당한 18세 여자 환자가 소변 hCG 검사 양성으로 내원하였다. 다음 중 사용할 수 있는 것은 무엇인가?

① Copper IUD ② High dose oral pills
③ High dose progesterone ④ High dose estrogen
⑤ RU 486 + PG

14
정답 ⑤
해설
항프로게스틴제(antiprogestins)
1. Mifepristone® (RU 486) : 국내에는 없음
2. 200 mg(낙태 효과), 10 mg(응급 피임)

참고 *Final Check 부인과 73 page*

15

17세 여아가 성폭행 후 36시간이 지난 후 내원하였다. 이 여아에게 가장 적절한 응급피임법을 고르시오.

① LNG-IUD ② Levonorgestrel 1.5 mg
③ Implanon ④ Danazol
⑤ Misoprostol

15
정답 ②
해설
프로게스틴 단일 응급피임제
1. 상품명 : 포스티노-1®, 레보니아원®
2. 72시간 이내, levonorgestrel 1.5 mg 1회 복용

참고 *Final Check 부인과 73 page*

16

21세 여자가 전날 밤 성폭행을 당하여 병원에 내원 하였다. 임신 예방을 위한 가장 적절한 처치를 고르시오.

① 질 세척(vaginal douche)
② 살정제(spermicide)
③ 이식피임법(implant)
④ 사후피임제(morning after pill)
⑤ 개대 및 소파술(D&C)

16
정답 ④
해설
성폭행 후 응급 피임법
1. Ulipristal acetate 응급피임제
2. 프로게스틴 단일 응급피임제
3. 복합 응급피임제
4. 구리 자궁내장치(copper–IUD)
5. 항프로게스틴제(antiprogestins)

참고 *Final Check 부인과 73 page*

17

성폭행 피해 여성이 경찰과 같이 내원하였다. 이 여성에게서 시행하지 않아도 되는 검사는 무엇인가?

① B형간염 표면항원

② 자궁경부 배양검사

③ VDRL

④ HIV

⑤ HPV

17

정답 ⑤

해설

성폭행 피해 시 시행하는 검사들

1. Cervix, mouth, rectum culture
2. Wet smear
3. VDRL, HIV Ab, HBsAg
4. Pregnancy test : hCG
5. 질 분비물 sperm, acid phosphatase, DNA검사

참고 *Final Check 부인과 72 page*

18

18세 처녀가 강간을 당한 후 경찰과 함께 응급실로 내원하였다. 다음 중 이 여성에게 시행해야 할 검사가 아닌 것을 고르시오.

① VDRL

② HIV

③ 트리코모나스 검출을 위한 습식 도말

④ B형간염

⑤ 풍진 항체

18

정답 ⑤

해설

성폭행 피해 시 시행하는 검사들

1. Cervix, mouth, rectum culture
2. Wet smear
3. VDRL, HIV Ab, HBsAg
4. Pregnancy test : hCG
5. 질 분비물 sperm, acid phosphatase, DNA검사

참고 *Final Check 부인과 72 page*

CHAPTER 07

여성 생식기의 양성질환
(Benign diseases of the female reproductive tract)

01

아동기에 발생하는 비정상 질 출혈의 원인을 모두 고르시오.

(가) 외음부 외상
(나) 질염
(다) 이물질
(라) 외음부의 모세혈관종

① 가, 나, 다 ② 가, 다
③ 나, 라 ④ 라
⑤ 가, 나, 다, 라

01
정답 ⑤
해설
사춘기 이전 질 출혈의 원인
1. 질염(vaginitis)
2. 이물질(foreign body)
3. 피부염
4. 요도탈출증(urethrocele)
5. 출혈과 관련된 종양
6. 성조숙증(precocious puberty)
7. 외음부 외상

참고 *Final Check 부인과 77 page*

02

사춘기 질 출혈의 가장 흔한 원인을 고르시오.

① 무배란
② 자궁내막 용종
③ 경구피임제 복용
④ 갑상샘기능이상
⑤ 자궁의 해부학적 기형

02
정답 ①
해설
가임기 여성의 질 출혈 원인

사춘기	생식기	폐경전후기
만성 무배란	경구피임제	무배란
경구피임제	임신	자궁근종
임신	무배란	용종(경부, 내막)
혈액응고장애	자궁근종	갑상샘기능이상
	용종(경부, 내막)	
	갑상샘기능이상	

참고 *Final Check 부인과 79 page*

03

월경이 24일 이하의 주기로 나타날 때를 무엇이라고 하는가?

① 희발월경(oligomenorrhea)

② 빈발월경(polymenorrhea)

③ 월경과다(menorrhagia)

④ 과소월경(hypomenorrhea)

⑤ 불규칙 과다월경(menometrorrhagia)

03

정답 ②

해설

가임기 여성의 질 출혈 원인

비정상 생리	간격	기간	양
월경과다 (menorrhagia)	규칙적	길어짐	많음
불규칙 자궁출혈 (metrorrhagia)	불규칙	정상 or 길어짐	정상
불규칙 과다월경 (menometrorrhagia)	불규칙	길어짐	많음
과다월경 (hypermenorrhea)	규칙적	정상 (8일 이상)	많음 (≥80 mL)
과소월경 (hypomenorrhea)	규칙적	정상 or 짧음	적음 (<20 mL)
희발월경 (oligomenorrhea)	불규칙 or 드묾	다양	거의 없음
빈발월경 (polymenorrhea)	규칙적이나 짧음	정상	정상

참고 *Final Check 부인과 79 page*

04

19세 여성이 어지러움을 주소로 내원하였다. 평소 월경 주기는 28일로 규칙적이었고, 양은 300 mL, 기간은 10일 정도라고 하였다면 이 환자에게 해당하는 진단명은 무엇인가?

① 희발월경(oligomenorrhea)

② 빈발월경(polymenorrhea)

③ 과다월경(hypermenorrhea)

④ 불규칙 자궁출혈(metrorrhagia)

⑤ 불규칙 과다월경(menometrorrhagia)

04

정답 ③

해설

가임기 여성의 정상 생리

1. 생리주기의 간격 : 24~38일
2. 생리주기의 변동 : 2~20일
3. 출혈 기간 : 4~8일
4. 출혈량 : 4~80 mL

참고 *Final Check 부인과 79 page*

05

가임기 여성의 비정상 질 출혈 원인으로 가장 흔한 것을 고르시오.

① 임신 관련 합병증
② 호르몬제 복용
③ 혈액응고장애
④ 자궁경부 용종
⑤ 해부학적 기형

05

정답 ②

해설

가임기 여성의 질 출혈 원인

사춘기	생식기	폐경전후기
만성 무배란	경구피임제	무배란
경구피임제	임신	자궁근종
임신	무배란	용종(경부, 내막)
혈액응고장애	자궁근종	갑상샘기능이상
	용종(경부, 내막)	
	갑상샘기능이상	

참고 Final Check 부인과 79 page

06

산과력 0-0-0-0인 20세 여성이 불규칙한 질 출혈을 주소로 내원하였다. 출혈량은 많지 않았고, 활력 징후는 모두 안정적이었다. 다음 중 이 여성에게 가장 먼저 시행할 검사를 고르시오.

① 소변 임신검사
② 혈청 프로게스테론 측정
③ 자궁난관조영술
④ 자궁내막 조직검사
⑤ 자궁경 검사

06

정답 ①

해설

가임기 비정상적 질 출혈의 진단

1. 임신확인검사(가장 먼저 시행), β-hCG
2. 혈액검사(CBC, PT, aPTT)
3. 호르몬검사(TSH, prolactin, FSH)

참고 Final Check 부인과 81 page

07

가임기 여성의 비정상 질 출혈의 가장 흔한 원인은 무엇인가?

① Endometriosis
② Endometrial polyp
③ Anovulation
④ von Willebrand disease
⑤ IUD

07

정답 ③

해설

무배란(Anovulation)

1. 기능성 자궁 출혈의 가장 흔한 원인
2. 다른 원인을 배제한 후에 진단
3. 에스트로겐 파탄(breakthrough)에 의해 발생

참고 Final Check 부인과 80 page

08

다음 중 무배란성 비정상 자궁출혈을 일으키는 질환을 고르시오.

① 할반병(Halban's disease)

② 자궁내막 용종(endometrial polyp)

③ 만성 자궁내막염(chronic endometritis)

④ 특발성 혈소판감소성자반증(idiopathic thrombocytopenic purpura)

⑤ 다낭성난소증후군(polycystic ovarian syndrome)

08

정답 ⑤

해설

무배란의 원인

1. 식이장애(식욕부진, 폭식증)
2. 과도한 운동
3. 만성질환
4. 스트레스
5. 갑상샘질환
6. 당뇨
7. 비만
8. 다낭성난소증후군

참고 *Final Check 부인과 80 page*

09

산과력 0-0-1-0인 30세 여성이 10일간 지속되는 질 출혈을 주소로 내원하였다. 평소 일년에 3~4번 정도만 생리를 하였고, 최근 6개월간은 생리가 없었다. 시행한 초음파상 자궁내막 21.4 mm, 자궁 및 난소에는 이상소견이 없었다면 다음 처치로 가장 적절한 것을 고르시오.

① 에스트로겐 ② 주기적 프로게스틴

③ 복합 경구피임제 ④ 레보노르게스트렐 자궁내장치

⑤ 자궁내막 조직검사

09

정답 ⑤

해설

자궁내막 조직검사의 적응증

- 질 초음파상 자궁내막이 두꺼운 경우
  - 5~12 mm : 장기 estrogen 노출이 의심될 때
  - >12 mm : 이상 소견이 없더라도 시행
- 35~40세 이상 여성에서 무배란성 출혈이 있는 경우
- 비만인 여성
- 지속적인 무배란 기왕력
- 약물 치료에 반응없이 출혈이 계속되는 경우
- 병변이 의심되는 경우

참고 *Final Check 부인과 81 page*

10

48세 여자가 2주 전 발생한 부정출혈을 주소로 내원하였다. 평소 생리는 규칙적이었고, 2년 전부터 고혈압과 고지혈증을 진단받고 현재 약을 복용 중이었다. 시행한 초음파상 자궁근육 및 난소에는 특이소견이 없었고 자궁내막 18 mm로 확인되었다면 다음 처치로 가장 적절한 것을 고르시오.

① 질 분비물 검사 ② 혈중 지질 검사

③ 생식샘자극호르몬 검사 ④ 프로게스테론 부하검사

⑤ 자궁내막 조직검사

10

정답 ⑤

해설

자궁내막 조직검사의 적응증

- 질 초음파상 자궁내막이 두꺼운 경우
  - 5~12 mm : 장기 estrogen 노출이 의심될 때
  - >12 mm : 이상 소견이 없더라도 시행
- 35~40세 이상 여성에서 무배란성 출혈이 있는 경우
- 비만인 여성
- 지속적인 무배란 기왕력
- 약물 치료에 반응없이 출혈이 계속되는 경우
- 병변이 의심되는 경우

참고 *Final Check 부인과 81 page*

11

56세 여성이 Pap smear에서 정상적으로 보이는 endometrial cell이 관찰되었다. 평소 호르몬을 사용하지 않았다면 다음 처치로 가장 적절한 것을 고르시오.

① 1년 후에 추적관찰
② 3개월 후에 추적관찰
③ 호르몬 치료를 시행 후 재검
④ 자궁내막 조직검사 시행
⑤ 자궁절제술 시행

11
정답 ④
해설

자궁내막 조직검사의 적응증
– 질 초음파상 자궁내막이 두꺼운 경우 • 5~12 mm : 장기 estrogen 노출이 의심될 때 • >12 mm : 이상 소견이 없더라도 시행 – 35~40세 이상 여성에서 무배란성 출혈이 있는 경우 – 비만인 여성 – 지속적인 무배란 기왕력 – 약물 치료에 반응없이 출혈이 계속되는 경우 – 병변이 의심되는 경우

참고 *Final Check 부인과 81 page*

12

56세 여성이 질 출혈을 주소로 내원하였다. 환자는 48세에 폐경 되었고, 이후 호르몬요법을 시행 중이었으며 다른 과거력은 없었다. 질 초음파상 자궁내막 두께가 14 mm로 관찰되었다면 다음으로 시행할 검사로 올바른 것을 고르시오.

① 경과관찰
② 복강경 검사
③ 자궁경부세포진검사
④ 자궁내막 조직검사
⑤ 자궁난관조영술

12
정답 ④
해설

자궁내막 조직검사의 적응증
– 질 초음파상 자궁내막이 두꺼운 경우 • 5~12 mm : 장기 estrogen 노출이 의심될 때 • >12 mm : 이상 소견이 없더라도 시행 – 35~40세 이상 여성에서 무배란성 출혈이 있는 경우 – 비만인 여성 – 지속적인 무배란 기왕력 – 약물 치료에 반응없이 출혈이 계속되는 경우 – 병변이 의심되는 경우

참고 *Final Check 부인과 81 page*

13

52세 여성이 10일 전부터 시작된 질 출혈을 주소로 내원하였다. 환자의 체질량지수(BMI) = 29, 6개월 전이 마지막 생리였다고 하였다. 시행한 초음파상 자궁내막 두께 22 mm로 확인되었다면 이 환자에 대한 처치로 가장 적절한 것을 고르시오.

① Tranexamic acid
② Leuprolide
③ Endometrial biopsy
④ LNG-IUS
⑤ GnRH agonist

13
정답 ③
해설

자궁내막 조직검사의 적응증
– 질 초음파상 자궁내막이 두꺼운 경우 • 5~12 mm : 장기 estrogen 노출이 의심될 때 • >12 mm : 이상 소견이 없더라도 시행 – 35~40세 이상 여성에서 무배란성 출혈이 있는 경우 – 비만인 여성 – 지속적인 무배란 기왕력 – 약물 치료에 반응없이 출혈이 계속되는 경우 – 병변이 의심되는 경우

참고 *Final Check 부인과 81 page*

14

가임기 여성에서 불규칙한 질 출혈이 있을 때 자궁내막 조직검사를 시행해야 하는 적응증을 쓰시오.(3가지)

14

정답

1. 질 초음파상 자궁내막이 두꺼운 경우
   a. 5~12 mm : 장기 estrogen 노출이 의심될 때
   b. >12 mm : 이상소견이 없더라도 시행
2. 35~40세 이상 여성에서 무배란성 출혈이 있는 경우
3. 비만인 여성
4. 지속적인 무배란 기왕력
5. 약물 치료에 반응없이 출혈이 계속되는 경우
6. 병변이 의심되는 경우

참고 *Final Check 부인과 81 page*

15

35세 기혼 여성이 경한 정도의 기능성 자궁출혈를 진단받았다. 이 환자는 향후 임신계획이 없다고 한다면 가장 적절한 치료 방법은 무엇인가?

① Cyclic medroxyprogesterone acetate

② Oral pills

③ Estrogen

④ GnRH agonist

⑤ Endometrial ablation

15

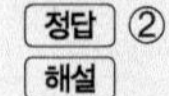

정답 ②

해설

비임신 여성의 불규칙 출혈의 치료

1. 경구피임제 최소 3개월 사용
2. 경구피임제 금기 시 Provera 최소 3개월 사용
3. 출혈 지속 시 고용량 OCs 또는 Provera 전환
4. 그 후에도 출혈 시 : 초음파, 내막조직검사

참고 *Final Check 부인과 82 page*

16

기능성 자궁출혈의 과거력이 있는 22세 여자가 심한 질 출혈을 주소로 내원하였다. 이학적 검사상 이상소견은 보이지 않았고, 혈압 80/60 mmHg, 맥박 130회/min.이었다면 자궁출혈에 대한 처치로 적절한 것을 모두 고르시오.

(가) 혈관을 확보하고 혈액형과 혈액검사를 한다
(나) Conjugated estrogen을 정주한다
(다) 흡입소파술을 시행한다
(라) 자궁절제술을 시행한다

① 가, 나, 다
② 가, 다
③ 나, 라
④ 라
⑤ 가, 나, 다, 라

16

정답 ①

해설

심한 급성 출혈의 입원 치료

1. 기준 : 저혈압과 대량 출혈 or Hb <10 g/dL
2. 치료법
   a. Premarin 25 mg, 4시간마다, 24시간 투여
   b. Premarin 1~2회 후 반응 없으면 소파술
   c. 혈색소 <7.5 g/dL : 수혈
   d. Premarin 투여하며 경구피임제 3주간 투여
   e. 경구 철분제 투여
3. 초음파, TSH, CBC, PT, aPTT, 혈소판기능검사

참고 *Final Check 부인과 82 page*

17

기능성 난소낭종(functional ovarian cyst) 중 난포낭종(follicular cyst)에 관한 설명 중 잘못된 것은 무엇인가?

① 기능성 난소낭종(functional ovarian cyst) 중 가장 흔하다
② 일반적으로 8 cm 이하의 크기이다
③ 임신, 포상기태와 잘 동반된다
④ 대부분 4~8주 이내에 사라진다
⑤ 파열되어 복통의 원인이 되기도 한다

17

정답 ③

해설

난포낭종(follicular cyst)

1. 가장 흔한 기능성 낭종
2. 3 cm을 넘는 경우는 흔치 않지만 3 cm 이상이더라도 4~8주 후 자연소실

참고 *Final Check 부인과 88 page*

18

다음 중 난포막황체낭종(theca lutein cyst)이 발생할 수 있는 경우를 모두 고르시오.

(가) 다태아 임신
(나) Rh 감작
(다) 기태임신
(라) 복합 경구피임제 복용

① 가, 나, 다
② 가, 다
③ 나, 라
④ 라
⑤ 가, 나, 다, 라

19

40세의 비만 여성이 최근 1년 정도의 부정 출혈을 주소로 내원하였다. 분만력 2-0-0-2, 내진상 특이소견은 없었고, 10년 전 막내를 제왕절개로 분만하면서 난관결찰술을 받았다고 하였다. 검사 결과가 아래와 같다면 이 여성의 다음 처치로 가장 적절한 것을 고르시오.

- Hb : 12.5 g/dL
- Hct : 31%
- Platelet : 200,000/mL
- FSH : 8 μU/mL (정상 : 1.8~9.4 μU/mL)
- LH : 7 μU/mL (정상 : 0.8~10.4 μU/mL)
- Prolactin : 20 ng/dL (정상 : 0~25 ng/dL)
- 자궁내막 조직검사 : 증식기 소견

① 자궁절제술
② 주기적 난포호르몬 투여
③ 주기적 황체호르몬 투여
④ 자궁내막 제거술(endometrial ablation)
⑤ 자궁절제술 및 양측 부속기절제술

18

정답 ①

해설

난포막황체낭종(Theca lutein cyst)

1. 주로 양측성으로 발생
2. 기태임신(molar pregnancy) 시 호발
3. 다태임신, 당뇨, Rh 감작, clomiphene과 hMG/hCG 배란유도, GnRH 유사체 사용과 관련

참고 *Final Check 부인과 88 page*

19

정답 ③

해설

비임신 여성의 불규칙 출혈의 치료

1. 경구피임제 최소 3개월 사용
2. 경구피임제 금기 시 Provera 최소 3개월 사용
3. 출혈 지속 시 고용량 OCs 또는 Provera 전환
4. 그 후에도 출혈 시 : 초음파, 내막조직검사

참고 *Final Check 부인과 82 page*

20

55세 폐경 여성이 0.625 mg premarin과 2.5 mg의 provera로 호르몬요법을 받던 중 1개월 간의 자궁출혈이 있어 자궁내막 조직검사를 시행하였지만 병리학적 특이소견은 없었다. 이후 6개월 간의 자궁출혈이 지속되고 있다면 이 환자에게 시행할 검사를 모두 고르시오.

(가) Pelviscopy
(나) Pelvic sonography
(다) CA-125
(라) Hysteroscopy

① 가, 나, 다　　② 가, 다
③ 나, 라　　④ 라
⑤ 가, 나, 다, 라

20
정답 ⑤
해설
폐경 후 질 출혈의 진단
1. 자세한 병력청취, 이학적 검사
2. 초음파 검사
3. 자궁내막 조직검사
4. 자궁경(hysteroscopy)

참고 *Final Check 부인과 84 page*

21

4년 전 폐경된 54세 여성이 질 출혈을 주소로로 내원하였다. 시행한 골반 검사 상 자궁경부와 질에는 특이소견이 없었고, 현미경 검사 상 부기저세포(parabasal cell)이 관찰되었다. 이 여성의 치료로 가장 적절한 것을 고르시오.

① 경과관찰
② 질 내 에스트로겐 투여
③ Doxycycline
④ Metronidazole
⑤ 자궁절제술

21
정답 ②
해설
위축성 질염(Atrophic vaginitis)
1. 외자궁경부의 편평상피세포
   a. 기저층(basal layer)
   b. 부기저층(parabasal layer)
   c. 중간층(intermediate layer)
   d. 표피층(superficial layer)
2. 치료
   a. 국소 estrogen 투여
   b. 폐경 증상 동반 시 호르몬대체치료를 고려

참고 *Final Check 부인과 84 page*

22

다음 중 자궁근종(myoma)의 위험인자를 고르시오.

① 비만

② 흡연

③ 운동선수

④ 미분만부

⑤ 채식주의자

22

정답 ①

해설

자궁근종의 위험인자

위험인자	자궁근종에 대한 영향
나이	나이가 증가함에 따라 발생률 증가
내인성 호르몬	초경이 빠를수록 발생률 증가
가족력	일촌 중 근종이 있으면 발생 증가
인종	African American에서 발생 증가
비만	비만일수록 발생 증가
폐경 호르몬치료	호르몬의 영향으로 크기 증가 가능
자궁조직 손상	세포손상 or 염증이 근종형성 유발
식이	음주, 붉은 고기는 위험률 증가
다산, 흡연, 운동	발생률 감소
경구피임제	명확한 상관관계가 없음

참고 *Final Check 부인과 91 page*

23

다음 중 자궁근종 환자에서 가장 흔한 증상은 무엇인가?

① 월경과다(menorrhagia)

② 만성 골반통(chronic pelvic pain)

③ 빈뇨(urinary frequency)

④ 요관 막힘(ureteral obstruction)

⑤ 수뇨관증(hydroureter)

23

정답 ①

해설

자궁근종(Leiomyoma)의 증상

1. 대부분 무증상
2. 비정상 출혈 : 월경과다, 빈발월경
3. 통증 : 골반통, 급성통증, 성교통, 생리통
4. 압박 증상
5. 생식기능 이상

참고 *Final Check 부인과 91 page*

24

자궁근종의 증상에 대한 내용으로 잘못된 것을 고르시오.

① 흔히 불임을 초래한다

② 임신 중 크기가 증가하지 않으나 다양한 경과를 보인다

③ 월경과다가 가장 흔한 증상이다

④ 염전, 경색, 변성으로 급성 복통을 일으키기도 한다

⑤ 심한 경우 드물게 요관폐쇄를 유발하기도 한다

24

정답 ①

해설

자궁근종의 생식기능 이상

1. 자궁강이 변형되어 생식기능 이상을 초래
2. 착상이 감소되고 유산이 증가
3. 자궁근종이 임신율을 감소시키는지에 대해 비교적 확실히 말할 수 있으려면 더 많은 자료가 필요

참고 *Final Check 부인과 92 page*

25

다음 중 자궁근종에 관한 설명으로 옳은 것은 무엇인가?

① 불임의 주요 원인이 된다

② 임신이 되면 작아진다

③ 생식샘자극호르몬분비호르몬 작용제(GnRH agonist) 투여는 금기이다

④ 악성 종양으로 변성을 하지 않는다

⑤ 점막하 근종의 진단에는 초음파 자궁조영술(sonohysterogram)이 유용하다

25

정답 ⑤

해설

초음파 자궁조영술(Sonohysterogram)

1. 식염수를 자궁 내에 넣고 시행하는 초음파
2. 점막하 자궁근종의 진단에 유용
3. 자궁내막 용종 같은 내막질환의 감별에 유용

참고 *Final Check 부인과 84 page*

26

35세 여성이 늘어난 월경량을 주소로 내원하였다. 내진상 자궁에 고정된 딱딱한 계란 크기의 덩어리가 자궁 왼쪽 부위에서 만져졌다. 시행한 질 초음파가 아래와 같다면 가장 가능성이 높은 진단명은 무엇인가?

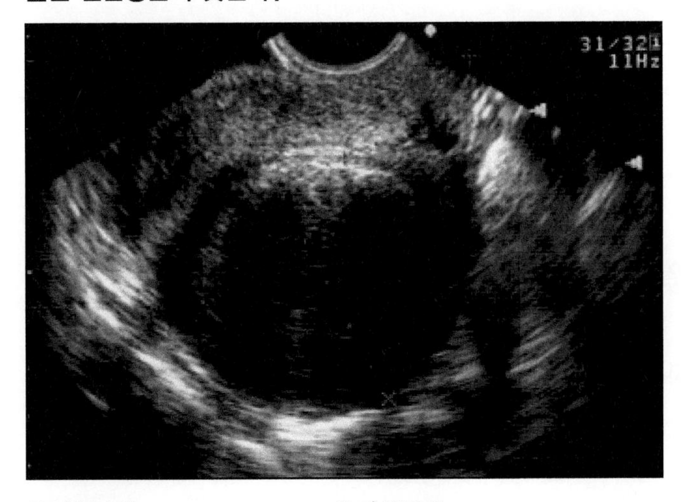

① 난관수종 ② 자궁근종

③ 만성 난관염 ④ 난소 기형종

⑤ 난소 자궁내막종

26

정답 ②

해설

자궁근종의 초음파 검사

1. 가장 많이 사용되는 진단 방법
2. 가성피막(psuedocapsule)
   a. 자궁근층보다 저음영(hypoechogenicity)의 종괴가 피막에 쌓인 형태
   b. 자궁근종과 자궁선근증의 감별인자

참고 *Final Check 부인과 92 page*

27

다음의 자궁근종에 대한 설명으로 잘못된 것은 무엇인가?

① 난포호르몬(estrogen)에 의한 자극이 근종 생성의 원인이 될 수 있다

② 대개 별 증세가 없으므로 부인과 정기검사에서 우연히 발견되는 수가 많다

③ 분만 후 또는 폐경기 후에는 퇴행하는 경우가 많다

④ 여성에서 가장 흔한 골반 종양 중 하나이다

⑤ 자궁평활근육종(leiomyosarcoma)으로 변하는 경우가 많다

27

정답 ⑤

해설

자궁근종(Myoma)

1. 여성에서 발생하는 종양 가운데 가장 흔한 종양
2. 영향을 주는 다른 인자
   a. 가족적 경향
   b. 여성 호르몬의 영향
3. 유전학적 이상은 자궁평활근육종(leiomyosarcoma)과 차이를 보여 자궁근종의 변성에 의해 자궁평활근육종이 발생하지 않음

참고 *Final Check 부인과 90 page*

28

자궁근종의 이차변성(secondary change) 중 가장 흔한 것은 무엇인가?

① Hyaline degeneration ② Cystic degeneration

③ Calcification ④ Infection & suppuration

⑤ Necrosis

28

정답 ①

해설

자궁근종의 이차변성

1. 초자변성(hyaline degeneration) : 가장 흔함
2. 낭성변성(cystic degeneration)
3. 석회화변성(calcification)
4. 감염, 화농성 변성
5. 괴사, 적색변성(red degeneration)
6. 육종변성(sarcomatous degeneration)
7. 지방변성(fatty degeneration)

참고 *Final Check 부인과 94 page*

29

임신 6주에 6 cm 크기의 자궁근종을 확인한 임신부가 임신 24주에 하복부의 심한 복통, 압통, 발열 및 백혈구 증가 소견이 확인되어 내원하였다. 다음 중 가장 가능성이 높은 자궁근종의 변형은 무엇인가?

① 낭성변성 ② 석회화변성

③ 초자변성 ④ 적색변성

⑤ 지방변성

29

정답 ④

해설

적색(Red)변성 또는 출혈(Hemorrhagic)변성

1. 크기 증가에 비해 혈액공급이 적은 경우 발생
2. 증상 : 국소적 통증, 미열, 백혈구 증가
3. 치료 : 진통제로 통증조절, 수일 내 증상 완화

참고 *Final Check 부인과 95 page*

30

임신 19주인 다분만부가 복통과 미열을 주소로 내원하였다. 초음파 검사에서 복부 압통 부위에 자궁근종이 관찰되었다면 가장 의심되는 자궁근종의 변성은 무엇인가?

① 적색변성(red degeneration)

② 낭성변성(cystic degeneration)

③ 지방변성(fatty degeneration)

④ 초자변성(hyaline degeneration)

⑤ 석회화변성(calcification)

30

정답 ①

해설

적색(Red)변성 또는 출혈(Hemorrhagic)변성

1. 크기 증가에 비해 혈액공급이 적은 경우 발생
2. 증상 : 국소적 통증, 미열, 백혈구 증가
3. 치료 : 진통제로 통증조절, 수일 내 증상 완화

참고 *Final Check 부인과 95 page*

31

임신 24주 임신부가 갑작스러운 하복통과 고열을 주소로 내원하였다. 초음파상 자궁체부에 계란 크기의 자궁근종 이외에는 이상소견이 없었다면 다음 처치로 가장 적절한 것을 고르시오.

① 자궁근종절제술

② 진통제를 투여하며 경과관찰

③ 치료를 위한 임신 중단

④ 온열요법

⑤ 항생제 투여

31

정답 ②

해설

적색(Red)변성 또는 출혈(Hemorrhagic)변성

1. 크기 증가에 비해 혈액공급이 적은 경우 발생
2. 증상 : 국소적 통증, 미열, 백혈구 증가
3. 치료 : 진통제로 통증조절, 수일 내 증상 완화

참고 *Final Check 부인과 95 page*

32

임신 16주의 산모가 복부 동통을 주소로 응급실을 내원하였다. 산모는 임신 8주경에 실시한 초음파에서 자궁저부에 7 x 8 cm 크기의 자궁근종이 발견되었고, 다른 과거력은 없었다. 자궁저부는 배꼽 약 6 cm 윗부분까지 올라가 있었으며, 촉지 시 압통을 호소하였다. 복부 초음파상 자궁저부에 8 x 10 cm 크기의 종괴가 보였으며, 내부에는 낭성 부위가 있었다. 이 환자에 대한 치료법으로 가장 적절한 것은 무엇인가?

① Hysterectomy

② Myomectomy

③ Prostaglandin 투여

④ GnRH agonist 투여

⑤ 진통제를 투여하며 경과관찰

32

정답 ⑤

해설

적색(Red)변성 또는 출혈(Hemorrhagic)변성

1. 크기 증가에 비해 혈액공급이 적은 경우 발생
2. 증상 : 국소적 통증, 미열, 백혈구 증가
3. 치료 : 진통제로 통증조절, 수일 내 증상 완화

참고 *Final Check 부인과 95 page*

33

다음 중 자궁근종에 대한 설명으로 옳지 않은 것을 고르시오.

① 35세 이상 여성의 40~50%가 자궁근종을 가지고 있다

② 초자변성(hyaline degeneration)이 이차변성 중 가장 흔하다

③ 질 출혈이 가장 흔한 증상이다

④ 악성변화의 증거가 없는 경우 근종절제술이 최상의 치료법이다

⑤ 임신 시 근종이 같이 있는 경우 비정상 태위의 빈도가 증가한다

33

정답 ④

해설

자궁근종(Myoma)

1. 여성에서 발생하는 종양 중 가장 흔한 종양
   a. 가임기 여성의 20~30%에서 발생
   b. 35세 이상의 여성에서 40~50%에서 발견
2. 가장 흔한 증상 : 비정상 출혈
3. 치료
   a. 기대요법 : 무증상의 자궁근종인 경우
   b. 근종절제술 : 가임력 유지를 원하는 경우
   c. 자궁절제술 : 가장 근본적인 치료법

참고 *Final Check 부인과 90, 97 page*

34

자궁근종의 여러 형태 중에서 출혈의 빈도가 가장 많은 것을 고르시오.

① Submucosal myoma

② Intramural myoma

③ Subserosal myoma

④ Interstitial myoma

⑤ Secondary change myoma

34

정답 ①

해설

점막하 근종(Submucosal myoma)

1. 빈도 : 5~10%
2. 자궁내막으로 돌출한 형태
3. 월경과다, 부정출혈을 흔히 동반
4. 자궁강의 형태 변화로 불임, 유산에도 영향

참고 *Final Check 부인과 93 page*

35

점막하 자궁근종(submucosal myoma)에 대한 내용 중 옳은 것을 모두 고르시오.

(가) 초음파 자궁조영술(sonohysterogram)이 진단에 매우 유용하다
(나) 생리과다는 출혈이 심하지 않으면 수술 없이 경구피임제로 치료한다
(다) 자궁경수술 전 생식샘자극호르몬분비호르몬 작용제(GnRH agonist) 투여가 도움이 된다
(라) 자궁근육을 50% 이상 침범한 경우 자궁경하 근종절제술(hysteroscopic myomectomy)로 완전 제거가 어려울 수 있다

① 가, 나, 다　　② 가, 다

③ 나, 라　　④ 라

⑤ 가, 나, 다, 라

35

정답 ⑤

해설

점막하 자궁근종(Submucosal myoma)

1. Hysteroscopic myomectomy
   a. 증상(월경과다, 불임)이 있는 경우
   b. 실패 증가 : 크기 ≥4 cm, 근층 침범≥50%
2. GnRH agonist
   a. 자궁근종의 크기 감소
   b. 자궁경수술 시 시야 확보 용이

참고 *Final Check 부인과 96, 97 page*

36

다음은 자궁경(hysteroscopy)을 이용한 수술 중 보이는 소견이다. 이 질환의 진단명을 쓰시오.

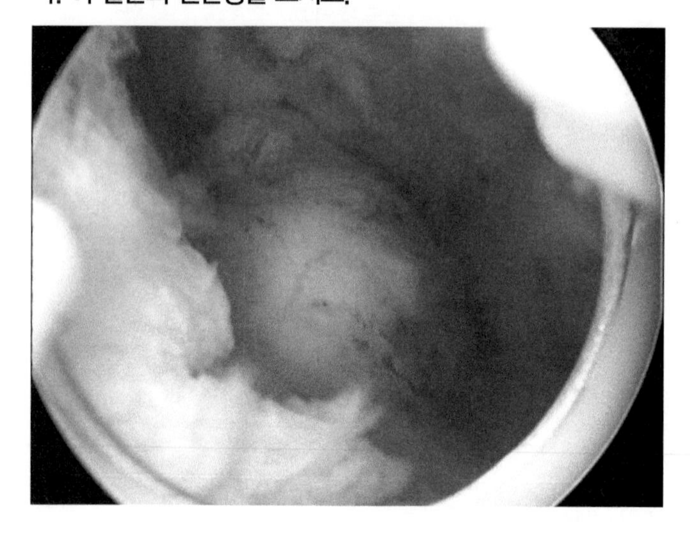

36

정답
점막하 근종(submucosal myoma)

해설
점막하 근종(Submucosal myoma)

1. 빈도 : 5~10%
2. 자궁내막으로 돌출한 형태
3. 월경과다, 부정출혈을 흔히 동반
4. 자궁강의 형태 변화로 불임, 유산에도 영향

참고 *Final Check 부인과 93 page*

37

산과력 0-0-1-0인 30세 여성에서 점막하 근종 혹은 자궁내막 용종이 의심된다면 진단과 치료를 병행할 수 있는 가장 적합한 방법을 고르시오.

① 질 초음파 검사　② 복강경
③ 자궁경　④ 자궁소파술
⑤ 골반 전산화단층촬영

37

정답 ③

해설
자궁경하 자궁근종절제술

1. 자궁내막의 병리소견이나 점막하 근종을 발견
2. 진단과 치료가 동시에 가능

참고 *Final Check 부인과 97 page*

38

28세 미혼 여성이 월경과다를 주소로 내원하였다. 초음파 소견이 아래와 같다면 이 여성의 치료로 가장 적절한 것을 고르시오.

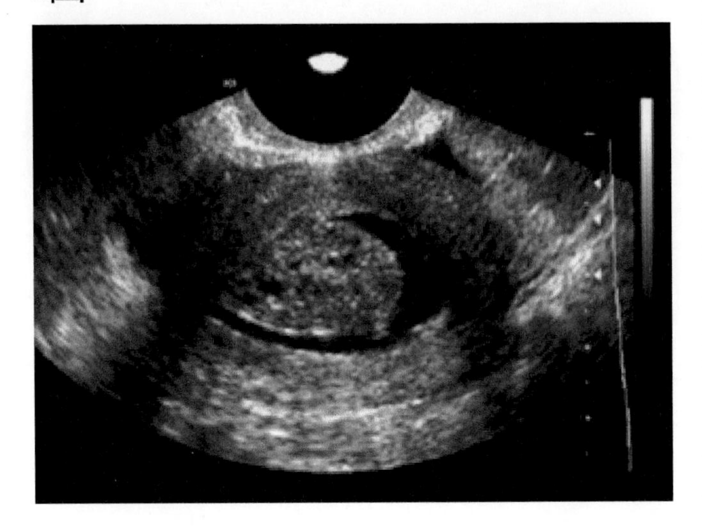

① LNG-IUD
② 고강도 집속초음파
③ 자궁근종 용해술
④ 자궁절제술
⑤ 자궁경하 자궁근종절제술

38

정답 ⑤

해설

자궁경하 자궁근종절제술

1. 자궁내막의 병리소견이나 점막하 근종을 발견
2. 진단과 치료가 동시에 가능

참고 *Final Check 부인과 97 page*

39

규칙적인 생리를 하던 47세 여성이 검진상 10 cm 크기의 자궁근종을 발견하였다. 6개월 뒤 다시 시행한 초음파상 자궁근종의 크기는 6개월 전과 비슷하였고 생리도 큰 변화는 없었다면 다음 처치로 가장 적절한 것을 고르시오.

① 추적관찰
② GnRH agonist
③ 개복하 자궁절제술
④ 복강경하 자궁절제술
⑤ 복강경하 근종절제술

39

정답 ①

해설

자궁근종 환자에서의 기대요법

1. 무증상의 자궁근종
2. 정기적(6개월 간격)으로 크기와 증상을 확인

참고 *Final Check 부인과 95 page*

40

자궁근종 환자 중 생식샘자극호르몬분비호르몬 작용제(GnRH agonist)의 적응증에 해당하지 않는 것을 고르시오.

① 빈혈이 심하여 이를 교정하는 시간이 필요한 경우
② 복강경 수술을 원하는 경우
③ 내과질환으로 6개월 이내에 수술을 할 수 없는 경우
④ 불임의 원인인 경우
⑤ 폐경이 가까운 경우

40

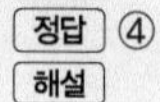

정답 ④

해설

GnRH agonist의 적응증
– 큰 근종의 큰 환자에서 가임력 유지를 원할 경우 – 근종절제술 시행 전 크기 감소 – 수술 전 빈혈의 교정 – 폐경기가 가까운 경우 수술적 치료의 대체요법 – 질식 자궁절제술, 자궁경하 근종절제술, 복강경 수술 전 크기 감소 목적 – 내과적인 문제로 인해 수술을 할 수 없는 경우

참고 *Final Check 부인과 96 page*

41

자궁근종 환자에서 생식샘자극호르몬분비호르몬 작용제(GnRH agonist)를 사용할 수 있는 경우를 모두 고르시오.

(가) 임신을 원하는 거대 자궁근종 환자
(나) 수술 전 빈혈의 교정과 출혈량의 감소를 위해
(다) 거대 자궁근종의 질식 자궁절제술을 위해
(라) 폐경이 임박한 경우 수술을 피하기 위해

① 가, 나, 다
② 가, 다
③ 나, 라
④ 라
⑤ 가, 나, 다, 라

41

정답 ⑤

해설

GnRH agonist의 적응증
– 큰 근종의 큰 환자에서 가임력 유지를 원할 경우 – 근종절제술 시행 전 크기 감소 – 수술 전 빈혈의 교정 – 폐경기가 가까운 경우 수술적 치료의 대체요법 – 질식 자궁절제술, 자궁경하 근종절제술, 복강경 수술 전 크기 감소 목적 – 내과적인 문제로 인해 수술을 할 수 없는 경우

참고 *Final Check 부인과 96 page*

42

자궁근종 환자에서 생식샘자극호르몬분비호르몬 작용제(GnRH agonist) 치료의 적응증을 쓰시오.(3가지)

42

정답

1. 큰 근종의 큰 환자에서 가임력 유지를 원할 경우
2. 근종절제술 시행 전 크기 감소
3. 수술 전 빈혈의 교정
4. 폐경기가 가까운 경우 수술적 치료의 대체요법
5. 질식 자궁절제술, 자궁경하 근종절제술, 복강경 수술 전 크기 감소 목적
6. 내과적인 문제로 인해 수술을 할 수 없는 경우

참고 *Final Check 부인과 96 page*

43

자궁근종 환자에서 수술 전 생식샘자극호르몬분비호르몬 작용제(GnRH agonist)의 투여할 시 얻을 수 있는 장점을 모두 고르시오.

(가) 수술 시 출혈의 감소
(나) 수술 전 빈혈의 교정
(다) 폐경 전 사용 시 자궁절제술 위험성 감소
(라) 복식 자궁절제술을 복강경 자궁절제술로 전환 가능

① 가, 나, 다　② 가, 다
③ 나, 라　④ 라
⑤ 가, 나, 다, 라

43
정답 ⑤
해설
자궁근종에서 GnRH agonist 치료의 장점
1. 생리양 감소
2. 빈혈 교정
3. 수술 시 출혈 감소
4. 자궁근종의 크기 감소
5. 자궁절제술 감소
6. 복강경수술 가능성 증가
7. 자궁경수술 시 시야 확보 용이

참고 *Final Check 부인과 96 page*

44

자궁근종의 치료 중 생식샘자극호르몬분비호르몬 작용제(GnRH agonist)에 대한 내용으로 올바른 것을 모두 고르시오.

(가) Hypoestrogenism을 유발해 가역적 골 소실과 안면홍조 등을 유발할 수 있으므로 저용량의 호르몬 추가요법이 필요하다
(나) 투여 후 몇 개월 뒤 절반의 환자에서 근종이 다시 커질 수 있다
(다) 폐경을 앞둔 여성에서 수술을 피하기 위한 방법으로 사용할 수 있다
(라) 복식 자궁절제술을 용이하게 하기 위하여 투여할 수 있다

① 가, 나, 다　② 가, 다
③ 나, 라　④ 라
⑤ 가, 나, 다, 라

44
정답 ⑤
해설
GnRH agonist
1. 일시적인 가성 폐경 상태를 유발
2. 투여 후 근종의 크기가 감소하지만, 몇 개월 후 다시 증가할 수 있음
3. 폐경 전 여성의 수술을 피하기 위해 사용
4. 부작용 예방 : 3~6개월 정도 GnRH agonist와 estrogen + progesterone 보충

참고 *Final Check 부인과 96 page*

45

40세 여성에서 자궁근종(myoma)이 있을 때 수술을 하는 기준으로 옳은 것을 모두 고르시오.

(가) 생리통, 성교통 등의 만성 통증이 있을 때
(나) 급속한 크기의 증가가 있을 때
(다) 호르몬치료에 반응하지 않는 빈혈을 동반한 출혈이 있을 때
(라) 초자변성(hyaline degeneration)이 있을 때

① 가, 나, 다　② 가, 다
③ 나, 라　④ 라
⑤ 가, 나, 다, 라

45

정답 ①

해설

자궁근종의 수술 적응증

1. 빈혈을 동반한 부정 질 출혈
2. 호르몬 치료에 반응이 없는 경우
3. 월경통, 성교통, 하복통 등의 만성적 통증
4. 유경근종, 점막하 근종 탈출의 급성 통증
5. 수신증을 동반하는 비뇨기계 증상
6. 불임 시 자궁근종 이외의 원인이 없는 경우
7. 크기의 급작스러운 증가로 압통, 통증 증가
8. 자궁강 모양의 변형이 동반된 반복 유산력

참고 *Final Check 부인과 97 page*

46

자궁근종의 수술 적응증으로 옳은 것을 모두 고르시오.

(가) 심한 빈혈, 생리통, 골반통의 원인이 될 때
(나) 불임의 원인이 될 때
(다) 난소 종양과 감별이 필요할 때
(라) 임신 중 변성으로 심한 통증을 유발할 때

① 가, 나, 다　② 가, 다
③ 나, 라　④ 라
⑤ 가, 나, 다, 라

46

정답 ①

해설

자궁근종의 수술 적응증

1. 빈혈을 동반한 부정 질 출혈
2. 호르몬 치료에 반응이 없는 경우
3. 월경통, 성교통, 하복통 등의 만성적 통증
4. 유경근종, 점막하 근종 탈출의 급성 통증
5. 수신증을 동반하는 비뇨기계 증상
6. 불임 시 자궁근종 이외의 원인이 없는 경우
7. 크기의 급작스러운 증가로 압통, 통증 증가
8. 자궁강 모양의 변형이 동반된 반복 유산력

참고 *Final Check 부인과 97 page*

47

자궁근종이 있는 환자에서 자궁절제술의 적응증을 모두 고르시오.

(가) 질 출혈로 빈혈이 심할 때
(나) 급속히 성장하는 종괴
(다) 자궁평활근육종(leiomyosarcoma)이 의심될 때
(라) 더 이상 임신을 원하지 않고 증상이 심할 때

① 가, 나, 다
② 가, 다
③ 나, 라
④ 라
⑤ 가, 나, 다, 라

47

정답 ⑤

해설

자궁근종 환자에서 자궁절제술

1. 무증상 여성은 자궁절제술의 적응증이 아님
2. 임신을 원하지 않는 경우의 근본적인 치료법

참고 *Final Check 부인과 97 page*

48

자궁선근증(adenomyosis)의 주요 증상은 무엇인가?

① 대하증(leukorrhea)
② 소양감(itching)
③ 경부 미란(cervical erosion)
④ 월경통(dysmenorrhea)
⑤ 빈뇨(frequency)

48

정답 ④

해설

자궁선근증(Adenomyosis)의 증상

1. 50% 정도는 무증상
2. 다량의 생리 혹은 오래 지속되는 월경출혈
3. 성교통, 생리통, 만성 골반통
4. 월경 출혈이 시작되기 2주 전부터 시작되어 월경 끝난 후에도 지속되는 경향

참고 *Final Check 부인과 98 page*

49

자궁선근증(adenomyosis)의 특징적인 소견을 모두 고르시오.

(가) 자궁근층에 자궁내막의 기질과 샘 조직이 존재한다
(나) 자궁이 둥글게 커져 있다
(다) 자궁벽이 비후되어 있고, 후벽에 호발한다
(라) 자궁 표면에 다양한 크기의 결정(nodule)이 있다

① 가, 나, 다 ② 가, 다
③ 나, 라 ④ 라
⑤ 가, 나, 다, 라

49
정답 ①
해설
자궁선근증(Adenomyosis)
1. 내막의 샘과 간질조직이 자궁근층 내에 침윤
2. 특징
   a. 자궁의 후벽(posterior wall)에 호발
   b. 자궁이 둥글게 커지는 양상
   c. 임신 12주 이하 크기
   d. 불임과는 무관

참고 *Final Check 부인과 98 page*

50

산과력 2-0-3-2인 40세 여성이 3년 전부터 심해진 생리통과 늘어난 생리양을 주소로 내원하였다. 내진상 자궁이 전반적으로 정상보다 2배 정도 커져 있고 비교적 단단하게 만져졌으나 정상 형상을 유지하고 있었다. 시행한 자궁내막 조직검사는 정상이었다면 가장 가능성이 높은 질환은 무엇인가?

① 자궁내막염(endometritis)
② 자궁근육종(uterine sarcoma)
③ 자궁선근증(adenomyosis)
④ 자궁경부 용종(endocervical polyp)
⑤ 자궁내막증식증(endometrial hyperplasia)

50
정답 ③
해설
자궁선근증(Adenomyosis)
1. 내막의 샘과 간질조직이 자궁근층 내에 침윤
2. 특징
   a. 자궁의 후벽(posterior wall)에 호발
   b. 자궁이 둥글게 커지는 양상
   c. 임신 12주 이하 크기
   d. 불임과는 무관

참고 *Final Check 부인과 98 page*

51

28세 미혼 여성이 심한 월경통을 주소로 내원하였다. 시행한 초음파와 MRI의 소견이 다음과 같다면 이 여성의 진단으로 가장 가능성이 높은 것을 고르시오.

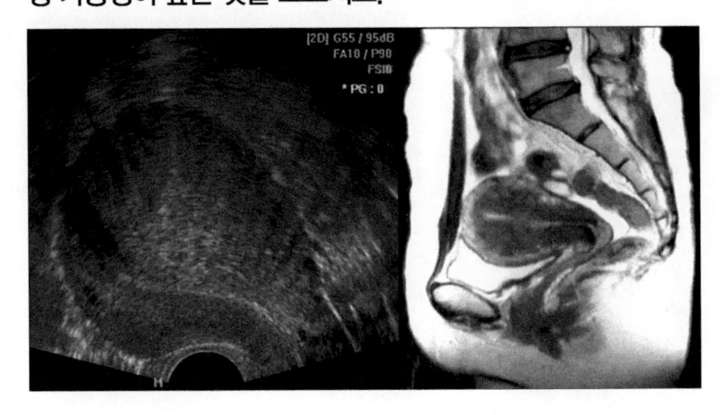

① 자궁내막염
② 자궁근종
③ 자궁선근증
④ 자궁내막증
⑤ 자궁내막증식증

51

정답 ③

해설

자궁선근증(Adenomyosis)

1. 내막의 샘과 간질조직이 자궁근층 내에 침윤
2. 특징
   a. 자궁의 후벽(posterior wall)에 호발
   b. 자궁이 둥글게 커지는 양상
   c. 임신 12주 이하 크기
   d. 불임과는 무관

참고 *Final Check 부인과 98 page*

52

다음 중 자궁선근증(adenomyosis)의 확진 방법을 고르시오.

① 내진
② 자궁내막 조직검사
③ 임상적 증상
④ 현미경적 소견
⑤ 초음파 검사

52

정답 ④

해설

자궁선근증(Adenomyosis)의 진단

1. 초음파, MRI 등으로 추정진단 가능
2. 조직학적 소견으로만 확진 가능

참고 *Final Check 부인과 98 page*

53

산과력 0-0-2-0인 31세 미혼 여성이 월경 과다와 생리통을 주소로 내원하였다. 내진상 성인 남자 주먹 크기의 부드러운 자궁이 촉진되었다. 초음파 소견이 아래와 같다면 이 환자에게 가장 적절한 치료는 무엇인가?

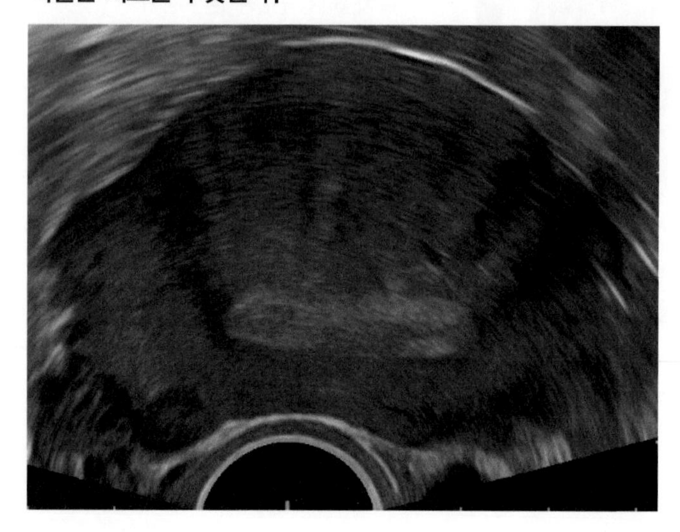

① LNG-IUS

② 자궁소파술

③ 자궁내막절제술

④ 자궁절제술

⑤ 근종절제술

53

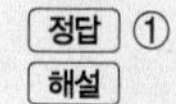

정답 ①

해설

자궁선근증(adenomyosis)의 치료

1. 나이와 향후 임신 계획에 따라 결정
2. 내과적 치료 : NSAIDs, 경구피임제, 프로게스틴(경구 or 자궁 내), GnRH agonist, aromatase inhibitor
3. 수술적 치료
   a. 출산을 원하지 않는 경우 : 자궁절제술
   b. 가임력 보존 + 내과적 치료 실패 : 자궁벽 쐐기절제술, 이중피판법
   c. 기타 치료법 : 자궁동맥색전술, HIFU 등

참고 *Final Check 부인과 99 page*

54

30세 미혼 여성이 심한 월경통을 주소로 내원하였다. 시행한 초음파와 MRI가 아래와 같다면 이 여성에게 가장 적절한 치료 방법을 고르시오.

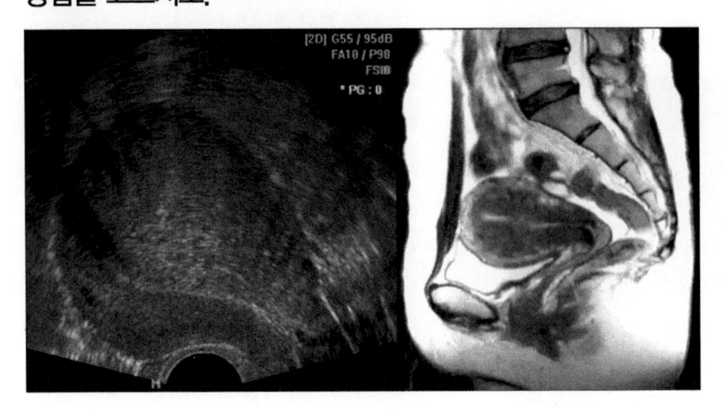

① 에스트로겐 ② 테스토스테론
③ 복합경구피임약 ④ 자궁경
⑤ 자궁절제술

54

정답 ③

해설

자궁선근증(adenomyosis)의 치료

1. 나이와 향후 임신 계획에 따라 결정
2. 내과적 치료 : NSAIDs, 경구피임제, 프로게스틴 (경구 or 자궁 내), GnRH agonist, aromatase inhibitor
3. 수술적 치료
   a. 출산을 원하지 않는 경우 : 자궁절제술
   b. 가임력 보존 + 내과적 치료 실패 : 자궁벽 쐐기절제술, 이중피판법
   c. 기타 치료법 : 자궁동맥색전술, HIFU 등

참고 *Final Check 부인과 99 page*

55

성경험이 없는 27세 미혼 여성이 월경 때마다 반복되는 골반통을 주소로 내원하였다. 자궁은 어른 주먹 정도의 크기로 커져 있었으며, 초음파상 자궁선근증(adenomyosis)이 의심되었다. 다음 중 가장 적절한 치료를 모두 고르시오.

(가) 복합 경구피임제
(나) 경구 프로게스테론
(다) 비스테로이드 항염증제
(라) Levonorgestrel-IUS

① 가, 나, 다 ② 가, 다
③ 나, 라 ④ 라
⑤ 가, 나, 다, 라

55

정답 ①

해설

자궁선근증(adenomyosis)의 치료

1. 나이와 향후 임신 계획에 따라 결정
2. 내과적 치료 : NSAIDs, 경구피임제, 프로게스틴 (경구 or 자궁 내), GnRH agonist, aromatase inhibitor
3. 수술적 치료
   a. 출산을 원하지 않는 경우 : 자궁절제술
   b. 가임력 보존 + 내과적 치료 실패 : 자궁벽 쐐기절제술, 이중피판법
   c. 기타 치료법 : 자궁동맥색전술, HIFU 등

참고 *Final Check 부인과 99 page*

56

32세 미혼 여성이 반복적인 심한 월경통을 주소로 내원하였다. 검진상 자궁이 임신 12주 정도로 커져 있었으며, 초음파상 아래와 같은 소견을 보였다. 이 환자에게 가장 적절한 치료를 고르시오.

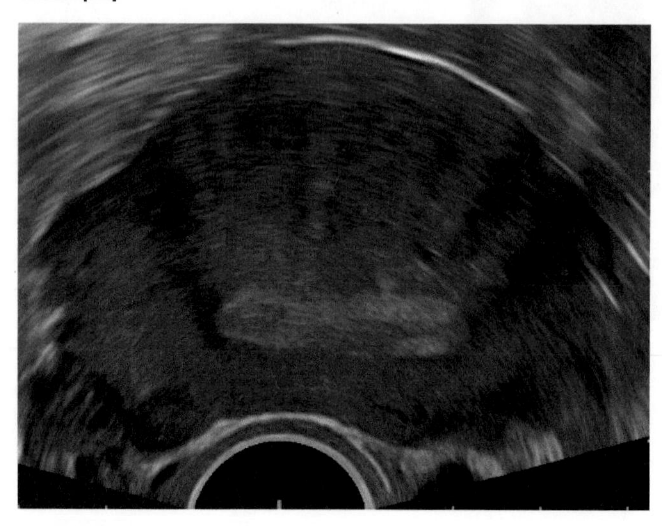

① Estrogen

② Progesterone

③ Oral contraceptives

④ Hysterectomy

⑤ Hysterotomy

56

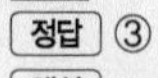 ③

자궁선근증(adenomyosis)의 치료

1. 나이와 향후 임신 계획에 따라 결정
2. 내과적 치료 : NSAIDs, 경구피임제, 프로게스틴(경구 or 자궁 내), GnRH agonist, aromatase inhibitor
3. 수술적 치료
   a. 출산을 원하지 않는 경우 : 자궁절제술
   b. 가임력 보존 + 내과적 치료 실패 : 자궁벽 쐐기절제술, 이중피판법
   c. 기타 치료법 : 자궁동맥색전술, HIFU 등

참고 *Final Check 부인과 99 page*

57

산과력 0-0-2-0인 37세 여성이 월경통 및 월경과다를 주소로 내원하였다. 진찰상 자궁이 커져 있었고, 골반 초음파 소견이 다음과 같다면 가장 올바른 처치는 무엇인가?

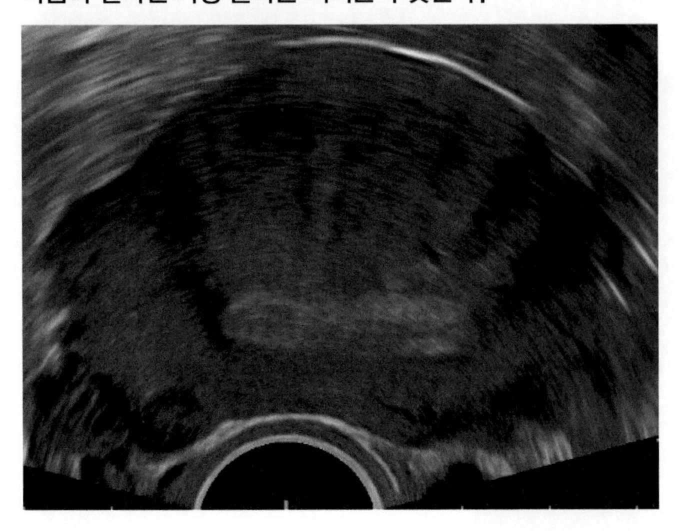

① 자궁근종 절제술
② LNG-IUS
③ 자궁절제술
④ 자궁내막절제술
⑤ 자궁소파술

57

정답 ②

해설

자궁선근증(adenomyosis)의 치료

1. 나이와 향후 임신 계획에 따라 결정
2. 내과적 치료 : NSAIDs, 경구피임제, 프로게스틴 (경구 or 자궁 내), GnRH agonist, aromatase inhibitor
3. 수술적 치료
   a. 출산을 원하지 않는 경우 : 자궁절제술
   b. 가임력 보존 + 내과적 치료 실패 : 자궁벽 쐐기절제술, 이중피판법
   c. 기타 치료법 : 자궁동맥색전술, HIFU 등

참고 *Final Check 부인과 99 page*

58

산과력 0-0-0-0인 37세 미혼 여성이 생리통과 월경과다를 주소로 내원하였다. 검진상 자궁이 커져 있는 소견이 있었고, Hb 9.5 g/dL, 초음파 소견은 아래와 같았다면 이 여성의 치료로 가장 적합한 것을 고르시오.

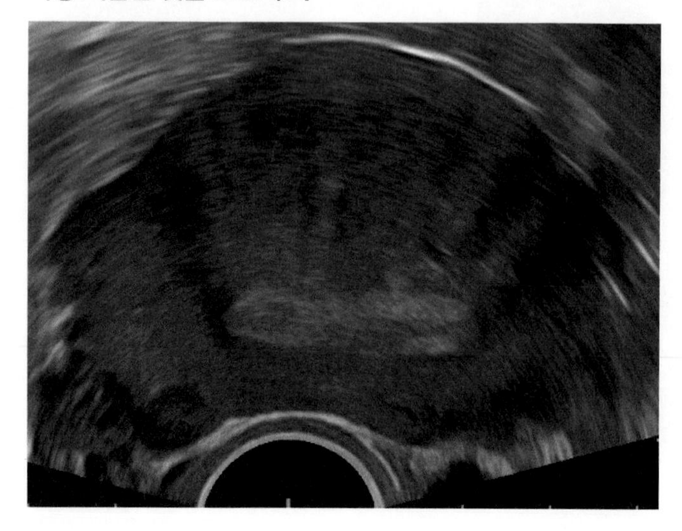

① 자궁절제술

② 근종절제술

③ 자궁경하 자궁내막소작술

④ Copper IUD

⑤ Levonorgestrel IUD

58

정답 ⑤

해설

자궁선근증(adenomyosis)의 치료

1. 나이와 향후 임신 계획에 따라 결정
2. 내과적 치료 : NSAIDs, 경구피임제, 프로게스틴(경구 or 자궁 내), GnRH agonist, aromatase inhibitor
3. 수술적 치료
   a. 출산을 원하지 않는 경우 : 자궁절제술
   b. 가임력 보존 + 내과적 치료 실패 : 자궁벽 쐐기절제술, 이중피판법
   c. 기타 치료법 : 자궁동맥색전술, HIFU 등

참고 *Final Check 부인과 99 page*

CHAPTER 08

골반통과 월경통(Pelvic pain and Dysmenorrhea)

01

다음 중 급성 골반통 시 감별해야 할 질환을 모두 고르시오.

(가) Ectopic pregnancy
(나) Endometriosis
(다) Appendicitis
(라) Torsion of ovarian cyst

① 가, 나, 다 ② 가, 다
③ 나, 라 ④ 라
⑤ 가, 나, 다, 라

01
정답 ⑤
해설
급성 골반통의 감별진단

여성 생식기계	소화기계
자궁외임신	급성 충수돌기염
난소낭종 파열, 누출	급성 게실염
자궁부속기 염전	장 폐쇄
골반염, 난관난소염	**비뇨기계**
난관난소농양	요로 결석
자궁근종	방광염
자궁내막증	신우신염

참고 *Final Check 부인과 101 page*

02

일차성 월경통(primary dysmenorrhea)의 주 원인으로 생각되는 생합성 물질은 무엇인가?

① Estradiol
② Progesterone
③ Prostaglandin F2α
④ Inhibin
⑤ Follicle stimulating hormone

02
정답 ③
해설
일차성 월경통(Primary dysmenorrhea)의 원인
1. 증가된 자궁내막의 prostaglandin F2α 생성
2. 강력한 혈관수축 및 근육수축을 유발하여 자궁의 허혈과 통증을 유발

참고 *Final Check 부인과 108 page*

03

17세 여학생이 월경통을 주소로 내원하였다. 통증은 생리 2~3일째 가장 심했고, 초음파 및 다른 검사상 특이소견은 없었다면 가장 적절한 치료법을 고르시오.

① 다나졸

② 지속적 경구피임제

③ Selective COX-2 inhibitor

④ GnRH agonist

⑤ 복강경 수술

03

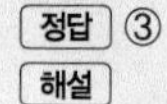

정답 ③

해설

일차성 월경통(Primary dysmenorrhea)의 치료

1. Prostaglandin 합성억제제
   a. NSAIDs
   b. Propionic acid
   c. Mefenamic acid
   d. Selective COX-2 inhibitor
2. 경구피임제
3. Hydrocodone, codeine

참고 *Final Check 부인과 108 page*

04

17세 여성이 월경통을 주소로 내원하였다. 검사상 초음파와 혈중 CA-125는 정상이었고, 특별한 과거력이 없다면 이 여성에게 가장 적합한 처치는 무엇인가?

① 진단적 복강경

② NSAIDs

③ GnRH agonist

④ Narcotics

⑤ SSRI

04

정답 ②

해설

일차성 월경통(Primary dysmenorrhea)의 치료

1. Prostaglandin 합성억제제
   a. NSAIDs
   b. Propionic acid
   c. Mefenamic acid
   d. Selective COX-2 inhibitor
2. 경구피임제
3. Hydrocodone, codeine

참고 *Final Check 부인과 108 page*

05

26세 여성이 월경 시 골반통을 주소로 내원하였다. 통증은 월경 시작 2~3시간 전에 시작하여 2~3일간 지속되었다고 한다. 골반 진찰상 자궁부위 압통은 있었으나, 자궁경부를 움직였을 때의 통증은 없었으며, 종괴는 촉진되지 않았다. 혈액검사와 배양검사에서도 이상소견은 없었다면 이 환자의 치료로 적절한 것을 모두 고르시오.

(가) Mefenamic acid
(나) NSAIDs
(다) Oral pill
(라) Codeine

① 가, 나, 다
② 가, 다
③ 나, 라
④ 라
⑤ 가, 나, 다, 라

05

정답 ⑤

해설

일차성 월경통(Primary dysmenorrhea)의 치료

1. Prostaglandin 합성억제제
   a. NSAIDs
   b. Propionic acid
   c. Mefenamic acid
   d. Selective COX-2 inhibitor
2. 경구피임제
3. Hydrocodone, codeine

참고 *Final Check 부인과 108 page*

06

28세의 미혼 여성이 초경 8개월 후부터 발생한 주기적 하복통을 주소로 내원하였다. 통증은 월경 시작일에 몹시 심하다가 둘째 날에는 감소되면서 회복되었다고 한다. 진찰 및 검사에서는 특이 소견이 없었다면 이 환자의 치료에 대한 설명으로 가장 옳은 것은 무엇인가?

① 위로, 안심 등의 정신요법이나 지지요법은 불필요하다
② 경구피임제의 사용은 배란을 억제하므로 증세를 악화시킬 수 있다
③ 자궁수축억제제는 자궁혈류량을 증가시키므로 부작용이 적고 효과가 좋다
④ 프로스타글란딘 합성억제제가 가장 흔히 사용되며 효과가 좋다
⑤ 천골전신경절제술이 우선적으로 고려된다

06

정답 ④

해설

일차성 월경통(Primary dysmenorrhea)의 치료

1. Prostaglandin 합성억제제
   a. NSAIDs
   b. Propionic acid
   c. Mefenamic acid
   d. Selective COX-2 inhibitor
2. 경구피임제
3. Hydrocodone, codeine

참고 *Final Check 부인과 108 page*

07

일차성 월경통(primary dysmenorrhea) 환자에게 사용할 수 있는 약을 쓰시오.(3가지)

07

정답
1. NSAIDs
2. Propionic acid
3. Mefenamic acid
4. Selective COX-2 inhibitor
5. 경구피임제
6. Hydrocodone, codeine

참고 *Final Check 부인과 108 page*

08

이차성 월경통(secondary dysmenorrhea)이 가장 흔히 발생하는 질환은 무엇인가?

① Uterine carcinoma

② Subserosal myoma

③ Endometriosis

④ Psychogenic factors

⑤ Endocervical polyp

08

정답 ③

해설

자궁내막증(Endometriosis)
1. 자궁내막의 샘과 기질이 난소, 더글라스와를 포함한 복강 내에 존재하는 것
2. 이차성 월경통의 가장 흔한 원인
3. 월경 2주전부터 시작되는 주기성 통증

참고 *Final Check 부인과 109 page*

09

월경통에 관한 설명으로 옳은 것은 무엇인가?

① NSAIDs 치료는 일차성보다 이차성 월경통에서 더 효과적이다
② 일반적으로 이차성 월경통은 일차성에 비하여 통증기간이 짧다
③ 경구피임제에 의한 치료는 이차성보다 일차성 월경통에 더 효과적이다
④ 일차성 월경통 환자에서는 PG inhibitor가 경구피임제보다 더 효과적이다
⑤ 일차성 월경통 치료는 처음부터 경구피임제와 codeine을 같이 투여해야 효과적이다

09
정답 ③
해설
1. NSAIDs는 일차성 월경통에 효과적
2. 이차성 월경통은 생리 시작 1~2주 전 발생하여, 끝난 후 며칠간 지속되어 통증 기간이 더 김
3. 일차성 월경통은 PG inhibitor, OCs가 치료이고, 피임을 원하는 경우 OCs가 효과적
4. OCs는 90% 정도에서 효과가 있으나, NSAIDs는 개인에 따라 반응이 다름
5. NSAIDs 효과가 없으면 codeine 추가 가능

참고 *Final Check 부인과 108, 109 page*

10

29세 기혼 여성이 갑자기 발생한 하복부 통증을 주소로 내원하였다. 이 환자에게 반드시 검사해야 하는 것을 모두 고르시오.

(가) hCG
(나) CBC
(다) ESR
(라) Urine analysis

① 가, 나, 다　② 가, 다
③ 나, 라　④ 라
⑤ 가, 나, 다, 라

10
정답 ⑤
해설
급성 골반통의 진단검사
1. 요 및 혈청의 임신 검사
2. 혈액검사(ESR, CRP, CBC), 요검사
3. 더글라스와 천자
   a. 혈성액 검출 시 적혈구용적률검사
   b. 농 검출 시 그람염색과 배양검사
4. 초음파검사
5. CT, MRI
6. 복부 방사선검사

참고 *Final Check 부인과 101 page*

11

다음은 정상 월경주기 사진이다. 기능성 낭종파열로 혈복강이 가장 잘 발생하는 시기를 고르시오.

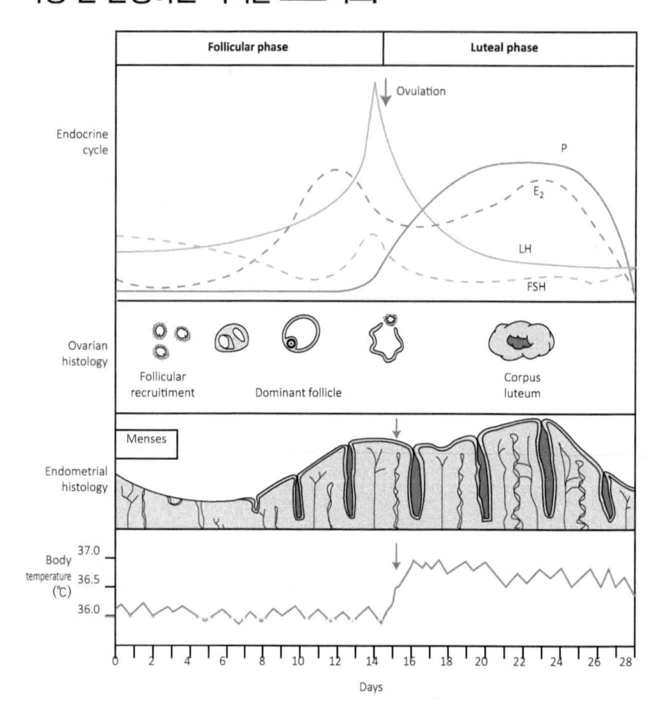

① 생리 2~4일
② 생리 5~10일
③ 생리 12~16일
④ 생리 17~19일
⑤ 생리 20~22일

11

정답 ⑤

해설

황체낭종(Corpus luteum cyst)

1. 혈복강을 유발하는 가장 흔한 난소낭종
2. 파열 시 복강 내 출혈로 급성 복통이 유발
3. 주로 황체기 후반에 파열이 흔함

참고 *Final Check 부인과 102 page*

12

다음 중 자궁부속기 염전(adnexal torsion)의 가장 흔한 원인을 고르시오.

① Dermoid cyst
② Serous cystadenoma
③ Mucinous cystadenoma
④ Papillary cystadenoma
⑤ Follicular cyst

13

18세 여자가 3시간 동안 지속된 하복부 통증을 주소로 내원하였다. 복부 진찰 상 좌하복부에 압통 및 반발 압통이 관찰되었고, 골반 초음파 상 좌측 부속기에 7 cm 크기의 종물이 관찰되었다. 복강경 소견이 다음과 같다면 이 환자에게 가장 올바른 처치를 고르시오.

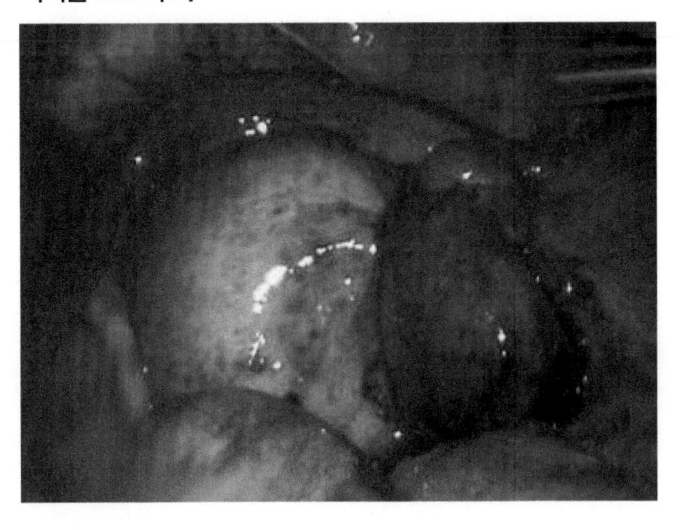

① Cystectomy
② Salpingectomy
③ Cyst aspiration
④ Salpingo-oophorectomy
⑤ Detorsion & Cystectomy

12

정답 ①

해설

자궁부속기 염전(torsion)의 원인

1. 줄기를 축으로 회전, 꼬임으로써 허혈이 발생
2. 강도가 매우 심하고 지속적인 양상의 통증
3. 부분적인 염전이 발생한 경우 간헐적인 통증
4. 양성 기형종(dermoid cyst) : 가장 흔한 원인
5. 유착이 있는 자궁내막종, 농양에서는 드묾

참고 *Final Check 부인과 103 page*

13

정답 ⑤

해설

자궁부속기 염전(torsion)의 치료

1. 수술
   a. 염전 부위를 풀고 낭종절제술을 시행
   b. 반복적인 염전 발생 시 난소고정술 시행
2. 괴사된 난소로 보이는 경우라도 난소를 보존하면 이후 생식능과 내분비능이 유지

참고 *Final Check 부인과 104 page*

14

17세 여자 환자가 하복부 통증을 주소로 내원하였다. 초음파상 오른쪽 난소에 11 cm 크기의 단방성 낭종(unilocular cyst)이 발견되어 복강경을 시행하였고 오른쪽 난소 염전이 확인되었다. 다음 처치로 가장 적절한 것을 고르시오.

① Cyst aspiration

② Oophorectomy

③ Detorsion

④ Detorsion with Cystectomy

⑤ Adnexectomy

14

정답 ④

해설

자궁부속기 염전(torsion)의 치료

1. 수술
   a. 염전 부위를 풀고 낭종절제술을 시행
   b. 반복적인 염전 발생 시 난소고정술 시행
2. 괴사된 난소로 보이는 경우라도 난소를 보존하면 이후 생식능과 내분비능이 유지

참고 *Final Check 부인과 104 page*

15

18세 미혼 여성이 2시간 전부터 발생한 하복부 통증을 주소로 내원하였다. 시행한 초음파상 10 x 8 cm 크기의 우측 난소낭종이 관찰되었고 도플러상 혈류가 감소된 소견이 보여 난소염전이 의심되었다. 이 환자에 대한 다음 처치로 올바른 것을 고르시오.

① 경과관찰

② 수액 보충

③ 꼬임 풀기 + 낭종절제술

④ 난소절제술

⑤ 난소난관절제술

15

정답 ③

해설

자궁부속기 염전(torsion)의 치료

1. 수술
   a. 염전 부위를 풀고 낭종절제술을 시행
   b. 반복적인 염전 발생 시 난소고정술 시행
2. 괴사된 난소로 보이는 경우라도 난소를 보존하면 이후 생식능과 내분비능이 유지

참고 *Final Check 부인과 104 page*

16

21세 미혼 여성이 급성 복통을 주소로 내원하였다. 시행한 초음파상 단순낭종이 관찰되었고, 크기는 13 x 11 cm 크기였다. 시행한 복강경상 난소염전(ovarian torsion)이 관찰되었다면 이 환자에게 올바른 처치는 무엇인가?

① Analgesics & antibiotics

② Detorsion & cystectomy

③ Unilateral oophorectomy

④ Bilateral oophorectomy

⑤ Hysterectomy & bilateral oophorectomy

16

정답 ②

해설

자궁부속기 염전(torsion)의 치료

1. 수술
   a. 염전 부위를 풀고 낭종절제술을 시행
   b. 반복적인 염전 발생 시 난소고정술 시행
2. 괴사된 난소로 보이는 경우라도 난소를 보존하면 이후 생식능과 내분비능이 유지

참고 *Final Check 부인과 104 page*

17

17세 여학생이 6개월 간 심한 정도의 주기적 월경통을 주소로 내원하였다. 다음 중 반드시 시행하여야 할 검사를 모두 고르시오.

(가) CBC, ESR
(나) CA-125
(다) 초음파 검사
(라) 더글라스와 천자

① 가, 나, 다　　② 가, 다

③ 나, 라　　④ 라

⑤ 가, 나, 다, 라

17

정답 ①

해설

급성 골반통의 진단검사

1. 요 및 혈청의 임신 검사
2. 혈액검사(ESR, CRP, CBC), 요검사
3. 더글라스와 천자
   a. 혈성액 검출 시 적혈구용적률검사
   b. 농 검출 시 그람염색과 배양검사
4. 초음파검사
5. CT, MRI
6. 복부 방사선검사

참고 *Final Check 부인과 101 page*

18

만성 골반통이 주 증상인 여성에서 원인을 규명하고자 진단적 복강경을 시행하였다. 이때 관찰될 수 있는 질환을 모두 고르시오.

(가) Endometriosis
(나) Pelvic congestion syndrome
(다) Pelvic adhesion
(라) Ovarian remnant syndrome

① 가, 나, 다
② 가, 다
③ 나, 라
④ 라
⑤ 가, 나, 다, 라

18

정답 ⑤

해설

만성 골반통의 여성 생식기계 원인

1. 자궁내막증
2. 자궁선근증
3. 골반 울혈
4. 유착
5. 아급성 난관난소염
6. 난소잔류증후군

참고 *Final Check 부인과 110 page*

19

만성 골반통(chronic pelvic pain) 환자에서 시행한 진단적 복강경 시 가장 흔하게 보는 소견은 무엇인가?

① Endometriosis
② Adenomyosis
③ Uterine leiomyoma
④ Ovarian cyst
⑤ PID

19

정답 ①

해설

자궁내막증(Endometriosis)

1. 속발성 생리통 및 만성골반통의 원인 중 가장 많은 원인
2. 자궁내막증의 위치와 병기는 증상과 상관관계가 없음

참고 *Final Check 부인과 110 page*

20

원인 불명의 만성 골반통에 대한 내용으로 맞는 것을 모두 고르시오.

(가) Uterosacral nerve ablation은 월경통에 효과가 있다
(나) 부속기 통증에는 presacral neurectomy가 효과가 있다
(다) 자궁내막증과 유착이 부인과적 원인으로 가장 흔하다
(라) 장 유착보다는 자궁 부속기 유착이 더 통증이 심하다

① 가, 나, 다
② 가, 다
③ 나, 라
④ 라
⑤ 가, 나, 다, 라

20
정답 ⑤
해설
만성 골반통(Chronic pelvic pain)의 치료
1. 내과적 치료
   a. TCA, anticonvulsant, SSRI, SNRI
   b. 인지행동치료
2. 수술적 치료
   a. Laparoscopy
   b. Adhesiolysis
   c. Presacral neurectomy & LUNA
   d. Hysterectomy

참고 *Final Check 부인과 114 page*

21

월경전증후군(premenstrual syndrome)에 대한 설명 중 틀린 것은 무엇인가?

① 증상은 황체기에 나타난다
② 가장 흔한 증상은 우울감이다
③ 30~40대 중년 여성에서 흔하다
④ 장기간 정서장애가 의심되면 정신과 진료가 필요하다
⑤ 진단은 증상이 최소한 연속적으로 2주기 이상 나타나야 한다

21
정답 ②
해설
월경전증후군(Premenstrual syndrome)
1. 월경과 관련된 정서장애로서 월경 시작 1주 전에 신체적, 정서적, 행동적 증상이 반복적, 주기적으로 발생하여 월경 시작 4일 안에 해소되고 적어도 13일까지는 나타나지 않는 것
2. 최소 2주기 동안 증상발현을 매일 기록
3. 진단 조건
   a. 황체기에 나타나는 주기적인 증상들
   b. 난포기에는 증상이 없음
   c. 일상 생활에 지장을 초래할 정도의 증상들

참고 *Final Check 부인과 115 page*

22

산과력 1-0-0-1이고 규칙적인 월경력을 가진 30세 여성이 황체기에 발생하여 월경 시작과 동시에 없어지는 피로, 두통, 복부 팽만, 유방통증, 불안, 적개심, 우울증을 주소로 내원하였다. 신체 검사 및 골반 초음파 검사에서 이상소견은 없었다면 다음 중 가장 가능성이 높은 진단명은 무엇인가?

① 조기 폐경　② 정신분열병
③ 월경전증후군　④ 고프로락틴혈증
⑤ 황체기 결손

22
정답 ③
해설
월경전증후군(Premenstrual syndrome)
1. 정신적 증상 : 불안, 우울, 과민, 기분변화, 식욕 증가, 공격성, 피로, 건망증, 수면장애 등
2. 신체적 증상 : 복부팽만, 부종, 체중 증가, 변비, 안면홍조, 유방통, 두통, 여드름, 비염 등

참고 *Final Check 부인과 116 page*

23

25세 미혼 여성이 매달 생리 6일 전부터 식욕 증가, 불면증, 우울, 불안 증세 있으며 월경 직후 사라지는 증상을 주소로 내원하였다. 이 환자에게 가장 적절한 약물을 고르시오.

① Aromatase inhibitor　② Codeine
③ SSRI　④ Vit. E
⑤ Lasix

23
정답 ③
해설
Premenstrual syndrome의 management
1. 생활습관 개선
   a. 카페인, 흡연, 스트레스의 감소
   b. 규칙적인 운동, 식사, 적절한 수면
2. 내과적 치료
   a. Selective serotonin reuptake inhibitors (SSRI)
   b. Benzodiazepine계 항불안제
   c. GnRH agonist
   d. 경구피임제
   e. Spironolactone

참고 *Final Check 부인과 116 page*

24

30세 여성이 월경 1주일 전부터 생기는 무기력, 수면 장애, 유방 통증이 월경 시작 후 환화됨을 주소로 내원하였다. 다음 중 이 여성에게 가장 적절한 치료는 무엇인가?

① Vit. C　② 이뇨제
③ 경구피임제　④ NSAIDs
⑤ SSRI

24
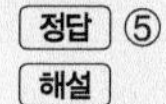
정답 ⑤
해설
Premenstrual syndrome의 management
1. 생활습관 개선
   a. 카페인, 흡연, 스트레스의 감소
   b. 규칙적인 운동, 식사, 적절한 수면
2. 내과적 치료
   a. Selective serotonin reuptake inhibitors (SSRI)
   b. Benzodiazepine계 항불안제
   c. GnRH agonist
   d. 경구피임제
   e. Spironolactone

참고 *Final Check 부인과 116 page*

25

22세 여성이 반복적인 월경 전 불안, 우울감, 유방통을 주소로 내원하였다. 이 환자에게 가장 적절한 치료 방법을 고르시오.

① Raloxifene

② Clomiphene

③ Bromocriptine

④ Estrogen

⑤ Combined oral contraceptive

26

40대 여성이 지속적인 복통을 주소로 내원하였다. 시행한 초음파상 자궁 및 난소에는 특이 소견이 없었으나, pelvic CT에서 아래와 같은 소견이 보였다. 이 환자의 진단명으로 가장 적절한 것은 무엇인가?

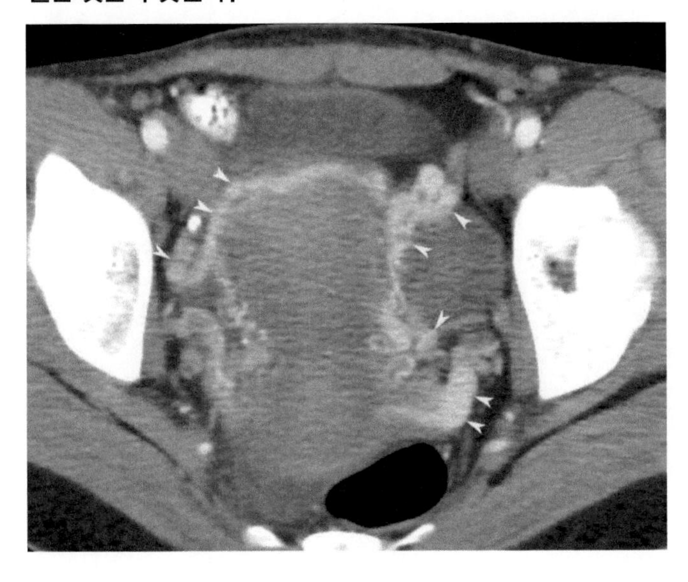

① Ovarian cancer　② Pelvic inflammatory disease

③ Ectopic pregnancy　④ Endometriosis

⑤ Pelvic congestion syndrome

25

정답 ⑤

해설

Premenstrual syndrome의 management

1. 생활습관 개선
   a. 카페인, 흡연, 스트레스의 감소
   b. 규칙적인 운동, 식사, 적절한 수면
2. 내과적 치료
   a. Selective serotonin reuptake inhibitors (SSRI)
   b. Benzodiazepine계 항불안제
   c. GnRH agonist
   d. 경구피임제
   e. Spironolactone

참고 *Final Check 부인과 116 page*

26

정답 ⑤

해설

골반 울혈(Pelvic congestion)

1. 만성 골반통의 원인으로 세번째로 흔한 질환
2. 골반 복벽 및 정맥의 울혈, 과민성 등에 의해 장운동, 성관계 시 통증을 느끼는 것
3. 진단
   a. 골반 정맥염주(pelvic varicosity)를 확인
   b. 정맥조영술, 골반 초음파, MRI, CT, 복강경

참고 *Final Check 부인과 111 page*

27

다음 중 고동도 medroxyprogesterone acetate (MPA)를 사용하였을 때 가장 좋은 효과를 얻을 수 있는 질환은 무엇인가?

① Pelvic congestion syndrome

② Trigger point injection

③ Irritable bowel syndrome

④ Functional cyst

⑤ Low back pain

27

정답 ①

해설

골반 울혈의 치료

1. 직장을 통한 마사지
2. 데포프로베라(depo-MPA)
3. 난소정맥복막외절제 (extraperitoneal resection)
4. 자궁절제술 및 부속기절제술

참고 *Final Check 부인과 112 page*

28

골반 울혈(pelvic congestion)이 있는 환자의 통증완화에 적절한 방법을 모두 고르시오.

(가) Low dose estrogen
(나) Depo-MPA
(다) High dose progesterone
(라) GnRH analogue

① 가, 나, 다   ② 가, 다

③ 나, 라   ④ 라

⑤ 가, 나, 다, 라

28

정답 ⑤

해설

골반 울혈의 치료

1. 직장을 통한 마사지
2. 데포프로베라(depo-MPA)
3. 난소정맥복막외절제 (extraperitoneal resection)
4. 자궁절제술 및 부속기절제술

참고 *Final Check 부인과 112 page*

CHAPTER 09

여성 생식기 감염(Genitourinary infection)

01

12세 여아가 냄새와 자극성이 없는 진한 백색의 질 분비물을 주소로 내원하였다. 다음 중 가장 가능성이 높은 질환을 고르시오.

① 임균성 요도감염　　② 트리코모나스 질염
③ 초경 전 질 분비물　　④ 이물질에 의한 질염
⑤ 외음부질 칸디다증

01
정답 ③
해설
초경 전 질 분비물
1. 초경 전 나타나는 냄새가 없는 비자극성의 진한 백색 분비물
3. 감염 증상이 아님

참고 *Final Check 부인과 117 page*

02

27세 여성이 냄새나는 다량의 질 분비물을 주소로 내원하였다. 매일 저녁 꾸준하게 질세정제로 질 세척을 하지만 증상은 지속되고, 성관계 후 생선 냄새가 더 심하다고 하였다. 이 환자에게 예상되는 질 분비물 검사 소견을 고르시오.

① pH 4.5 이상, amine odor (+), clue cell (+), WBC (-)
② pH 4.5 이상, amine odor (+), white highly viscous thread
③ pH 4.5 이하, amine odor (-), fresh homogeneous milk discharge
④ pH 4.5 이하, amine odor (-), clue cell (+), trichomonas mycelium (-)
⑤ pH 4.5 이하, amine odor (+), clue cell (+), WBC many

02
정답 ①
해설
세균성 질염(Bacterial vaginosis)
1. 정상 질 세균총의 변화 때문에 발생
2. 잦은 성교나 질세척 후 알칼리화에 기인
3. 증상
   a. 생선 냄새가 나는 분비물
   b. 맑고 균질한 회백색의 질 분비물
4. 진단
   a. Wet smear : Clue cell (+), WBC (–)
   b. pH > 4.5
   c. Whiff test : 양성(fishy amine–like 냄새)

참고 *Final Check 부인과 118 page*

03

다음 중 세균성 질염의 질 분비물 검사 소견으로 잘못된 것을 고르시오.

① Wet smear 상 lactobacillus (-)

② Wet smear 상 many WBC

③ Wet smear 상 many epithelial cell

④ Gram stain 상 non-motile, G (-) bacilli

⑤ KOH 첨가 시 생선 냄새

04

성생활이 활발한 22세 여성이 회백색의 질 분비물을 주소로 외래를 내원하였다. 질의 pH 5.5, 분비물에 KOH를 가했더니 생선 비린내와 같은 냄새가 났다. 이 여성에 관한 내용으로 옳은 것을 고르시오.

① 예방을 위해 정기적으로 질 세척을 하는 것이 좋다

② 진단을 위해서는 배양검사가 필요하다

③ 혐기성 세균의 과잉증식 때문에 발생한다

④ 남성 파트너에게도 증상이 있을 수 있다

⑤ 치료는 페니실린으로 한다

03

정답 ②

해설

세균성 질염(Bacterial vaginosis)의 진단

1. 질 분비물의 산도 : pH >4.5 (4.7~5.7)
2. 직접 도말표본법(wet smear)
   a. 단서세포(clue cell) 증가
   b. 백혈구, lactobacillus 등은 관찰되지 않음
3. Whiff test : 양성(fishy amine-like 냄새)

참고 *Final Check 부인과 119 page*

04

정답 ③

해설

세균성 질염(Bacterial vaginosis)

1. 정상 질 세균총의 변화 때문에 발생
2. 잦은 성교나 질세척 후 알칼리화에 기인
3. 증상
   a. 생선 냄새가 나는 분비물
   b. 맑고 균질한 회백색의 질 분비물

참고 *Final Check 부인과 118 page*

05

세균성 질염(bacterial vaginosis)의 치료에 대한 내용으로 잘못된 것을 고르시오.

① Metronidazole이 가장 좋은 치료제이다
② 약물 치료 중에는 알코올 섭취를 금하도록 한다
③ 성 파트너도 치료하도록 해야 한다
④ 7일요법이 1회요법에 비하여 더 효과적이다
⑤ 임신일 경우 조산과 관련이 있다

06

임신력 0-0-2-0인 29세 여성이 5일 전부터 생선 비린내 나는 분비물과 경한 외음부 소양증을 주소로 내원하였다. 직접 도말 표본법(wet smear)상 아래와 같았다면 치료로 가장 적절한 것은 무엇인가?

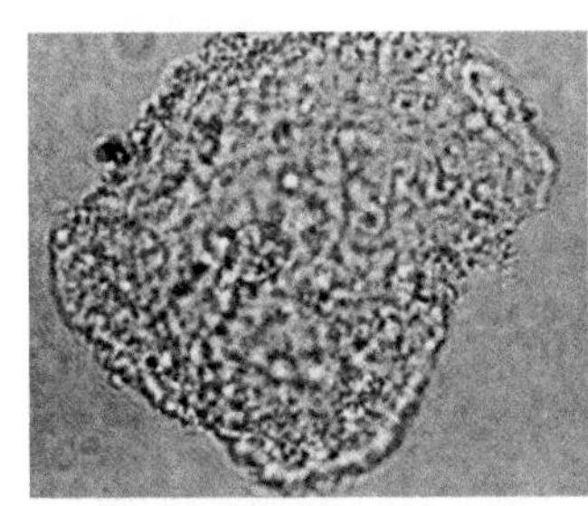
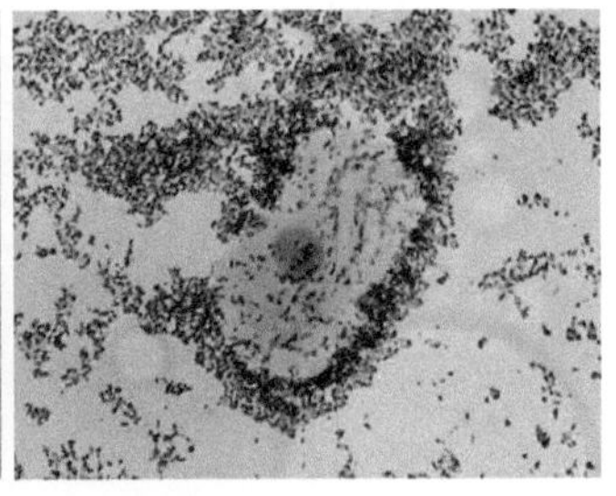

① Metronidazole
② Ceftriaxone
③ Penicillin
④ Silver nitrate
⑤ Estrogen

05

정답 ③

해설

세균성 질염(bacterial vaginosis)의 치료

Metronidazole
- Metronidazole 500 mg, 1일 2회, 7일간, 경구투여(복용 24시간 후까지 음주는 삼가)
- Metronidazole gel 0.75% 5 g, 1일 1~2회, 5일간, 질내투여

Clindamycin
- Clindamycin cream 2% 5 g, 1일 1회(자기 전), 7일간, 질내투여
- Clindamycin 300 mg, 1일 2회, 7일간, 경구투여
- Clindamycin ovules 100 mg, 1일 1회(자기 전), 3일간, 질내투여

- 성 파트너의 치료는 권고하지 않음

참고 Final Check 부인과 119 page

06

정답 ①

해설

세균성 질염(bacterial vaginosis)의 치료

Metronidazole
- Metronidazole 500 mg, 1일 2회, 7일간, 경구투여(복용 24시간 후까지 음주는 삼가)
- Metronidazole gel 0.75% 5 g, 1일 1~2회, 5일간, 질내투여

Clindamycin
- Clindamycin cream 2% 5 g, 1일 1회(자기 전), 7일간, 질내투여
- Clindamycin 300 mg, 1일 2회, 7일간, 경구투여
- Clindamycin ovules 100 mg, 1일 1회(자기 전), 3일간, 질내투여

- 성 파트너의 치료는 권고하지 않음

참고 Final Check 부인과 119 page

07

32세 주부가 생선 비린내가 나는 질 분비물을 주소로 내원하였다. 시행한 검사상 whiff test 양성, 현미경 검사상 단서세포(clue cell)가 증가한 소견이 보였다면 다음 중 가장 적절한 치료를 고르시오.

① Cefoxitin
② Tetracycline
③ Clindamycin
④ Penicillin
⑤ Gentamicin

08

27세의 여성이 외음부 가려움증을 주소로 외래에 내원하였다. 거품 양상의 질 분비물이 보였으며, 질경 및 질 분비물의 직접 검경법 검사는 아래 사진과 같았다. 이 환자의 진단으로 가장 옳은 것은 무엇인가?

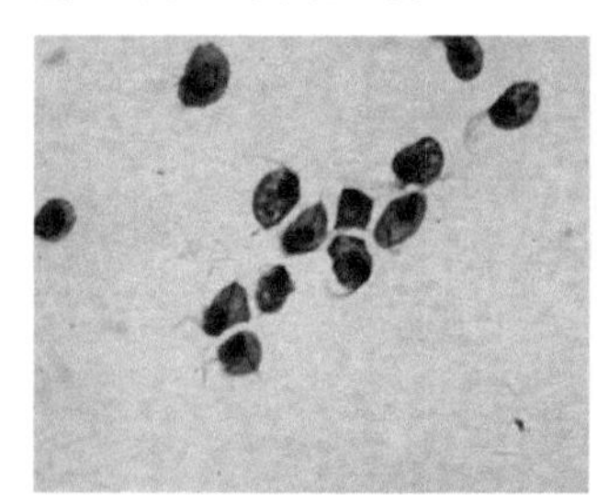

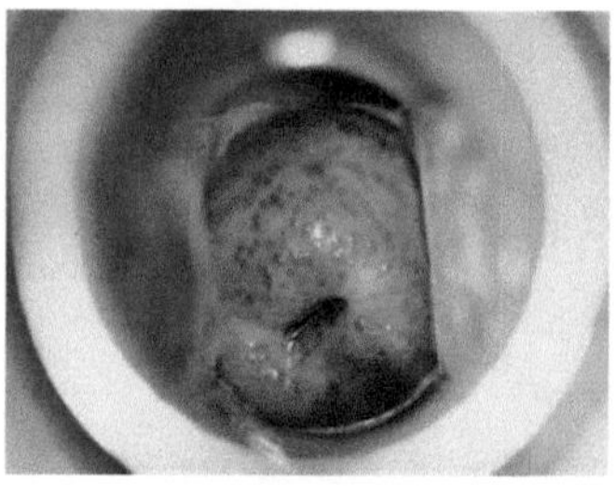

① 트리코모나스 질염
② 외음부질 칸디다증
③ 세균성 질염
④ 임질성 질염
⑤ 비특이성 질염

07

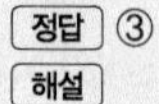

정답 ③

해설

세균성 질염(bacterial vaginosis)의 치료

Metronidazole
– Metronidazole 500 mg, 1일 2회, 7일간, 경구투여(복용 24시간 후까지 음주는 삼가)
– Metronidazole gel 0.75% 5 g, 1일 1~2회, 5일간, 질내투여
Clindamycin
– Clindamycin cream 2% 5 g, 1일 1회(자기 전), 7일간, 질내투여
– Clindamycin 300 mg, 1일 2회, 7일간, 경구투여
– Clindamycin ovules 100 mg, 1일 1회(자기 전), 3일간, 질내투여

– 성 파트너의 치료는 권고하지 않음

참고 *Final Check 부인과 119 page*

08

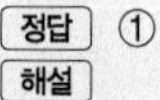

정답 ①

해설

트리코모나스 질염(Trichomonas vaginitis)

1. 기포가 많은 화농성 냄새의 질 분비물
2. 질 소양증, 작열 통증, 성교통
3. 심한 감염의 경우 질 점막의 부종, 반점형 질 홍반, 딸기 자궁경부 등 관찰

참고 *Final Check 부인과 120 page*

09

35세 여성이 다량의 기포성 분비물을 주소로 내원하였다. 환자는 질 소양증, 성교통, 출혈 등도 호소하였고, 질경 소견 상 딸기 모양의 붉은색 반점이 질의 후원개(posterior fornix)에 특징적으로 나타났다. 이 환자에 대한 적절한 진단 방법을 고르시오.

① 직접 도말표본법(wet smear)상 움직이는 편모가 있는 트리코모나스 원충을 확인한다

② 질 내 가검물을 10~20% KOH에 섞은 후 현미경 상 칸디다 균을 발견한다

③ 직접 도말표본법(wet smear)상 단서세포(clue cell)를 발견한다

④ 직접 가검물을 채취하여 Pap smear에서 특징적인 거대세포를 발견한다

⑤ 질 내 가검물에 대한 세균배양검사를 시행한다

09

정답 ①

해설

트리코모나스 질염의 진단

1. 임상 증상과 징후
2. 검사 소견 : 트리코모나스균의 확인
   a. 직접 도말표본법(wet smear) : 움직이는 편모를 가진 트리코모나스 원충 확인
   b. 질 분비물의 산도 : pH >5.0 (5.0~7.0)
   c. 세균성 질염과 동반되어 단서세포(clue cell)가 관찰되고 Whiff test 양성 가능
3. 다른 성 매개 질환 검사가 필요

참고 *Final Check 부인과 120 page*

10

트리코모나스 질염(Trichomonas vaginitis)에 대한 내용으로 잘못된 것을 고르시오.

① Metronidazole에 잘 반응한다

② 성 파트너도 함께 치료해야 한다

③ Strawberry-like fornix를 볼 수 있다

④ Metronidazole은 경구 또는 겔(gel) 모두 사용 가능하다

⑤ 질 분비물의 산도는 pH 5 이상이다

10

정답 ④

해설

트리코모나스 질염의 치료

권장요법
Metronidazole 2 g, 1일 1회, 경구투여
Tinidazole 2 g, 1일 1회, 경구투여
대체요법
Metronidazole 500 mg, 1일 2회, 7일간, 경구투여
주의사항
– 배우자도 함께 치료를 해야 하며, 특히 재발 시 반드시 같이 치료 – Metronidazole gel은 트리코모나스 질염의 치료에는 효과적이지 않으므로 사용되지 않음 – 재감염률이 높아 3개월 후에 T. vaginialis에 대한 재선별 검사 시행을 고려

참고 *Final Check 부인과 121 page*

11

29세 여자가 약간의 푸른색을 띠는 다량의 질 분비물과 가려움증을 주소로 내원하였다. 질경검사와 직접 도말표본법(wet smear)은 아래와 같은 소견이었다면 이 환자의 가장 적절한 치료법을 고르시오.

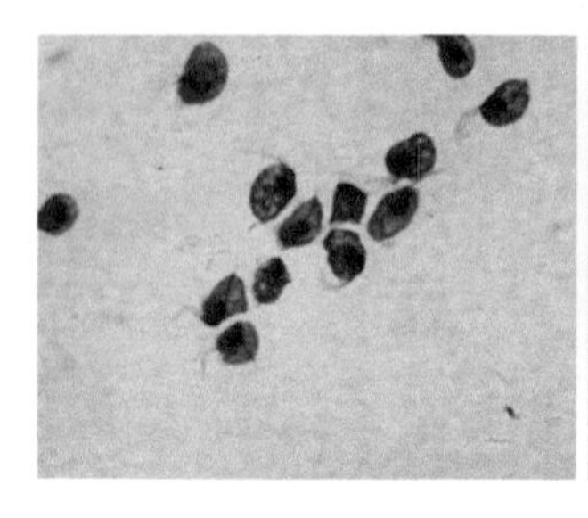
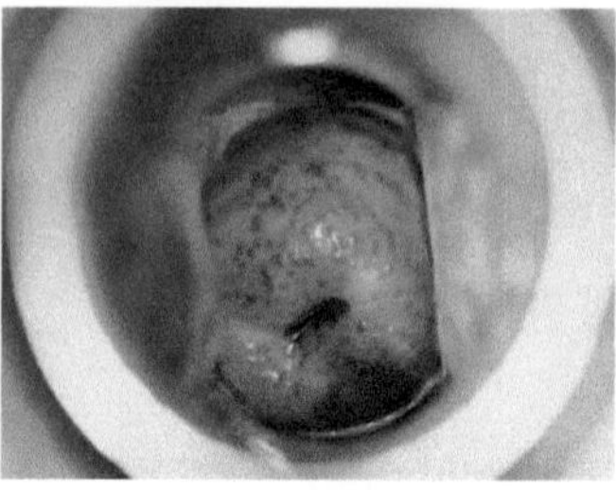

① Fluconazole 경구 투여

② Doxycycline 경구 투여

③ Metronidazole 경구 투여

④ Ceftriaxone 근육 주사

⑤ Clindamycin 질 크림

11

정답 ③

해설

트리코모나스 질염의 치료

권장요법
Metronidazole 2 g, 1일 1회, 경구투여 Tinidazole 2 g, 1일 1회, 경구투여
대체요법
Metronidazole 500 mg, 1일 2회, 7일간, 경구투여
주의사항
– 배우자도 함께 치료를 해야 하며, 특히 재발 시 반드시 같이 치료 – Metronidazole gel은 트리코모나스 질염의 치료에는 효과적이지 않으므로 사용되지 않음 – 재감염률이 높아 3개월 후에 T. vaginialis에 대한 재선별 검사 시행을 고려

참고 *Final Check 부인과 121 page*

12

트리코모나스 질염(Trichomonas vaginitis)의 치료로 가장 적절한 것은 무엇인가?

① 임신 중 치료는 기형을 초래할 우려가 있으므로 분만 후로 치료를 미룬다

② Metronidazole을 투여한다

③ Miconazole을 투여한다

④ Ampicillin을 투여한다

⑤ 자연 치유가 가능하므로 환자를 안심시킨다

12

정답 ②

해설

트리코모나스 질염의 치료

권장요법
Metronidazole 2 g, 1일 1회, 경구투여 Tinidazole 2 g, 1일 1회, 경구투여
대체요법
Metronidazole 500 mg, 1일 2회, 7일간, 경구투여
주의사항
– 배우자도 함께 치료를 해야 하며, 특히 재발 시 반드시 같이 치료 – Metronidazole gel은 트리코모나스 질염의 치료에는 효과적이지 않으므로 사용되지 않음 – 재감염률이 높아 3개월 후에 T. vaginialis에 대한 재선별 검사 시행을 고려

참고 *Final Check 부인과 121 page*

13

감염 시 다른 성매개 질환에 대한 검사를 추가적으로 시행해야 하는 질염은 무엇인가?

① Bacterial vaginosis

② Trichomonas vaginitis

③ Vulvovaginal candidiasis

④ Inflammatory vaginitis

⑤ Chronic cervicitis

14

다음은 질 분비물 증가와 가려움증을 주소로 내원한 환자에서 얻은 검체의 현미경 사진이다. 이 질환의 원인균(A)과 치료법(B)을 쓰시오.

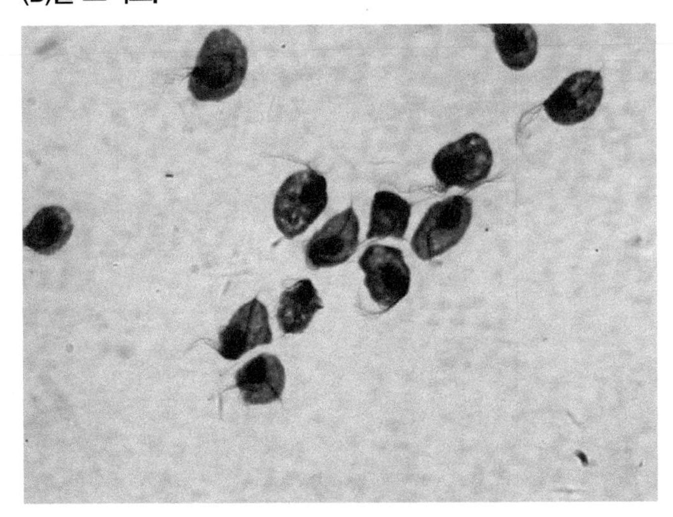

13

정답 ②

해설

트리코모나스 질염의 진단

1. 임상 증상과 징후
2. 검사 소견 : 트리코모나스균의 확인
   a. 직접 도말표본법(wet smear) : 움직이는 편모를 가진 트리코모나스 원충 확인
   b. 질 분비물의 산도 : pH >5.0 (5.0~7.0)
   c. 세균성 질염과 동반되어 단서세포(clue cell)가 관찰되고 Whiff test 양성 가능
3. 다른 성 매개 질환 검사가 필요

참고 *Final Check 부인과 120 page*

14

정답

(A) 트리코모나스 질염(Trichomonas vaginitis)

(B) Metronidazole 경구투여

해설

트리코모나스 질염(Trichomonas vaginitis)

1. 원인균 : Trichonomas vaginalis
2. 치료 : Metronidazole 2 g, 1일 1회, 경구투여

참고 *Final Check 부인과 120, 121 page*

15

직접 도말표본법(wet smear)으로 관찰한 현미경 소견만으로도 진단을 내릴 수 있는 것을 모두 고르시오.

(가) 위축성 질염
(나) 임균성 질염
(다) 세균성 질염
(라) 트라코모나스 질염

① 가, 나, 다 ② 가, 다
③ 나, 라 ④ 라
⑤ 가, 나, 다, 라

15

정답 ④

해설

트리코모나스 질염의 진단

1. 임상 증상과 징후
2. 검사 소견 : 트리코모나스균의 확인
   a. 직접 도말표본법(wet smear) : 움직이는 편모를 가진 트리코모나스 원충 확인
   b. 질 분비물의 산도 : pH >5.0 (5.0~7.0)
   c. 세균성 질염과 동반되어 단서세포(clue cell)가 관찰되고 Whiff test 양성 가능
3. 다른 성 매개 질환 검사가 필요

참고 *Final Check 부인과 120 page*

16

다음 중 클라미디아 내자궁경부염(chlamydial endocervicitis)의 치료제로 적절한 것을 고르시오.

① Metronidazole ② Fluconazole
③ Ampicillin ④ Doxycycline
⑤ Acyclovir

16

정답 ④

해설

클라미디아 내자궁경부염의 치료

1. Doxycycline 100 mg, 1일 2회 7일간, 경구투여
2. Azithromycin 1 g, 1회, 경구투여

참고 *Final Check 부인과 125 page*

17

임신 8주의 임신부에서 클라미디아 내자궁경부염(chlamydial endocervicitis)을 확인하였을 때 투여 가능한 가장 적절한 항생제는 무엇인가?

① Tetracycline ② Doxycycline
③ Ofloxacin ④ Azithromycin
⑤ Metronidazole

17

정답 ④

해설

클라미디아 내자궁경부염의 치료

1. Doxycycline 100 mg, 1일 2회 7일간, 경구투여
2. Azithromycin 1 g, 1회, 경구투여

참고 *Final Check 부인과 125 page*

18

클라미디아 내자궁경부염(chlamydial endocervicitis)에 사용 가능한 치료제를 모두 고르시오.

(가) Doxycycline
(나) Metronidazole
(다) Azithromycin
(라) Aminoglycoside

① 가, 나, 다
② 가, 다
③ 나, 라
④ 라
⑤ 가, 나, 다, 라

19

당뇨의 과거력을 가진 50대 여자가 치즈 같은 분비물과 심한 소양감을 주소로 외래를 방문하였다. Whiff test 음성으로 체크되었고 초음파상 특이소견은 없었다면 가장 가능성이 높은 이 질환의 원인균을 고르시오.

① Candida albicans
② Chlamydia trachomatis
③ Neisseria gonorrhoeae
④ Gardnerella vaginalis
⑤ Trichomonas vaginalis

18

정답 ②

해설

클라미디아 내자궁경부염의 치료

1. Doxycycline 100 mg, 1일 2회 7일간, 경구투여
2. Azithromycin 1 g, 1회, 경구투여

참고 *Final Check 부인과 125 page*

19

정답 ①

해설

외음부질 칸디다증(Vulvovaginal candidiasis)

1. 원인균 : Candida albicans(85~90%)
2. 증상
   a. 외음부 소양증(vulvar pruritus)
   b. 치즈 형태 질 분비물
   c. 외음부 작열감, 성교통, 배뇨통, 홍반, 부종
3. 진단
   a. 임상증상 및 소견
   b. 10~20% KOH 표본 : 균사나 bud 관찰
   c. 배양검사
   d. 질 분비물의 산도 : 대개 정상(pH <4.5)

참고 *Final Check 부인과 121 page*

20

34세 여성이 5일 전부터 발생한 외음부 가려움증을 주소로 내원하였다. 환자는 5년 전부터 당뇨병을 앓고 있었으며, 성교통, 대음순 부종, 발적 및 백색의 비지 같은 질 분비물이 지속되었다. 이 환자의 진단방법으로 가장 적절한 것을 고르시오.

① Schiller test

② 10% KOH test

③ Gram stain

④ Papanicolaou smear

⑤ Whiff test

20

정답 ②

해설

외음부질 칸디다증의 진단

1. 임상증상 및 소견
2. 10~20% KOH 표본 : 균사나 bud 관찰
3. 배양검사
4. 질 분비물의 산도 : 대개 정상(pH <4.5)

참고 *Final Check 부인과 121 page*

21

36세의 여성이 외음부질 칸디다증(vulvovaginal candidiasis)으로 국소치료를 받았으나 자주 재발하여 내원하였다. 재발의 요인으로 조사하여야 할 사항을 모두 고르시오.

(가) 당뇨
(나) 경구피임제의 사용
(다) 항생제의 장기투여
(라) 저체중

① 가, 나, 다 ② 가, 다

③ 나, 라 ④ 라

⑤ 가, 나, 다, 라

21

정답 ①

해설

외음부질 칸디다증의 위험인자

1. 항생제 사용
2. 임신, 당뇨
3. 광범위 항생제 남용, 경구피임제 복용, 면역억제상태, 질 위생상태 불량, 남성 요인 등

참고 *Final Check 부인과 121 page*

22

29세 여성이 소양증과 다량의 질 분비물을 주소로 내원하였다. 지난해에도 비슷한 증상으로 남편과 같이 약물 치료를 받았으나 4차례나 재발되었다고 한다. 검사소견이 아래와 같다면 재발 원인에 대해 반드시 확인해야 할 것을 고르시오.

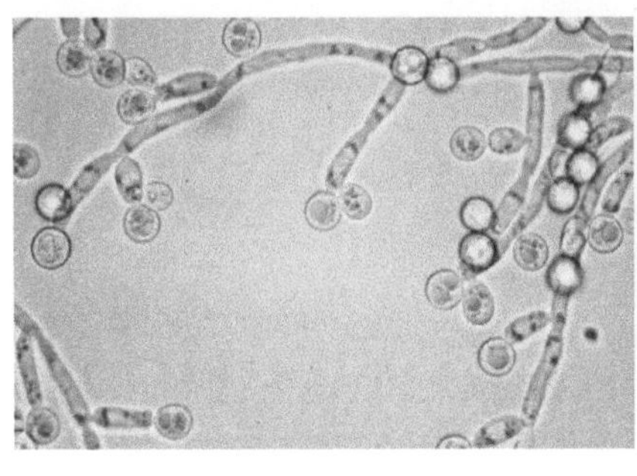
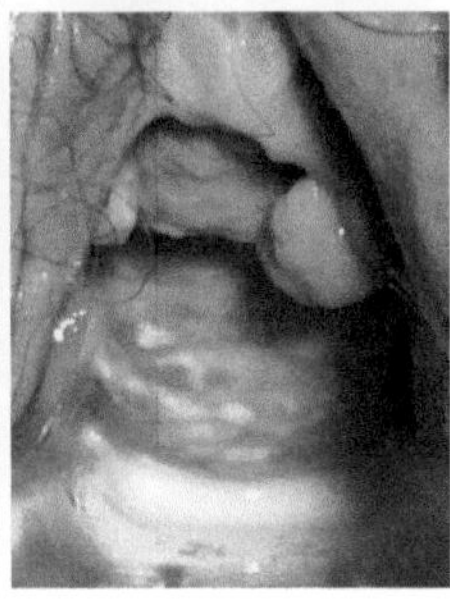

① 전신홍반루프스 ② 결핵
③ 당뇨병 ④ 류마티스성 관절염
⑤ 악성 종양

22
정답 ③
해설
외음부질 칸디다증의 위험인자
1. 항생제 사용
2. 임신, 당뇨
3. 광범위 항생제 남용, 경구피임제 복용, 면역억제상태, 질 위생상태 불량, 남성 요인 등

참고 *Final Check 부인과 121 page*

23

당뇨병, 항생제, 경구피임제 복용이 발생의 선행인자인 질염을 고르시오.

① Trichomonas vaginitis
② Vulvovaginal candidiasis
③ Bacterial vaginosis
④ Nonspecific vaginitis
⑤ Lactobacillus vaginitis

23
정답 ②
해설
외음부질 칸디다증의 위험인자
1. 항생제 사용
2. 임신, 당뇨
3. 광범위 항생제 남용, 경구피임제 복용, 면역억제상태, 질 위생상태 불량, 남성 요인 등

참고 *Final Check 부인과 121 page*

24

25세의 미혼 여성이 외음부 가려움증을 주소로 내원하였다. 검사 결과가 아래와 같다면 이 환자에게 적절한 치료는 무엇인가?

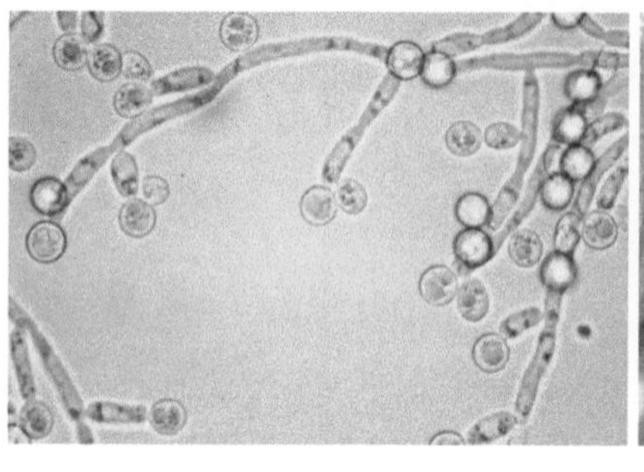
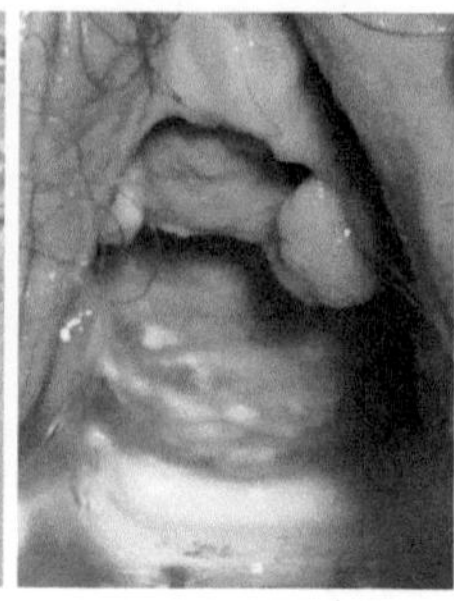

① Ampicillin
② Clotrimazole
③ Erythromycin
④ Metronidazole
⑤ Tetracycline

25

50세 여성이 외음부 소양감과 다량의 질 분비물을 주소로 내원하였다. 검사소견은 아래와 같았다면 가장 적절한 치료제를 고르시오.

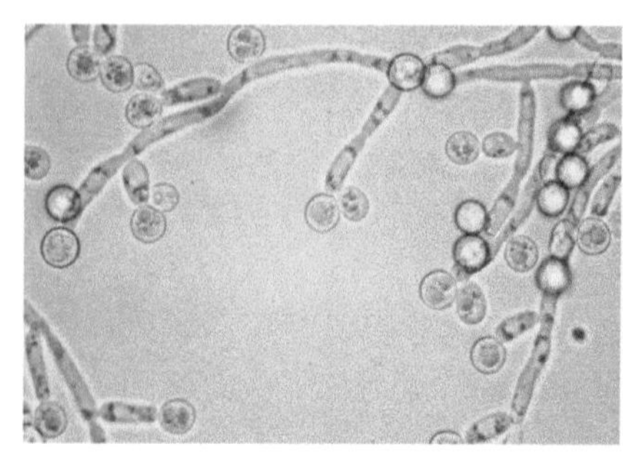
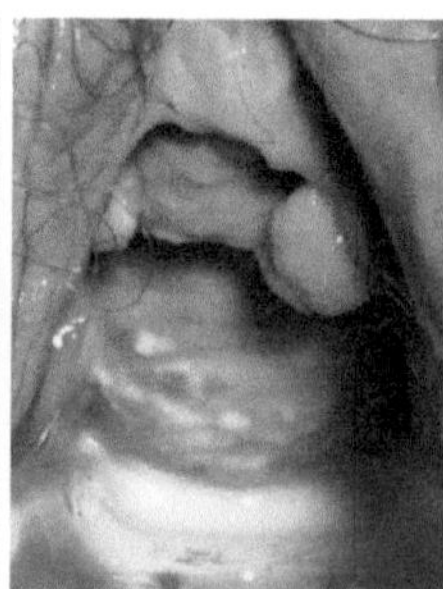

① Ampicillin
② Azithromycin
③ Erythromycin
④ Penicillin
⑤ Fluconazole

24

정답 ②

해설

외음부질 칸디다증의 치료

1. Topical azole drug : butoconazole, clotrimazole, miconazole, ticonazole, terconazole
2. Fluconazole 경구 투여
3. Nystatin 도포
4. 임산부의 치료 : miconazole, clotrimazole, nystatin

참고 *Final Check 부인과 122 page*

25

정답 ⑤

해설

외음부질 칸디다증의 치료

1. Topical azole drug : butoconazole, clotrimazole, miconazole, ticonazole, terconazole
2. Fluconazole 경구 투여
3. Nystatin 도포
4. 임산부의 치료 : miconazole, clotrimazole, nystatin

참고 *Final Check 부인과 122 page*

26

30세 여자가 외음부 가려움증을 주소로 내원하였다. 시행한 질경 소견이 아래와 같다면 치료로 가장 적절한 것을 고르시오.

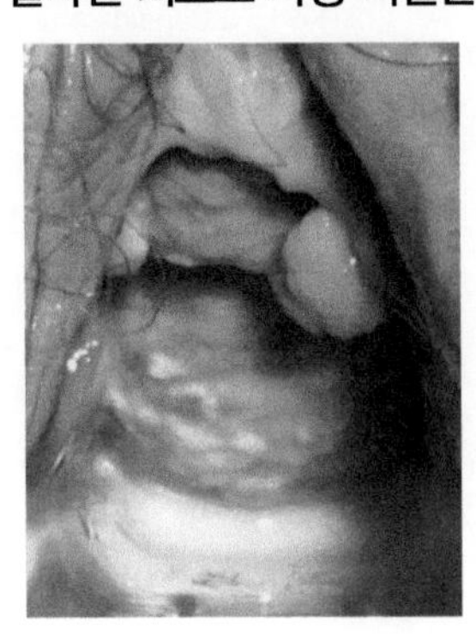

① Ampicillin
② Clotrimazole
③ Metronidazole
④ Tetracycline
⑤ Erythromycin

26

정답 ②

해설

외음부질 칸디다증의 치료

1. Topical azole drug : butoconazole, clotrimazole, miconazole, ticonazole, terconazole
2. Fluconazole 경구 투여
3. Nystatin 도포
4. 임산부의 치료 : miconazole, clotrimazole, nystatin

참고 *Final Check 부인과 122 page*

27

1년 전부터 외음부 칸디다증이 4회 정도 재발한 35세 여성이 외음부 작열감을 주소로 내원하였다. 질 분비물 현미경검사 및 배양 검사에서 Candida albicans가 확인되었다. 치료로 가장 적절한 것을 고르시오.

① Fluconazole 국소요법
② Hydrocortisone 경구요법
③ 2% Clotrimazole 국소요법
④ Cephalosporin 및 Doxycycline 경구요법
⑤ Fluconazole 150 mg 3회 경구요법 후 억제요법

27

정답 ⑤

해설

재발성 칸디다증

1. 1년에 최소 3회의 임상적 및 검사상 칸디다증이 발병
2. 치료
   a. Fluconazole 100 mg, 150 mg, 200 mg 1일 1회, 각각 1일, 4일, 7일에 경구투여를 7~14일간 시행
   b. 예방적 fluconazole (100 mg, 150 mg or 200 mg/week)을 유지요법으로 6개월 투여

참고 *Final Check 부인과 123 page*

28

5년 전부터 당뇨병을 진단받고 치료 중인 다분만부가 최근 심한 외음부 소양증과 함께 백색의 비지 같은 질 분비물 증가를 주소로 내원하였다. 위 환자에 대한 내용으로 올바른 것을 모두 고르시오.

(가) Whiff test는 양성이다
(나) 질 분비물은 pH 5 이상이다
(다) 남편도 같이 치료를 하여야 한다
(라) 치료로 국소 항진균제를 사용할 수 있다

① 가, 나, 다
② 가, 다
③ 나, 라
④ 라
⑤ 가, 나, 다, 라

28

정답 ④

해설

외음부질 칸디다증(Vulvovaginal candidiasis)

1. 원인균 : Candida albicans (85~90%)
2. 증상
   a. 외음부 소양증(vulvar pruritus)
   b. 치즈 형태 질 분비물
   c. 외음부 작열감, 성교통, 배뇨통, 홍반, 부종
3. 진단
   a. 임상증상 및 소견
   b. 10~20% KOH 표본 : 균사나 bud 관찰
   c. 배양검사
   d. 질 분비물의 산도 : 대개 정상(pH <4.5)

참고 *Final Check 부인과 121 page*

29

10년 전부터 당뇨가 있던 37세의 다분만부가 심한 외음부 소양증과 함께 백색의 비지 같은 질 분비물을 주소로 내원하였다. 이 환자에서 가장 의심되는 진단명과 적절한 치료법을 고르시오.

① Trichomonas vaginitis - Metronidazole
② Trichomonas vaginitis - Clotrimazole
③ Candida vaginitis - Metronidazole
④ Candida vaginitis - Clotrimazole
⑤ Gardnerella vaginitis - Metronidazole

29

정답 ④

해설

외음부질 칸디다증(Vulvovaginal candidiasis)

1. 원인균 : Candida albicans (85~90%)
2. 증상
   a. 외음부 소양증(vulvar pruritus)
   b. 치즈 형태 질 분비물
   c. 외음부 작열감, 성교통, 배뇨통, 홍반, 부종
3. 진단
   a. 임상증상 및 소견
   b. 10~20% KOH 표본 : 균사나 bud 관찰
   c. 배양검사
   d. 질 분비물의 산도 : 대개 정상(pH <4.5)

참고 *Final Check 부인과 121 page*

30

부인과 염증성 질환에 대한 것으로 옳은 것은 무엇인가?

① 임균성 골반염은 증상이 천천히 시작되며 통증은 미약하다

② 클라미디아 골반염은 증상이 갑자기 나타나며 통증은 심하다

③ 세균성 질염의 치료제는 metronidazole이다

④ 칸디다성 질염은 whiff test 양성이다

⑤ 세균성 질염에서 질내 산도는 정상이다

30

정답 ③

해설

1. 임균성 골반염 : 생리 직후 호발, 심한 통증
2. 클라미디아 골반염 : 큰 증상이 없음
3. 세균성 질염 치료 : Metronidazole PO or Gel
4. 칸디다성 질염 : Whiff test 음성
5. 세균성 질염의 질 내 pH >4.5 (4.7~5.7)

참고 *Final Check 부인과 119, 121, 127 page*

31

67세 여자가 외음부 가려움증을 주소로 내원하였다. 환자는 3개월 전 뇌졸중으로 진단받고 치료받고 있었고, 시행한 검사상 질 주름이 소실되고, 외음부의 위축 및 약해진 질 점막 외에는 특이소견이 없었다. 이 환자의 치료로 가장 적절한 것을 고르시오.

① 윤활제

② Tibolone

③ Raloxifene

④ 경질 estrogen 국소요법

⑤ 경구 estrogen, progesterone 병합요법

31

정답 ④

해설

위축성 질염의 치료

1. 국소 에스트로겐크림 1 g, 1~2주간, 질내투여
2. 경구 에스트로겐 : 재발을 막기 위해 고려

참고 *Final Check 부인과 123 page*

32

59세 여성이 성교통과 외음부 가려움증, 혈성 질 분비물을 주소로 내원하였다. 진찰 시 질 입구는 좁고 질 점막이 얇으며 악취가 나지 않는 소량의 질 분비물이 관찰되었다면 가장 가능성 있는 질환은 무엇인가?

① 트리코모나스 질염
② 외음부질 칸디다증
③ 세균성 질염
④ 위축성 질염
⑤ 자궁경부염

32

정답 ④

해설

위축성 질염(Atrophic vaginitis)

1. 폐경, 난소 제거 뒤 에스트로겐 감소로 발생
2. 질, 외음부의 피부위축, 성교통, 성교 후 출혈
3. 진단
   a. 질 점막의 육안 소견 : 질 주름이 소실되고, 외음부의 위축 및 약해진 질 점막
   b. 질 분비물의 현미경 소견 : Parabasal epithelial cells의 분포가 우세해지고, 백혈구 증가

참고 *Final Check 부인과 123 page*

33

2년 전에 폐경이 된 54세 여성이 보름 전부터 질 입구가 가렵고 질 분비물에 소량의 피가 섞여 나와 내원하였다. 1년 전부터 성교통이 자주 발생하였고 최근에는 빈뇨와 야간뇨도 생겼다고 하였다. 진찰상 질 점막이 창백하였고, 소변검사 및 자궁경부 세포진검사는 모두 정상이었다면 가장 적절한 처치를 고르시오.

① Tetracycline을 경구투여한다
② Estrogen을 질정투여한다
③ Metronidazole을 경구투여한다
④ Nystatin을 질정투여한다
⑤ Ampicillin을 경구투여한다

33

정답 ②

해설

위축성 질염의 치료

1. 국소 에스트로겐크림 1 g, 1~2주간, 질내투여
2. 경구 에스트로겐 : 재발을 막기 위해 고려

참고 *Final Check 부인과 123 page*

34

다음은 질염의 종류와 적절한 치료 약제를 연결한 것이다. 옳은 조합을 모두 고르시오.

(가) Vulvovaginal candidiasis – Nystatin 질정
(나) Trichomonas vaginitis – Metronidazole 경구 투여
(다) Atrophic vaginitis – Estrogen 국소 도포
(라) Bacterial vaginosis – Metronidazole 경구 투여

① 가, 나, 다
② 가, 다
③ 나, 라
④ 라
⑤ 가, 나, 다, 라

34

정답 ⑤

해설

1. Vulvovaginal candidiasis : Topical azole drug, fluconazole, nystatin
2. Trichomonas vaginitis : Metronidazole 경구
3. Atrophic vaginitis : Topical estrogen cream
4. Bacterial vaginosis : Metronidazole 경구 or gel

참고 *Final Check 부인과 119, 121, 122, 123 page*

35

자궁경부염의 원인균 중 외자궁경부의 선상피세포(glandular epithelium)를 침범하고, 점액농(mucopus)을 유발하는 균을 모두 고르시오.

(가) Neisseria gonorrhoeae
(나) Group B streptococcus
(다) Chlamydia trachomatis
(라) Escherichis coli

① 가, 나, 다
② 가, 다
③ 나, 라
④ 라
⑤ 가, 나, 다, 라

35

정답 ②

해설

외자궁경부(Ectocervix)의 염증

1. 선상피세포(glandular epithelium)의 염증
2. 원인 : N. gonorrhoeae, C. trachomatis
3. 화농성 점액 자궁경부염(MPC)

참고 *Final Check 부인과 124 page*

36

임균성 내자궁경부염 의심 시 적절한 치료제를 모두 고르시오.

(가) Ceftriaxone
(나) Azithromycin
(다) Doxycycline
(라) Erythromycin

① 가, 나, 다　　② 가, 다
③ 나, 라　　④ 라
⑤ 가, 나, 다, 라

36

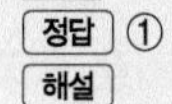

정답 ①

해설

임균 내자궁경부염의 치료

1. Ceftriaxone 250 mg, 1회, 근육주사
2. Cephalosporin 주사용법+Azithromycin 1 g, 1회, 경구투여
3. Doxycycline 100 mg, 1일 2회, 7일간, 경구투여

참고 *Final Check 부인과 125 page*

37

Chlamydia trachomatis에 의한 자궁경부염의 치료제로 알맞은 것을 고르시오.

① Penicillin　　② Ampicillin
③ Clindamycin　　④ Doxycycline
⑤ Metronidazole

37

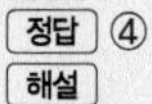

정답 ④

해설

클라미디아 내자궁경부염의 치료

1. Doxycycline 100 mg, 1일 2회 7일간, 경구투여
2. Azithromycin 1 g, 1회, 경구투여

참고 *Final Check 부인과 125 page*

38

산과력 1-0-2-1인 27세 여성이 발열과 심한 하복통을 주소로 응급실에 내원하였다. 최종 월경시작일은 8일 전이고, 2~3일 전부터 하복통이 시작되어 내원 직전 몸이 떨리고 구토가 있었다고 하였다. 이학적 검사상 체온 38.5℃, 하복부 좌우측에 심한 압통과 반발압통이 있었다. 내진상 자궁은 전굴, 움직이면 심한 통증을 호소하였으며, 양측 부속기에도 압통이 있었다. 혈액검사상 WBC 10,000/μL, urine hCG (−), ESR 상승의 소견을 보였다면 진단으로 가장 의심되는 것은 무엇인가?

① Acute appendicitis

② Ovarian cyst torsion

③ Tubal pregnancy

④ Acute PID

⑤ Acute endometritis

38

정답 ④

해설

골반염의 증상

1. 특징적인 증상 3가지
   a. 복부와 골반의 통증
   b. 자궁경부 운동성 압통과 부속기 압통
   c. 발열
2. 무증상을 포함한 다양한 증상의 발현

참고 *Final Check 부인과 127 page*

39

분만력 0-0-1-0인 25세 여성이 수일간의 하복부 통증을 주소로 내원하였다. 최종 월경 시작일은 10일 전이었고 내진상 심한 압통을 동반한 우측 부속기종괴가 촉지 되었으며 자궁 및 좌측 부속기는 정상이었지만 자궁경부를 움직일 때 양측 자궁부속기 부위에 심한 통증을 호소하였다. 체온 38.5℃, 혈압 100/60 mmHg, 맥박 100회/min., Hb 12.0 g/dL, Hct 35%, WBC 15,000/μL이었다. 이때 시행하여야 할 가장 적절한 검사나 조치는 무엇인가?

① 자궁내소파술　② 소변 임신검사

③ 초음파검사　④ 복강경검사

⑤ 진단적 개복술

39

정답 ③

해설

난관난소농양(Tubo-ovarian abscess)

1. 급성 골반염의 최종 단계로 골반 종괴가 촉지
2. 진단 : 초음파

참고 *Final Check 부인과 129 page*

40

26세 여자가 발열과 하복통을 주소로 내원하였다. 환자는 노란색을 띤 질 분비물이 있었고 며칠 뒤부터 발열과 하복통이 발생하였으며 이학적 검사상 자궁부속기 부위 압통이 있었다. 이 질환의 가장 흔한 원인균을 쓰시오.(2가지)

40

정답

1. 임균(Neisseria gonorrhoeae)
2. 클라미디아(Chlamydia trachomatis)

해설

골반염의 원인균

1. 임균(Neisseria gonorrhoeae)
2. 클라미디아(Chlamydia trachomatis)

참고 *Final Check 부인과 127 page*

41

급성 골반염 환자에서 시행하는 내자궁경부(endocervix) 세균검사에서 임균(Neisseria gonorrhoeae)과 같이 복합적으로 흔히 발견되는 균은 무엇인가?

① Chlamydia trachomatis ② E. coli
③ Mycoplasma ④ Anaerobes
⑤ Candida

41

정답 ①

해설

골반염의 원인균

1. 임균(Neisseria gonorrhoeae)
   a. Gram negative diplococcus
   b. 생리 직후 발생 호발
   c. Endometrial spread로 난관 폐쇄 및 확장을 일으켜 불임이 증가
2. 클라미디아(Chlamydia trachomatis)
   a. Silent PID로 불림
   b. 임균(Neisseria gonorrhoeae) 감염이 있는 경우 1/4에서 중복감염이 발생

참고 *Final Check 부인과 127 page*

42

산과력 0-0-2-0인 26세 미혼 여성이 3일 전부터 시작된 하복부 통증을 주소로 내원하였다. 평소 규칙적 월경 주기였고 1주일 전 월경이 끝났다고 하였다. 혈압 120/70 mmHg, 맥박 68회/min., 체온 37.8℃, 호흡 15회/min.로 확인되었다. 하복부 전반의 심한 압통과 반발통, 양측 자궁부속기와 자궁경부를 건드리면 심한 통증이 있었으며, 화농성 질 분비물이 있었다. 이 환자의 진단을 위한 검사로 가장 적절한 것을 고르시오.

① 자궁경부 Pap smear　② 자궁경부 점액의 세균배양
③ 자궁소파술　④ 자궁경 검사
⑤ 자궁조영술

42

정답 ②

해설

골반염의 진단

1. 임상적 징후
   a. 자궁경부 운동성 압통, 부속기 압통
   b. 질 분비물 ± 화농성점액 내자궁경부염
2. 진단을 위한 추가적인 기준
   a. 자궁내막 조직검사 상 자궁내막염 진단
   b. CRP, ESR 증가
   c. 38℃ 이상의 고열
   d. 백혈구증가증(leukocytosis)
   e. N. gonorrhoeae, C. trachomatis 양성

참고 *Final Check 부인과 128 page*

43

28세 여자가 2일 전부터 시작된 아랫배 복통을 주소로 내원하였다. 혈압 110/80 mmHg, 심박수 92회/min., 체온 38.3℃로 확인되었고, 검진상 자궁경부에서 점액성 누런 고름과 자궁경부의 압통이 확인되었다. 혈액검사상 WBC 150,00/μL, CRP 22, Hb 12.0 g/dL, 소변검사 및 초음파는 정상이었다. 이 환자의 다음 처치로 가장 적절한 것을 고르시오.

① 경과관찰　② 더글라스와 천자
③ 항생제 치료　④ 자궁경 시행
⑤ 복강경 시행

43

정답 ③

해설

골반염(Pelvic inflammatory disease)

1. 임상적 징후
   a. 자궁경부 운동성 압통, 부속기 압통
   b. 질 분비물 ± 화농성점액 내자궁경부염
2. 치료 : 항생제

참고 *Final Check 부인과 128 page*

44

37세 여성이 하복부 통증 및 전신 무력감을 주소로 내원하였다. 환자는 체온 37.8℃, 골반통이 있었으며, 자궁경부 운동성 압통과 다량의 화농성 점액 분비물이 있었다. 혈액검사상 WBC와 CRP가 상승해 있었으나, 초음파상 특이소견은 보이지 않았다. 이 환자에게 가장 적절한 치료는 무엇인가?

① Ceftriaxone + Doxycycline

② Benzathine penicillin G + Doxycycline

③ Clindamycin + Gentamycin

④ Benzathine penicillin G + Clindamycin

⑤ Ceftriaxone + Gentamycin

44

정답 ①

해설

골반염의 치료

1. 외래치료
   a. Ceftriaxone + Doxycycline ± Metronidazole
   b. Ofloxacin or Levofloxacin ± Metronidazole
2. 입원치료
   a. Cefotetan or Cefoxitin + Doxycycline
   b. Clindamycin + Gentamycin

참고 *Final Check 부인과 128 page*

45

임신력 0-0-0-0인 27세 여성이 급성 하복통, 발열, 구역질을 주소로 내원하였다. 골반진찰에서 경부 움직임에 따른 통증, 양측 부속기 압통이 있었고, 임신검사 음성, 혈중 백혈구의 증가가 있었다. 질 초음파에서 우측 난소에 4 cm 크기의 종괴가 있었고, 골반 내 약간의 체액 저류가 있었다면 다음 처치로 가장 적절한 것을 고르시오.

① 외래 추적관찰

② 해열진통제 투여 후 귀가

③ 입원 후 항생제 투여

④ 자궁소파술

⑤ 시험적 개복술

45

정답 ③

해설

골반염의 입원 기준

1. 임신과 동반된 골반염
2. 외래치료에 반응하지 않는 경우
3. 38℃ 이상의 고열
4. 상부 복강 내 염증소견
5. 골반 내 또는 난관난소농양 의심
6. 자궁내장치 사용자
7. 경구요법이 힘든 구역, 구토 동반
8. 청소년의 골반염

참고 *Final Check 부인과 128 page*

46

29세 여성이 발열, 하복부 통증과 압통을 주소로 내원하였다. 검진상 외음부나 질은 정상이었지만 자궁경부를 건드렸을 때 심한 통증을 호소하였다. 내진상 부속기 부위에 종괴가 만져졌고 그 부위의 심한 압통이 있었다. 혈액검사상 WBC 12,000/μL, Hb 12.5 g/dL로 확인되었다면 다음 중 가장 가능성이 높은 진단은 무엇인가?

① Ectopic pregnancy
② Ovarian tumor
③ Ureteral stone
④ Tubo-ovarian abscess
⑤ Endometriosis

46

정답 ④

해설

난관난소농양(Tubo-ovarian abscess)

1. 골반검진 : 급성 골반염의 최종 단계로 골반 종괴가 촉지
2. 진단 : 초음파

참고 *Final Check 부인과 129 page*

47

25세 여자가 고열과 하복통을 주소로 내원하였다. 질 분비물은 화농성이고 자궁경부에 운동성 통증이 있었다. 내진상 우측 자궁부속기에 주먹 크기의 압통을 동반한 덩어리가 만져졌다면 이 환자의 치료로 옳은 것은 무엇인가?

① Clindamycin + Gentamicin
② Doxycycline + Gentamicin
③ Spectinomycin + Ampicillin
④ Cefoxitin + Ampicillin
⑤ 시험적 개복술

47

정답 ①

해설

난관난소농양(Tubo-ovarian abscess)의 치료

1. 입원하여 항생제 투여
2. 초음파나 CT유도하 피부를 경유한 농양 배액
3. 배액술이 불가능 한 경우 수술
4. 골반염의 외래치료
   a. Ceftriaxone + Doxycycline ± Metronidazole
   b. Ofloxacin or Levofloxacin ± Metronidazole
5. 골반염의 입원치료
   a. Cefotetan or Cefoxitin + Doxycycline
   b. Clindamycin + Gentamycin

참고 *Final Check 부인과 129 page*

48

골반염의 치료에 관한 설명으로 올바른 것을 모두 고르시오.

(가) 내과적 치료 시 항생제의 복합투여가 필요하다
(나) 항생제 투여 시 혐기성균에 효과적인 항생제를 포함해야 한다
(다) 배우자의 클라미디아 및 임질 감염 여부에 대한 조사를 해야 한다
(라) 난관난소농양(tubo–ovarian abscess)의 경우 반드시 외과적 처치를 요한다

① 가, 나, 다　② 가, 다
③ 나, 라　④ 라
⑤ 가, 나, 다, 라

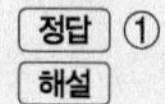

48
정답 ①
해설
1. 외래, 입원 환자 모두에게 항생제의 복합 투여가 필요함
2. 항생제는 anaerobes에 효과적이어야 함
3. 주 원인균이 N. gonorrhoeae, C. trachomatis 이므로 배우자에 대한 감염여부 조사가 필요
4. 난관난소농양(tubo–ovarian abscess)은 입원하여 항생제로 치료하고 반응이 없을 경우 외과적 치료를 시행

참고 *Final Check 부인과 127, 128, 129 page*

49

28세 여자가 첫 성관계 7일 후 전신 권태감과 발열 증세가 있고, 외음부 통증이 발생하여 내원하였다. 환자의 양쪽 대음순에는 다수의 수포(vesicle)와 궤양(ulcer)이 있었고, 양쪽 서혜부림프절에 압통성 종대가 관찰되었다. 다음 중 가장 적절한 치료는 무엇인가?

① Penicillin　② Podophyllin
③ Acyclovir　④ Tetracycline
⑤ Erythromycin

49
정답 ③
해설
헤르페스의 치료
1. Acyclovir 400 mg, 1일 3회, 7~10일간, PO
2. Acyclovir 200 mg, 1일 5회, 7~10일간, PO
3. Famciclovir 250 mg, 1일 3회, 7~10일간, PO
4. Valacyclovir 1 g, 1일 2회, 7~10일간, PO

참고 *Final Check 부인과 137 page*

50

23세 여자가 외음부 통증을 주소로 내원하였다. 경계가 불규칙한 깊은 궤양성 모양의 병변이 관찰되었고 통증과 압통이 심했다. 환자의 양쪽 서혜부에는 직경 1.5~3.0 cm 크기의 압통이 심한 림프절이 촉지 되었다. 이 질환에 대한 적절한 치료는 무엇인가?

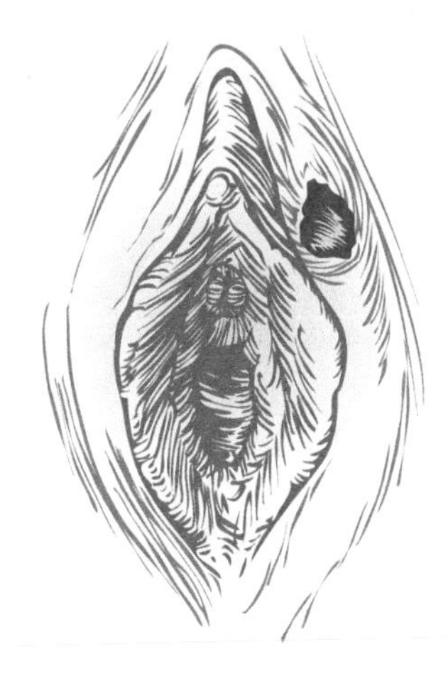

① Electrocauterization ② Systemic glucocorticoid
③ Benzathine penicillin G ④ Antiviral medication
⑤ Azithromycin

50

 정답 ⑤

 해설

연성하감(Chancroid)의 치료

1. Azithromycin 1 g, 1회, PO
2. Ceftriaxone 250 mg, 1회, IM
3. Erythromycin 500 mg, 1일 3회, 7일간, PO

참고 *Final Check 부인과 138 page*

51

다음 중 성병성 림프육아종(Lymphogranuloma venereum)의 치료에 가장 효과적인 것을 고르시오.

① Tetracycline
② Ampicillin
③ gentamicin
④ Sulfisoxazole
⑤ Cephalosporin

52

35세 여성이 VDRL (+), treponemal test (+)로 확인 후 전원되었다. 환자는 과거력상 매독 치료를 받은 과거력이 없었다면 치료로 가장 적절한 것은 무엇인가?

① 6개월 후 재검
② 뇌척수액 FTA-ABS 검사 시행
③ Ciprofloxacin
④ Benzathine penicillin
⑤ Trimethoprim-sulfamethoxazole

51

정답 ①

해설

성병성 림프육아종(LGV)의 치료

1. Tetracycline
2. 농양(abscess) 형성 시 외과적 절제술 시행

참고 *Final Check 부인과 140 page*

52

정답 ④

해설

매독의 치료

조기 매독
Benzathine penicillin G 240만 units, IM, 1회 (임신 20주 이상은 1주일 간격으로 2회 요법)
만기 매독(신경매독 제외)
Benzathine penicillin G 240만 units, IM, 1주 간격 3회
신경매독
Potassium crystalline penicillin G 300~400만 units, 6회/일, 18~21일 간 (페니실린 IV는 하루라도 빠지면 처음부터 다시 시작)

참고 *Final Check 부인과 135 page*

CHAPTER 10

외음부 질환(Vulvar disorders)

01

13개월 여아가 외음부 이상소견을 주소로 내원하였다. 외음부가 아래와 같다면 치료로 가장 적절한 것을 고르시오.

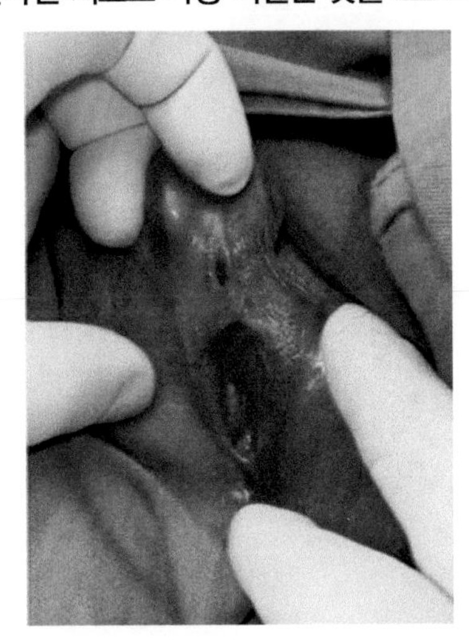

① 박리
② 소음순 절제
③ 에스트로겐 크림 도포
④ 프로게스테론 크림 도포
⑤ 테스토스테론 크림 도포

01

정답 ③

해설

음순유착(Labial agglutination)

1. 사춘기 이전의 낮은 에스트로겐 농도 혹은 피부자극으로 인한 만성 염증으로 대음순과 소음순이 중앙선에서 유착되어 발생
2. 에스트로겐 크림을 2~4주간 바르면서 유착부위가 얇아지면 국소마취제를 사용 후 분리 시행

참고 *Final Check 부인과 141 page*

02

첨형 콘딜로마(condyloma accuminatum) 대한 설명으로 맞는 것을 모두 고르시오.

(가) 성 관계에 의해 전파된다
(나) HPV가 관여된다
(다) 임신 시 podophyllin은 금기이다
(라) 임신 중에 비후되는 경향을 보인다

① 가, 나, 다　② 가, 다
③ 나, 라　④ 라
⑤ 가, 나, 다, 라

02

정답 ⑤

해설

첨형 콘딜로마(Condyloma acuminatum)

1. 원인 : 인유두종바이러스(주로 HPV 6, 11)
2. 성적 접촉에 의해 발생
3. 임신, 당뇨, 면역억제자에서 호발, 크기 증가
4. 치료

임신 중 가능한 치료법	임신 중 금기법
TCA or BCA	Podophyllin (25% or 10%)
냉동치료	Podofilox
레이저절제술	5-FU cream
전기소작술	Imiquimod cream
수술적 절제술	Interferon

참고 Final Check 부인과 145 page

03

25세 여성이 3일 전 발생한 외음부 좌측의 통증성 종물을 주소로 내원하였다. 체온 38.4℃, 좌측 대음순의 호두크기의 말랑말랑한 종물이 촉지 되었다. 이 환자의 진단으로 가장 가능성이 높은 것은 무엇인가?

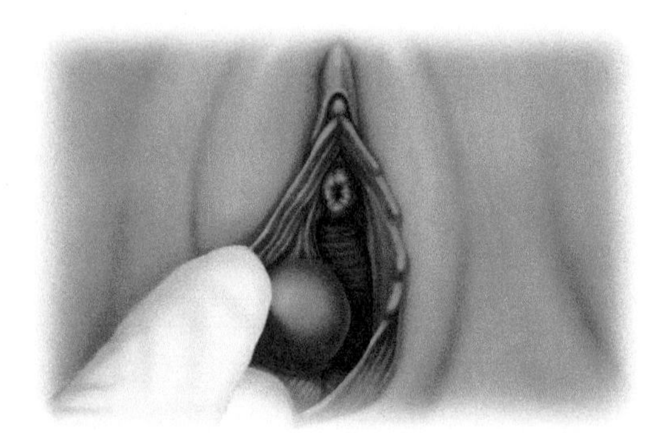

① Skene's gland abscess　② Herpes infection
③ Bartholin's gland cyst　④ Granuloma inguinale
⑤ Hidradenitis suppurative

03

정답 ③

해설

바르톨린샘농양(Bartholin's gland abscess)

1. 바르톨린샘 감염 후 통증성 염증성 종괴 형성
2. 원인균
   a. 임균(gonococcus) : 가장 흔한 원인균
   b. 포도상구균, 대장균, 연쇄상구균 등
3. 치료
   a. 항생제
   b. 통증이 있는 낭이 형성되면 절개 및 배농
   c. 만성 재발 시 주머니형성술이 필요

참고 Final Check 부인과 146 page

04

다음 중 바르톨린샘낭종(Bartholin's gland cyst)의 원인과 치료에 대한 설명으로 옳지 않은 것은 무엇인가?

(가) Trichomonas vaginalis가 가장 흔한 원인균이다
(나) 휴식, 진통제, 좌욕이 도움이 된다
(다) 통증이 없더라도 예방적 절개 및 배농을 해야 한다
(라) 항생제를 사용하며, 재발 시 marsupialization을 시행한다

① 가, 나, 다
② 가, 다
③ 나, 라
④ 라
⑤ 가, 나, 다, 라

04

정답 ②

해설

바르톨린샘농양(Bartholin's gland abscess)

1. 바르톨린샘 감염 후 통증성 염증성 종괴 형성
2. 원인균
   a. 임균(gonococcus) : 가장 흔한 원인균
   b. 포도상구균, 대장균, 연쇄상구균 등
3. 치료
   a. 항생제
   b. 통증이 있는 낭이 형성되면 절개 및 배농
   c. 만성 재발 시 주머니형성술이 필요

참고 *Final Check 부인과 146 page*

05

35세의 여성이 갑자기 외음부가 붓고 작열감과 통증이 심해 외래로 내원하였다. 대음순에는 발적이 있는 손가락 한마디 크기의 종괴가 만져졌고, 삼출물이 흘러나오고 있었다. 검사 및 진찰소견이 아래와 같다면 적절한 처치를 모두 고르시오.

- 체온 : 38.2℃
- Hb : 12.5 g/dL
- WBC : 12,000/mm^3
- CRP : 3.5 mg/dL

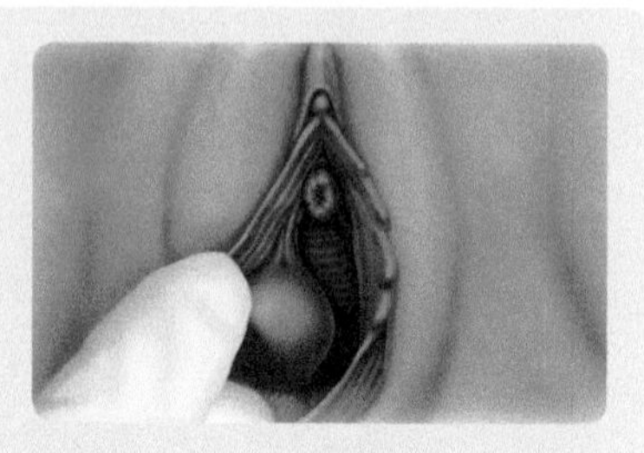

(가) 항생제를 사용하며 절개와 배농을 실시한다
(나) 진통제를 투여하며 좌욕이 도움이 된다
(다) 재발 시 주머니형성술(masupialization)을 실시하기도 한다
(라) 만성적인 경우 외음부절제술이 필요하다

① 가, 나, 다　　② 가, 다
③ 나, 라　　④ 라
⑤ 가, 나, 다, 라

05

정답 ①

해설

바르톨린샘농양(Bartholin's gland abscess)

1. 바르톨린샘 감염 후 통증성 염증성 종괴 형성
2. 원인균
   a. 임균(gonococcus) : 가장 흔한 원인균
   b. 포도상구균, 대장균, 연쇄상구균 등
3. 치료
   a. 항생제
   b. 통증이 있는 낭이 형성되면 절개 및 배농
   c. 만성 재발 시 주머니형성술이 필요

참고 *Final Check 부인과 146 page*

06

다음 중 외음부의 궤양성 질환 양상으로 나타나는 질환을 모두 고르시오.

(가) Genital herpes
(나) Syphilis
(다) Chancroid
(라) Carcinoma

① 가, 나, 다
② 가, 다
③ 나, 라
④ 라
⑤ 가, 나, 다, 라

06

정답 ⑤

해설

외음부 궤양(Genital ulcer disease)의 원인

1. 생식기 헤르페스(genital herpes)
2. 매독(syphilis)
3. 연성하감(chancroid)
4. 서혜부육아종(granuloma inguinale)
5. 성병성 림프육아종(LGV)
6. 모낭염(folliculitis)
7. 암종(carcinoma)
8. 다른 원인 : 베체트병(Behcet's disease), 찰과상(abrasion), 고정약진(fixed drug eruption)

참고 *Final Check 부인과 148 page*

〈R-Type〉

① Streptococcus	⑤ Herpes simplex
② Haemophilus ducreyi	⑥ Gonococcus
③ Gardnerella vaginalis	⑦ Chlamydia
④ Treponemal Pallidum	⑧ Trichomonas vaginalis

07

외음부 궤양을 일으킬 수 있는 원인균을 모두 고르시오.(3가지)

07

정답 ②, ④, ⑤

외음부 궤양(Genital ulcer disease)의 원인

1. 생식기 헤르페스(genital herpes)
2. 매독(syphilis)
3. 연성하감(chancroid)
4. 서혜부육아종(granuloma inguinale)
5. 성병성 림프육아종(LGV)
6. 모낭염(folliculitis)
7. 암종(carcinoma)
8. 다른 원인 : 베체트병(Behcet's disease), 찰과상(abrasion), 고정약진(fixed drug eruption)

참고 *Final Check 부인과 148 page*

08

직접 도말표본법(wet smear)에서 진단 가능한 것을 모두 고르시오.(2가지)

08

정답 ③, ⑧

해설

직접 도말표본법(Wet smear)

1. Gardnerella vaginalis : Clue cell 증가
2. Trichomonas vaginalis : 단세포의 원충류 확인

참고 *Final Check 부인과 119, 120 page*

CHAPTER 11

난소의 양성종양(Benign ovarian tumors)

01

27세 여성이 성교 후 발생한 우하복부 통증을 주소로 내원하였다. 평소 생리는 규칙적이었으며, 내원 당시 활력징후는 안정적이었다. 압통은 있었지만 반발통은 없었고, 혈액검사상 Hb 12.5 g/dL, WBC 10,000/μL, platelet 180,000/μL으로 확인되었다. 초음파검사상 우측 난소에서 2.5 cm 크기의 저음영 낭종이 있었으며 더글라스와에는 2 cm 정도 액체가 있었다. 이 환자의 치료로 가장 적절한 것을 고르시오.

① 경과관찰

② 2일 후 β-hCG 추척관찰

③ Ulipristal acetate

④ 자궁내막조직검사

⑤ 진단적 복강경

01

정답 ①

해설

출혈성 황체 낭종(Hemorrhagic corpus luteum)

1. 황체기에 주로 발생
2. 낭종 파열 시 소량의 출혈이 발생
3. 혈복강을 유발할 수 있지만 활력징후가 안정적이면 보존적 치료가 우선

참고 *Final Check 부인과 154 page*

02

임신력 0-0-0-0인 30세 여성이 골반 초음파상 7 cm 크기의 단순 낭종이 발견되어 내원하였다. 복부-골반 전산촬영검사에서 낭종의 꼬임은 확인되지 않았다면 다음 처치로 가장 적절한 것을 고르시오.

① 2개월 후 골반 초음파 ② 항생제
③ 배란유도제 ④ 초음파유도하 낭종 흡인술
⑤ 진단적 복강경

02

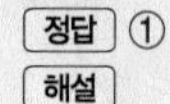

정답 ①

해설

단순 낭성종양의 양성 가능성과 추적검사

양성의 가능성이 높은 경우
- 폐경기 전후에서 대부분 양성 - 낭종에 출혈이 동반되어 있는 경우 - 낭종의 크기가 작은 경우 (악성 발생률 ≤5 cm : 0.5%, 5~10 cm : 2%)
폐경 전 여성의 추적검사
- 직경 3 cm 이상인 경우 6~8주 간격으로 초음파 - 계속 크기가 증가하거나 감소하지 않을 경우 추가적인 검사 혹은 본격적인 치료를 시행

참고 *Final Check 부인과 160 page*

03

분만력 0-0-1-0인 26세 여성이 외음부 가려움증을 주소로 내원하여 시행한 내진상 우측 자궁부속기 부위에 4~5 cm 정도의 압통이 없고 표면이 매끄러우며 잘 움직이는 연한 감촉의 종괴가 만져졌다. 초음파 검사에서 우측 난소에서 4 cm 크기의 단방형 낭종(unilocular cyst)이 관찰되었다. 환자는 평소 월경주기가 28일로 규칙적이었고, 최종 월경시작일은 3주 전이었다면 다음 처치로 적절한 것을 모두 고르시오.

(가) 즉시 복강경으로 낭종 제거
(나) 두 달 후 골반 초음파 재검
(다) 즉시 개복술로 낭종 제거
(라) 두 달간 경구피임제 투여 후 경과 관찰

① 가, 나, 다 ② 가, 다
③ 나, 라 ④ 라
⑤ 가, 나, 다, 라

03

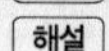

정답 ③

해설

단순 낭성종양의 양성 가능성과 추적검사

양성의 가능성이 높은 경우
- 폐경기 전후에서 대부분 양성 - 낭종에 출혈이 동반되어 있는 경우 - 낭종의 크기가 작은 경우 (악성 발생률 ≤5 cm : 0.5%, 5~10 cm : 2%)
폐경 전 여성의 추적검사
- 직경 3 cm 이상인 경우 6~8주 간격으로 초음파 - 계속 크기가 증가하거나 감소하지 않을 경우 추가적인 검사 혹은 본격적인 치료를 시행

참고 *Final Check 부인과 160 page*

04

분만력이 0-0-0-0인 23세 미혼 여성이 정기검진을 위하여 내원하였다. 자궁은 정상이었으나 좌측 난소 부위에 쉽게 움직이는 종양이 촉지 되었으며, 초음파상 좌측 난소에 3 x 3 x 5 cm 크기의 단순 낭종이 확인되었다. 다음 처치로 가장 적절한 것을 고르시오.

① 즉시 개복술 시행

② 2~3개월간 경구피임제 복용 후 초음파 재검

③ Abd-Pelvic CT

④ Pelvic MRI

⑤ 진단적 복강경

04

정답 ②

해설

단순 낭성종양의 양성 가능성과 추적검사

양성의 가능성이 높은 경우
- 폐경기 전후에서 대부분 양성 - 낭종에 출혈이 동반되어 있는 경우 - 낭종의 크기가 작은 경우 (악성 발생률 ≤5 cm : 0.5%, 5~10 cm : 2%)
폐경 전 여성의 추적검사
- 직경 3 cm 이상인 경우 6~8주 간격으로 초음파 - 계속 크기가 증가하거나 감소하지 않을 경우 추가적인 검사 혹은 본격적인 치료를 시행

참고 *Final Check 부인과 160 page*

05

분만력 2-0-0-2인 32세 주부가 검진을 위해 내원하였다. Pap smear 결과는 정상이었으나, 골반 내진상 유동성 종괴가 촉지 되었고, 시행한 초음파에서 5 cm 크기, 단방성 낭종(unilocular cyst)이 우측 난소에서 확인되었다. 이 환자의 다음 처치로 가장 적절한 것을 고르시오.

① 질 초음파하 낭성 내용물 흡입술

② 우측 난관난소절제술

③ 복강경하 난소낭종제거술

④ 2~3개월 추적관찰

⑤ 시험적 개복술

05

정답 ④

해설

단순 낭성종양의 양성 가능성과 추적검사

양성의 가능성이 높은 경우
- 폐경기 전후에서 대부분 양성 - 낭종에 출혈이 동반되어 있는 경우 - 낭종의 크기가 작은 경우 (악성 발생률 ≤5 cm : 0.5%, 5~10 cm : 2%)
폐경 전 여성의 추적검사
- 직경 3 cm 이상인 경우 6~8주 간격으로 초음파 - 계속 크기가 증가하거나 감소하지 않을 경우 추가적인 검사 혹은 본격적인 치료를 시행

참고 *Final Check 부인과 160 page*

06

초경 이후로 35일 주기의 규칙적 월경을 하는 15세 여학생이 최근 2개월간 월경이 없어 내원하였다. 초음파상 4 cm 크기의 단방성 낭종이 좌측 난소에 있었고, 자궁 및 우측 자궁부속기에는 특이소견이 없었다. 다음 중 이 환자에게 가장 적절한 처치는 무엇인가?

① 2개월 후 추적관찰

② 염색체검사

③ 종양표지자 검사

④ 낭종의 흡인세포검사

⑤ 복강경하 좌측 난소낭종절제술

06

정답 ①

해설

단순 낭성종양의 양성 가능성과 추적검사

양성의 가능성이 높은 경우
– 폐경기 전후에서 대부분 양성 – 낭종에 출혈이 동반되어 있는 경우 – 낭종의 크기가 작은 경우 (악성 발생률 ≤5 cm : 0.5%, 5~10 cm : 2%)
폐경 전 여성의 추적검사
– 직경 3 cm 이상인 경우 6~8주 간격으로 초음파 – 계속 크기가 증가하거나 감소하지 않을 경우 추가적인 검사 혹은 본격적인 치료를 시행

참고 *Final Check 부인과 160 page*

CHAPTER 12

자궁내막증(Endometriosis)

01

다음 중 자궁내막증에 관한 내용으로 잘못된 것을 고르시오.

① 일반인보다 불임증 환자에서 높은 빈도를 나타낸다

② 가족력에 의한 유전적 소인이 관찰된다

③ 월경 주기가 25일 이내인 경우에는 발생률이 증가한다

④ 자궁경부가 좁은 여성에서 발생률이 증가한다

⑤ 저용량 경구피임제를 지속적으로 사용하는 여성에서 발생률이 증가한다

01

정답 ⑤

해설

자궁내막증의 유병률

1. 가임기에서 주로 발생(에스트로겐의 영향)
2. 사춘기와 호르몬치료 중인 폐경여성도 발견
3. 유병율 : 약 10% 정도
   a. 골반통과 불임이 있는 여성 : 20~90%
   b. 원인불명의 생식력 저하(±통증) : 50%
   c. 무증상 + 난관결찰술 : 3~43%

참고 *Final Check 부인과 163 page*

02

자궁내막증이 발생하기 쉬운 경우를 모두 고르시오.

(가) 자궁내장치
(나) 난관 폐쇄
(다) 경구피임제
(라) 자궁경부 협착

① 가, 나, 다
② 가, 다
③ 나, 라
④ 라
⑤ 가, 나, 다, 라

02

정답 ④

해설

자궁내막증의 위험인자	
불임	큰 키
빠른 초경	다태아 중 한명
짧은 월경주기	DES 노출
월경과다	적은 출생체중
미분만부	Dioxin 또는 PCB 노출
뮬러관기형	고지방 및 붉은 고기
가족력	과거 자궁내막증 치료

참고 *Final Check 부인과 164 page*

03

자궁내막증 환자에서 흔히 볼 수 있는 증상을 모두 고르시오.

(가) 월경통
(나) 불임증
(다) 성교통
(라) 월경과다

① 가, 나, 다　② 가, 다
③ 나, 라　④ 라
⑤ 가, 나, 다, 라

03
정답 ①
해설
자궁내막증의 증상
1. 월경통
2. 월경사이 통증
3. 성교통
4. 임신율의 저하

참고 *Final Check 부인과 166 page*

04

자궁내막증의 진단에 관한 설명 중 옳지 않은 것은 무엇인가?

① 불임, 성교통, 생리통, 만성 골반통은 자궁내막증을 의심하게 한다
② 많은 환자에서 특이한 이학적 소견이 발견되지 않는다
③ 확진은 복강경 검사만으로는 충분치 않으며 조직학적 소견에 의한 확진이 필요하다
④ Stroma 소견이 gland 소견보다 중요하다
⑤ 현미경적 자궁내막증은 흔히 볼 수 있기 때문에 재발 여부에 중요한 의의가 있다

04
정답 ⑤
해설
자궁내막증의 조직학적 소견
1. 확진을 위한 필수적인 방법
2. 샘조직보다는 기질조직이 특징적인 양상
3. 각기 다른 병변은 서로 다른 증식기 또는 분비기에 있는 샘조직을 가질 수 있음
4. 현미경적 자궁내막증
   a. 정상 복막에 보이는 조직학적 자궁내막증
   b. 발견이 드물지만 재발 예측에 중요

참고 *Final Check 부인과 171 page*

05

자궁내막증에서 CA-125에 관한 내용으로 잘못된 것은 무엇인가?

① 병기와 일치한다

② 체강상피(coelomic epithelium)에서 유래되었다

③ 생리 기간 중에 증가하는 경향이 있다

④ 진단보다는 치료 후 재발을 예측하는데 유용하다

⑤ 특이도는 80% 이상이지만 민감도는 20~50% 정도로 낮다

05

정답 ①

해설

자궁내막증의 CA-125

1. 체강상피에서 유래한 세포표면항원
2. 비특이적 표지물질 : 비점액성 상피성 난소종양, 자궁선근증, 자궁근종, 골반 결핵 및 월경 중에도 증가
3. 특성
   a. 선별검사나 진단에 이용하기에는 부적합
   b. 재발 확인 및 치료효과 관찰에 유용
   c. 병기, 통증 등이 수치와 비례하지 않음

참고 *Final Check 부인과 168 page*

06

자궁내막증에 관한 설명으로 틀린 것은 무엇인가?

① CA-125는 통증의 정도와 비례한다

② CA-125는 민감도가 우수해 진단에 유용하다

③ 적색병변(Red lesion)은 오래된 병변을 의미한다

④ 질식 초음파는 자궁내막종의 진단에 유용하다

⑤ 질식 초음파는 복강내 병변의 진단에 MRI보다 유용하다

06

정답 ③

해설

1. 병기, 통증 등이 수치와 비례하지 않음
2. 특이도는 높지만 민감도는 낮음
3. 적색병변은 비전형적인 병변이지 오래된 병변을 의미하지는 않음
4. 질초음파는 자궁내막종의 진단에 유용
5. MRI는 심부 자궁내막증 진단에 유용

참고 *Final Check 부인과 168 page*

07

다음 자궁내막증에 대한 설명 중 옳은 것은 무엇인가?

① 보통 초경 때부터 통증이 시작된다

② 통증의 정도는 자궁내막증의 병기와 관련이 있다

③ 통증의 정도는 CA-125와 관련이 있다

④ 통증의 대부분 일측성으로 발생한다

⑤ 성교통은 병변의 깊은 침윤이 있는 경우 더 심하다

07

정답 ⑤

해설

1. 통증의 시작시기는 다양
2. 통증의 정도와 병기는 무관
3. 병기, 통증 등이 수치와 비례하지 않음
4. 대개 양측성의 통증 발생
5. 성교통은 병변의 깊은 침윤이 있는 경우 및 월경 시작 전에 가장 심함

참고 *Final Check 부인과 166 page*

08

27세 여성이 심한 생리통을 주소로 내원하였다. 2년 전 자궁내막증으로 진단받고, 복강경 수술 및 GnRH agonist로 치료받아 증세가 좋아졌으나, 6개월 전부터 성교통 및 생리통이 심해졌다고 한다. 이 환자에게 가장 적절한 혈청학적 검사를 고르시오.

① CA-125　② CA 19-9
③ aFP　④ CEA
⑤ hCG

08

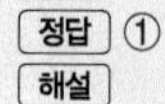

정답 ①

해설

자궁내막증의 혈청표지자

1. CA-125
   a. 선별검사나 진단에 이용하기에는 부적합
   b. 재발 확인 및 치료효과 관찰에 유용
   c. 병기, 통증 등이 CA-125 수치와 무관
2. 기타 표지자
   a. CA 19-9
   b. CA-72, CA-15-3, TAG-72

참고 *Final Check 부인과 168 page*

09

36세 여성이 양측 난소의 자궁내막종으로 양측 난소낭종절제술을 시행한 후 GnRH agonist를 투여 중이다. 이 여성의 난소기능을 평가할 수 있는 검사를 고르시오.

① LH　② FSH
③ AMH　④ Estradiol
⑤ Progesterone

09

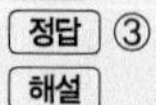

정답 ③

해설

자궁내막증의 보존적 수술

1. 수술 후 6개월 간 GnRH agonist 투여
2. 치료 중 난소의 기능 확인 : AMH

참고 *Final Check 부인과 172 page*

10

Endometriosis 중 난소 외에 가장 흔히 발생하는 장소를 고르시오.

① Uterine ligament

② Rectovaginal septum

③ Umbilicus

④ Pelvic peritoneum

⑤ Laparotomy scar

10

정답 ①

해설

자궁내막증의 호발 부위

1. 난소(ovary) : 가장 흔한 부위
2. 자궁인대(uterine ligament)
3. 직장질중격(rectovaginal septum)
4. 골반복강(pelvic peritoneum)
5. 배꼽(umbilicus)

참고 *Final Check 부인과 163 page*

11

자궁내막증의 복강경 소견 중 비전형적 소견을 열거하시오.(3가지)

11

정답

1. 적색 병변(red implants)
2. 투명한 수포(serous or clear vesicle)
3. 백색판(white plague)
4. 복막의 황변이나 갈변
5. 난소하 유착(subovarian adhesion)

참고 *Final Check 부인과 170 page*

12

자궁내막증 발생기전 중 면역학적 요인(immunologic factor)의 증거를 쓰시오.

12

정답

1. 복강내 macrophage, prostaglandin 증가
2. 복강내 cytokines (TNF-α) 분비 증가
3. 성장인자(growth factors)와 혈관생성인자(angiogenic factors) 증가
4. 자연세포독성세포(natural killer cell)의 활성 저하

참고 *Final Check 부인과 165 page*

13

자궁내막증(endometriosis)에서 통증의 원인을 쓰시오.

13

정답

1. 국소염증
2. 조직파괴를 동반한 깊은 침윤
3. 유착 형성
4. 섬유화를 동반한 조직의 비후
5. 자궁내막증 병변 내로 탈락된 월경혈의 저류

참고 *Final Check 부인과 167 page*

14

자궁내막증에 관한 내용으로 옳은 것을 모두 고르시오.

(가) 자궁내막증이 가장 호발하는 부위는 난소이다
(나) 심한 자궁내막증 환자에서 흔히 볼 수 있는 임상증상은 월경통, 성교통, 불임증 등이 있다
(다) CA-125의 주기적 검사는 치료 후 자궁내막증의 재발을 예견하는 데 유용하다
(라) 내과적 치료로는 경구피임제, progestin 등이 있다

① 가, 나, 다 ② 가, 다
③ 나, 라 ④ 라
⑤ 가, 나, 다, 라

14

정답 ①

해설

1. 자궁내막증이 가장 호발하는 부위 : 난소
2. 흔한 증상 : 골반통증, 생리통, 임신율의 저하
3. CA-125 : 재발 확인 및 치료효과 관찰에 유용
4. 내과적 치료 : GnRH agonist, progestins, OCs, danazol, gestrinone, NSAIDs, COX-2 inhibitor

참고 *Final Check 부인과 163, 168, 169, 174 page*

15

25세 여자가 3년간의 불임을 주소로 내원하였다. 평소 생리통과 성교통이 있었고, 복강경 수술 중 다음과 같은 소견이 보였다면 이 환자의 진단명은 무엇인가?

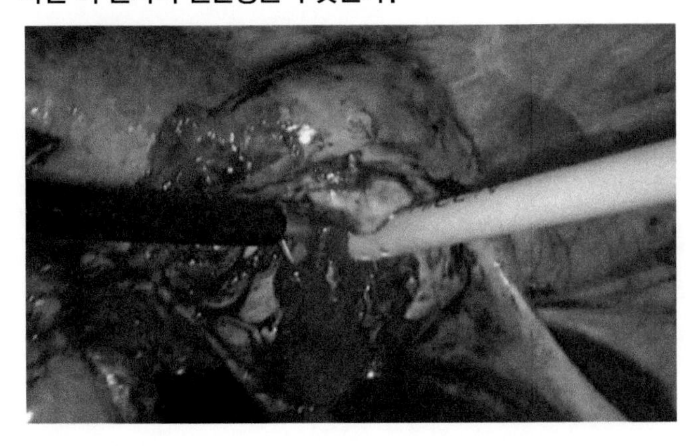

① Myoma ② Ovarian carcinoma
③ Endometriosis ④ Polycystic ovary
⑤ Adenomyosis

15

정답 ③

해설

자궁내막증의 전형적 병변

1. 흑갈색의 복막 병변(powder-burn or gunshot)
2. 생리 때 병변으로부터 출혈이 발생하고 그로 인해 주위에 유착과 반흔을 형성

참고 *Final Check 부인과 170 page*

16

임신력 0-0-0-0인 30세 여성이 3개월 전부터 생리통이 심해졌고 진통제를 복용해도 조절되지 않아 내원하였다. 초음파에서 부속기에 고정된 종괴가 관찰되었고, 자궁은 후굴 상태였으며, 자궁의 뒤쪽에는 5 cm의 균일한 에코를 보이는 종괴가 있었다. 복강경 수술 시 아래와 같은 종괴를 확인하였고 안쪽에서는 초콜릿 색깔의 액체가 흘러나왔다면 이 액체는 무엇인가?

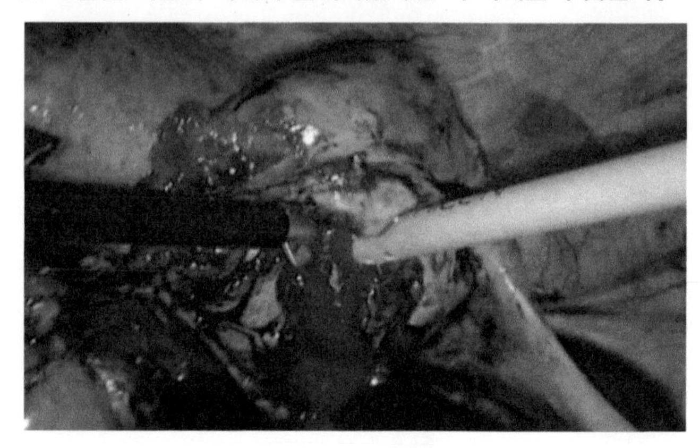

① Pus ② Sebum
③ Mucin ④ Serous fluid
⑤ Old blood

16

정답 ⑤

해설

자궁내막종(Endometrioma)

1. 자궁내막증이 난소에 발생하여 낭종을 형성
2. 낭종 절개 시 조직 출혈과 혈색소 축적으로 발생한 짙은 갈색의 초콜릿 양상 액체가 누출

참고 *Final Check 부인과 167 page*

17

심한 월경통 및 간헐적인 성교통을 호소하는 34세 여성이 내원하였다. 내진상 더글라스와에 압통이 있는 작은 결절들이 만져졌지만 초음파상 특이소견은 없었다. 이 환자의 확진을 위한 검사로 가장 적절한 것을 고르시오.

① 혈중 CA-125 ② 소변검사
③ 골반 및 복부 CT ④ 복강경
⑤ 혈중 LH, FSH

17

정답 ④

해설

자궁내막증의 조직학적 소견

1. 확진을 위한 필수적인 방법
2. 조직검사를 위한 복강경을 시행

참고 *Final Check 부인과 171 page*

18

자궁내막증이 불임을 유발하는 원인에 대하여 쓰시오.(2가지)

18

정답
1. 골반 유착
2. 배란장애
3. 복강 내 염증

참고 *Final Check 부인과 167 page*

19

자궁내막증을 가진 25세 여성이 2년 간의 불임을 주소로 내원하였다. 본 환자의 불임 검사에서 자궁내막종 이외에는 특이 소견이 없었다. 이 환자의 불임의 원인 기전에 대한 설명 중 부적절한 것을 고르시오.

① 난관 주변의 유착 형성

② 난관기능부전

③ 복강 내 prostaglandin과 대식세포 수의 감소

④ 배란장애

⑤ 세포면역기전에 의한 생식세포 손상

19

정답 ③

해설

자궁내막증의 임신율 저하의 원인
1. 골반 유착 : 난관의 운동성과 난소 채취를 저해하는 유착 발생
2. 배란장애
3. 복강 내 염증 : 복막액 내 prostaglandin, macrophage 증가

참고 *Final Check 부인과 167 page*

20

자궁내막증의 불임 기전으로 옳은 것을 모두 고르시오.

(가) 난관 폐쇄
(나) 복강 내 prostaglandin의 증가
(다) 복강 내 macrophage의 감소
(라) 면역작용의 증가

① 가, 나, 다 ② 가, 다
③ 나, 라 ④ 라
⑤ 가, 나, 다, 라

20

정답 ③

해설

자궁내막증의 임신율 저하의 원인

1. 골반 유착 : 난관의 운동성과 난소 채취를 저해하는 유착 발생
2. 배란장애
3. 복강 내 염증 : 복막액 내 prostaglandin, macrophage 증가

참고 *Final Check 부인과 167 page*

21

임신력 0-0-0-0인 30세 여성이 불임과 심한 성교통을 주소로 내원하였다. 평소 생리는 주기 28일로 약 3~4일간 지속되었으며 양은 적당하다고 하였으나, 고등학교 2학년 때부터 심한 생리통으로 고생하였다고 한다. 내진상 자궁은 후굴되어 가동성이 감소되어 있었고, 더글러스와 부위에서 좁쌀 만한 크기의 결절들이 촉지 되었다. 상기 환자의 질환에 관한 설명으로 올바른 것을 모두 고르시오.

(가) 병이 심할수록 증상도 심한 것이 특징이다
(나) 악성 변성을 하기도 한다
(다) 확진은 초음파 검사로 가능하다
(라) 불임을 유발하는 기전으로 골반 내 유착, 난관의 운동성 변화 등이 있다

① 가, 나, 다 ② 가, 다
③ 나, 라 ④ 라
⑤ 가, 나, 다, 라

21

정답 ③

해설

자궁내막증의 악성 변화

1. 악성 변화율 : 0.7~1%
   a. 난소에서 기인한 경우 : 80% 정도
   b. Complex hyperplasia + atypia : 암전환 증가
2. 조직학적 유형
   a. Clear cell type
   b. Endometrioid type

참고 *Final Check 부인과 167 page*

22

자궁내막증 치료에 대한 설명으로 옳은 것을 모두 고르시오.

① 임신을 원하는 경증 자궁내막증 여성에서 기대요법을 할 수 있다

② 불임에 대한 효과는 약물치료가 수술치료보다 우수하다

③ 자궁내막종의 치료는 약물 치료가 수술 치료보다 더 효과적이다

④ GnRH agonist와 비교하여 danazol 치료 시 재발율이 더 높다

⑤ 자궁절제술 및 양측 부속기절제술 후 호르몬 대체요법으로는 premarin 단독요법이 가장 좋다

22

정답 ①

해설

자궁내막증의 치료

1. 수술 요법 : 통증과 불임에 모두 효과적
2. 약물 요법
   a. 통증에는 효과적
   b. 불임에는 효과가 없음

참고 *Final Check 부인과 172 page*

23

20대 여성이 불임을 주소로 내원하였다. 평소 생리통이 심하였고 결혼한 지 2년이 되었지만 임신이 되지 않았다. 시행한 복강경 수술 소견에서 자궁인대와 난소표면에 자궁내막증 변변이 관찰되었고, 미국생식의학회(ASRM) score 6점으로 확인되었다. 여성은 임신을 원하고 있다면 다음 처치로 가장 적절한 것을 고르시오.

① 1~2년 간 기대요법 시행

② IVF-ET

③ GnRH agonist

④ Clomiphene citrate

⑤ 경구피임제 6개월 투여

23

정답 ①

해설

자궁내막증의 치료 후 성적

1. 복강경으로 자궁내막증 병변을 최대한 제거
2. 병기가 경증, 환자 연령이 30세 미만, 다른 불임의 원인이 없는 경우에는 12~36개월 정도의 기대요법을 시행

참고 *Final Check 부인과 178 page*

24

45세 여성이 NSAIDs 계열의 진통제를 꾸준히 복용함에도 점점 심해지는 생리통을 주소로 내원하였다. 초음파 소견은 아래와 같고 우측 난소에 3 cm, 좌측 난소에 8 cm 크기로 확인되었다. 이 환자의 다음 처치로 가장 적절한 것을 고르시오.

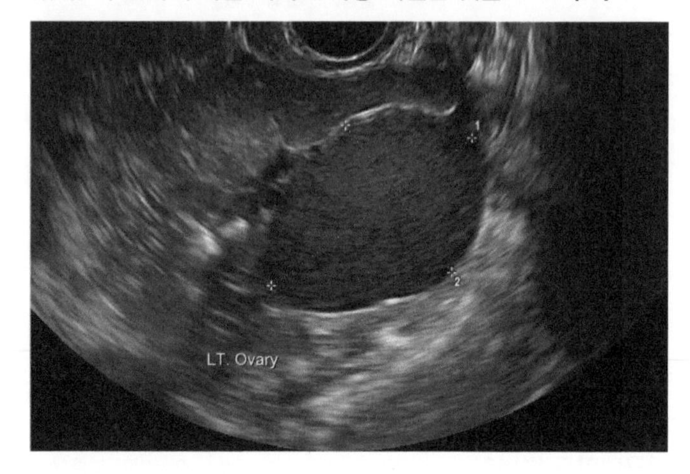

① Danazol

② Progesterone

③ Combined OCs

④ Ovarian artery embolization

⑤ Pelviscopic ovarian cystectomy

24

정답 ②

해설

자궁내막증의 보존적 수술의 효과

1. 통증 감소 : 복강경 수술 후 74%에서 호전
2. 임신력의 향상
   a. 생식기관의 변형이 있는 불임의 필수치료
   b. 수술 후 임신율은 중증, 중등도에서 향상
   c. 임신율은 수술 후 6~12개월에 가장 높음

참고 *Final Check 부인과 173 page*

25

자궁내막증의 수술적 치료에 관하여 옳은 것은 무엇인가?

① 천골신경절제술(presacral neurectomy)로 임신력이 증가된다

② 중등도 이상의 자궁내막증은 기대요법보다 임신율이 높다

③ 약물치료 보다 재발율이 높다

④ 수술 1년 후 임신율이 가장 높다

⑤ 수술 전 약물치료가 도움이 되지 않는다

25

정답 ②

해설

자궁내막증의 보존적 수술의 효과

1. 통증 감소 : 복강경 수술 후 74%에서 호전
2. 임신력의 향상
   a. 생식기관의 변형이 있는 불임의 필수치료
   b. 수술 후 임신율은 중증, 중등도에서 향상
   c. 임신율은 수술 후 6~12개월에 가장 높음

참고 *Final Check 부인과 173 page*

26

임신력 0-0-0-0인 30세 기혼 여성이 불임, 생리통, 성교통을 주소로 내원하였다. 시행한 초음파상 우측 난소에서 5.2 cm 크기의 자궁내막종이 관찰되었다면 이 여성에게 가장 적절한 처치는 무엇인가?

① 경과관찰 ② 경구피임제
③ GnRH agonist ④ 복강경 수술
⑤ 자궁절제술

27

38세 불임 여성이 시행한 복강경에서 우측 난소에 3 cm 크기 자궁내막종이 관찰되었고, 수술 후 자궁내막증 병기분류상 stage III로 확인되었다. 다음 중 이 환자에게 가장 적절한 치료를 고르시오.

① 우측 난소절제술 + 좌측 난소쐐기절제술
② 자궁내막종 병변 제거 후 GnRH agonist 6개월 투여
③ 체외수정 시도
④ 자궁내막종 제거하지 않고 약물치료 시행
⑤ 자궁내막종 병변 제거 후 임신 시도

26

정답 ④

해설

자궁내막증의 보존적 수술의 효과

1. 통증 감소 : 복강경 수술 후 74%에서 호전
2. 임신력의 향상
   a. 생식기관의 변형이 있는 불임의 필수치료
   b. 수술 후 임신율은 중증, 중등도에서 향상
   c. 임신율은 수술 후 6~12개월에 가장 높음

참고 *Final Check 부인과 173 page*

27

정답 ⑤

해설

자궁내막증의 보존적 수술의 효과

1. 통증 감소 : 복강경 수술 후 74%에서 호전
2. 임신력의 향상
   a. 생식기관의 변형이 있는 불임의 필수치료
   b. 수술 후 임신율은 중증, 중등도에서 향상
   c. 임신율은 수술 후 6~12개월에 가장 높음

참고 *Final Check 부인과 173 page*

28

자궁내막증의 치료에 대한 설명으로 맞는 것을 고르시오.

① GnRH agonist가 danazol보다 통증조절에 좋다

② CA-125가 진단 및 선별검사에 사용된다

③ CA-125는 치료효과 관찰에 유용하다

④ CA-125가 병기에 비례한다

⑤ 수술이 가장 좋은 방법이다

28

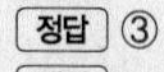

정답 ③

해설

자궁내막증의 CA-125

1. 재발 확인 및 치료효과 관찰에 유용
2. 병기, 통증 등은 CA-125 수치와 무관
3. 채혈시기가 검사결과에 유의한 영향을 미침

참고 *Final Check 부인과 168 page*

29

자궁내막증의 내과적 치료에 관한 설명으로 잘못된 것을 고르시오.

① 6개월간 GnRH agonist 치료를 하면 골밀도 감소를 일으킬 수 있으나 치료 후에는 대부분의 경우 치료 전 상태로 회복된다

② Danazol 치료기간 중 혈중 HDL cholesterol 감소, LDL cholesterol 증가가 발생할 수 있다

③ 자궁내막증의 병변 감소면에서 볼 때 GnRH agonist와 danazol의 효과는 비슷하다

④ GnRH agonist를 6개월 사용 시 골밀도 감소방지를 위해 progesterone을 사용할 수 있다

⑤ GnRH agonist 치료는 경증 자궁내막증에 동반된 불임에 효과적이다

29

정답 ⑤

해설

자궁내막증의 내과적 치료

1. 경증 자궁내막증에서 약물치료가 임신력을 향상시킨다는 구체적인 증거는 밝혀져 있지 않음
2. 중증 자궁내막증의 체외수정 시술 전 시행

참고 *Final Check 부인과 174 page*

30

자궁내막증의 치료에 관한 내용으로 올바른 것을 모두 고르시오.

(가) GnRH agonist를 투여하면 무월경을 초래한다
(나) 내과적 치료는 자궁내막증에 의한 골반통을 호전시킨다
(다) Danazol 투여는 다모증을 초래할 수 있다
(라) 경증 자궁내막증 환자에서 약물치료는 임신율을 향상시킨다

① 가, 나, 다　② 가, 다
③ 나, 라　④ 라
⑤ 가, 나, 다, 라

30

정답 ①

해설

1. GnRH agonist는 가성폐경 유발
2. 내과적 치료는 월경통, 골반통을 호전
3. Danazol 부작용 : 여드름, 다모증, 굵은 목소리, 체중 증가, 부종, 지루성 피부
4. 경증 자궁내막증에서 약물치료가 임신력을 향상시킨다는 구체적인 증거는 밝혀져 있지 않음

참고 *Final Check 부인과 174, 176 page*

31

자궁내막증 환자에서 경구피임제 사용에 관한 내용으로 옳은 것을 모두 고르시오.

(가) 자궁내막조직의 탈락막화 반응 유도
(나) 투여 초기에 일시적으로 골반통 증가
(다) 월경통 감소
(라) 지속적 요법보다 주기적 요법을 권장

① 가, 나, 다　② 가, 다
③ 나, 라　④ 라
⑤ 가, 나, 다, 라

31

정답 ①

해설

자궁내막증에서 경구피임제의 효과

1. 지속적 저용량 단일 경구피임제
   a. 가성임신으로 무월경, 병변의 쇠퇴를 유발
   b. 6~12개월간 지속적 사용 시 통증 완화
2. 주기적 복용법 : 지속적 투여보다 덜 효과적
3. 장점
   a. 생리통과 골반통의 감소
   b. 생리혈 역류의 감소
   c. 자궁내막증의 진행 위험도 감소

참고 *Final Check 부인과 175 page*

32

자궁내막증 환자에게 GnRH agonist 투여 시 발생하는 저에스트로겐 증상 및 증후들을 경감시키는 방법을 쓰시오.(2가지)

32

정답

1. 저용량 progestin
2. Estrogen–Progestin 복합제

참고 *Final Check 부인과 174 page*

33

만성 골반통을 가진 28세 미혼 여성의 초음파와 복강경 수술 소견이 아래와 같다면 이 여성의 치료에 대한 내용으로 올바른 것을 고르시오.

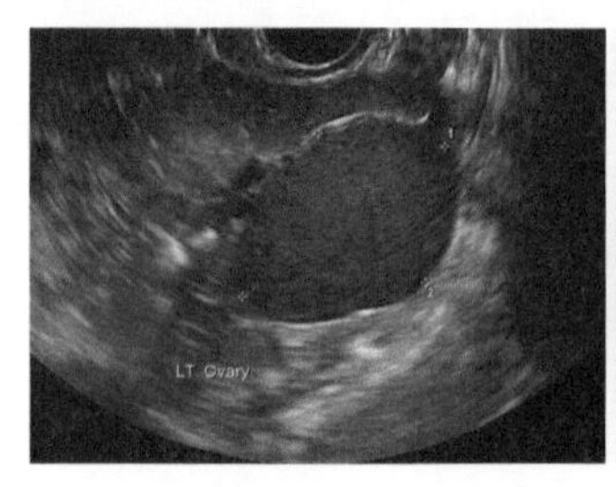

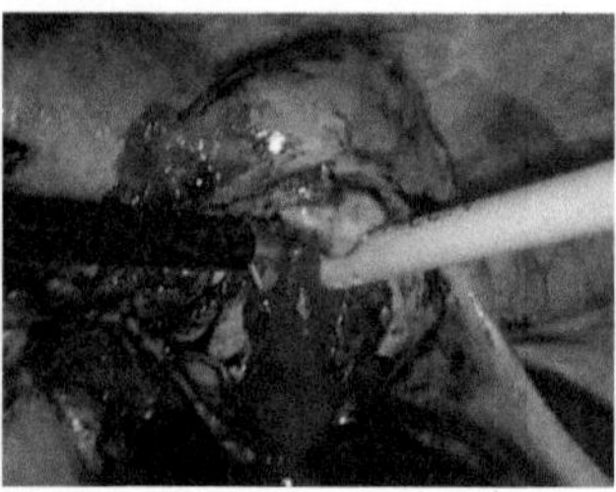

① 순환기질환이 있는 경우 danazol을 사용한다
② 수술 후 경구피임제는 6개월 이내로만 사용한다
③ GnRH agonist 장기치료를 시행할 때 보충요법을 시행한다
④ 수술 후 기대요법을 시행해야 불임치료가 효과적이다
⑤ 수술적 치료와 호르몬요법을 병행해야 과반수에서 생리통이 감소한다

33

정답 ③

해설

1. Danazol의 금기증 : 간질환, 고혈압, 울혈성 심부전, 신장기능 손상, 임신
2. 수술 후 6개월 간 GnRH agonist 투여
3. GnRH agonist의 부작용 : 폐경증상, 골소실이 나타나므로 보충요법 시행
4. 수술 후 GnRH agonist 투여는 통증의 감소와 재발의 지연효과
5. 보존적 복강경 수술 후 약 74%에서 호전

참고 *Final Check 부인과 172, 173, 174, 176 page*

34

자궁내막증 환자가 고용량 MPA 30 mg/day의 치료를 받던 중에 일주일간 지속되는 질 출혈을 호소할 때 가장 먼저 취할 조치는 무엇인가?

① MPA 투여 중단

② Conjugate estrogen 처방

③ MPA 감량

④ Mirena 삽입

⑤ Norethindrone으로 투약 변경

34

정답 ②

해설

자궁내막증의 프로게스틴(Progestins) 치료

1. GnRH agonist에 비해 저에스트로겐 효과, 골밀도 감소는 적지만 부정출혈이 많음
2. 저용량 progestin, Estrogen-Progestin 복합제

참고 *Final Check 부인과 175 page*

35

13세 사춘기 여아가 복강경에서 자궁내막증으로 진단되었다. 다음 중 치료로 옳지 않은 것은 무엇인가?

① GnRH agonist

② Progestin

③ Danazol

④ Oral contraceptives

⑤ Gestrinone

35

정답 ①

해설

자궁내막증의 GnRH agonist 치료

1. 부작용 : 저에스트로겐 효과, 골밀도 감소
2. 최대 골량에 이르지 못한 16세 미만은 금기
3. 보충요법 : 저용량 progestin 또는 Estrogen-Progestin 복합제

참고 *Final Check 부인과 174 page*

36

GnRH agonist가 치료제로 사용되는 진단을 서술하시오.(3가지)

36

정답

1. 자궁내막증(endometriosis)
2. 자궁근종(myoma)
3. 자궁선근증(adenomyosis)
4. 유방암(breast cancer)
5. 월경과다(menorrhagia)

해설

GnRH agonist

1. GnRH 수용체의 하향조절에 의해 약물적 뇌하수체절제 상태를 유도
2. 성호르몬의 농도를 낮춰 가성폐경 유발

참고 *Final Check 부인과 174 page*

37

2명의 자녀가 있는 36세 여성이 심한 월경통 및 하복부 통증을 주소로 내원하였다. 복강경상 좌측 난소에는 6 x 6 cm 크기의 난소낭종이 있었고 아래와 같은 소견들이 관찰되었다. 치료를 위해 좌측 난소낭종절제술을 시행하였을 때 이 환자의 재발 방지를 위해 추가로 사용하는 약제로 잘못된 것을 고르시오.

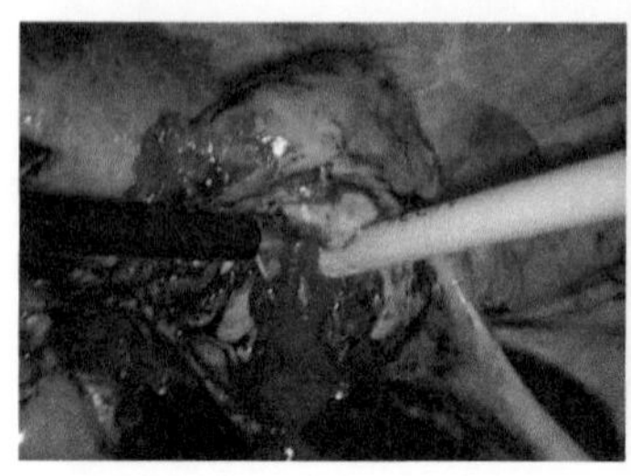

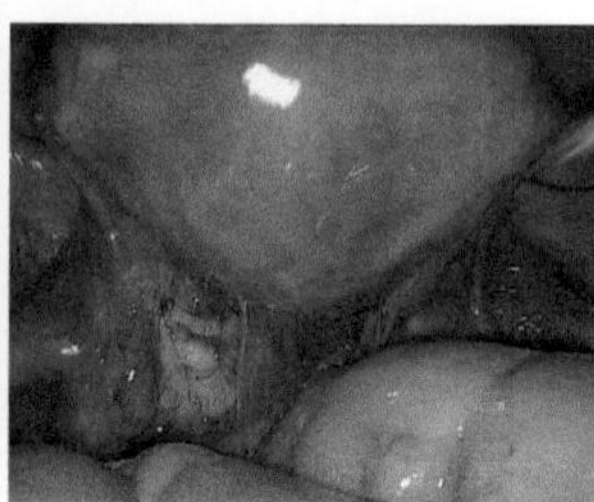

① 다나졸

② 프로게스틴

③ 경구피임약

④ 에스트로겐

⑤ GnRH agonist

37

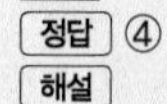

정답 ④

해설

자궁내막증의 약물 요법

1. GnRH agonist
2. Progestins
3. Oral contraceptives
4. Danazol
5. Gestrinone
6. Selective estrogen receptor modulators (SERM)
7. NSAIDs & COX-2 antagonist
8. Aromatase inhibitors

참고 *Final Check 부인과 174 page*

38

27세 미혼 여성이 8개월 간의 하복부 통증을 주소로 내원하였다. 통증은 3개월 전부터 심해졌고, 특히 월경이나 성교 및 배변 시 더욱 악화되었다. 내진 시 좌측 자궁천골인대 주위에 콩알 크기의 압통성이 있는 작은 결절들이 만져졌고 소변 hCG 검사상 음성, 골반 초음파는 아래와 같았다. 다음 중 이 환자의 치료 약제로 사용할 수 없는 것을 고르시오.

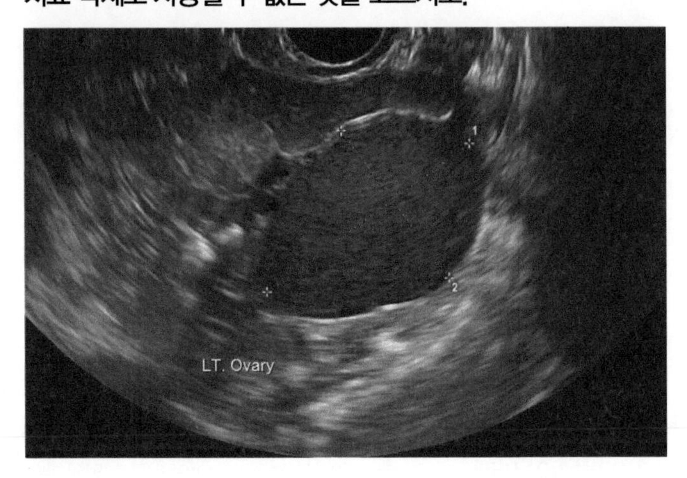

① Danazol

② Dexamethasone

③ GnRH agonist

④ Medroxyprogesterone acetate

⑤ Gestrinone

38

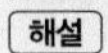 ②

해설

자궁내막증의 약물 요법

1. GnRH agonist
2. Progestins
3. Oral contraceptives
4. Danazol
5. Gestrinone
6. Selective estrogen receptor modulators (SERM)
7. NSAIDs & COX-2 antagonist
8. Aromatase inhibitors

참고 *Final Check 부인과 174 page*

39

산과력 0-0-0-0인 35세 여성이 4년 간의 불임으로 남편과 병원에 내원하였다. 부부 모두 불임검사에는 이상이 없었으나 진단적 복강경상 중증 자궁내막증이 확인되었다. 이 환자의 임신을 위한 가장 좋은 방법은 무엇인가?

① Danazol 투여

② GnRH agonist

③ Intrauterine insemination

④ Intracytoplasmic sperm injection

⑤ IVF-ET

39

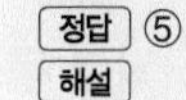

정답 ⑤

해설

자궁내막증의 보조생식술

1. IUI : 난소자극 시행 시 효과적
2. IVF : 난관난소변형이 있을 때 우선치료법
3. ICSI

참고 *Final Check 부인과 178 page*

40

35세 여성이 월경통을 주소로 내원하였다. 환자는 3년 전 좌측 난소종양으로 수술하였으며, 조직검사 결과 자궁내막증으로 진단되었다. 이번 내원 시 우측 난소에 2 cm 크기의 낭종이 아래와 같이 확인되었다. 현재 임신 준비 중이라면 이 여성에서 가장 적절한 치료 방법은 무엇인가?

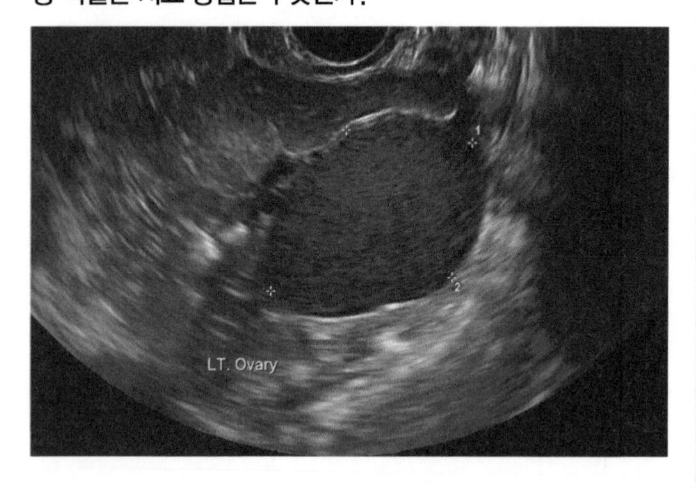

① Combined oral contraceptives

② Progestin

③ NSAIDs

④ LNG-IUS

⑤ GnRH agonist

40

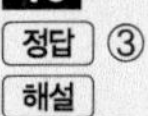

정답 ③

해설

자궁내막증 수술 후 기대요법과 보조생식술

1. 기대요법 : 자궁내막증의 병기가 경증이고, 환자의 연령이 30세 미만이며 다른 불임의 원인이 없는 경우에는 12~36개월 정도의 기대요법을 시행
2. 보조생식술 : 중등도 이상의 병변이 있거나 환자의 연령이 30세 이상인 경우 수술적 치료 또는 보조생식술을 시행

참고 *Final Check 부인과 178 page*

CHAPTER 13

자궁경부, 외음부, 질의 상피내종양
(Cervical, Vulvar, Vaginal intraepithelial neoplasia)

01

다음은 자궁경부를 도식화한 그림이다. 자궁경부질세포진검사를 시행하는 부위를 고르시오.

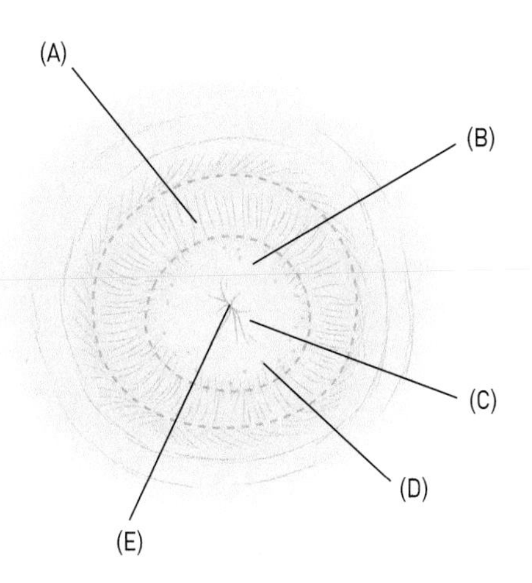

① A ② B ③ C ④ D ⑤ E

01

정답 ②

해설

변형대(Transformational zone)

1. 편평원주접합부의 변화로 인해 original SCJ과 active SCJ사이에 형성된 지역
2. 편평원주 경계면 주위에서 화생 발생 부위
3. Squamous metaplasia에 의해 CIN이 생성되고, 자궁경부암이 잘 생기는 위치
4. Nabothian cyst, gland 입구가 관찰

참고 *Final Check 부인과 182 page*

02

다음 빈 칸 (A), (B), (C)에 알맞은 말을 쓰시오.

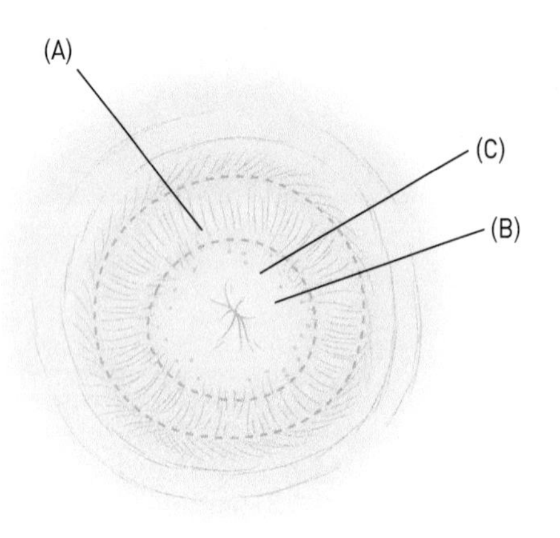

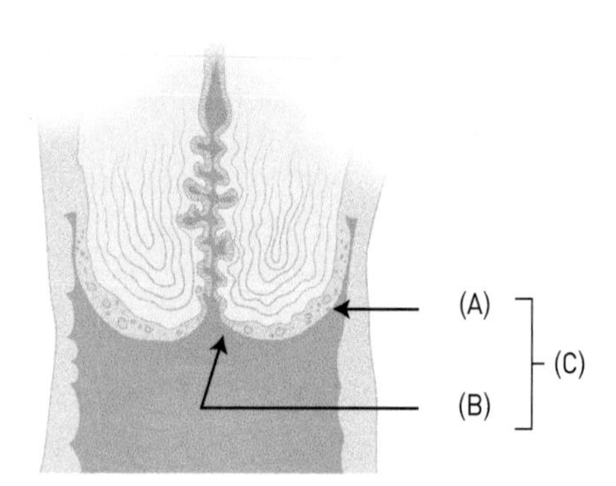

02

정답

(A) Original squamocolumnar junction

(B) Active squamocolumnar junction

(C) Transformation zone

참고 *Final Check 부인과 182 page*

03

자궁경부 변형대(transformation zone)에 대한 내용으로 잘못된 것을 고르시오.

① Nabothian cyst를 관찰할 수 있다

② Pap smear를 시행하는 부위이다

③ Original SCJ과 active SCJ사이에 형성된 부위이다

④ 이 부위에서는 암이 잘 생기지 않는다

⑤ Squamous metaplasia에 의해 CIN이 생성된다

03

정답 ④

해설

변형대(Transformational zone)

1. 편평원주접합부의 변화로 인해 original SCJ과 active SCJ사이에 형성된 지역
2. 편평원주 경계면 주위에서 화생 발생 부위
3. Squamous metaplasia에 의해 CIN이 생성되고, 자궁경부암이 잘 생기는 위치
4. Nabothian cyst, gland 입구가 관찰

참고 *Final Check 부인과 182 page*

04

25세 여성이 자궁경부암검사에서 HSIL 소견을 확인 후 내원하였다. 시행한 조직검사에서 CIN 3로 확인되었다면 다음 중 가장 관련 있는 HPV type은 무엇인가?

① 6　　② 11

③ 16　　④ 4

⑤ 43

04

정답 ③

해설

HPV 고위험군

1. HPV 16 : 자궁경부암에서 가장 흔한 종류
2. HPV 18 : adenocarcinoma에서 자주 발견
3. HPV 16, 18이 자궁경부암의 70%에서 확인

참고 *Final Check 부인과 183 page*

05

48세 여자가 자궁경부암검사에서 아래와 같이 확인되었다면 다음 처치로 가장 적절한 것을 고르시오.

- 자궁경부질세포진검사 : ASC-US
- HPV 검사 : 16번 양성

① 즉시 자궁경부질세포진검사
② 6개월 후 자궁경부질세포검사
③ 즉시 HPV 검사
④ 12개월 후 HPV 검사
⑤ 즉시 질확대경검사

05

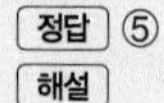

정답 ⑤

해설

20세 이상의 여성에서 ASC-US가 진단된 경우

반복적인 자궁경부질세포진검사(Pap test)
- 6개월 간격으로 시행하여 ASC-US 이상이면 질확대경검사를 시행 - 2회 연속으로 음성 소견이면 일반 선별검사로 복귀
HPV 검사
- 고위험군 HPV 양성인 경우에는 질확대경검사를 시행 - 12개월 후 HPV 검사 음성이면 일반 선별검사로 복귀
폐즉각적인 질확대경검사(colposcopy)
- 만족스러운 질확대경검사면서, 조직검사상 저등급 자궁경부 상피내종양(CIN 1) 이하인 경우 → 12개월 후 HPV 검사 or 6개월과 12개월 후 Pap test를 시행 - 불만족스러운 질확대경검사인 경우 ECC 시행

참고 *Final Check 부인과 193 page*

06

28세 여자 환자가 자궁경부질세포진검사상 koilocytotic atypia로 확인되어 내원하였다. 환자는 15세 때 첫 성경험을 하였고 19세에 결혼하여 현재 세 자녀를 두고 있었다. 이 환자의 자궁경부질세포진검사가 나오게 된 가장 큰 원인은 무엇인가?

① 빠른 첫 경험
② 여러 명의 성 파트너
③ 다분만부
④ 인유두종바이러스(HPV) 감염
⑤ 빠른 결혼

06

정답 ④

해설

원반세포증(Koilocytosis)

1. HPV에 의한 세포의 변화
2. CIN의 정도가 심해질수록 koilocytes는 감소하며, 대신 HPV DNA가 숙주세포 내로 통합되는데 이런 통합과정을 거쳐 악성화로 진행
3. 통합과정을 위해서는 HPV의 E6와 E7 단백질의 발현이 필요

참고 *Final Check 부인과 184 page*

07

자궁경부의 HPV 잠복감염을 확인할 수 있는 가장 효과적인 방법은 무엇인가?

① 자궁경부질세포진검사

② 질확대경검사

③ 펀치 생검

④ 원추절제술

⑤ DNA hybrid capture

07

정답 ⑤

해설

인유두종바이러스 검사(HPV test)

1. 분자유전학적 방법을 사용하여 질 분비물과 세포에서 HPV DNA를 검출하는 방법
2. 장점
   a. Pap test의 낮은 민감도를 보완
   b. 결과가 객관적
   c. 관찰자간의 재현성이 높음

참고 *Final Check 부인과 191 page*

08

다음 중 자궁경부암의 선별검사(screening test)로 가장 좋은 것은 무엇인가?

① Schiller test

② Colposcopy

③ Colpomicroscopy

④ Pap test

⑤ Cone biopsy

08

정답 ④

해설

자궁경부질세포진검사(Pap test)

1. 가장 보편적인 자궁경부암 선별검사
2. 통증이 거의 없고 검사시간이 짧음
3. 단점 : 낮은 민감도, 세포검사에 병리의사가 필요, 검체 간의 낮은 재현성

참고 *Final Check 부인과 186 page*

09

다음 중 Schiller test가 양성으로 나오는 경우를 모두 고르시오.

(가) Trauma
(나) Erosion
(다) Leukoplakia
(라) Benign inflammation

① 가, 나, 다　② 가, 다
③ 나, 라　④ 라
⑤ 가, 나, 다, 라

10

Pap smear 검사 시 주의사항으로 잘못된 것은 무엇인가?

① 검사 48시간 전 질 세척을 하지 말아야 한다
② 내자궁경부와 외자궁경부 모두에서 채취해야 한다
③ 질경에 윤활제를 바르지 않는다
④ 검체에 조직이 최대한 담기도록 두껍게 펴 발라야 한다
⑤ 즉시 에탄올로 고정해야 한다

09

정답 ⑤

해설

Schiller test에서 양성이 나타나는 경우

1. 외상(trauma)
2. 외번(eversion)
3. 미란(erosion)
4. 백반증(leukoplakia)
5. 염증(inflammation)
6. 원주상피(columnar epithelium)
7. 편평상피화생(squamous metaplasia)
8. 암종(carcinoma)

참고 *Final Check 부인과 189 page*

10

정답 ④

해설

Pap 검사의 주의사항

검사 전 환자의 주의사항
– 일주일 전 vaginal cream 금지 – 48시간 전 질 세척 금지 – 검사 전 24시간 동안 성관계 자제
검사 시 의사의 주의사항
– 내 · 외자궁경부 모두에서 조직 채취 – 채취 즉시 가능한 얇게 바르고 95% 에탄올로 고정 – 폐경 전 여성 표본에 내자궁경부세포가 반드시 포함 – 질경에 윤활제 사용 금지 – 질 분비물을 통한 채취 금지

참고 *Final Check 부인과 187 page*

11

Pap smear에 대한 설명으로 옳은 것을 모두 고르시오.

(가) 변형대(transformational zone)에서 검체를 채취한다
(나) 내자궁경부에서 검채를 채취한다
(다) 슬라이드에 가급적 얇게 바른다
(라) 슬라이드에 검체가 마른 후 고정한다

① 가, 나, 다 ② 가, 다
③ 나, 라 ④ 라
⑤ 가, 나, 다, 라

11
정답 ①
해설
Pap 검사의 주의사항

검사 전 환자의 주의사항
– 일주일 전 vaginal cream 금지 – 48시간 전 질 세척 금지 – 검사 전 24시간 동안 성관계 자제
검사 시 의사의 주의사항
– 내 · 외자궁경부 모두에서 조직 채취 – 채취 즉시 가능한 얇게 바르고 95% 에탄올로 고정 – 폐경 전 여성 표본에 내자궁경부세포가 반드시 포함 – 질경에 윤활제 사용 금지 – 질 분비물을 통한 채취 금지

참고 *Final Check 부인과 187 page*

12

다음 자궁경부질세포진검사의 기술 중 옳은 것을 고르시오.

① 위음성률이 일반적으로 3% 미만이다
② 폐경기 이전의 여성에서는 도말 표본에 자궁경부 내구세포(endocervical cell)가 존재해야 한다
③ 질 후원개(post. vaginal fornix)에서 채취하는 것이 바람직하다
④ 면봉으로 채취하는 것이 정확성을 높이는 가장 좋은 방법이다
⑤ 검채 채취 3분 후 95% ethanol에 고정시키는 것이 이상적인 방법이다

12
정답 ②
해설
Pap 검사의 주의사항

검사 전 환자의 주의사항
– 일주일 전 vaginal cream 금지 – 48시간 전 질 세척 금지 – 검사 전 24시간 동안 성관계 자제
검사 시 의사의 주의사항
– 내 · 외자궁경부 모두에서 조직 채취 – 채취 즉시 가능한 얇게 바르고 95% 에탄올로 고정 – 폐경 전 여성 표본에 내자궁경부세포가 반드시 포함 – 질경에 윤활제 사용 금지 – 질 분비물을 통한 채취 금지

참고 *Final Check 부인과 187 page*

13

자궁경부질세포진검사에 적합한 채취 방법을 모두 고르시오.

(가) Cervix brush
(나) Cytobrush
(다) Plastic spatula
(라) Cotton swab

① 가, 나, 다
② 가, 다
③ 나, 라
④ 라
⑤ 가, 나, 다, 라

13

정답 ①

해설

Pap test 세포채취 방법

1. 변형대(transformational zone)에서 시행
2. 눈으로 보며 Ayre spatula나 cytobrush를 이용하여 endocervix와 exocervix에서 채취
3. 세포도말에는 화생세포와 자궁경부세포가 포함되어야 하고, 화생세포를 얻기 위해 변형대에서 가능한 한 많은 검체를 채취
4. 직접 슬라이드에 도말하여 95% 에탄올로 고정 후 검사실로 전달

참고 *Final Check 부인과 186 page*

14

자궁경부질세포진검사(Pap smear)의 위음성을 줄이기 위한 보조방법을 쓰시오.(3가지)

14

정답

1. Colposcopy
2. Cervicography
3. Speculoscopy
4. Polarprobe

해설

Pap test의 위음성을 줄이기 위한 보조방법

1. Colposcopy
2. Cervicography
3. Speculoscopy
4. Polarprobe

참고 *Final Check 부인과 187 page*

15

다음 중 자궁경부질세포진검사에서 대한 내용으로 옳지 않은 것을 고르시오.

① 자궁경부질세포진검사에는 cytobrush와 spatula의 사용이 좋다
② HPV test와 cervicography 를 보조적 검사로 사용할 수 있다
③ 즉시 95% 에탄올에 고정시켜야 한다
④ 자궁경부질세포진검사에서 암세포 양성이면 침윤암을 의미한다
⑤ ASC-US가 Pap class II와 동일하지는 않다

15
정답 ④
해설
자궁경부질세포진검사(Pap test)
1. 가장 보편적인 자궁경부암 선별검사
2. 통증이 거의 없고 검사시간이 짧음
3. 단점 : 낮은 민감도, 세포검사에 병리의사가 필요, 검체 간의 낮은 재현성

참고 *Final Check 부인과 186 page*

16

자궁경부암검사 중 자궁경부 액상세포검사(liquid based cytology)의 장점을 모두 고르시오.

(가) 정확도가 높다
(나) 명확한 배경을 제공한다
(다) 적은 세포로도 검사가 가능하다
(라) 비용이 저렴하다

① 가, 나, 다 ② 가, 다
③ 나, 라 ④ 라
⑤ 가, 나, 다, 라

16
정답 ①
해설
자궁경부 액상세포검사(liquid based cytology)

장점
– 점액, 혈액, 염증이 제거되고, 비정상 세포를 잘 발견 – 적은 세포로도 검사 가능 – 한 검체를 가지고 반복적인 검사 가능 – 보존액에 남은 검체를 이용해 HPV, 클라미디아, 임질 등에 대한 검사 가능 – 민감도(sensitivity) 증가(80%까지 개선) – 불만족스러운 검체의 감소, 명확한 배경을 제공 – 공기 중 건조에 의한 세포손상 방지
단점
– 자궁경부질세포진검사(Pap smear)에 비해 비싼 비용

참고 *Final Check 부인과 188 page*

17

액상 자궁경부 세포 검사의 장점을 모두 고르시오.

(가) 혈액 또는 염증세포를 제거할 수 있다
(나) 많은 유효세포를 얻을 수 있다
(다) 도말할 때 건조에 의한 세포손상을 감소시킬 수 있다
(라) 보관된 검체로 HPV 검사를 할 수 있다

① 가, 나, 다
② 가, 다
③ 나, 라
④ 라
⑤ 가, 나, 다, 라

17

정답 ⑤

해설

자궁경부 액상세포검사(liquid based cytology)

장점
– 점액, 혈액, 염증이 제거되고, 비정상 세포를 잘 발견 – 적은 세포로도 검사 가능 – 한 검체를 가지고 반복적인 검사 가능 – 보존액에 남은 검체를 이용해 HPV, 클라미디아, 임질 등에 대한 검사 가능 – 민감도(sensitivity) 증가(80%까지 개선) – 불만족스러운 검체의 감소, 명확한 배경을 제공 – 공기 중 건조에 의한 세포손상 방지
단점
– 자궁경부질세포진검사(Pap smear)에 비해 비싼 비용

참고 *Final Check 부인과 188 page*

18

질확대경검사(colposcopy)에 대한 내용으로 가장 옳은 것은 무엇인가?

① 10% 초산 용액을 바른 후 검사한다
② 초산 용액 바른 후 약 5분 후 검사한다
③ 가장 유용한 배율은 8~18배로 관찰하는 것이다
④ 혈관 양상 관찰을 위해 흰색 필터를 사용하여 관찰한다
⑤ 내자궁경부(endocervix) 검사를 반드시 시행한다

18

정답 ③

해설

질확대경검사(Colposcopy) 방법

1. 생리식염수로 닦은 후 관찰
2. Green filter를 사용하고 8~18배율로 관찰
3. 3~5% 초산으로 60~90초간 준비 후 관찰
4. 매 5분마다 초산 용액 다시 도포
5. 루골 용액(Lugol's solution) 도포

참고 *Final Check 부인과 189 page*

19

임신 16주인 34세 산모가 Pap test에서 HSIL의 소견을 보여 시행한 질확대경검사에서 6시 방향에 초산 백색상피(acetowhite epithelium), 점적반(punctation), 비정형 혈관(atypical vascular pattern)이 관찰되었다. 이 산모에 대한 향후 처치로 가장 적절한 것은 무엇인가?

① 3~4개월 후에 Pap test 반복

② HPV test

③ 자궁경부 원뿔생검(cone biopsy)

④ 질확대경생검(colposcopy directed biopsy)

⑤ 분만 6주 후 Pap test

20

임신 20주인 28세 산모가 시행한 자궁경부암 검사상 HSIL로 확인되어 시행한 질확대경생검(colposcopy directed biopsy)에서 CIN III로 확인되었다. 향후 처치로 가장 적절한 것을 고르시오.

① 임신 26주에 HPV test
② 임신 32주에 Pap smear
③ 즉시 냉동치료
④ 즉시 LEEP
⑤ 분만 후 LEEP

19

정답 ④

해설

임신부에서 HSIL이 진단된 경우

1. 질확대경검사(colposcopy)를 시행
2. 고등급 병변이나 침윤성 자궁경부암이 의심되는 경우 조직생검을 시행
3. 침윤성 자궁경부암이 의심되지 않는다면, 진단적 절제술은 분만 후까지 연기
4. 내자궁경부소파술(ECC)은 임신 중 금기

참고 *Final Check 부인과 198 page*

20

정답 ②

해설

임신부에서 HSIL이 진단된 경우

1. 질확대경검사(colposcopy)를 시행
2. 고등급 병변이나 침윤성 자궁경부암이 의심되는 경우 조직생검을 시행
3. 침윤성 자궁경부암이 의심되지 않는다면, 진단적 절제술은 분만 후까지 연기
4. 내자궁경부소파술(ECC)은 임신 중 금기

참고 *Final Check 부인과 198 page*

21

25세 임산부의 자궁경부질세포진검사에서 HSIL로 나와 질확대경생검(colposcopy directed biopsy)을 시행하였고 CIN III로 진단되었다. 다음 중 이 환자에게 적절한 치료는 무엇인가?

① 원추생검

② 각 임신 삼분기마다 반복 자궁경부질세포진검사 및 질확대경검사

③ 각 임신 삼분기마다 반복 질확대경생검

④ 고리전기절제술(LEEP)

⑤ 임신 중절 후 원추절제술

21

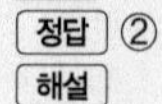

정답 ②

해설

임신부에서 HSIL이 진단된 경우

1. 질확대경검사(colposcopy)를 시행
2. 고등급 병변이나 침윤성 자궁경부암이 의심되는 경우 조직생검을 시행
3. 침윤성 자궁경부암이 의심되지 않는다면, 진단적 절제술은 분만 후까지 연기
4. 내자궁경부소파술(ECC)은 임신 중 금기

참고 *Final Check 부인과 198 page*

22

임신 16주 산모가 Pap test에서 squamous cell carcinoma로 확인되어 질확대경생검(colposcopy directed biopsy)을 시행하였고 microinvasive cancer로 확인되었다. 이 산모에 대한 다음 처치로 가장 적절한 것을 고르시오.

① 3개월 후 Pap smear

② Conization

③ Radical hysterectomy

④ 분만 후 conization

⑤ 분만 후 radical hysterectomy

22

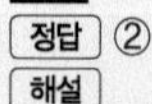

정답 ②

해설

임신부에서 HSIL이 진단된 경우

1. 질확대경검사(colposcopy)를 시행
2. 고등급 병변이나 침윤성 자궁경부암이 의심되는 경우 조직생검을 시행
3. 침윤성 자궁경부암이 의심되지 않는다면, 진단적 절제술은 분만 후까지 연기
4. 내자궁경부소파술(ECC)은 임신 중 금기

참고 *Final Check 부인과 198 page*

〈R type〉

① 3개월 후에 Pap smear	⑥ Colposcopy
② 6개월 후에 Pap smear	⑦ Punch biopsy
③ 1년 후에 Pap smear	⑧ 내자궁경부소파술
④ 즉시 HPV DNA testing	⑨ 자궁내막소파술
⑤ 1년 후 HPV DNA testing	⑩ Conization

23

임신 10주인 28세 여성이 자궁경부질세포진검사 결과가 HSIL 소견을 보여 내원하였다. 이 산모에 대한 다음 처치로 가장 적절한 것을 고르시오.

23

정답 ⑥

해설

임신부에서 HSIL이 진단된 경우

1. 질확대경검사(colposcopy)를 시행
2. 고등급 병변이나 침윤성 자궁경부암이 의심되는 경우 조직생검을 시행
3. 침윤성 자궁경부암이 의심되지 않는다면, 진단적 절제술은 분만 후까지 연기
4. 내자궁경부소파술(ECC)은 임신 중 금기

참고 *Final Check 부인과 198 page*

24

32세 여자가 자궁경부질세포진검사에서 ASC-US로 확인되어 내원하였다. 이 환자의 다음 처치로 가장 적절한 것을 모두 고르시오.(3가지)

24

정답 ②, ④, ⑥

해설

20세 이상의 여성에서 ASC-US가 진단된 경우

반복적인 자궁경부질세포진검사(Pap test)
- 6개월 간격으로 시행하여 ASC-US 이상이면 질확대경검사를 시행 - 2회 연속으로 음성 소견이면 일반 선별검사로 복귀
HPV 검사
- 고위험군 HPV 양성인 경우에는 질확대경검사를 시행 - 12개월 후 HPV 검사 음성이면 일반 선별검사로 복귀
폐즉각적인 질확대경검사(colposcopy)
- 만족스러운 질확대경검사면서, 조직검사상 저등급 자궁경부 상피내종양(CIN 1) 이하인 경우 → 12개월 후 HPV 검사 or 6개월과 12개월 후 Pap test를 시행 - 불만족스러운 질확대경검사인 경우 ECC 시행

참고 *Final Check 부인과 193 page*

25

자궁경부질세포진검사에서 ASC-US가 나왔을 때 처치로 적절한 것은 무엇인가?

① HPV 검사

② Punch biopsy

③ 자궁경부확대촬영술

④ 반복 자궁경부질세포진검사

⑤ 경과관찰

26

34세 여성이 Pap smear 후 HPV 검사를 권유 받았다면 가장 관련 있는 검사 결과는 무엇인가?

① ASC-US ② ASC-H

③ LSIL ④ HSIL

⑤ AGC

27

45세 여성이 Pap test에서 확인된 ASC-US를 주소로 내원하였다. 이 환자에게 시행해야 할 검사를 쓰시오.(3가지)

25

정답 ①

해설

20세 이상의 여성에서 ASC-US가 진단된 경우

반복적인 자궁경부질세포진검사(Pap test)
- 6개월 간격으로 시행하여 ASC-US 이상이면 질확대경검사를 시행
- 2회 연속으로 음성 소견이면 일반 선별검사로 복귀

HPV 검사
- 고위험군 HPV 양성인 경우에는 질확대경검사를 시행
- 12개월 후 HPV 검사 음성이면 일반 선별검사로 복귀

폐즉각적인 질확대경검사(colposcopy)
- 만족스러운 질확대경검사면서, 조직검사상 저등급 자궁경부 상피내종양(CIN 1) 이하인 경우 → 12개월 후 HPV 검사 or 6개월과 12개월 후 Pap test를 시행
- 불만족스러운 질확대경검사인 경우 ECC 시행

참고 *Final Check 부인과 193 page*

26

정답 ①

해설

20세 이상의 여성에서 ASC-US가 진단된 경우

반복적인 자궁경부질세포진검사(Pap test)
- 6개월 간격으로 시행하여 ASC-US 이상이면 질확대경검사를 시행
- 2회 연속으로 음성 소견이면 일반 선별검사로 복귀

HPV 검사
- 고위험군 HPV 양성인 경우에는 질확대경검사를 시행
- 12개월 후 HPV 검사 음성이면 일반 선별검사로 복귀

폐즉각적인 질확대경검사(colposcopy)
- 만족스러운 질확대경검사면서, 조직검사상 저등급 자궁경부 상피내종양(CIN 1) 이하인 경우 → 12개월 후 HPV 검사 or 6개월과 12개월 후 Pap test를 시행
- 불만족스러운 질확대경검사인 경우 ECC 시행

참고 *Final Check 부인과 193 page*

27

정답

1. 반복적인 자궁경부질세포진검사(Pap test)
2. HPV 검사
3. 즉각적인 질확대경검사(colposcopy)

참고 *Final Check 부인과 193 page*

28

다음 중 자궁경부 상피내종양(CIN)에 대한 설명으로 옳은 것을 모두 고르시오.

(가) 자궁경부의 변형대(transformation zone)에 잘 생긴다
(나) 임신 중 발견된 경우 즉시 치료하지 않아도 된다
(다) 치료로는 냉동요법, 레이저치료 등이 있다
(라) HSIL은 CIN 1, 2를 포함한다

① 가, 나, 다 ② 가, 다
③ 나, 라 ④ 라
⑤ 가, 나, 다, 라

28

정답 ①

해설

자궁경부 세포진단 분류				
Mild	Moderate	Severe	SCC	
CIN 1	CIN 2	CIN 3	CIS	
LSIL	HSIL			

참고 *Final Check 부인과 185 page*

29

자궁경부 상피내종양(CIN)에 대한 설명으로 옳은 것을 모두 고르시오.

(가) 대부분 특별한 증상이 없다
(나) 임신 중 발견된 CIN은 즉시 치료하지 않아도 괜찮다
(다) 치료 후 추적은 질확대경검사가 수반되는 것이 바람직하다
(라) 경증의 CIN이라도 침윤암으로 진행하기 때문에 원추절제술을 해야 한다

① 가, 나, 다 ② 가, 다
③ 나, 라 ④ 라
⑤ 가, 나, 다, 라

29

정답 ①

해설

1. CIN은 대부분 무증상
2. 임신 중이더라도 침윤성 암이 의심되는 경우 진단적 절제술 시행
3. 치료받은 CIN은 colposcopy를 통한 추적관찰
4. CIN 1 : 6개월 간격 Pap or 1년마다 HPV 검사

참고 *Final Check 부인과 184, 196, 198 page*

30

다음 중 Bethesda 분류상 HSIL에 속하는 것은 무엇인가?

① Invasive cervical cancer　　② CIN 2/3

③ CIN 1　　④ Atypia

⑤ Koilocytosis

30

정답 ②

해설

자궁경부 세포진단 분류				
Mild	Moderate	Severe	SCC	
CIN 1	CIN 2	CIN 3	CIS	
LSIL	HSIL			

참고 *Final Check 부인과 185 page*

31

37세 여성에서 시행한 자궁경부와 질의 조직검사에서 CIN II, VAIN II로 확인되었다. 이 환자의 치료로 가장 적절한 것을 고르시오.

① 냉동수술(cryosurgery)

② 전기소작술(electrocautery)

③ 고리전기절제술(LEEP)

④ CO_2 레이저절제술(carbon dioxide laser ablation)

⑤ 자궁절제술(hysterectomy)

31

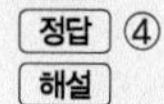

정답 ④

해설

CIN II와 VAIN II의 치료

CIN II
– 국소파괴요법 : cryosurgery, CO2 레이저, 냉응고법, 전기소작술 – 절제술 : LEEP, cold knife conization, 자궁절제술
VAIN II
– 외과적 치료 : CO2 레이저, 국소절제술, 질절제술, 전질절제술 – 내과적 치료 : 5-FU, 방사선 근접치료

참고 *Final Check 부인과 200, 208 page*

32

질확대경 소견 중 백반증(leukoplakia)이 나타나지 않는 것은 무엇인가?

① HPV infection

② Pessary

③ Radiation therapy

④ Moniliasis

⑤ Keratinizing dysplasia

32

정답 ④

해설

백반증(Leukoplakia)의 원인

1. HPV 감염(가장 흔한 원인)
2. 각질화 암종(keratinizing carcinoma)
3. 각질화 상피내종양
4. 피임용 가로막(diaphragm)
5. 페서리, 탐폰 등에 의한 만성손상
6. 방사선 치료

참고 *Final Check 부인과 190 page*

33

질확대경검사(colposcopy)에서 백반증(leukoplakia)을 보이는 경우를 모두 고르시오.

(가) Keratinizing scar
(나) Keratinizing carcinoma
(다) Radiation therapy
(라) Pessary insertion

① 가, 나, 다　　② 가, 다
③ 나, 라　　④ 라
⑤ 가, 나, 다, 라

34

질확대경검사 소견 중 초산 백색상피(acetowhite epithelium) 부위에서 감소하는 것은 무엇인가?

① Chromatin
② Nuclear density
③ Glycogen
④ Protein
⑤ Cellularity

33

정답 ⑤

해설

백반증(Leukoplakia)의 원인

1. HPV 감염(가장 흔한 원인)
2. 각질화 암종(keratinizing carcinoma)
3. 각질화 상피내종양
4. 피임용 가로막(diaphragm)
5. 페서리, 탐폰 등에 의한 만성손상
6. 방사선 치료

참고 *Final Check 부인과 190 page*

34

정답 ③

해설

초산 백색상피(acetowhite epithelium)

1. 초산 도포 후 나타나는 백색 혹은 회색 병변
2. CIN에서 흔히 관찰 가능한 소견
3. 세포핵대 세포질 비율의 증가나 초산 도포로 인해 세포 내 수분의 세포공간으로 이동 혹은 세포 내의 케라틴과 다른 단백과 반응하여 빛을 반사해 발생
4. 자궁경부와 질의 정상 상피는 glycogen 풍부

참고 *Final Check 부인과 190 page*

35

30세 여성이 자궁경부암검진에서 AGC가 나왔을 때 다음 처치로 맞는 것을 모두 고르시오.

(가) HPV test
(나) Colposcopy directed biopsy
(다) Endocervical curettage
(라) LEEP

① 가, 나, 다　　② 가, 다
③ 나, 라　　④ 라
⑤ 가, 나, 다, 라

35

정답 ①

해설

35세 미만에서 비정형 선세포(AGC)의 처치

1. HPV 검사, colposcopy, ECC 시행
2. 자궁내막 조직생검의 적응증
   a. 비만, 불임, 다낭성난소증후군
   b. Tamoxifen 치료 중인 경우
   c. 비정상 질 출혈, 비정상 자궁내막세포 관찰
   d. 직장암/대장암, 자궁내막암의 가족력

참고 *Final Check 부인과 195 page*

36

34세 미혼 여성이 건강검진에서 atypical glandular cell (AGC)로 확인되어 내원하였다. 다음 처치로 가장 적절한 것을 고르시오.

① 3~4개월 후 자궁경부질세포진검사 반복
② 질확대경생검과 내자궁경부소파술
③ 냉동치료
④ 레이저치료
⑤ 자궁절제술

36

정답 ②

해설

35세 미만에서 비정형 선세포(AGC)의 처치

1. HPV 검사, colposcopy, ECC 시행
2. 자궁내막 조직생검의 적응증
   a. 비만, 불임, 다낭성난소증후군
   b. Tamoxifen 치료 중인 경우
   c. 비정상 질 출혈, 비정상 자궁내막세포 관찰
   d. 직장암/대장암, 자궁내막암의 가족력

참고 *Final Check 부인과 195 page*

37

다음 중 내자궁경부소파술(ECC)을 시행해야 하는 경우를 고르시오.

① Inflammation atypia

② Poikilocytosis atypia

③ ASC-US

④ AGC

⑤ LSIL

37

정답 ④

해설

내자궁경부소파술(ECC)의 적응증

1. 불만족스러운 질확대경검사인 경우
2. 치료 후 반복되는 비정형세포
3. Pap test에서 비정형 선세포가 보이는 경우
   a. Atypical glandular cell (AGC)
   b. Endocervical adenocarcinoma in situ (AIS)
   c. Adenocarcinoma
   d. Adenosquamous carcinoma

참고 *Final Check 부인과 191 page*

38

Pap smear에서 AGC로 확인된 경우 다음 처치에 대한 내용으로 옳은 것을 모두 고르시오.

(가) Cervicography, HPV test가 고위험군 선별에 도움이 될 수 있다
(나) 이상소견이 확인되는 대부분의 경우가 glandular origin 세포이다
(다) HPV test에서 정상인 경우 4~6개월 간격으로 추적검사한다
(라) 질확대경생검(colposcopy directed biopsy)이 추천된다

① 가, 나, 다　　② 가, 다

③ 나, 라　　④ 라

⑤ 가, 나, 다, 라

38

정답 ④

해설

비정형 선세포(Atypical glandular cells, AGC)

1. AGC가 나타날 수 있는 경우
   a. 반응성 세포변화, 용종 같은 양성질환
   b. CIN(약 45%), AIS, 자궁경부암, 자궁내막암, 난소암 또는 난관암과 관련
2. 여러 검사를 복합적으로 시행
   a. 35세 이상 : HPV 검사, colposcopy, ECC, 자궁내막 조직생검
   b. 35세 미만 : HPV 검사, colposcopy, ECC

참고 *Final Check 부인과 195 page*

39

건강한 36세 여성이 자궁경부암검사에서 “Atypical glandular cells, favor neoplastic”으로 확인되었다면 다음으로 시행할 가장 적절한 처치는 무엇인가?

① 3~4개월 후 반복 Pap smear

② Laser ablation

③ Cryosurgery

④ Hysterectomy

⑤ Colposcopy + Cervical biopsy + Endometrial & Endocervical curettage

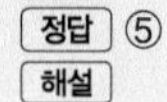

정답 ⑤

해설

35세 이상에서 비정형 선세포(AGC)의 처치

1. HPV 검사, colposcopy, ECC, EM biopsy 시행
2. CIN 1 → 6개월 간격 Pap or 1년마다 HPV test
3. CIN 2/3, AIS, Microinvasive → LEEP, conization

참고 *Final Check 부인과 195 page*

40

40세 여성이 Pap smear에서 atypical glandular cell (AGC) 소견을 보일 때 적합한 다음 처치는 무엇인가?

① 3개월 후 Pap smear

② HPV DNA 검사

③ 질확대경검사와 자궁내막 조직생검

④ Laser ablation

⑤ LEEP

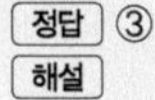

정답 ③

해설

35세 이상에서 비정형 선세포(AGC)의 처치

1. HPV 검사, colposcopy, ECC, EM biopsy 시행
2. CIN 1 → 6개월 간격 Pap or 1년마다 HPV test
3. CIN 2/3, AIS, Microinvasive → LEEP, conization

참고 *Final Check 부인과 195 page*

41

40세 여성이 자궁경부암검사에서 AGC가 나왔다면 다음으로 시행해야 하는 검사를 쓰시오.(4가지)

41

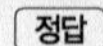

정답

1. HPV 검사
2. 질확대경검사(colposcopy)
3. 내자궁경부소파술(endocervical curettage)
4. 자궁내막 조직생검(endometrial biopsy)

해설

35세 이상에서 비정형 선세포(AGC)의 처치

1. HPV 검사, colposcopy, ECC, EM biopsy 시행
2. CIN 1 → 6개월 간격 Pap or 1년마다 HPV test
3. CIN 2/3, AIS, Microinvasive → LEEP, conization

참고 *Final Check 부인과 195 page*

42

자궁경부질세포진검사가 AGC (atypical glandular cell)일 때 가장 많이 발견되는 병변은 무엇인가?

① 정상소견

② CIN 2/3

③ Adenocarcinoma in situ

④ Adenocarcinoma

⑤ Squamous carcinoma

43

고리전기절제술(LEEP)에 관한 내용으로 잘못된 것을 고르시오.

① 시술 시간이 짧다

② 시술을 배우기 쉽다

③ 상피내종양의 경우 진단과 치료가 동시에 가능하다

④ 외래에서도 시행 가능하다

⑤ 레이저 시술보다 조직 상태가 불량하다

44

고리전기절제술(LEEP)의 장점을 쓰시오.

42

정답 ②

해설

AGC가 나타날 수 있는 경우

1. 반응성 세포변화, 용종 같은 양성질환
2. CIN(약 45%), AIS, 자궁경부암, 자궁내막암, 난소암 또는 난관암과 관련

참고 *Final Check 부인과 195 page*

43

정답 ⑤

해설

고리전기절제술(LEEP)

장점
– 시술이 어렵지 않아 배우기 쉬움
– 시술 시간이 짧음
– 통증이 적어 국소마취로 외래에서도 시행 가능
– 레이저 노출에 의한 시술자의 눈 손상이 없음
– 판독에 영향을 미치지 않게 조직 절제 가능
단점
– 변형대가 커서 한 조각으로 절제가 안되어 여러 조각이 난 경우 병리 판독 시 정확한 위치 판독이 어려움

참고 *Final Check 부인과 202 page*

44

정답

1. 시술이 어렵지 않아 배우기 쉬움
2. 시술 시간이 짧음
3. 통증이 적어 국소마취로 외래에서도 시행 가능
4. 레이저 노출에 의한 시술자의 눈 손상이 없음
5. 판독에 영향을 미치지 않게 조직 절제 가능

해설

고리전기절제술(LEEP)

장점
– 시술이 어렵지 않아 배우기 쉬움
– 시술 시간이 짧음
– 통증이 적어 국소마취로 외래에서도 시행 가능
– 레이저 노출에 의한 시술자의 눈 손상이 없음
– 판독에 영향을 미치지 않게 조직 절제 가능
단점
– 변형대가 커서 한 조각으로 절제가 안되어 여러 조각이 난 경우 병리 판독 시 정확한 위치 판독이 어려움

참고 *Final Check 부인과 202 page*

45

Pap smear에서 HSIL이 나온 후 시행한 질확대경생검(colposcopy directed biopsy)에서 자궁경부염(cervicitis)이 확인되었다면 다음 처치로 가장 적절한 것은 무엇인가?

① 경과관찰

② Pap smear 추적 검사

③ Conization or LEEP

④ Hysterectomy

⑤ Radiation therapy

45

정답 ③

해설

원뿔생검(cone biopsy)의 적응증

1. 질확대경검사 과정이 불만족스러운 경우
2. 가장 고등급 병변이 질확대경 범위를 넘어 자궁경부 상부에 위치
3. ECC 결과가 비정상적 or 결정이 어려운 경우
4. 자궁경부 선상피내암(AIS) 의심
5. 미세침윤암(microinvasive carcinoma) 의심
6. 세포검사와 조직생검의 결과에 심한 차이

참고 *Final Check 부인과 192 page*

46

26세 여자 환자가 Pap test에서 LSIL, HPV test는 negative로 확인되어 내원하였다. Colposcopy에서 acetowhite 소견 보여 punch biopsy를 하였고 mild dysplasia로 확인되었다. 이 환자는 2년 동안 6개월 간격으로 Pap test를 하였고 연속으로 LSIL이 나왔다. 이 환자에게 올바른 치료는 무엇인가?

① 6개월 후 Pap smear

② 6개월 후 colposcopy

③ Endocervical curettage

④ Cone biopsy

⑤ Hysterectomy

46

정답 ④

해설

원뿔생검(cone biopsy)의 적응증

1. 질확대경검사 과정이 불만족스러운 경우
2. 가장 고등급 병변이 질확대경 범위를 넘어 자궁경부 상부에 위치
3. ECC 결과가 비정상적 or 결정이 어려운 경우
4. 자궁경부 선상피내암(AIS) 의심
5. 미세침윤암(microinvasive carcinoma) 의심
6. 세포검사와 조직생검의 결과에 심한 차이

참고 *Final Check 부인과 192 page*

47

50세 여성이 Pap smear에서 HSIL로 확인되었다. 다음 중 자궁경부 원추절제술을 반드시 시행해야 하는 경우를 모두 고르시오.

(가) Squamocolumnar junction이 질확대경에서 보이지 않을 때
(나) 질확대경상 침윤성암이 배제되지 않을 때
(다) Endocervical curettage 조직검사 결과 CIN III를 보일 때
(라) 미세침윤암이 의심될 때

① 가, 나, 다
② 가, 다
③ 나, 라
④ 라
⑤ 가, 나, 다, 라

47

정답 ⑤

해설

원뿔생검(cone biopsy)의 적응증

1. 질확대경검사 과정이 불만족스러운 경우
2. 가장 고등급 병변이 질확대경 범위를 넘어 자궁경부 상부에 위치
3. ECC 결과가 비정상적 or 결정이 어려운 경우
4. 자궁경부 선상피내암(AIS) 의심
5. 미세침윤암(microinvasive carcinoma) 의심
6. 세포검사와 조직생검의 결과에 심한 차이

참고 *Final Check 부인과 192 page*

48

35세 여성이 자궁경부질세포진검사에서 HSIL로 진단되어 질확대경생검을 시행하였고, 미세침윤암을 확인하였다. ECC 결과가 정상이었다면 다음 처치로 가장 적절한 것을 고르시오.

① 반복 자궁경부질세포진검사
② 자궁경부 원뿔생검
③ 자궁절제술
④ 냉동치료
⑤ 근치적 자궁절제술

48

정답 ②

해설

원뿔생검(cone biopsy)의 적응증

1. 질확대경검사 과정이 불만족스러운 경우
2. 가장 고등급 병변이 질확대경 범위를 넘어 자궁경부 상부에 위치
3. ECC 결과가 비정상적 or 결정이 어려운 경우
4. 자궁경부 선상피내암(AIS) 의심
5. 미세침윤암(microinvasive carcinoma) 의심
6. 세포검사와 조직생검의 결과에 심한 차이

참고 *Final Check 부인과 192 page*

49

32세 여성이 검사결과가 아래와 같다면 다음 처치로 가장 적절한 것을 고르시오.

- Pap test : HSIL
- Colposcopy : HPV infection 의심
- Cervix biopsy : Chronic cervicitis

① Pap smear 재검
② Hysterectomy
③ Cone biopsy
④ Laser ablation
⑤ Cold coagulation

49

정답 ③

해설

원뿔생검(cone biopsy)의 적응증

1. 질확대경검사 과정이 불만족스러운 경우
2. 가장 고등급 병변이 질확대경 범위를 넘어 자궁경부 상부에 위치
3. ECC 결과가 비정상적 or 결정이 어려운 경우
4. 자궁경부 선상피내암(AIS) 의심
5. 미세침윤암(microinvasive carcinoma) 의심
6. 세포검사와 조직생검의 결과에 심한 차이

참고 *Final Check 부인과 192 page*

50

CIN의 치료적 원뿔생검(cone biopsy)에서 자궁경부 중심부의 절제 범위는 어디까지 인가?

① Internal OS
② Histologic squamocolumnar junction
③ Gland in stroma
④ Original squamocolumnar junction
⑤ Colposcopic squamocolumnar junction

50

정답 ④

해설

고리전기절제술(LEEP)

1. 한번의 조작으로 전 변형대를 제거
2. 변형대(transformational zone)
   a. original SCJ과 active SCJ사이 형성된 지역
   b. Squamous metaplasia에 의해 CIN이 생성되고, 자궁경부암이 잘 생기는 위치

참고 *Final Check 부인과 182, 202 page*

51

자궁경부 상피내종양의 치료에서 자궁절제술을 고려해야 하는 상황을 쓰시오.(3가지)

52

21세 미혼 여성이 자궁경부 원추절제술 후 절제면 가장자리에서 CIN 3로 나왔다면 다음 처치로 가장 적절한 것을 고르시오.

① 6개월 뒤 추적검사　② 즉시 HPV 검사
③ 국소파괴요법　④ 반복 원추절제술
⑤ 자궁절제술

53

30년 전 자궁절제술의 과거력이 있는 70세 환자에서 질원개(vaginal vault)에 VAIN III가 발견되었다. 다음 중 가장 적절한 처치는 무엇인가?

① Cryosurgery with electrosurgical ball
② Fulguration
③ Vaginectomy
④ Laser therapy
⑤ 5-FU

51

정답

1. 미세침윤암(microinvasive carcinoma)
2. 원추절제술 조직 절단면 가장자리에서 CIN 2/3의 확인
3. 추적관찰이 어려운 환자
4. 자궁절제술의 적응증이 되는 자궁질환이 있는 환자
5. 치료 후에 재발된 HSIL

참고 *Final Check 부인과 203 page*

52

정답 ①

해설

CIN2/3에서 절제면 가장자리에 종양이 있는 경우
자궁경부질세포진 검사를 6개월 후 시행
or 내자궁경부소파술 고려
or 침윤암 의심 시 재시술 또는 자궁절제술 시행

참고 *Final Check 부인과 205 page*

53

정답 ③

해설

고등급 질상피내종양(VAIN 2/3, HSIL)의 치료

1. CO_2 레이저절제술(CO_2 laser ablation)
2. 국소절제술(local excision)
3. 질절제술(vaginectomy) : 자궁절제술 후 질원개 부위 단발성 병변이 있는 경우 가장 좋은 방법
4. 전질절제술(total vaginectomy)

참고 *Final Check 부인과 208 page*

54

Carcinoma in situ (CIS)로 개복하 전자궁절제술을 받은 50대 여자가 추적관찰 중 VAIN II, HPV positive로 확인되었다. 다음 중 가장 적절한 치료는 무엇인가?

① Laser ablation

② Vaginectomy

③ Chemotherapy

④ Cryotherapy

⑤ Radiation therapy

54

정답 ②

해설

고등급 질상피내종양(VAIN 2/3, HSIL)의 치료

1. CO_2 레이저절제술(CO_2 laser ablation)
2. 국소절제술(local excision)
3. 질절제술(vaginectomy) : 자궁절제술 후 질원개 부위 단발성 병변이 있는 경우 가장 좋은 방법
4. 전질절제술(total vaginectomy)

참고 *Final Check 부인과 207 page*

55

임신 13주 산모가 Pap smear에서 ASC-H로 확인되어 질확대경생검(colposcopy directed biopsy)을 시행하였고 CIN 1으로 확인되었다. 이 여성의 다음 처치로 가장 적절한 것을 고르시오.

① 6개월 후 질확대경검사 및 질확대경생검

② 3개월 후 조직검사

③ 레이저 소작술

④ 자궁경부 원뿔생검

⑤ 내자궁경부소파술

55

정답 ①

해설

HSIL 배제할 수 없는 비정형 편평세포(ASC-H)

1. Colposcopy & biopsy 시행
2. CIN 2 이상의 병변이 아닌 경우
   → Pap test, 조직검사, colposcopy 재판독
   → <CIN 2인 경우 : 6개월 간격 Pap test와 colposcopy 시행
   → 6개월 간격, 2회 연속 정상 : 일반 선별검사
3. CIN 2 이상의 병변이 발견된 경우
   → 진단적 자궁경부 절제술을 시행

참고 *Final Check 부인과 194 page*

56

임신 제2삼분기인 27세 여성이 병원에 처음 내원해 시행한 colposcopy 및 biopsy에서 CIN 2로 확인되었다면 다음 처치로 가장 적절한 것을 고르시오.

① Colposcopy 추적관찰　② Cone biopsy

③ Cesarean section　④ Laser ablation

⑤ Hysterectomy

56

정답 ①

해설

임신부의 CIN

1. 펀치생검이나 질확대경검사를 시행
2. 내자궁경부소파술 혹은 LEEP는 금기
3. 침윤암이 의심되지 않는 한 분만 후 치료

참고 *Final Check 부인과 205 page*

57

질확대경검사를 할 때 초산 용액을 도포하는 이유는 무엇인가?

① 백반증(leukoplakia) 관찰
② 초산 백색상피(acetowhite epithelium) 관찰
③ 암갈색으로 착색되는 병변 관찰
④ 위축된 상피의 자세한 관찰
⑤ 속자궁경부 편평상피 관찰

57
정답 ②
해설
초산 백색상피(Acetowhite epithelium)
1. 초산 도포 후 나타나는 백색 혹은 회색 병변
2. 세포핵대 세포질 비율의 증가나 초산 도포로 인해 세포 내 수분의 세포공간으로 이동 혹은 세포 내의 케라틴과 다른 단백과 반응하여 빛을 반사해 발생
3. 성숙한 당원(glycogen)을 함유한 정상 상피는 침투하지 못하여 영향을 주지 못함

참고 *Final Check 부인과 190 page*

58

임신력 1-0-2-1인 24세 기혼 여성이 자궁경부질세포진검사에서 ASC-US로 확인되어 질확대경생검을 시행하였고 CIN 1으로 확인되었다. 다음 처치로 가장 적절한 것을 고르시오.

① 정기적인 추적관찰
② 자궁절제술
③ 근치적 자궁절제술
④ 방사선요법
⑤ 항암화학요법

58
정답 ①
해설
ASC-US의 즉각적인 질확대경검사
1. 만족스러운 질확대경검사면서, 조직검사 소견이 CIN 1 이하 → 12개월 후 HPV 검사 or 6개월과 12개월 후 Pap test를 시행
2. 불만족스러운 질확대경검사 → ECC 시행

참고 *Final Check 부인과 193 page*

59

임신 22주 산모가 자궁경부암 검사에서 HSIL로 확인되어 내원하였다. 육안적 검사에서 자궁경부의 특별한 이상소견은 관찰되지 않았다면 다음 처치로 가장 적절한 것을 고르시오.

① 자궁경부 원추절제술
② 내자궁경부소파술
③ 치료적 유산
④ 질확대경검사
⑤ 경과관찰

59
정답 ④
해설
임신부의 CIN
1. 펀치생검이나 질확대경검사를 시행
2. 내자궁경부소파술 혹은 LEEP는 금기
3. 침윤암이 의심되지 않는 한 분만 후 치료

참고 *Final Check 부인과 198 page*

60

38세 여성이 성교 후 질 출혈을 주소로 내원하였다. Pap smear에서 HSIL로 확인되었다면 다음으로 시행해야 할 처치로 가장 적절한 것을 고르시오.

① HPV test

② Colposcopy directed biopsy

③ LEEP

④ Endometrial curettage

⑤ Endocervical curettage

61

30세 미혼 여성이 Pap test에서 HSIL로 확인되어 내원하였다. 이 환자에게 시행해야 할 검사를 쓰시오.(1가지)

60

정답 ③

해설

고등급 편평상피내병변(HSIL)

1. 고등급 병변, 침윤암의 가능성이 높음
2. 진단적 절제술을 시행
   a. 청소년을 제외하고, 질확대경검사 없이 LEEP을 포함한 즉각적인 진단적 절제술 시행
   b. Colposcopy와 Pap test 반복 시행은 부적절

참고 *Final Check 부인과 197 page*

61

정답

1. LEEP
2. Conization

해설

고등급 편평상피내병변(HSIL)

1. 고등급 병변, 침윤암의 가능성이 높음
2. 진단적 절제술을 시행
   a. 청소년을 제외하고, 질확대경검사 없이 LEEP을 포함한 즉각적인 진단적 절제술 시행
   b. Colposcopy와 Pap test 반복 시행은 부적절

참고 *Final Check 부인과 197 page*

CHAPTER 14

수술 전 평가 및 수술 후 관리
(Preoperative evaluation and Postoperative management)

01

35세 여자가 자궁근종으로 복강경보조 질식 자궁절제술(LAVH) 후 3일 째부터 오심, 구토, 하복부 동통이 24시간 지속되었다. 혈압 120/80 mmHg, 심박수 85회/min., 체온 37.7℃, 복부가 약간 팽창되어 있고, 압통과 반발통이 있으며, 장음이 감소된 소견이 나타났다. 혈액검사상 WBC 12,000/μL, 나머지는 정상소견으로 확인되었다. 이 환자의 다음 처치로 가장 적절한 것을 고르시오.

① 경과관찰 ② 비위관 삽입과 수액투여
③ 항생제 교체 ④ 복강경검사
⑤ 시험적 개복술

01

정답 ②

해설

소장폐쇄(Small bowel obstruction)의 치료

1. 부인과 수술 후 소장폐쇄는 대부분 부분폐쇄
   a. 위장관 감압 + 정맥 수액 + 전해질 교정
   b. 폐쇄가 오래가면 완전 비경구영양 시행
   c. 폐쇄가 풀리지 않으면 수술 시행
2. 장의 괴사나 천공이 발생한 경우
   a. 복통, 점차적인 복부 팽만, 체온 상승, 백혈구 증가, 산혈증(acidosis) 유발
   b. 즉각적인 수술 시행

참고 *Final Check 부인과 228 page*

02

근치적 자궁절제술(radical hysterectomy) 수술 후 3일째까지 장폐쇄(ileus)로 비위관(nasogastric tube)을 하고 있는 환자가 심한 복통, 복부 팽만, 고열, 백혈구 상승을 보였다. 혈액검사는 정상이었다면 이 환자의 다음 처치로 가장 적절한 것을 고르시오.

① Miller-Abott tube ② Antibiotics IV
③ Small bowel series ④ Explo-laparotomy
⑤ Heparin

02

정답 ③

해설

장폐색(Ileus)

1. 개복, 복강경 수술 후 대부분 장폐쇄를 경험
   a. 장을 만지거나 장시간 수술을 한 경우
   b. 감염, 복막염 및 전해질의 불균형
2. 장음 감소, 복부 팽만, 오심, 구토 시 의심
3. 검사 : simple abdomen, CT

참고 *Final Check 부인과 228 page*

03

자궁절제술 시 예방적 항생제를 투여하는 시기는 언제인가?

① 수술 시작 24시간 전

② 수술 시작 12시간 전

③ 수술 시작 6시간 전

④ 수술 직후

⑤ 수술 시작 30분 후

04

수술 전 의사가 환자에게 설명해야 할 사항을 쓰시오.(4가지)

03

정답 ④

해설

예방적 항생제의 투여

1. 균 오염 이전, 조직에 항생제 침투 시 효과적
2. 자궁절제술의 경우 수술 30분 전에 투여하는 것이 가장 효과적
3. 마취 유도 직전이나 유도 중 투여가 일반적

참고 *Final Check 부인과 226 page*

04

정답

1. 질병 진행의 특징과 범위
2. 수술의 위험성과 발생 가능한 합병증
3. 실제적인 수술의 범위와 수술 중 소견에 따른 잠재적인 수술의 변경 가능성
4. 예상되는 수술의 이익과 짐작되는 성공적인 결과
5. 치료를 받지 않았을 때에 생길 수 있는 결과
6. 대체할 수 있는 다른 치료법 및 그것에 따른 위험성 및 결과

참고 *Final Check 부인과 220 page*

05

26세 여성이 좌측 난소의 자궁내막증으로 시험적 개복술을 받았다. 수술 12시간 후 체온 38℃, 혈압 110/70 mmHg, 심박수 80회/min.으로 확인되었으나 환자는 열감 이외의 특별한 증상 호소는 없었다. 다음 중 가장 가능성이 높은 진단명은 무엇인가?

① 자궁내막종 내부물질에 의한 난소 염증

② 무기폐

③ 복강 내 출혈에 의한 복막 자극

④ 도뇨관 삽입 염증

⑤ 흡인성 폐렴

06

자가 통증 조절(PCA)에 대한 내용으로 옳은 것을 모두 고르시오.

(가) 투여 지연의 방지
(나) 폐 합병증을 예방
(다) 과다 투여를 방지
(라) 빠른 진통효과

① 가, 나, 다　　② 가, 다

③ 나, 라　　④ 라

⑤ 가, 나, 다, 라

05

정답 ②

해설

무기폐(Atelectasis)

1. 기관지의 폐쇄, 깊게 숨을 못 쉬는 상황
2. 발생빈도가 가장 높은 시기 : 수술 후 3일간
3. 증상 : 미열, 호흡음 감소, 호흡곤란, 청색증

참고 *Final Check 부인과 224 page*

06

정답 ⑤

해설

자가 통증 조절(PCA)

1. 진통제 투여의 지연을 방지
2. 한계량 이상의 마약이 투입되는 것을 방지
3. 진통효과가 좋음
4. 수술 후 폐 합병증 발생이 낮고, 진통제 근주 시와 비교해 의식의 혼동상태를 더 감소

참고 *Final Check 부인과 224 page*

07

62세, 체중 80 kg인 자궁내막암 환자가 복식 자궁절제술과 양측 부속기절제술 및 림프절제술 후 5일째부터 흉통을 호소하였다. 이전에 장폐쇄로 수술을 받은 적이 있어 이번 수술 시 유착으로 인해 어렵고 시간이 많이 걸렸으며, 수술 중 수혈도 받았다. 동맥혈 가스검사상 PaO_2가 감소되었고, 흉부 전산화단층촬영 소견이 아래와 같았다면 이 환자에 대한 내용으로 맞는 것을 모두 고르시오.

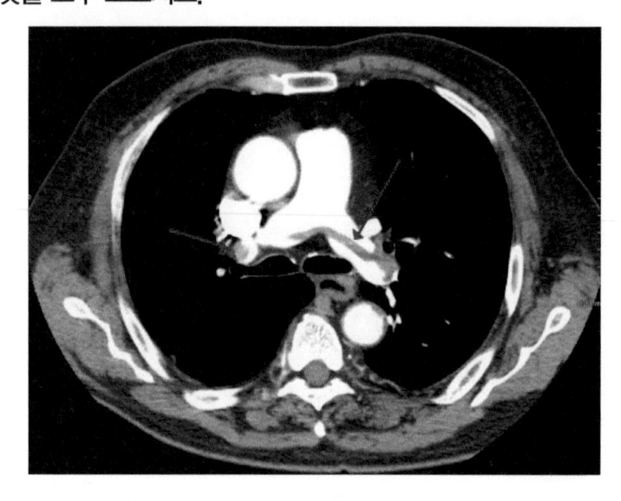

(가) 골반 및 하지의 심부정맥혈전이 원인이다
(나) 즉시 헤파린을 투여한다
(다) 산소, 기관지확장제, 집중 치료실의 호흡 보조가 필요하다
(라) 향후 장기요법으로 warfarin을 투여한다

① 가, 나, 다 ② 가, 다
③ 나, 라 ④ 라
⑤ 가, 나, 다, 라

07

 ⑤

해설

폐색전증(Pulmonary embolism)의 치료

1. 발견 즉시 항응고치료(LMWH or UFH) 시작
2. 이후 6개월간 경구 항응고치료(와파린) 유지
3. 산소 공급 및 집중 관찰하의 호흡보조치료
4. 기타 : 카테터를 이용한 폐색전 제거술, 폐동맥 카테터 삽입하 혈전용해제 투여, 하대정맥 차단

참고 *Final Check 부인과 232 page*

08

3일 전 복식 자궁절제술을 받고 거동하지 않던 환자가 식사를 하려고 일어나던 중 흉통, 호흡곤란, 빈맥, 빈호흡 등이 나타났다. 이 환자의 다음 처치로 적절한 것을 모두 고르시오.

(가) Chest X-ray
(나) ABGA
(다) Lung ventilation-perfusion scan
(라) Pulmonary function test

① 가, 나, 다 ② 가, 다
③ 나, 라 ④ 라
⑤ 가, 나, 다, 라

09

75세 여자가 난소암으로 종양 감축술 예정이다. 수술 후 발생할 수 있는 심부정맥혈전증을 예방하기 위한 조치로 가장 적절한 것은 무엇인가?

① 침상 안정 ② 상체 거상
③ 와파린 ④ 아스피린
⑤ 저분자량 헤파린

08

정답 ①

해설

폐색전증(Pulmonary embolism)의 진단

1. 증상 : 빈맥, 빈호흡, 흉통, 호흡곤란, 객혈 등
2. 초기 검사 : CXR, 심전도, 동맥혈 가스검사
3. CT 폐혈관조영술(CT pulmonary angiography)
4. 폐 환기-관류 스캔(ventilation-perfusion scan)
5. 심장 초음파
6. 심기능 혈액검사 : BNP, cardiac enzyme 등

참고 *Final Check 부인과 232 page*

09

정답 ⑤

해설

수술 후 혈전색전증의 예방

1. 약물적 예방법
   a. 저용량 미분획 헤파린(UFH)
   b. 저분자량 헤파린(LMWH)
2. 물리적 예방법
   a. 탄력 스타킹
   b. 외부 공기압박

참고 *Final Check 부인과 230 page*

10

부인과 수술 후 발생할 수 있는 심부정맥혈전증(deep vein thrombosis)의 예방법을 쓰시오.(2가지)

10

정답

1. 약물적 예방법
   a. 저용량 미분획 헤파린(UFH)
   b. 저분자량 헤파린(LMWH)
2. 물리적 예방법
   a. 탄력 스타킹
   b. 외부 공기압박

참고 *Final Check 부인과 230 page*

CHAPTER 15

부인과 내시경(Gynecologic endoscopy)

01

복강경(laparoscopy) 시 합병증 예방을 위한 적당한 수술 중 복강 내 압력은 얼마인가?

① 5~10 mmHg

② 10~15 mmHg

③ 15~20 mmHg

④ 25~30 mmHg

⑤ 30~35 mmHg

01

정답 ②

해설

복강경(laparoscopy) 시 복강 내 가스

1. 가스의 양이 아닌 복강 내 압력으로 조절
2. 25~30 mmHg 정도일 때 투관침(trocar) 삽입
3. 삽입관(cannula) 위치 후 10~15 mmHg 유지

참고 *Final Check 부인과 237 page*

02

복강경 수술 중 기종(emphysema)이 생겼을 경우, 다음 중 맞는 처치는 무엇인가?

① 피하(subcutaneous)에만 국한된다

② 치료는 배액관(drain)을 삽입하면 된다

③ 목 부위까지 올라오면 수술을 중단한다

④ 복압과는 관계없다

⑤ 복부 X-ray 촬영은 필수이다

02

정답 ③

해설

가스의 복강 외 주입

1. 원인
   a. 주입바늘(insufflation needle)의 잘못된 위치
   b. 삽입관(cannula) 주위로의 CO_2 누출
2. 대개 피하기종(subcutaneous emphysema)이지만 심할 경우 사지, 목, 종격까지 발생
3. 치료
   a. 복강경 제거 후 다시 수술 시도 가능
   b. 경증의 피하기종 : 복강 내 가스의 배출
   c. 유출이 목까지 확장된 경우 : 수술 종료, CXR, 긴장성 기흉 발생 시 흉관이나 바늘 삽입

참고 *Final Check 부인과 238 page*

03

복강경 수술 중 복벽에서 시작된 기종이 목까지 올라왔다면 가장 올바른 처치는 무엇인가?

① 특별한 조치 없이 계속 수술한다
② 복강 내 압력을 낮추고 수술한다
③ 상체를 올리고 수술한다
④ 목 부위 피하기종을 제거 후 수술한다
⑤ 즉시 수술을 중단하고 가슴 X-ray를 찍는다

04

복강경 수술의 합병증을 예방하기 위한 방법으로 옳은 것은 무엇인가?

(가) 10 mm 이상의 상처는 근막을 봉합하여 반흔 탈장(incisional hernia)를 예방해야 한다
(나) 복강 내 압력을 20 mmHg 미만으로 유지하면 가스색전(gas embolism)을 예방할 수 있다
(다) 가스주입바늘 삽입 시 syringe test로 위치 이상을 확인할 수 있다
(라) 복벽 투과조명법(transillumination)을 이용하면 복벽 혈관의 손상을 방지할 수 있다

① 가, 나, 다 ② 가, 다
③ 나, 라 ④ 라
⑤ 가, 나, 다, 라

03

정답 ⑤

해설

가스의 복강 외 주입

1. 원인
   a. 주입바늘(insufflation needle)의 잘못된 위치
   b. 삽입관(cannula) 주위로의 CO_2 누출
2. 대개 피하기종(subcutaneous emphysema)이지만 심할 경우 사지, 목, 종격까지 발생
3. 치료
   a. 복강경 제거 후 다시 수술 시도 가능
   b. 경증의 피하기종 : 복강 내 가스의 배출
   c. 유출이 목까지 확장된 경우 : 수술 종료, CXR, 긴장성 기흉 발생 시 흉관이나 바늘 삽입

참고 *Final Check 부인과 239 page*

04

정답 ⑤

해설

1. 반흔 탈장 : 투관침 ≥10 mm 경우 위험 증가
2. 가스색전 예방 : 수술 중 압력 10~15 mmHg
3. 주입바늘 위치 확인 : 주사기로 흡인, 생리식염수 주입, 복벽을 들어올릴 때 음압을 확인
4. 혈관 손상 예방 : 복벽 투과조명법을 이용

참고 *Final Check 부인과 237, 238, 240, 243 page*

05

복강경(pelviscopy) 시 가능한 지혈법을 쓰시오.(3가지)

06

개복술에 비해 복강경의 특징으로 잘못된 것을 고르시오.

① 복강경이 회복이 빠르다

② 복강경의 경우 출혈량이 개복술에 비하여 적다

③ 복강경의 경우 수술 후 유착이 더 적다

④ 복강경은 수술법을 익히는 것이 개복술에 비하여 빠르다

⑤ 고가의 장비가 필요하다

05

정답

1. 봉합(suture)
2. 클립(clip)
3. 스테이플러(stapler)
4. 전기소작(bipolar, monopolar)
5. 국소 또는 주입물질
   (topical or injectable substance)

참고 *Final Check 부인과 241 page*

06

정답 ④

해설

치료적 복강경(Therapeutic laparoscopy)

장점	단점
입원기간 단축	수술 부위의 제한적 시야
수술 후 통증 경감	수술기구의 조작이 어려움
더 빠른 일상생활 복귀	골반 장기 조종이 제한적
유착의 생성 감소	수술자의 경험, 교육 중요
복막의 외상 감소	
복강 내 요염의 최소화	
수술관리 간접 비용 감소	

참고 *Final Check 부인과 235 page*

07

복강경(laparoscopy) 시 개복술(laparotomy) 보다 적은 수술 합병증을 모두 고르시오.

(가) 감염
(나) 출혈
(다) 장기 손상
(라) 심폐기능장애

① 가, 나, 다
② 가, 다
③ 나, 라
④ 라
⑤ 가, 나, 다, 라

08

복강경 수술 시 CO_2 색전증의 증상을 모두 고르시오.

(가) 갑작스러운 저혈압
(나) 부정맥
(다) 청색증
(라) 심잡음

① 가, 나, 다
② 가, 다
③ 나, 라
④ 라
⑤ 가, 나, 다, 라

07

정답 ①

해설

치료적 복강경(Therapeutic laparoscopy)

장점	단점
입원기간 단축	수술 부위의 제한적 시야
수술 후 통증 경감	수술기구의 조작이 어려움
더 빠른 일상생활 복귀	골반 장기 조종이 제한적
유착의 생성 감소	수술자의 경험, 교육 중요
복막의 외상 감소	
복강 내 요염의 최소화	
수술관리 간접 비용 감소	

참고 *Final Check 부인과 235 page*

08

정답 ⑤

해설

CO_2 색전의 증상

1. 갑작스러운 저혈압, 부정맥, 청색증, 심잡음
2. End tidal CO_2 증가
3. 폐부종(pulmonary edema)
4. 폐고혈압으로 인한 우심부전
5. 고탄산혈증, 혈중 pH 감소(acidemia)

참고 *Final Check 부인과 238 page*

09

전신마취 하에 CO_2 가스를 이용한 복강경수술 시 발생할 수 있는 현상을 고르시오.

① 횡경막에 압력 증가로 인한 과호흡

② 혈중 PO_2 감소

③ 폐의 tidal volume 증가

④ Metabolic alkalosis

⑤ Hypercarbia

10

부인과 복강경 시에 위 역류(gastric reflux)의 위험성을 줄이기 위한 수술 전 처리를 모두 고르시오.

(가) Metoclopramide
(나) H_2-blocking agents
(다) Antacids
(라) NSAIDs

① 가, 나, 다 ② 가, 다
③ 나, 라 ④ 라
⑤ 가, 나, 다, 라

09

정답 ⑤

해설

CO_2 색전의 증상

1. 갑작스러운 저혈압, 부정맥, 청색증, 심잡음
2. End tidal CO_2 증가
3. 폐부종(pulmonary edema)
4. 폐고혈압으로 인한 우심부전
5. 고탄산혈증, 혈중 pH 감소(acidemia)

참고 *Final Check 부인과 238 page*

10

정답 ①

해설

위 역류(gastric reflux)

1. Cuffed endotracheal tube
2. 비위관을 통한 위 감압
3. 복강 내 압력을 가능한 낮게 유지
4. Trendelenburg 자세를 풀고 기도삽관 제거
5. 수술 전 metoclopramide, H_2-blocking agent

참고 *Final Check 부인과 238 page*

11

복강경 수술 시 발생할 수 있는 합병증에 대한 설명 중 맞는 것은 무엇인가?

① 복강 팽창제로서 CO_2를 사용하면 가스 색전증의 발생이 드물다
② 단극성 전기수술기구 사용 시 방출 에너지가 적어 주변 장기 손상의 위험이 거의 없다
③ 가장 흔히 손상을 받는 혈관은 하대정맥이다
④ 장관 손상은 골반염의 과거력과 상관없이 발생한다
⑤ 요관 손상은 주로 투관침에 의해 발생한다

11
정답 ①
해설
복강경의 합병증
1. CO_2 : 혈액에 빠르게 흡수되어 색전증이 적음
2. Monopolar는 주변 장기 손상위험이 더 높음
3. 잦은 손상 혈관 : Superficial inf. epigastric v.
4. PID 과거력 : 유착으로 장 손상 가능성 증가
5. 요관 손상 : 전기기구에 의한 손상이 흔함
참고 *Final Check 부인과 238, 239, 240, 241, 242 page*

12

복강경 수술 시 합병증을 예방하기 위한 방법으로 옳은 것을 고르시오.

① 10 mm 이상의 trocar 상처는 근막을 봉합하면 incisional hernia를 예방할 수 있다
② 복강내 압력을 40 mmHg로 유지하면 가스 색전증을 예방할 수 있다
③ Verres needle 삽입 후 syringe test를 하면 장관 내로의 삽입을 방지할 수 있다
④ 복벽의 투과조명법을 이용하면 심부 하복부 혈관의 손상을 방지할 수 있다
⑤ Trocar 삽입 전 복강 내 압력을 10~12 mmHg로 유지한다

12
정답 ①
해설
1. 반흔 탈장 : 투관침 ≥10 mm 시 위험성 증가
2. 가스 색전 예방 : 수술 중 10~15 mmHg 유지
3. Syringe test는 이상위치 확인검사
4. 투과조명법 : 복부 표면혈관 손상 예방법
5. 투관침 삽입 전 복강 내 압력 : 25~30 mmHg
참고 *Final Check 부인과 237, 238, 240, 243 page*

13

난소 낭종으로 복강경수술 예정인 환자가 복식 자궁근종절제술, 충수돌기절제술의 과거력이 있어 복강 내 유착이 심할 것으로 예상된다. 주입바늘(insufflation needle)의 삽입 위치로 가장 적절한 곳을 고르시오.

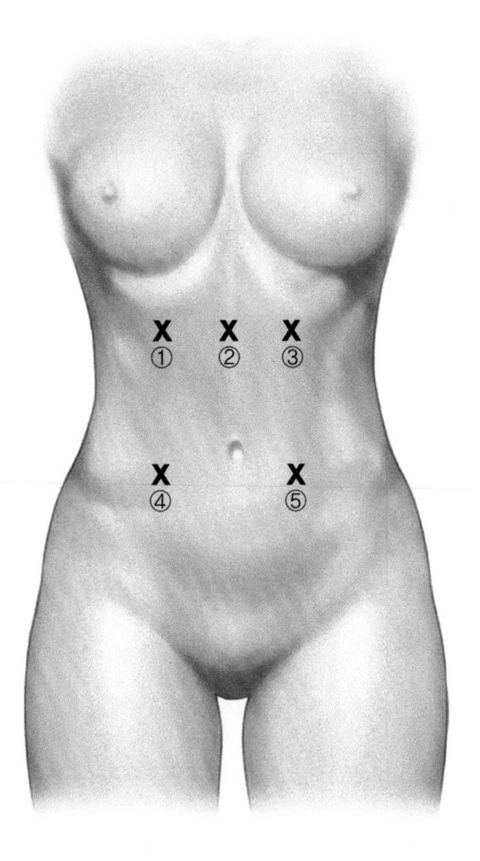

13

정답 ③

해설

복강 내 유착이 의심될 때 대체 부위

1. 왼쪽 위 사분면(LUQ, Left costal margin)
2. Rectouterine pouch(pouch of Douglas)
3. 자궁저부(fundus of uterus)

참고 *Final Check 부인과 237 page*

14

복강경 시 복강 내 유착이 의심되는 경우 배꼽 이외에 주입바늘(insufflations needle)을 삽입할 수 있는 곳을 모두 고르시오.

(가) Left costal margin
(나) McBurney's point
(다) Fundus of uterus
(라) Right costal margin

① 가, 나, 다 ② 가, 다
③ 나, 라 ④ 라
⑤ 가, 나, 다, 라

14

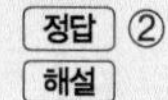

정답 ②

해설

복강 내 유착이 의심될 때 대체 부위

1. 왼쪽 위 사분면(LUQ, Left costal margin)
2. Rectouterine pouch (pouch of Douglas)
3. 자궁저부(fundus of uterus)

참고 *Final Check 부인과 237 page*

15

복강경 수술을 위해 가스주입바늘을 삽입하여 기복(pneumoperitoneum) 형성 후 이산화탄소 주입기의 계기판이 아래와 같았다. 이 환자의 다음 처치로 가장 적절한 것을 고르시오.

– 복강 내 압력 : 25 mmHg
– 주입량 : 0.5 L
– 주입 속도 : 2 L/min.

① 머리를 아래로 한다
② 주입바늘을 재삽입한다
③ 압력을 높인다
④ 개복술로 전환한다
⑤ 경과관찰한다

15

정답 ②

해설

주입바늘(Insufflation needles)

바늘의 적절한 위치 소견
– 낮은 복강 내 압력(<10 mmHg) – 간의 둔탁음 소실 – 복부의 대칭적인 확장 – Xyphoid process를 누르면 복압이 증가
바늘의 위치 이상 확인
– 주사기로 흡인 – 생리식염수 주입 – 복벽을 들어올릴 때 음압을 확인

참고 *Final Check 부인과 237 page*

16

복강경 시 보조 투관침(trocar) 삽입 중 손상되기 가장 쉬운 혈관은 무엇인가?

① Superficial circumflex iliac artery

② External iliac artery

③ Superficial inferior epigastric artery

④ Deep circumflex iliac artery

⑤ Aorta

16

정답 ③

해설

복강경 시 가장 손상되기 쉬운 혈관

1. Superficial inferior epigastric vessel
2. 대개 자연적 지혈
3. Trocar 삽입 시 투과조명법으로 손상 방지

참고 *Final Check 부인과 240 page*

17

복강경 수술 시 5 mm 보조 삽입관(cannula)을 삽입하다가 deep inf. epigastric vessel에 혈종이 생겨 커졌다. 이때 올바른 처치는 무엇인가?

① 경과관찰 ② 혈관 부위 압박

③ 혈종 흡입 ④ 결찰

⑤ 절제 후 혈종 제거

17

정답 ④

해설

복강경 시 심각한 혈관 손상

1. Deep inferior epigastric vessel
2. 수술 중 처치 : Straight ligation
3. 수술 후 처치 : 압박, 밀착감시

참고 *Final Check 부인과 240 page*

18

다음 중 진단적 자궁경(diagnostic hysteroscopy)에 이용할 수 있는 가장 적절한 자궁확장매체는 무엇인가?

① Dextran 70 ② Sorbitol

③ Glycine ④ CO_2

⑤ Normal saline

18

정답 ④

해설

자궁확장매체 – CO_2

1. 진단적 자궁경에는 좋은 시야를 제공
2. 수술적 자궁경에는 부적합

참고 *Final Check 부인과 246 page*

19

자궁경(hysteroscopy) 시 자궁확장매체로 3% sorbitol을 사용할 때 고려해야 할 사항을 모두 고르시오.

(가) 수술 전 혈청 전해질 측정
(나) 매체의 주입량과 배출량을 5분마다 확인
(다) 자궁 내 압력은 70~100 mmHg가 적당하다
(라) 흡수된 양이 2 L 이상이면 수술을 중단해야 한다

① 가, 나, 다　　② 가, 다
③ 나, 라　　④ 라
⑤ 가, 나, 다, 라

19

정답 ⑤

해설

저점성 용액(low viscosity fluid)의 합병증

1. 전해질 불균형 유발 가능
2. 수술 전 전해질 측정, 5분 간격 흡수량 확인
3. 흡수량 ≥1 L : 전해질 측정, furosemide 고려
4. 흡수량 1.5~2 L : 수술을 중단

참고 *Final Check 부인과 247 page*

20

자궁경 시 자궁확장매체로 사용하는 1.5% glycine에 대한 설명으로 옳은 것을 모두 고르시오.

(가) 흡수된 용매의 양을 5분 간격으로 확인한다
(나) GnRH agonist를 수술 전 투여하면 용매의 흡수를 줄일 수 있다
(다) 흡수된 용매의 양이 2 L 이상 시 수술을 중단한다
(라) 자궁 내 압력을 70~80 mmHg 정도 유지한다

① 가, 나, 다　　② 가, 다
③ 나, 라　　④ 라
⑤ 가, 나, 다, 라

20

정답 ⑤

해설

1. 5분 간격의 흡수량 확인 필요
2. 수술 전 GnRH agonist : 수술시간, 흡수 감소
3. 흡수량 1.5~2 L : 수술을 중단
4. 자궁 내 압력 : 70~80 mmHg 정도로 유지

참고 *Final Check 부인과 247, 249 page*

21

Sorbitol 용액으로 자궁경 수술을 시행하던 중 주입액에 비해 유출액이 2,500 mL 더 적게 나왔음을 확인하였다. 다음 처치로 가장 적절한 것을 고르시오.

① Sorbitol 주입 속도 감소

② CO_2로 자궁확장매체 교체

③ 생리식염수로 자궁확장매체 교체

④ 진단적 복강경 시행

⑤ 수술 중단

21

정답 ⑤

해설

저점성 용액(low viscosity fluid)의 합병증

1. 전해질 불균형 유발 가능
2. 수술 전 전해질 측정, 5분 간격 흡수량 확인
3. 흡수량 ≥1 L : 전해질 측정, furosemide 고려
4. 흡수량 1.5~2 L : 수술을 중단

참고 *Final Check 부인과 247 page*

22

자궁경의 자궁확장매체에 대한 설명으로 잘못된 것을 고르시오.

① CO_2는 수술적 자궁경에 적당하다

② Sorbitol을 쓸 경우에는 전해질 불균형에 주의해야 한다

③ 고점성 용액은 수분 과부하(fluid overload)에 주의해야 한다

④ 자궁확장 능력은 고점성 용액이 더 좋다

⑤ 저점성 용액의 흡수량이 1,500 mL 이상이면 수술을 중단해야 한다

22

정답 ①

해설

자궁확장매체 – CO_2

1. 진단적 자궁경에는 좋은 시야를 제공
2. 수술적 자궁경에는 부적합

참고 *Final Check 부인과 246 page*

23

자궁경 시 자궁확장매체에 대한 설명으로 잘못된 것은 무엇인가?

① 생리식염수는 값이 싸고 사용하기 쉬우나 monopolar를 사용할 수 없다

② CO2는 출혈 시 사용하기 좋으나 고압으로 사용 시 색전증의 가능성이 높다

③ Sorbitol은 점도가 낮아서 혈액과 섞이면 시야 확보가 어렵다

④ Glycerin은 점도가 낮아서 흡수 시 저나트륨혈증이 잘 발생한다

⑤ Dextran은 과민반응이 발생할 수 있다

23

정답 ②

해설

자궁확장매체 – CO_2

1. 진단적 자궁경에는 좋은 시야를 제공
2. 수술적 자궁경에는 부적합

참고 *Final Check 부인과 246 page*

24

자궁경 수술에 사용되는 자궁확장매체 중 생리식염수의 단점은 무엇인가?

① 연기(smoke)의 발생

② 응고 장애

③ Embolism

④ 전해질 이상

⑤ Monopolar 기구 사용 불가능

24

정답 ⑤

해설

자궁확장매체 – 생리식염수(Normal saline)

1. 고주파가 필요 없어 유용하고 안전한 매체
2. 많은 양이 흡수되어도 전해질 불균형이 없음
3. Monopolar 사용 불가능, bipolar는 사용 가능

참고 *Final Check 부인과 247 page*

25

Monopolar를 이용한 자궁경 수술에 이용할 수 있는 자궁확장매체를 모두 고르시오.

(가) 1.5% glycine
(나) 3% sorbitol
(다) 5% mannitol
(라) Normal saline

① 가, 나, 다　　② 가, 다

③ 나, 라　　④ 라

⑤ 가, 나, 다, 라

25

정답 ①

해설

자궁확장매체 – 생리식염수(Normal saline)

1. 고주파가 필요 없어 유용하고 안전한 매체
2. 많은 양이 흡수되어도 전해질 불균형이 없음
3. Monopolar 사용 불가능, bipolar는 사용 가능

참고 *Final Check 부인과 247 page*

26

진단적 자궁경(diagnostic hysteroscopy)의 적응증에 해당하는 것을 모두 고르시오.

(가) Abnormal hysterosalpingography
(나) Premenopausal bleeding
(다) Uterine synechiae
(라) Recurrent spontaneous abortion

① 가, 나, 다
② 가, 다
③ 나, 라
④ 라
⑤ 가, 나, 다, 라

26

정답 ⑤

해설

진단적 자궁경의 적응증

적응증
자궁 내 질환의 진단 및 치료 – 비정상 자궁출혈의 진단 – 점막하근종 – 자궁내막 용종 – 자궁내막유착증
자궁내피임장치 같은 이물질의 위치 확인
불임 환자 – 자궁난관조영술의 이상소견 – 보조생식술 전 검사 – 습관성 유산 – 자궁의 선천성 기형 진단 – 난관개구술
자궁내막암의 수술 전, 후 자궁내부 검사

참고 *Final Check 부인과 244 page*

27

다음 기구를 사용해야 할 필요성이 가장 높은 복강경 수술은 무엇인가?

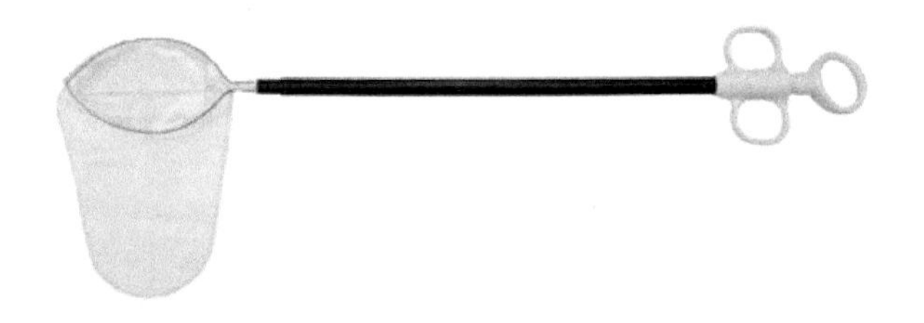

① 자궁근종 절제술
② 자궁절제술
③ 난관 임신의 난관절제술
④ 난소기형종의 낭종절제술
⑤ 자궁내막증의 전기소작술

27

정답 ④

해설

복강경 시 조직의 적출

1. 단단한 조직 : 가위, 초음파장비, 세절기
2. 낭성 종괴 : 절개 및 바늘을 이용한 흡인
3. 악성 의심 : 유출 예방 위해 endopouch 이용

참고 *Final Check 부인과 244 page*

28

복강경 수술 시 발생하는 다음과 같은 상황을 무엇이라고 하는가?

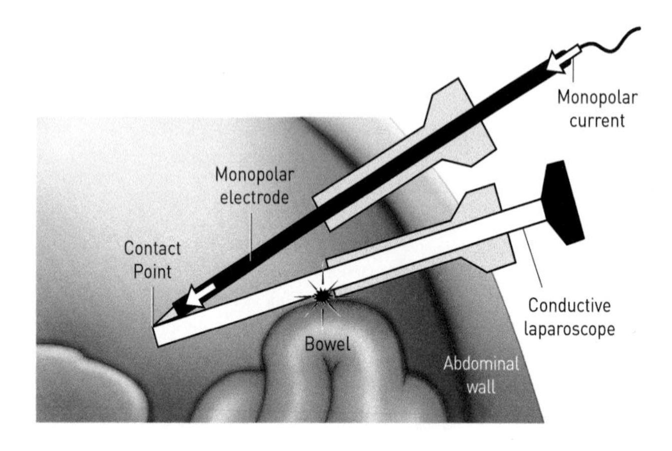

① Direct coupling

② Insulation defect

③ Capacitive coupling

④ Active electrode trauma

⑤ Electrode dispersive burn

28

 ①

해설

전극기구에 의한 합병증

1. Insulation defects : 절연체의 결손으로 발생
2. Direct coupling : 기구간 직접 접촉으로 발생
3. Capacitive coupling : 직접적인 접촉 없이 절연체가 없는 부위에서 전류가 방출되어 인접 장기나 기구에 흘러 발생

참고 *Final Check 부인과 239 page*

CHAPTER 16

자궁절제술(Hysterectomy)

01

복식 자궁절제술 후 환자의 관리에 관한 설명 중 옳은 것을 모두 고르시오.

(가) 수술 후 4주간은 9 kg 이상의 물건을 들지 않는다
(나) 수술 후 도뇨관은 보행과 배뇨가 가능할 때까지만 유치시킨다
(다) 성관계는 수술 4주 후부터 가능하다
(라) 수술 후 창상에는 24시간 동안 소독된 붕대로 덮어 놓는다

① 가, 나, 다　　② 가, 다
③ 나, 라　　④ 라
⑤ 가, 나, 다, 라

01

정답 ③

해설

복식 자궁절제술 후 관리

1. 도뇨관 : 보행과 배뇨가 가능한 수술 후 몇 시간만 거치
2. 식이
   a. 수술 당일은 얼음 조각이나 물만 허용
   b. 수술 후 1일에 장음이 괜찮으면 식이 시작
3. 활동
   a. 수술 당일부터 가능하면 시행
   b. 6~8주 이후 성관계, 무거운 물건 들기 허용
4. 상처관리 : 소독 거즈는 첫 24시간 이후 제거

참고 *Final Check 부인과 259 page*

02

다음 중 자궁절제술 후 합병증에 대한 내용으로 옳은 것을 모두 고르시오.

(가) 창상감염을 줄이기 위해 부착성 수술포나 예방적 항생제를 사용한다
(나) 자궁절제술 시 충수절제술을 동시 시행하면 이환율이 증가한다
(다) 요관 손상의 빈도는 복강경보다 질식 수술에서 적다
(라) 방광 손상 시 자궁절제술이 끝난 후 손상 부위를 복구한다

① 가, 나, 다 ② 가, 다
③ 나, 라 ④ 라
⑤ 가, 나, 다, 라

02

정답 ②

해설

1. 창상감염 예방 : 부착성 수술포, 항생제
2. 충수절제술 동시 시행 시 이환율 증가 없음
3. 요관손상 빈도 : 복강경 > 복식 > 질식
4. 방광 손상 : 손상 즉시 긴장이 없게 복구

참고 *Final Check 부인과 257, 260, 263, 264 page*

03

자궁선근증으로 자궁절제술을 받은 여성이 수술 6일 후부터 좌측 옆구리 통증을 호소하였다. 체온 38℃, 하복부의 압통이나 반발압통은 없었다면 다음으로 시행할 검사로 가장 적절한 것을 고르시오.

① Chest X-ray ② Chest CT
③ Abd-Pelvic CT ④ Diagnostic laparoscopy
⑤ Sigmoidoscopy

03

정답 ③

해설

요관 손상(Ureteral injury)

1. 자궁절제술 직후 옆구리통증을 호소 시 의심
2. 가장 흔한 폐쇄부위 : Ureterovesical junction
3. 빈도 : 복강경 > 복식 > 질식
4. 진단 : CT urogram, 소변검사, IVP

참고 *Final Check 부인과 263 page*

04

다음 수술 중 요관이 손상되는 빈도가 가장 높은 자궁절제술은 무엇인가?

① 질식 자궁절제술
② 복강경 자궁절제술
③ 복식 자궁절제술
④ 제왕 자궁절제술
⑤ 모두 비슷하다

04

정답 ②

해설

요관 손상(Ureteral injury)

1. 자궁절제술 직후 옆구리통증을 호소 시 의심
2. 가장 흔한 폐쇄부위 : Ureterovesical junction
3. 빈도 : 복강경 > 복식 > 질식
4. 진단 : CT urogram, 소변검사, IVP

참고 *Final Check 부인과 263 page*

05

질식 자궁절제술(VTH)의 금기증을 쓰시오.

05

정답

1. 자궁내막증으로 인한 골반 장기의 유착
2. 골반염이 있는 경우
3. 난소 낭종으로 부속기 절제술이 필요한 경우
4. 커다란 골반 종괴가 있을 때
5. 자궁내막암, 침윤성 자궁경부암

참고 *Final Check 부인과 259 page*

06

자궁근종으로 복식 자궁절제술(TAH)을 받은 환자가 수술 후부터 옆구리 통증을 호소하였다. 시행한 정맥신우조영술(IVP)상 방광 근처에서 요관의 폐쇄 소견이 관찰되었다면 다음 처치로 가장 적절한 것을 고르시오.

① 경과관찰

② Methylene blue 검사

③ 방광경하 카테터의 요관 통과

④ 시험적 개복술

⑤ 질식 요관재건술

06

정답 ③

해설

자궁절제술 후 발생하는 요관손상의 치료

1. Cystoscopic catheter passage 시행
2. 통과 : 4~6주간 카테터 유치하며 경과관찰
3. 통과 실패 : 폐쇄부위를 복구(개복 or 복강경)

참고 *Final Check 부인과 263 page*

07

1개월 전 15 cm 크기의 자궁근종으로 자궁절제술을 받은 46세 여성이 우측 옆구리 통증을 주소로 내원하였다. 시행한 IVP상 요관방광이음부(ureterovesical junction)의 협착이 의심되었다면 다음 처치로 가장 적절한 것을 고르시오.

① 항생제 + 수액 주입

② Ureteral stent 설치

③ 복강경하 유착 제거

④ 개복수술

⑤ Percutaneous nephrostomy 시행

07

정답 ②

해설

자궁절제술 후 발생하는 요관손상의 치료

1. Cystoscopic catheter passage 시행
2. 통과 : 4~6주간 카테터 유치하며 경과관찰
3. 통과 실패 : 폐쇄부위를 복구(개복 or 복강경)

참고 *Final Check 부인과 263 page*

08

1주일 전 복강경하 질식자궁절제술(LAVH)을 받은 42세 여성이 맑은 질 분비물을 주소로 내원하였다. 질경검사상 posterior fornix에 맑은 액체가 고이는 것이 관찰되어 방광에 methylene blue를 주입 후 질에 tampon을 넣고 20분 후 확인하였으나 염색되지 않았다. 다음 처치로 가장 적절한 것을 고르시오.

① Cystoscopy
② Cystometry
③ Intravenous pyelography
④ Retrograde pyelography
⑤ MRI

08

정답 ③

해설

방광질 누공(vesicovaginal fistula)의 진단

1. 질에 탐폰이나 거즈를 넣은 후 methylene blue나 indigo carmine 주입 → 20분 후 탐폰이 염색되면 방광질 누공 존재 확인
2. CT, IVP : 요관폐쇄 배제를 위해 검사

참고 *Final Check 부인과 263 page*

09

복강경하 질식자궁절제술(LAVH) 시행 6일 후에 옆구리 통증(flank pain)이 발생하였다면 가장 먼저 시행해야 하는 처치를 고르시오.

① 경과관찰
② 소변 배양검사
③ 항생제 정맥주사
④ CT
⑤ 초음파검사

09

정답 ④

해설

요관 손상(Ureteral injury)

1. 자궁절제술 직후 옆구리통증을 호소 시 의심
2. 가장 흔한 폐쇄부위 : Ureterovesical junction
3. 빈도 : 복강경 > 복식 > 질식
4. 진단 : CT urogram, 소변검사, IVP

참고 *Final Check 부인과 263 page*

10

40세 여성이 심한 자궁내막증과 자궁근종으로 개복 자궁절제술 예정이다. 수술 중 요로 손상을 줄일 수 있는 방법을 고르시오.

① IVP를 보고 미리 주행 경로를 확인한다

② Ureteral stent를 삽입한다

③ 후복막 절개하에 직접 요로를 확인한다

④ 수술 중 정맥 내 indigo carmine을 주입한다

⑤ 방광경을 시행한다

10

정답 ②

해설

복식 자궁절제술 중 발생하는 요관 손상

1. 가장 흔한 합병증 중 하나
2. 예방법
   a. Ureteral stent 삽입하여 만져보며 수술
   b. Ext. iliac a.의 측부를 열고 후복막 확인

참고 *Final Check 부인과 258 page*

11

자궁절제술 후 발생할 수 있는 합병증에 대한 설명 중 잘못된 것은 무엇인가?

① 자궁절제술 직후 옆구리통증을 호소 시 요관 손상을 의심해야 한다

② 요관 손상을 확인하는 방법 중 CT가 가장 효과적인 방법이다

③ 자궁절제술 시행 후 발생하는 소변정체는 주로 요도연축 때문이다

④ 제모가 필요할 시 수술실에서 가위를 이용하면 창상감염을 줄일 수 있다

⑤ 자궁절제술의 방법 중 복강경이 요관 손상 위험성이 가장 높다

11

정답 ③

해설

자궁절제술 후 요정체(urinary retention)

1. 원인 : 마취에 의한 방광이완 또는 통증
2. 치료
   a. 12~24시간 동안 Foley 카테터 삽입
   b. Foley 제거 후 지속 → 근육이완제 투여

참고 *Final Check 부인과 263 page*

CHAPTER 17

하부요로장애(Lower urinary tract disorders)

01

정상 여성의 정상 방광기능에 대한 설명으로 잘못된 것은 무엇인가?

① 잔뇨 <50 mL

② 방광 용적 400~600 mL

③ 소변이 차도 불수의적인 배뇨근 수축 없음

④ 강한 배뇨 욕구는 300 mL 이상에서 발생

⑤ 정상 일일 소변량 1,500~2,500 mL

01

정답 ④

해설

여성 방광 기능의 정상 범위

1. 정상 일일 소변량 : 1,500~2,500 mL
2. 평균 소변량 : 250 mL
3. 잔뇨량(residual urine) <50 mL
4. 방광 용적 : 400~600 mL
5. 강한 배뇨 욕구 : 250 mL 이후 발생
6. 용액을 채워도 불수의적인 배뇨근 수축 없음
7. 유발에도 복압성 또는 절박성 요실금이 없음
8. 수의적인 배뇨근 수축으로 배뇨가 유발
9. 배뇨압 <50 cmH_2O, 유속 >15 mL/sec

참고 *Final Check 부인과 272 page*

02

정상적인 요도의 폐쇄에 관여하는 외인성요인 중 가장 중요한 역할을 하는 구조물은 무엇인가?

① Endopelvic fascia

② Arcuate tendons

③ External anal sphincter

④ Perineal membrane

⑤ Attachments to the pelvic sidewalls

02

정답 ①

해설

요도(Urethra)의 기능을 구성하는 요인

내인성요인(Intrinsic factor)
요도벽의 횡문근(striated muscle)
점막하 정맥총(submucosal venous plexus)
요도벽의 평활근(smooth muscle) 및 관련된 혈관
요도내막주름의 상피 접합
요도의 탄력성과 긴장도
외인성요인(Extrinsic factor)
내골반근막(endopelvic fascia) : 가장 중요한 역할
항문올림근(levator ani muscles)
내골반근막과 항문올림근의 부착상태

참고 *Final Check 부인과 267 page*

03

요도 폐쇄 기전의 외인성 인자는 무엇인가?

① Urethral elasticity

② Perineal membrane

③ levator ani muscle

④ Smooth muscle of urethral wall

⑤ Stratified muscle of urethral wall

03

정답 ③

해설

요도(Urethra)의 기능을 구성하는 요인

내인성요인(Intrinsic factor)
요도벽의 횡문근(striated muscle)
점막하 정맥총(submucosal venous plexus)
요도벽의 평활근(smooth muscle) 및 관련된 혈관
요도내막주름의 상피 접합
요도의 탄력성과 긴장도
외인성요인(Extrinsic factor)
내골반근막(endopelvic fascia) : 가장 중요한 역할
항문올림근(levator ani muscles)
내골반근막과 항문올림근의 부착상태

참고 *Final Check 부인과 267 page*

04

Urinary continence를 유지하는 내인성 인자를 4가지 이상 열거하시오.

04

정답

1. 요도벽의 횡문근(striated muscle)
2. 점막하 정맥총(submucosal venous plexus)
3. 요도벽의 평활근(smooth muscle) 및 관련된 혈관
4. 요도내막주름의 상피 접합
5. 요도의 탄력성과 긴장도

해설

요도(Urethra)의 기능을 구성하는 요인

내인성요인(Intrinsic factor)
요도벽의 횡문근(striated muscle)
점막하 정맥총(submucosal venous plexus)
요도벽의 평활근(smooth muscle) 및 관련된 혈관
요도내막주름의 상피 접합
요도의 탄력성과 긴장도
외인성요인(Extrinsic factor)
내골반근막(endopelvic fascia) : 가장 중요한 역할
항문올림근(levator ani muscles)
내골반근막과 항문올림근의 부착상태

참고 *Final Check 부인과 267 page*

05

다음 중 노인에게서 일시적 요실금을 일으킬 수 있는 것을 모두 고르시오.

(가) Delirium
(나) Impaction
(다) Atrophic vaginitis
(라) Immobilization

① 가, 나, 다
② 가, 다
③ 나, 라
④ 라
⑤ 가, 나, 다, 라

06

요실금의 일시적 원인을 기술하시오.(4가지)

05

정답 ⑤

해설

일과성 요실금의 원인 : DIAPPERS
Delirium Infection Atrophic urethritis and vaginitis Pharmacologic causes Psychological cause Excessive urine production Restricted mobility Stool impaction

참고 *Final Check 부인과 273 page*

06

정답

1. Delirium
2. Infection
3. Atrophic urethritis & vaginitis
4. Pharmacologic agents
5. Psychiatric cause
6. Excessive urine production
7. Restricted mobility
8. Stool impaction

참고 *Final Check 부인과 273 page*

07

배뇨근(detrusor muscle)의 수축장애를 유발할 수 있는 약제는 무엇인가?

① α-adrenergic agent ② ACE inhibitor
③ α-blocker ④ Anticholinergic drug
⑤ Benzodiazepine

07
정답 ④
해설
Anticholinergic agent
1. 배뇨근 과활동 억제를 위해 muscarinic 수용체에서 acetylcholine 효과를 억제함으로써 절박뇨 증상을 치료
2. 부작용 : 입마름, 심박수 증가, 변비, 시야흐림
3. 입마름은 껌, 사탕, 과일 한 조각 등으로 완화

참고 *Final Check 부인과 284 page*

08

56세 여성이 낮에 소변을 10번 정도 보는 빈뇨가 있고, 밤에도 3회 이상 소변을 보러 가는 증상을 주소로 내원하였다. 환자는 소변을 보고 싶은 느낌이 들면 바로 소변이 새는 증상이 있었다. 소변배양검사와 골반진찰은 정상이었다면 가장 올바른 우선적 처치는 무엇인가?

① 방광훈련 ② 전기자극치료
③ 자기장치료 ④ 에페드린
⑤ 베사렐린

08
정답 ①
해설
요실금의 행동치료와 방광훈련
1. 방광훈련
 a. 배뇨 욕구를 조절하는 훈련
 b. 골반저근 운동을 함으로써 절박뇨 증상을 억제하여 배뇨 간격을 늘려가는 방법
 c. 과민성 방광에서 일차적 치료 방법
 d. 규칙적 화장실 방문이 중요
2. 행동치료 : 방광의 자발적 조절 개선

참고 *Final Check 부인과 283 page*

09

28세 여성이 소변을 참지 못하면서 2주간 지속되는 기침 및 재채기를 할 때 발생하는 요실금을 주소로 내원하였다. 다음 중 가장 먼저 시행하여야 할 검사는 무엇인가?

① 소변검사 ② 방광내압검사
③ 혈당검사 ④ 방광경
⑤ 복강경

09
정답 ①
해설
요실금의 일차진료에서 시행하는 검사
1. 부인과적 검사
 a. Q-tip test
 b. 보니검사(Bonney test)
2. 배뇨일기(voiding diary)
3. 소변검사(urine analysis)
4. 배뇨 후 잔뇨량(postvoid residual volume)
5. 기침유발검사(cough stress test)
6. 패드검사(pad test)

참고 *Final Check 부인과 275 page*

10

42세 여성이 기침과 운동 시 나타나는 요실금을 주소로 내원하였다. 누운 자세에서는 드물게 발생하였고, 요역동학검사에서 복압의 증가 시 요도폐쇄가 효과적으로 나타나지 않았다. 이 환자의 진단명은 무엇인가?

① 요관 딴곳증
② 방광질누공
③ 과민성 방광
④ 절박성 요실금
⑤ 복압성 요실금

10
정답 ⑤
해설
복압성 요실금(Stress incontinence)
1. 기침, 운동에 의해 복압이 높아질 때 방광압이 요도압보다 커져 소변이 새는 증상
2. 가장 흔한 요실금(50세 미만에서 호발)

참고 *Final Check 부인과 272 page*

11

복압성 요실금(stress incontinence)의 정의(A)와 발생 기전(B)을 쓰시오.

11
정답
(A) 기침, 운동에 의해 복압이 높아질 때 방광압이 요도압보다 커져 소변이 새는 증상
(B) 발생 기전
1. 내인성 요도괄약근 기능부전
2. 요도방광접합부(urethrovesical junction) 지지조직의 해부학적인 결핍

참고 *Final Check 부인과 272 page*

12

복압성 요실금(stress incontinence)으로 진단받은 여성에 대한 설명으로 옳은 것을 모두 고르시오.

(가) 웃거나 기침 시 소변이 새어 나온다
(나) 배뇨에 대한 욕구와 무관하게 발생한다
(다) 누워 있거나 잠 잘 때 소변이 새는 증상이 없다
(라) 고령 여자 요실금의 가장 흔한 원인이다

① 가, 나, 다
② 가, 다
③ 나, 라
④ 라
⑤ 가, 나, 다, 라

12
정답 ①
해설
복압성 요실금(Stress incontinence)
1. 기침, 운동에 의해 복압이 높아질 때 방광압이 요도압보다 커져 소변이 새는 증상
2. 가장 흔한 요실금(50세 미만에서 호발)
3. 배뇨에 대한 욕구와 무관하고, 누웠거나 잠잘 때 소변이 새는 증상이 없음

참고 *Final Check 부인과 272 page*

13

20년 전 자궁근종으로 자궁절제술을 시행 받은 55세 여성이 기침이나 운동 시 요실금이 나타났다. 신장 150 cm, 체중 87 kg이며, 외음부에 위축성 변화가 있었다. 이 환자의 처치로 올바른 것을 모두 고르시오.

(가) 체중 감량
(나) Estrogen cream
(다) Kegel 운동
(라) Vaginal pessary

① 가, 나, 다
② 가, 다
③ 나, 라
④ 라
⑤ 가, 나, 다, 라

13

정답 ⑤

해설

요실금의 비수술적 치료

1. 생활양식의 변화
2. 행동치료와 방광훈련
3. 물리치료
   a. 골반저근 운동
   b. 전기자극치료, 체외자기 신경감응치료
4. 약물치료
5. 기구치료 : 질내지지장치, 요도내 · 외장치

참고 *#17-10Final Check 부인과 283 page*

14

긴장성 요실금(stress incontinence)의 비수술적 치료를 쓰시오.

14

정답

1. 생활양식의 변화
2. 행동치료와 방광훈련
3. 물리치료
   a. 골반저근 운동
   b. 전기자극치료, 체외자기 신경감응치료
4. 약물치료
5. 기구치료 : 질내지지장치, 요도내 · 외장치

참고 *Final Check 부인과 283 page*

15

긴장성 요실금(stress incontinence)에서 사용할 수 없는 약물은 무엇인가?

(가) Estrogen
(나) Imipramine
(다) Prazosin
(라) Pseudoephedrine

① 가, 나, 다
② 가, 다
③ 나, 라
④ 라
⑤ 가, 나, 다, 라

15

정답 ②

해설

Stress incontinence의 약물 치료(α-adrenergics)

1. Imipramine
2. Ephedrine
3. Pseudoephedrine
4. Phenylpropanolamine
5. Norepinephrine

참고 *Final Check 부인과 284 page*

16

긴장성 요실금(stress incontinence)의 치료에 효과가 없는 것은 무엇인가?

① Imipramine
② Phenylpropanolamine
③ Ephedrine
④ Diazepam
⑤ Pseudoephedrine

16

정답 ④

해설

Stress incontinence의 약물치료(α-adrenergics)

1. Imipramine
2. Ephedrine
3. Pseudoephedrine
4. Phenylpropanolamine
5. Norepinephrine

참고 *Final Check 부인과 284 page*

17

34세 경산부가 기침 등 일시적으로 복압이 증가할 때 비수의적 배뇨량이 많아져 내원하였다. Q-tip 시험 결과 방광경부의 운동성이 30도를 상회했지만, 방광 충만 검사상 방광 충만 시 요급증을 느끼지는 않았다. 이 환자의 비 수술적 치료 방법을 모두 고르시오.

(가) Kegel 운동
(나) α-adrenergics
(다) 골반 근육의 전기적 자극
(라) Cholinergics

① 가, 나, 다　② 가, 다
③ 나, 라　④ 라
⑤ 가, 나, 다, 라

17
정답 ①
해설
요실금의 비수술적 치료
1. 생활양식의 변화
2. 행동치료와 방광훈련
3. 물리치료
 a. 골반저근 운동
 b. 전기자극치료, 체외자기 신경감응치료
4. 약물치료
5. 기구치료 : 질내지지장치, 요도내외장치
참고 *Final Check 부인과 283 page*

18

65세 여성이 달리거나 심하게 웃을 때, 기침을 할 때 발생하는 요실금을 주소로 내원하였다. 요역동학검사에서는 복압이 상승할 때 요로폐쇄가 효과적이지 않음을 확인하였다. 이 환자에게 적절한 치료가 아닌 것은 무엇인가?

① 에스트로겐 요법
② 골반근육의 전기자극
③ Kegel 운동
④ α-아드레날린제제
⑤ 자가 도뇨관 삽입

18
정답 ⑤
해설
요실금의 비수술적 치료
1. 생활양식의 변화
2. 행동치료와 방광훈련
3. 물리치료
 a. 골반저근 운동
 b. 전기자극치료, 체외자기 신경감응치료
4. 약물치료
5. 기구치료 : 질내지지장치, 요도내 · 외장치
참고 *Final Check 부인과 283 page*

19

요도지지조직의 손상 없이 내인성 괄약근(intrinsic sphincter) 약화로 요실금이 생겼을 때 권고하는 수술적인 요법을 모두 고르시오.

(가) Retropubic bladder neck suspension
(나) Periurethral injection
(다) Needle suspension
(라) Sling operation

① 가, 나, 다 ② 가, 다
③ 나, 라 ④ 라
⑤ 가, 나, 다, 라

19

정답 ⑤

해설

Stress incontinence의 수술적 치료

1. 복식 수술법
   a. 복식 Burch 수술법
   b. 복강경 Burch 수술법
2. 질식 수술법
   a. 전질벽 협축술(anterior colporrhaphy)
   b. 견인바늘걸기술 (needle suspension procedures)
   c. 전통적 치골질걸이술 (pubovaginal sling operation)
   d. 중요도 걸이술 : TVT, TOT, Mini-sling
   e. 충전제 주입술(bulking procedures)

참고 *Final Check 부인과 285 page*

20

46세 여성이 복압성 요실금으로 진단받았다. 이 환자에게 가능한 수술적 치료를 모두 고르시오.

(가) Anterior vaginal colporrhaphy
(나) Pubovaginal sling operation
(다) TVT
(라) Sling procedure

① 가, 나, 다 ② 가, 다
③ 나, 라 ④ 라
⑤ 가, 나, 다, 라

20

정답 ⑤

해설

Stress incontinence의 수술적 치료

1. 복식 수술법
   a. 복식 Burch 수술법
   b. 복강경 Burch 수술법
2. 질식 수술법
   a. 전질벽 협축술(anterior colporrhaphy)
   b. 견인바늘걸기술 (needle suspension procedures)
   c. 전통적 치골질걸이술 (pubovaginal sling operation)
   d. 중요도 걸이술 : TVT, TOT, Mini-sling
   e. 충전제 주입술(bulking procedures)

참고 *Final Check 부인과 285 page*

21

10년 전 복식 자궁절제술을 받은 여성이 질원개(vaginal vault) 외번과 일상생활이 어려울 정도의 복압성 요실금을 주소로 내원하였다. 이 여성에게 가장 적절한 요실금 수술은 무엇인가?

① Anterior colporrhaphy

② Burch operation

③ Needle suspension operation

④ Sling operation

⑤ Periurethral collagen injection

21

정답 ④

해설

중요도 걸이술(Mid-urethral slings)

1. 복압성 요실금 수술의 표준치료
2. 종류
   a. 무긴장성 질테이프술(TVT)
   b. 경폐쇄공 테이프술(TOT)
   c. 미니슬링법(Mini-sling)

참고 *Final Check 부인과 285 page*

22

50세 여성이 요실금 증상을 주소로 내원하였다. 시행한 검사상 잔뇨검사는 음성이었으나 기침유발검사와 Q-tip test 양성이었다. 요역동학검사상 maximal urethral closure pressure, valsalva leak point pressure, 배뇨 양상은 모두 정상이었다. 이 환자에게 필요한 수술은 무엇인가?

① Sling operation

② Ant. colporrhaphy

③ Burch operation

④ Abdominal Paravaginal repair

⑤ Needle suspension urethropexy

22

정답 ①

해설

중요도 걸이술(Mid-urethral slings)

1. 복압성 요실금 수술의 표준치료
2. 종류
   a. 무긴장성 질테이프술(TVT)
   b. 경폐쇄공 테이프술(TOT)
   c. 미니슬링법(Mini-sling)

참고 *Final Check 부인과 285 page*

23

복압성 요실금으로 진단된 여성에게 Burch 수술을 시행하려고 한다. 수술 후 초래될 수 있는 합병증을 모두 고르시오.

(가) 탈장
(나) 자궁질탈출증
(다) 배뇨장애
(라) 치골후방혈종

① 가, 나, 다 ② 가, 다
③ 나, 라 ④ 라
⑤ 가, 나, 다, 라

23

정답 ⑤

해설

복압성 요실금 수술적 치료의 합병증

1. 요로감염증(urinary tract infection)
2. 치료의 실패
3. 새로운 detrusor overactivity
4. 배뇨 장애(voiding dysfunction)
5. 탈장이나 직장류탈출(rectocele)
6. 방광 천공(bladder perforation)
7. 치골후방혈종(retropubic hematoma)

참고 *Final Check 부인과 285 page*

24

45세 여자 환자가 2개월 전 mesh를 이용한 sling operation을 시행하였고 일주일 전 남편과 성관계 후 출혈을 주소로 내원하였다. Mesh가 2 cm 정도 질벽으로 돌출되어 있는 것이 관찰되었다면 이 환자에게 올바른 처치는 무엇인가?

① 정기적 추적관찰
② 광범위 항생제 치료
③ Estrogen 경구 복용
④ 광범위하게 mesh 제거 후 질벽 봉합술 시행
⑤ Mesh 끝만 제거한 후 estrogen cream 도포

24

정답 ⑤

해설

질벽에 mesh가 돌출되어 있을 경우

1. Mesh 제거 후 estrogen cream 도포
2. 깨끗한 상처 : 노출 mesh 부분절제 후 봉합
3. 심한 염증성 상처 : 최대한 박리 가능한 mesh의 전절제(total remove) 후 봉합

참고 *Final Check 부인과 285 page*

25

절박성 요실금(urgency urinary incontinence)에 대한 설명으로 잘못된 것을 고르시오.

① 고령 여성에서 가장 흔한 형태이다

② Stress incontinence의 많은 환자에서 동반된다

③ Imipramine, flavoxate 등에 효과가 있을 수 있다.

④ Behavioral therapy는 별 효과가 없다

⑤ Bladder neck suspension은 별 효과가 없다

25

정답 ④

해설

절박성 요실금(Urgency urinary incontinence)

1. 배뇨중추와 방광 사이의 경로 이상으로 발생
2. 나이가 많은 여성에서 가장 많은 형태
3. 방광수축억제제 + 방광훈련 같은 행동치료

참고 *Final Check 부인과 272, 283 page*

26

절박성 요실금(urgency urinary incontinence)의 설명 중 옳은 것은 무엇인가?

① 젊은 여성에서 가장 흔한 형태의 요실금이다

② 항상 신경조직 병변이 관찰된다

③ 배뇨 습관을 변화시키는 행동치료가 효과 없다

④ 1차 치료로 Kegel 운동을 한다

⑤ 진단은 방광내압 측정으로 확진한다

26

정답 ⑤

해설

절박성 요실금(Urgency urinary incontinence)

1. 배뇨중추와 방광 사이의 경로 이상으로 발생
2. 나이가 많은 여성에서 가장 많은 형태
3. 방광수축억제제 + 방광훈련 같은 행동치료

참고 *Final Check 부인과 272, 283 page*

27

폐경이 된 58세 여성이 수개월 전부터 방광 충만을 느끼면서 복압이 증가되지 않았는데도 소변을 참지 못하고 의지와 상관없이 소변을 지렸다. 방광충만검사에서 방광을 채우는 동안 요급증을 느끼고 소변이 누출됨을 확인했다. 다음 중 이 환자에게 적절한 처치를 모두 고르시오.

(가) 항콜린성 제제
(나) α-adrenergics 투여
(다) 행동치료
(라) 방광목걸이 수술

① 가, 나, 다 ② 가, 다
③ 나, 라 ④ 라
⑤ 가, 나, 다, 라

27
정답 ②
해설
절박성 요실금의 치료
1. 생활양식의 변화
2. 물리치료
 a. 골반저근 운동(pelvic floor muscle training)
 b. 전기자극 치료
 c. 바이오피드백(biofeedback)
3. 행동치료와 방광훈련
4. 약물 치료 : Anticholinergic agent
5. 수술적 치료
 a. 행동요법, 약물치료에 실패한 경우 시행
 b. 보툴리늄톡신(botulinum toxin)
 c. 음부신경조절(pudendal nerve modulation)
 d. 방광확대 성형술(augmentation cystoplasty)

참고 *Final Check 부인과 283, 286 page*

28

50세 여성이 소변을 참지 못하고 화장실을 가는 도중 심한 요의와 함께 소변을 보곤 하였다. 이 환자에게 가장 적절한 치료는 무엇인가?

① Burch operation ② Sling operation
③ α-adrenergics ④ Anticholinergics
⑤ Bulking agents

28
정답 ④
해설
절박성 요실금의 치료
1. 생활양식의 변화
2. 물리치료
 a. 골반저근 운동(pelvic floor muscle training)
 b. 전기자극 치료
 c. 바이오피드백(biofeedback)
3. 행동치료와 방광훈련
4. 약물 치료 : Anticholinergic agent
5. 수술적 치료
 a. 행동요법, 약물치료에 실패한 경우 시행
 b. 보툴리늄톡신(botulinum toxin)
 c. 음부신경조절(pudendal nerve modulation)
 d. 방광확대 성형술(augmentation cystoplasty)

참고 *Final Check 부인과 283, 286 page*

29

요역동학 검사 결과가 아래 그림과 같다면 이 환자의 진단명은 무엇인가?

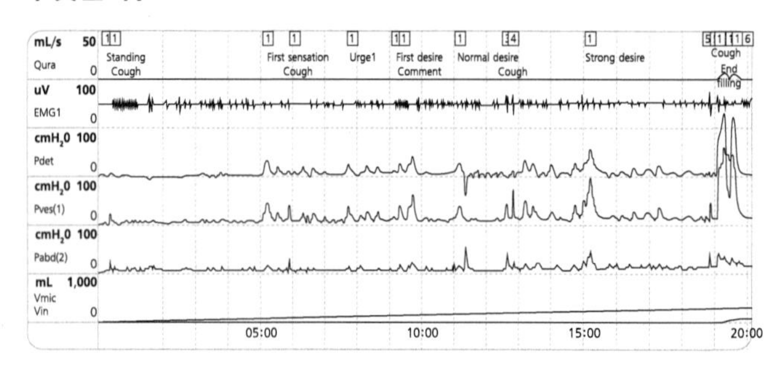

① Stress incontinence
② Extraurethral incontinence
③ Functional incontinence
④ Detrusor overactivity
⑤ Normal

29

정답 ④

해설

배뇨근 과활동(Detrusor overactivity)

1. 요역동학검사로 방광의 불수의적 수축이 객관적으로 확인된 경우
2. 분류
   a. 특발성 배뇨근 과활동
   b. 신경인성 배뇨근 과활동

참고 *Final Check 부인과 272 page*

30

다음 그림의 소견에 맞는 설명이 아닌 것은 무엇인가?

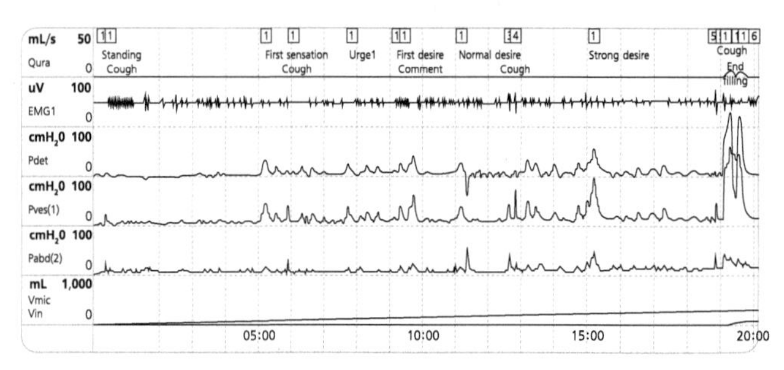

① 나이 든 여성에서 흔하다
② 행동치료가 효과적이지 않다
③ Imipramine, flavoxate등의 약물을 쓸 수 있다
④ 단독으로 있는 경우 bladder neck suspension은 금기이다
⑤ Stress incontinence와 동반하는 경우 많다

30

정답 ②

해설

절박성 요실금(Urgency urinary incontinence)

1. 고령여성에서 가장 흔한 형태의 요실금
2. 발생 기전 : Detrusor overactivity로 인한 incontinence
3. 약물 치료 : Anticholinergic agent

참고 *Final Check 부인과 272, 284 page*

31

야간뇨, 절박뇨, 빈뇨가 있는 60대 여성이 내원하였다. 이 환자에서 가장 먼저 선택해야 할 치료법은 무엇인가?

① Bladder exercise
② Neuromodulation
③ Pessary
④ Sling operation
⑤ Anticholinergic drug

31

정답 ①

해설

요실금의 행동치료와 방광훈련

1. 방광훈련
   a. 배뇨 욕구를 조절하는 훈련
   b. 골반저근 운동을 함으로써 절박뇨 증상을 억제하여 배뇨 간격을 늘려가는 방법
   c. 과민성 방광에서 일차적 치료 방법
   d. 규칙적 화장실 방문이 중요
2. 행동치료 : 방광의 자발적 조절 개선

참고 *Final Check 부인과 283 page*

32

Cooper's ligament를 이용한 transabdominal urethropexy는?

① Burch colposuspension
② Marshall-Marchetti-Krantz operation
③ Turner-Warwick vagino-obturator shelf procedure
④ Raz operation
⑤ Gittes operation

32

정답 ①

해설

복식 Burch 수술법

1. 요도와 방광목의 과운동성를 교정하는 방법
2. 치골결합위 부위에 10 cm 가량 횡절개 후 방광주변공간과 질주변 근막을 노출한 뒤 요도방광접합부의 2 cm로부터 전질벽을 2~3바늘 떠서 영구봉합사를 이용해 쿠퍼인대에 봉합

참고 *Final Check 부인과 285 page*

33

Bruch operation할 때 enterocele을 예방하기 위한 방법을 서술하시오.

33

정답

1. 자궁천골인대걸기 (uterosacral ligament suspension)
2. 증상이 있는 직장류의 교정
3. 골반강성형술(culdoplasty)

해설

Burch 수술 중 탈장(enterocele)의 예방조치

1. 자궁천골인대걸기 (uterosacral ligament suspension)
2. 증상이 있는 직장류의 교정
3. 골반강성형술(culdoplasty)

참고 *Final Check 부인과 285 page*

34

45세 여자가 1년 전부터 1~2시간마다 소변을 본다는 주소로 내원하였다. 소변을 참으면 아랫배가 아프지만 소변을 보면 통증이 감소하였고, 골반 초음파와 소변검사상 특이소견은 없었다. 방광경이 아래와 같은 소견을 보였다면 이 환자의 진단명으로 가장 적절한 것을 고르시오.

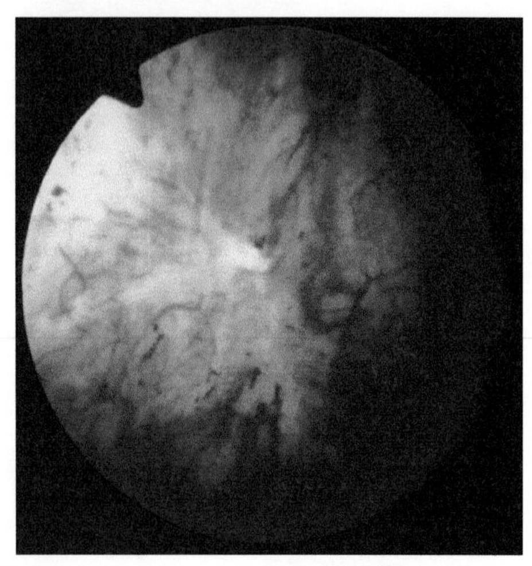

① 방광 종양
② 과민성 방광
③ 급성 방광염
④ 심인성 방광
⑤ 간질성 방광염

정답 ⑤

해설

간질성 방광염(Interstitial cystitis)

1. 다른 명백한 원인 없이 방광충만과 연관된 치골 상부 통증이 나타나고, 주간 빈뇨, 야간뇨, 절박뇨 등을 흔하게 동반하는 질환
2. 방광경(cystoscopy) 소견
   a. 방광 내 압력이 증가하면 혈관의 감소
   b. 궤양성 병변(Hunner lesion), 반점 출혈

참고 *Final Check 부인과 288 page*

CHAPTER 18

골반장기탈출증(Pelvic organ prolapse)

01

골반바닥의 근육 중 대변과 소변을 참을 수 있게 해주며 복압 증가 시 수축작용을 일으켜 골반부의 복압 전달을 감소시켜 주는 역할을 하는 근육은 무엇인가?

① Pubococcygeus muscle

② Iliococcygeus muscle

③ Coccygeus muscle

④ Piriformis muscle

⑤ Obturator internus muscle

01

정답 ①

해설

Pubococcygeus muscle

1. 대, 소변을 참을 수 있게 함
2. 복압 증가 시 수축작용을 일으켜 골반부의 복압 전달을 감소시켜 주는 역할

참고 *Final Check 부인과 294 page*

02

골반장기탈출증과 관련된 해부학적 구조물을 모두 고르시오.

(가) Cardinal ligament
(나) Levator ani muscle
(다) Uterosacral ligament
(라) Pubocervical musculoconnective tissue

① 가, 나, 다　　② 가, 다

③ 나, 라　　④ 라

⑤ 가, 나, 다, 라

02

정답 ⑤

해설

Pelvic floor의 구조

1. Peritoneum
2. Endopelvic fascia or connective tissue
3. Pelvic diaphragm
   a. Levator ani muscle
   b. Coccygeus muscle
4. Urogenital diaphragm
   a. Deep transverse perineal muscle
   b. Sphincter urethrae muscle
5. Perineal muscle

참고 *Final Check 부인과 291 page*

03

골반바닥이 늘어나면 방광류, 직장류, 자궁탈출증 등이 동반될 수 있다. 이 경우 환자가 느낄 수 있는 증상을 모두 고르시오.

(가) 배뇨장애
(나) 배변장애
(다) 지속적인 복압성 요실금
(라) 요통

① 가, 나, 다
② 가, 다
③ 나, 라
④ 라
⑤ 가, 나, 다, 라

03
정답 ⑤
해설
골반장기탈출증의 증상
1. 질 부위 돌출감, 질에서 만져지는 덩어리
2. 하부요로증상 : 빈뇨, 절박뇨, 배뇨장애
3. 질 부위 하중감, 이물감 및 불편감, 하부 요통
4. 배변 증상(변비, 설사, 잔변감, 변실금)
5. 많은 여성에서 복압성 요실금을 동반

참고 *Final Check 부인과 295 page*

04

골반이완증의 유발인자가 아닌 것은 무엇인가?

① 고령
② 천식
③ 자궁내막증
④ 무거운 짐 들기
⑤ 여러 번의 질 분만

04
정답 ③
해설
골반장기탈출증의 발생 원인
1. 골반바닥의 지지층이 선천적 혹은 후천적으로 약해 있거나 손상을 받은 경우 발생
2. 골반바닥 지지기능에 영향을 주는 요인
   a. 질식분만, 자궁절제술, 만성적 복압 상승 상황, 노화, 결체조직 이상 혹은 손상 등
   b. Levator ani m.의 이상 유발로 탈출증 발생

참고 *Final Check 부인과 295 page*

05

방광류(cystocele)는 어느 것의 결손으로 유발되는 것인지 고르시오.

① Pubocervical musculoconnective tissue
② Cardinal ligament
③ Broad ligament
④ Pararectal fascia
⑤ Uterosacral ligament

05
정답 ①
해설
방광류(Cystocele)
1. 질 전벽을 통해 방광이 이탈하는 것
2. Pubocervical musculoconnective tissue 약화

참고 *Final Check 부인과 292 page*

06

다음 중 방광류(cystocele)와 직장류(rectocele)의 가장 흔한 원인은 무엇인가?

① 산과적 손상　② 선천적 결손
③ 기구에 의한 손상　④ 골반염
⑤ 방사선에 의한 손상

07

골반장기탈출증에서 POP-Q test 시행 시 검사 항목의 개수는 모두 몇 개인가?

① 6개　② 7개
③ 8개　④ 9개
⑤ 10개

06

정답 ①

해설

골반장기탈출증의 발생 원인

1. 골반바닥의 지지층이 선천적 혹은 후천적으로 약해 있거나 손상을 받은 경우 발생
2. 골반바닥 지지기능에 영향을 주는 요인
   a. 질식분만, 자궁절제술, 만성적 복압 상승 상황, 노화, 결체조직 이상 혹은 손상 등
   b. Levator ani m.의 이상 유발로 탈출증 발생

참고 *Final Check 부인과 295 page*

07

정답 ④

해설

POP-Q 표준화체계

Point	Description
Aa	외요도 내측 3 cm에 위치하는 질 전벽 기준점
Ba	질 전벽 중 가장 많이 탈출되어 돌출된 부위
C	자궁경부나 질원개(vaginal vault)의 위치
D	자궁절제술을 하지 않은 경우 후원개의 위치
Ap	처녀막 내측 3 cm에 위치하는 질 후벽 기준점
Bp	질 후벽 중 가장 많이 탈출되어 돌출된 부위
gh	외요도구 중간부터 처녀막 후방중심까지 길이
pb	회음체의 길이
tvl	질 전체의 길이(total vaginal length)

참고 *Final Check 부인과 296 page*

08

60세 여성이 자궁탈출증을 주소로 내원하였다. 직장류 3기, 자궁탈출 1기, 방광류 1기로 확인되었다면 검사상 확인될 수 있는 수치로 옳은 것을 고르시오.

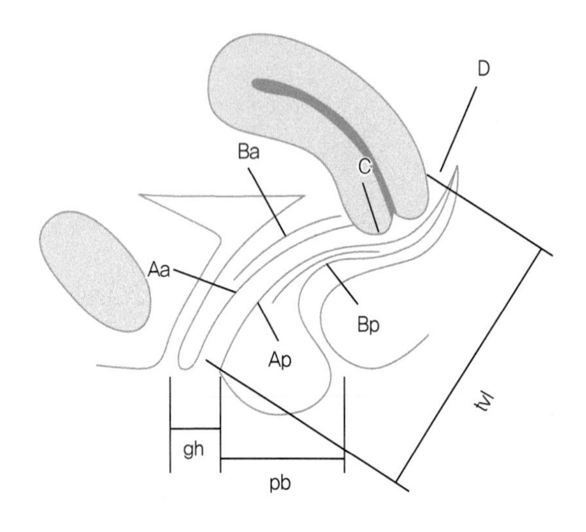

① Aa = +2　　② Ap = +2

③ Ba = +1　　④ Bp = +1

⑤ C = 0

08

정답 ④

해설

POP-Q 표준화체계

Point	Description
Aa	외요도 내측 3 cm에 위치하는 질 전벽 기준점
Ba	질 전벽 중 가장 많이 탈출되어 돌출된 부위
C	자궁경부나 질원개(vaginal vault)의 위치
D	자궁절제술을 하지 않은 경우 후원개의 위치
Ap	처녀막 내측 3 cm에 위치하는 질 후벽 기준점
Bp	질 후벽 중 가장 많이 탈출되어 돌출된 부위
gh	외요도구 중간부터 처녀막 후방중심까지 길이
pb	회음체의 길이
tvl	질 전체의 길이(total vaginal length)

참고 *Final Check 부인과 296 page*

09

POP-Q test에서 Ap에 대해 설명하시오.

09

정답

처녀막에서 내측으로 3 cm에 위치하는 질 후벽의 기준점

참고 *Final Check 부인과 296 page*

10

골반장기탈출증 환자에게 힘을 주게 했을 때 자궁경부가 처녀막까지 내려오는 경우 맞는 진단명을 고르시오.

① 1도 탈출증 ② 2도 탈출증
③ 3도 탈출증 ④ 4도 탈출증
⑤ 5도 탈출증

10

정답 ②

해설

골반장기탈출증의 등급(Stage)

Stage	위치
Stage 0	탈출증이 없는 경우
Stage I	탈출증의 말단부가 처녀막의 1 cm 이상 상방에 위치하는 경우
Stage II	탈출증의 말단부가 처녀막의 상방 1 cm에서 하방 1 cm 사이에 위치하는 경우
Stage III	탈출증의 말단부가 처녀막의 하방 1 cm 이내이나 (전체 질 길이 –2 cm)보다는 덜 탈출된 경우
Stage IV	질의 완전외번 탈출증의 말단부가 (전체 질길이 – 2 cm) 보다 더 탈출된 경우

참고 *Final Check 부인과 296 page*

11

75세 여성이 자궁경부가 질 밖으로 탈출하여 내원하였다. 환자는 기관지 천식과 콩팥 기능상실로 치료 중이었다면 가장 적절한 치료 방법은 무엇인가?

① 에스트로겐 크림 도포 ② 페서리 삽입
③ 질 폐쇄술 ④ 자궁 고정술
⑤ 자궁경부절제술

11

정답 ②

해설

페서리(Pessary)의 적응증

1. 수술을 원치 않는 환자
2. 다른 질환으로 수술을 할 수 없는 환자
3. 출산 후 발생한 탈출증의 일시적인 경감을 필요로 하는 환자

참고 *Final Check 부인과 297 page*

12

심근경색과 만성 폐쇄성 폐질환으로 내과적 치료 중인 70세 여성이 소변을 보기 힘들어 내원하였다. 10년 전부터 자궁탈출증이 있었고, 최근 1년 전부터 더 심해졌다고 한다. 진찰소견상 stage IV prolapse로 확인되었다면 가장 적절한 치료 방법을 고르시오.

① 케겔 운동 ② 예방적 항생제 치료
③ 페서리 삽입 ④ 자궁경부절제술
⑤ 질식 자궁절제술

12

정답 ③

해설

페서리(Pessary)의 적응증

1. 수술을 원치 않는 환자
2. 다른 질환으로 수술을 할 수 없는 환자
3. 출산 후 발생한 탈출증의 일시적인 경감을 필요로 하는 환자

참고 *Final Check 부인과 297 page*

13

42세 여성이 질 충만감과 간헐적인 복부 통증 및 긴장성 요실금을 주소로 내원하였다. 시행한 소변 검사는 정상이었으나 골반내진상 방광류(cystocele)가 관찰되었다. 이 환자에게 가장 적절한 치료는 무엇인가?

① 에스트로겐 요법(estrogen therapy)

② 질식 테이프술(TVT)

③ 질전벽협축술(anterior vaginal colporrhaphy)

④ 질폐쇄술(colpocleisis)

⑤ 질식 자궁절제술(vaginal hysterectomy)

14

55세 여성이 3개월 전부터 발생한 회음부의 이물감 및 배뇨곤란을 주소로 내원하였다. 과거력상 자궁탈출증으로 5년 전에 질식 자궁절제술과 질의 전, 후벽 교정술(A-P repair), 회음부 성형술(perineorrhaphy)을 시행 받았다. 기립자세에서 복부에 압력을 가한 후 직장 및 질부를 통해서 동시에 시행한 수지 검사 결과는 그림과 같다. 가장 적합한 진단명은 무엇인가?

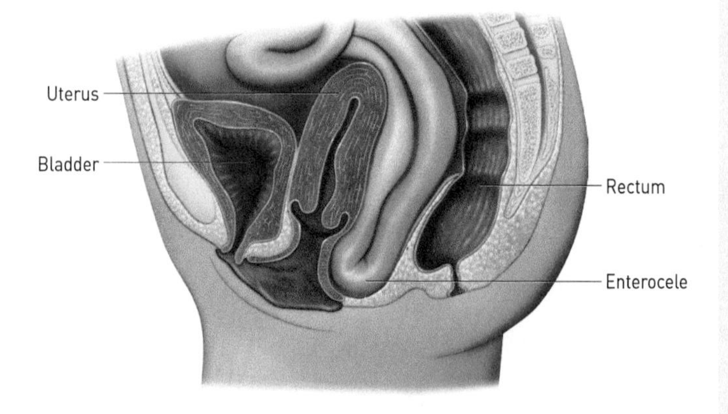

① Cystocele

② Rectocele

③ Urethral diverticulum

④ Recto-vaginal fistula

⑤ Enterocele

13

정답 ③

해설

질전벽협축술(Anterior vaginal colporrhaphy)

1. 전방질탈출, 방광류 교정
2. 최근 재발을 줄이기 위하여 합성그물 사용

참고 *Final Check 부인과 302 page*

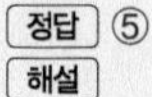

14

정답 ⑤

해설

탈장(Enterocele)

1. 복막과 소장이 질강을 통해 탈출하는 것
2. Uterosacral lig.와 rectovaginal space에 발생
3. 이전 자궁절제술 부위에서 발생 호발

참고 *Final Check 부인과 293 page*

15

임신력 5-0-0-5인 58세 여성이 최근 발생한 아랫배 불편감, 골반통, 성관계 시 불편감, 우울감 등을 주소로 내원하였다. 아래 사진과 같이 진찰 시 힘주면 내려오는 덩이가 보였다. 다음 중 이 여성에게 가장 적절한 치료를 고르시오.

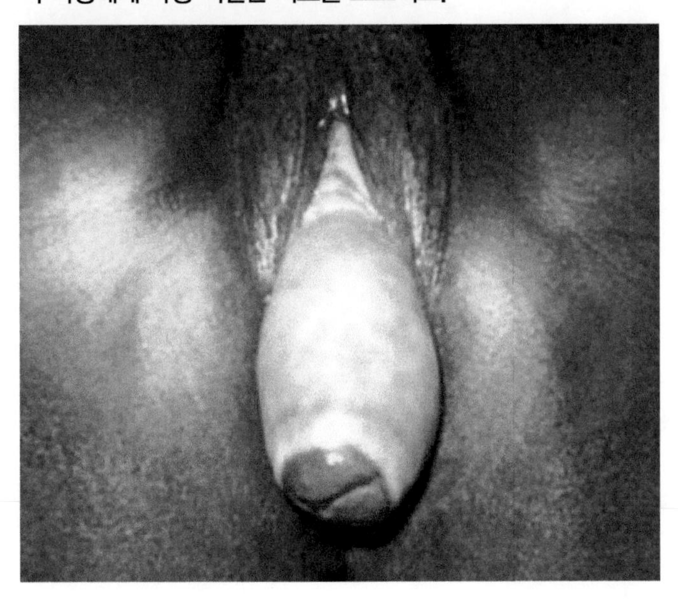

① Estrogen cream　② Kegel's exercise
③ Sling operation　④ Sacrocolpopexy
⑤ Vaginal obliterative procedures

15

정답 ④

해설

천골질고정술(Sacrocolpopexy)의 적응증

1. 상대적으로 짧은 질의 탈출증
2. 질원개탈출증
3. 건강하고 성적으로 활발한 여성

참고 *Final Check 부인과 301 page*

16

질원개탈출증(vaginal vault prolapsed) 환자가 성생활을 원한다면 가장 좋은 방법은 무엇인가?

① Pessary
② Transabdominal sacrocolpopexy
③ Colpectomy
④ Manchester/Fothergill operation
⑤ Anterior vaginal colporrhaphy

16

정답 ②

해설

천골질고정술(Sacrocolpopexy)의 적응증

1. 상대적으로 짧은 질의 탈출증
2. 질원개탈출증
3. 건강하고 성적으로 활발한 여성

참고 *Final Check 부인과 301 page*

17

자궁절제술 후 질원개 탈출증이 발생했을 때 향후 성생활을 원하는 환자에게 가장 효과적인 치료 방법은 무엇인가?

① Manchester operation

② Pessary

③ Colpocleisis

④ Sacrocolpopexy

⑤ Anterior vaginal colporrhaphy

17

정답 ④

해설

천골질고정술(Sacrocolpopexy)의 적응증

1. 상대적으로 짧은 질의 탈출증
2. 질원개탈출증
3. 건강하고 성적으로 활발한 여성

참고 *Final Check 부인과 301 page*

18

다음 시술 시 유의해야 할 해부학적 구조물은 무엇인가?

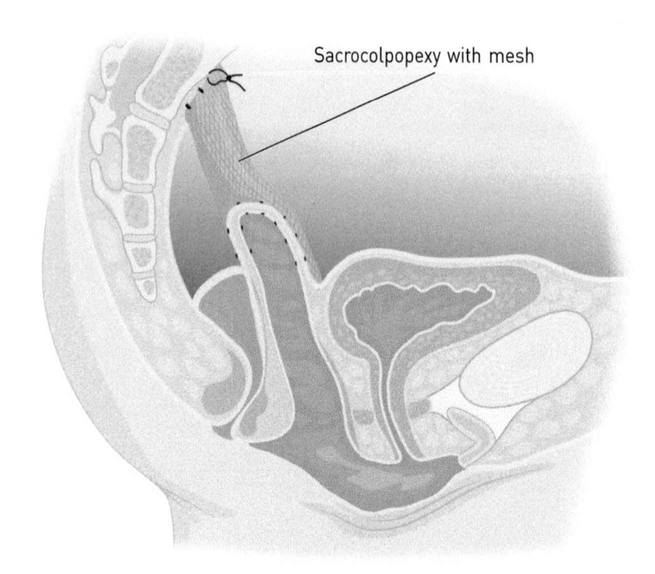

① Inferior epigastric artery ② Inferior gluteal artery

③ Middle rectal artery ④ Internal pudendal artery

⑤ Middle sacral artery

18

정답 ⑤

해설

천골질고정술(Sacrocolpopexy)의 합병증

1. 출혈 : Presacral venous plexus 또는 middle sacral artery 손상이 가장 심각한 합병증
2. 요관 손상(ureteral injury)
3. 이식물 미란(graft erosion)

참고 *Final Check 부인과 301 page*

19

자궁탈출증 환자에게 다음 시술 시 주의해야 할 혈관을 고르시오.

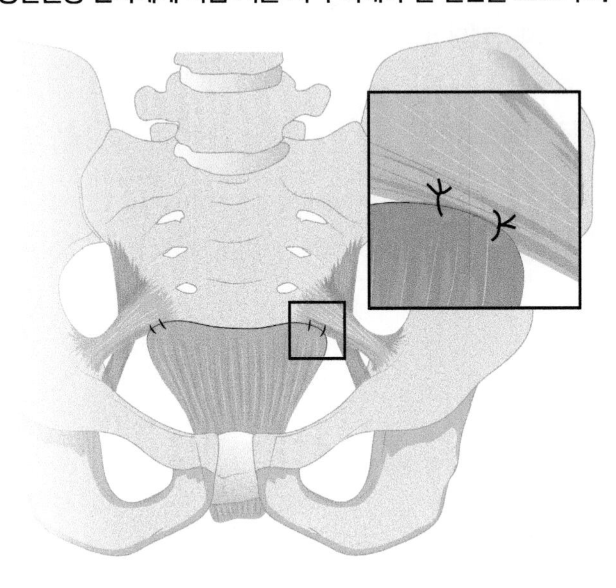

① Uterine artery
② Ovarian artery
③ Middle sacral artery
④ Internal pudendal artery
⑤ Inferior gluteal artery

19

정답 ④

해설

Sacrospinous suspension의 주의점

1. 인대를 적절히 노출시키는데 상대적 어려움
2. 고정부위를 향한 부자연스러운 측면 질 편향
3. 질 길이 손상된 경우 과도 긴장 유발 가능성
4. 좌골신경(sciatic nerve) 또는 음부신경(pudendal nerve) 또는 혈관 손상 위험

참고 *Final Check 부인과 299 page*

20

70세 여성이 회음부에 만져지는 종물을 주소로 내원하였다. 임신력 7-0-5-7, 심한 고혈압과 당뇨가 있으며 자궁체부가 질 밖으로 돌출되었다. 환자는 보행 시 불편을 호소하였고, 자궁경부에는 궤양이 형성되어 있었다면 가장 좋은 치료는 무엇인가?

① Colpocleisis
② Cervix amputation
③ Kegel's exercise
④ Pessary
⑤ Vaginal cone

20

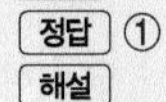 ①

해설

질폐쇄술(Colpocleisis)

1. 질을 제거하고 봉합하는 방법
2. 성생활을 하지 않는 고령 여성에서 골반장기탈출증의 효과적인 수술적 치료법
3. 심각한 이환율 증가 없이 탈출증 증상 완화

참고 *Final Check 부인과 304 page*

21

30년 전 개복 자궁절제술을 시행 받은 거동이 불편한 83세 여성이 완전 자궁탈출증 소견을 주소로 내원하였다. 다음 중 이 환자에게 가장 적절한 수술은 무엇인가?

① Colpocleisis
② Abdominal sacrocolpopexy
③ Manchester operation
④ Paravaginal defect repair
⑤ Posterior colporrhaphy

21

 ①

질폐쇄술(Colpocleisis)

1. 질을 제거하고 봉합하는 방법
2. 성생활을 하지 않는 고령 여성에서 골반장기탈출증의 효과적인 수술적 치료법
3. 심각한 이환율 증가 없이 탈출증 증상 완화

참고 *Final Check 부인과 304 page*

22

80세 여자가 자궁탈출증을 주소로 내원하였다. 검사상 외음부의 자궁탈출증 이외에 별다른 이상 소견은 보이지 않았다. 이 환자에게 가장 적절한 치료를 고르시오.

① Colpocleisis
② Vaginal cone
③ Kegel's exercise
④ Manchester operation
⑤ Abdominal sacrocolpopexy

22

정답 ①

해설

질폐쇄술(Colpocleisis)

1. 질을 제거하고 봉합하는 방법
2. 성생활을 하지 않는 고령 여성에서 골반장기탈출증의 효과적인 수술적 치료법
3. 심각한 이환율 증가 없이 탈출증 증상 완화

참고 *Final Check 부인과 304 page*

23

40세에 자궁절제술을 받고 이후 성생활이 없던 80세 여자가 5년 전부터 질에서 주먹만한 덩이가 만져지고 보행이 불편하여 내원하였다. 검진상 질원개탈출증이 확인되었고, POP-Q Stage IV였다. 이 여성에게 가장 적절한 치료는 무엇인가?

① Anterior colporrhaphy
② Posterior colporrhaphy
③ McCall culdoplasty
④ Total colpocleisis
⑤ Urethral sling

23

정답 ④

해설

질폐쇄술(Colpocleisis)

1. 질을 제거하고 봉합하는 방법
2. 성생활을 하지 않는 고령 여성에서 골반장기탈출증의 효과적인 수술적 치료법
3. 심각한 이환율 증가 없이 탈출증 증상 완화

참고 *Final Check 부인과 304 page*

24

65세 여자가 2달 전 질원개탈출증으로 mesh를 이용한 수술을 받았다. 일주일 전 남편과 성관계 도중 남편이 통증을 느껴 내원하였고 mesh 한 가닥이 3 mm 정도 질벽에 돌출되어 있었다. 다음 중 올바른 처치는 무엇인가?

① 정기적 관찰

② 광범위 항생제 치료 시행

③ Estrogen 경구 복용

④ 광범위하게 mesh 제거 후 질벽 봉합술 시행

⑤ Mesh 끝 부분만 제거한 후 estrogen cream 도포

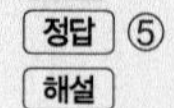

24

정답 ⑤

해설

질벽에 mesh가 돌출되어 있을 경우

1. Mesh 제거 후 estrogen cream 도포
2. 깨끗한 상처 : 노출 mesh 부분절제 후 봉합
3. 염증성 상처 : 최대한 mesh 전절제 후 봉합

참고 *Final Check 부인과 301 page*

CHAPTER 19

사춘기(Puberty)

01

사춘기 발달에 관한 다음 설명 중 맞는 것은 무엇인가?

① 여성에서 음모가 유방 발달보다 선행한다

② 여성에서 최대 성장 속도보다 초경이 선행한다

③ 사춘기의 완성은 약 2년이 걸린다

④ 남성에서는 음경 발달이 성장 가속보다 앞선다

⑤ 남성이 여성보다 사춘기가 빠르다

01

정답 ④

해설

사춘기 발달의 순서

1. 여성 : Accelerated growth → Breast budding → Pubic hair → Axillary hair → Peak growth velocity → Menarche → ovulation
2. 남성 : Testis enlargement → Pubic hair → Penile growth → Accelerated growth

참고 *Final Check 부인과 311 page*

02

다음 중 여아의 사춘기 발달 중 가장 먼저 나타나는 것은 무엇인가?

① Pubic hair　　② Axillary hair

③ Breast budding　　④ Menstruation

⑤ Peak growth velocity

02

정답 ③

해설

사춘기 발달의 순서

1. 여성 : Accelerated growth → Breast budding → Pubic hair → Axillary hair → Peak growth velocity → Menarche → ovulation
2. 남성 : Testis enlargement → Pubic hair → Penile growth → Accelerated growth

참고 *Final Check 부인과 311 page*

03

다음 여성의 사춘기 발달 과정 중 가장 먼저 나타나는 것은 무엇인가?

① 초경　② 액와모
③ 유륜 증가　④ 치모
⑤ 최대 성장 속도

04

사춘기 시작에 대한 올바른 설명을 모두 고르시오.

(가) 유전적으로 결정된다
(나) 첫 번째 인지 가능한 신체적 변화는 유방 봉우리 형성(breast budding)이다
(다) 환경적인 영향을 받는다
(라) 혈중 leptin치는 소아기 동안 증가한다

① 가, 나, 다　② 가, 다
③ 나, 라　④ 라
⑤ 가, 나, 다, 라

03

정답 ③

해설

사춘기 발달의 순서

1. 여성 : Accelerated growth → Breast budding → Pubic hair → Axillary hair → Peak growth velocity → Menarche → ovulation
2. Tanner 발달단계

단계	유방의 발달	음모의 발달
1단계	유두만 돌출	음모 없음
2단계	유방과 유두 상승 유륜이 커짐	대음순 내측경계에 약간 발생
3단계	유방, 유륜이 더 커지지만 윤곽 차이 없음	짙어지고 곱슬해지며 두덩이에도 발생
4단계	유륜과 유두가 유방 위로 이차 융기	거칠고 곱슬곱슬한 음모가 발달
5단계	유두 돌출, 유륜 퇴거 성숙한 유방모습	삼각형으로 분포 성인 유형 완성

참고 *Final Check 부인과 308, 311 page*

04

정답 ⑤

해설

사춘기 시작에 영향을 미치는 요소

1. 유전인자 : 가계, 종족, 인종 간 고유한 특성
2. 비만 여성 : 이른 초경
3. 저체중 또는 운동선수 : 초경 지연
4. 도시, 적도부근, 낮은 고도 지역 : 이른 초경
5. 환경호르몬, 스트레스
6. 렙틴(leptin) : 체질량지수와 강한 연관성을 보이며 소아기 동안 증가

참고 *Final Check 부인과 307 page*

05

사춘기 발달 중 호르몬에 대한 설명으로 맞는 것을 모두 고르시오.

(가) Estrogen positive feedback의 증가
(나) LH 분비가 FSH보다 더 증가
(다) DHEA 분비 증가
(라) 사춘기 진행되면서 estradiol에 비해 estrone의 분비 증가

① 가, 나, 다
② 가, 다
③ 나, 라
④ 라
⑤ 가, 나, 다, 라

06

사춘기 여성의 신체 변화 중 옳은 것을 고르시오.

① 초경 직후의 유방 봉오리(bud)를 형성한다
② 유방 발달은 progesterone에 의한다
③ 음모 발현은 progesterone에 의한다
④ Estrogen이 여성의 질 분비를 증가시킨다
⑤ 성장 급증은 초경이 있은 후 약 2년 후에 초래된다

07

사춘기 변화 중 부신의 androgen 분비와 관계가 깊은 것은 무엇인가?

① Menarche
② Breast development
③ Pubarche
④ Bone growth
⑤ Uterine growth

05

정답 ①

해설

사춘기 동안의 호르몬 변화

1. Estrogen positive feedback의 증가
2. LH/FSH 비율이 증가
3. DHEA, DHEAS : 6~7세부터 13~15세까지 증가
4. 사춘기가 진행되면서 E1 2배, E2 10배 증가

참고 *Final Check 부인과 310 page*

06

정답 ④

해설

사춘기 신체발달과 호르몬

시기	역할	증가 호르몬	연령
Adrenarche	부신피질기능항진 → 안드로겐 증가	Androgen	7~8
Gonadrache	생식샘 기능 시작 → GnRH 증가 → LH, FSH 박동성 분비	LH, FSH	10
Thelarch	유방 발달의 시작	Estrogen	10
Pubarche	음모, 액모 발달	Androgen	10.5
Menarche	초경 → 월경시작	Estrogen	12.5

참고 *Final Check 부인과 310 page*

07

정답 ③

해설

부신사춘기(adrenarche, pubarche)

1. 부신 androgen 생성 증가
2. 음모와 액모가 성장하는 시기
3. 발생기전
   a. 부신 피질의 망상대는 출생 후 위축
   b. 망상대 재성장과 분화로 피질기능 항진
   c. DHEA, DHEAS, ADD가 6~15세까지 증가

참고 *Final Check 부인과 310 page*

08

다음 중 비동시성 사춘기(asynchronous puberty) 발달을 보이는 것은 무엇인가?

① Turner syndrome

② Constitutional delay

③ Mullerian agenesis

④ Androgen insensitivity syndrome

⑤ Isolated gonadotropin deficiency

08

정답 ④

해설

비동시성 사춘기(Asynchronous puberty)

1. 정상 발달 양상에서 벗어난 사춘기 발달
2. Androgen insensitivity synd. : 가장 흔한 원인

참고 *Final Check 부인과 323 page*

09

여성의 성조숙증(precocious puberty)을 일으키는 가장 흔한 원인은 무엇인가?

① Idiopathic precocious puberty

② McCune-Albright syndrome

③ Feminizing ovarian tumor

④ Pineal tumor

⑤ Polycystic ovary syndrome

09

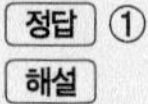

정답 ①

해설

특발성(Idiopathic) 성조숙증

1. 뇌 병변이 발견되지 않는 진성 성조숙증
2. 특성
   a. 여아 성조숙증의 대부분(약 90%)을 차지
   b. 호발연령 : 6~8세 사이
   c. 성조숙의 진행 속도는 다양
   d. 뇌 병변에 의한 경우보다는 느린 편

참고 *Final Check 부인과 312 page*

10

성조숙증의 진단을 위한 검사가 아닌 것은 고르시오.

① 갑상선기능검사　② GnRH 자극 검사

③ 두부 자기공명촬영술　④ 골연령 측정

⑤ 핵형 검사

10

정답 ⑤

해설

성조숙증의 검사

기본 검사	추가 검사
– 문진 – 이학적 검사 – 질 상피 세포도말검사 – 골연령(bone age) 측정	– 초음파 검사 – 기저 혈청 호르몬검사 (LH, FSH, E2, TSH, hCG, DHEAS, testosterone, 17-OHP 등) – GnRH 자극 검사 – 뇌의 진단 영상학적 검사

참고 *Final Check 부인과 317 page*

11

7세 여아가 유방 및 치모가 발달한다며 엄마와 내원하였다. 다음으로 시행할 검사로 적절하지 않은 것을 고르시오.

① Bone age
② Gonadotropin
③ FSH
④ Estrone
⑤ TSH

11

정답 ④

해설

성조숙증의 검사

기본 검사	추가 검사
– 문진 – 이학적 검사 – 질 상피 세포도말검사 – 골연령(bone age) 측정	– 초음파 검사 – 기저 혈청 호르몬검사 (LH, FSH, E2, TSH, hCG, DHEAS, testosterone, 17-OHP 등) – GnRH 자극 검사 – 뇌의 진단 영상학적 검사

참고 *Final Check 부인과 317 page*

12

7세 여아가 유방 발육, 음모, 액와모의 발생, 질 출혈을 주소로 내원하였다. 진단을 위해 필요한 검사를 모두 고르시오.

(가) TSH
(나) Pelvic ultrasonography
(다) GnRH 자극 검사
(라) Brain CT

① 가, 나, 다
② 가, 다
③ 나, 라
④ 라
⑤ 가, 나, 다, 라

12

정답 ⑤

해설

성조숙증의 검사

기본 검사	추가 검사
– 문진 – 이학적 검사 – 질 상피 세포도말검사 – 골연령(bone age) 측정	– 초음파 검사 – 기저 혈청 호르몬검사 (LH, FSH, E2, TSH, hCG, DHEAS, testosterone, 17-OHP 등) – GnRH 자극 검사 – 뇌의 진단 영상학적 검사

참고 *Final Check 부인과 317 page*

13

뇌하수체 종양으로 수술 병력 있는 6세 여아가 검사를 위해 내원하였다. 검사결과가 아래와 같다면 다음 처치로 가장 적절한 것을 고르시오.

- FSH : 1.7 μU/mL
- LH : 2.5 μU/mL
- 골연령(bone age) : 12세

① GnRH agonist ② Estrogen
③ Growth hormone ④ Progesterone
⑤ Bisphosphonate

14

다음은 사춘기의 발달에 관한 내용으로 옳은 것을 모두 고르시오.

(가) 사춘기의 음모와 액와모 발달에 관여하는 호르몬은 adrenal androgen이다
(나) 여성에서 성조숙증 중 가장 흔한 것은 특발성 성조숙증이다
(다) 사춘기 소녀의 이차성징 중 가장 처음 나타나는 것은 유방 확대이다
(라) 16세까지 이차성징이 없을 때 지연 사춘기라 정의한다

① 가, 나, 다 ② 가, 다
③ 나, 라 ④ 라
⑤ 가, 나, 다, 라

13

정답 ①

해설

진성 성조숙증(True precocious puberty) 치료

1. 프로게스테론 제제
   a. MPA, Cyproterone acetate
   b. gonadotropin 분비, 난소 steroid 생성 억제
   c. 키의 결손을 막는 데는 효과가 적음
2. GnRH 작용제
   a. 진성 성조숙증 치료의 일차선택제제
   b. GnRH 수용체의 하향조절과 탈민감을 초래
   c. Gonadotropin 분비를 극도로 억제
   d. 다른 진성 성조숙증에도 치료 효과

참고 *Final Check 부인과 318 page*

14

정답 ①

해설

사춘기 지연(Delayed puberty)

1. 사춘기 평균 시작 연령에서 2배의 표준편차를 지나도록 이차성징이 나타나지 않는 상태
2. 13세까지 2차 성징이 발현되지 않는 경우
3. 16세까지 초경이 발현되지 않는 경우
4. 사춘기 시작 5년 후에도 초경이 없는 경우

참고 *Final Check 부인과 311 page*

15

18세 여자가 무월경을 주소로 내원하였다. 검사 소견은 아래와 같았고, 환자의 어머니는 환자가 생후 첫 3년은 정상 성장을 보이다가 이후 성장 속도가 점차 감소되었다고 하였다. 다음 중 가장 가능성이 높은 염색체 핵형은 무엇인가?

- Tanner 발달단계 : 1단계
- 외부 생식기 : 여성
- 신장 : 3백분위수 이하
- 골연령 : 16세

① 45,X
② 46,XX
③ 47,XXY
④ 47,XXX
⑤ 48,XXXY

15
정답 ①
해설
터너증후군(Turner syndrome)의 핵형
1. 45,X(가장 흔한 핵형, 60%)
2. X염색체 mosaicism (45,X/46,XX, 45,X;46,XY)
3. X염색체 단완(Xp) : 작은 키를 나타내는 부분
4. X염색체 장완(Xq) : 난소의 기능 담당

참고 *Final Check 부인과 321 page*

16

터너증후군(Turner syndrome)에서 작은 키의 원인 유전자로 생각되는 것은 무엇인가?

① Xp
② Xq
③ Y chromosome
④ 21p
⑤ 13q

16
정답 ①
해설
터너증후군(Turner syndrome)의 핵형
1. 45,X(가장 흔한 핵형, 60%)
2. X염색체 mosaicism (45,X/46,XX, 45,X;46,XY)
3. X염색체 단완(Xp) : 작은 키를 나타내는 부분
4. X염색체 장완(Xq) : 난소의 기능 담당

참고 *Final Check 부인과 321 page*

17

18세 여자가 일차성 무월경을 주소로 내원하였다. 검사상 FSH 80 μU/mL, 키가 작았으며, 지능은 정상일 때 가장 가능성이 높은 진단명은 무엇인가?

① Turner syndrome
② Down syndrome
③ Klinefelter syndrome
④ Swyer syndrome
⑤ Androgen insensitivity

17
정답 ①
해설
터너증후군(Turner syndrome)의 증상
1. 여성 외모(female appearance)
2. 흔적 생식샘(streak gonad), 성적 미숙
3. 작은 키, 신장 · 심장 · 갑상선질환, 당뇨 등
4. 정상 지능 : Klinefelter syndrome과의 차이점

참고 *Final Check 부인과 321 page*

18

터너증후군에 관한 설명으로 옳은 것을 모두 고르시오.

(가) 45,X/46,XX 핵형인 경우 정상적인 사춘기 발달 및 월경을 나타낼 수 있다
(나) 심장 및 신장의 기형이 동반될 수 있다
(다) 당뇨병 및 갑상선 질환이 동반될 수 있다
(라) 대부분 환자는 정상 지능을 지닌다

① 가, 나, 다
② 가, 다
③ 나, 라
④ 라
⑤ 가, 나, 다, 라

18

정답 ⑤

해설

터너증후군(Turner syndrome)의 증상

1. 여성 외모(female appearance)
2. 흔적 생식샘(streak gonad), 성적 미숙
3. 작은 키, 신장 · 심장 · 갑상선질환, 당뇨 등
4. 정상 지능 : Klinefelter syndrome과의 차이점

참고 *Final Check 부인과 321 page*

19

8세 여아가 키가 너무 작다고 상담을 위하여 내원하였다. 시행한 염색체 검사 결과 45,X로 확인되었다면 이 아이에게 가장 적절한 치료는 무엇인가?

① Prednisone 10 mg 매일 투여
② Conjugated estrogen 0.3 mg 매일 투여
③ MPA 5 mg 1~2개월마다 12개월 투여
④ Growth hormone 50 mg/kg/day 투여
⑤ 경과 관찰

19

정답 ④

해설

터너증후군(Turner syndrome)의 치료

1. 외인성 성장호르몬 : 성장을 위해 사용
2. 외인성 estrogen
   a. 성장호르몬 치료 종료 후 시작
   b. 치료 중 고혈압(d/t estrogen) 확인
3. 정서적, 신체적 변화에 대한 상담

참고 *Final Check 부인과 321 page*

20

순수 생식샘 발생장애(pure gonadal dysgenesis)가 있는 환자에서 estrogen 보충요법의 목적을 쓰시오.(2가지)

20

정답
1. 이차성징의 발현
2. 성숙 유지
3. 골다공증 예방

참고 *Final Check 부인과 322 page*

21

모호한 생식기(ambiguous genitalia)를 주소로 7세 여아가 엄마와 내원하였다. 혈액검사에서 hyponatremia가 확인되었고, 선천성 부신증식증(congenital adrenal hyperplasia)이 의심되었다. 다음 검사로 가장 적절한 것을 고르시오.

① Urine cortisol ② Serum ACTH
③ 17-OHP ④ Abdominal CT
⑤ Brain CT

21

정답 ③

해설

Congenital adrenal hyperplasia (CAH)의 진단
1. 아침 8시에 basal 17-OHP 측정
2. Synthetic ACTH IV 후 1시간 뒤 17-OHP 측정

참고 *Final Check 부인과 314 page*

22

다음 중 선천성 부신증식증 중 가장 많은 형태는 무엇인가?

① 3β-hydroxysteroid dehydrogenase deficiency
② 17α-hydroxylase deficiency
③ 21-hydroxylase deficiency
④ 11β-hydroxylase deficiency
⑤ 5α-hydroxylase deficiency

22

정답 ③

해설

Congenital adrenal hyperplasia의 type
1. 21-hydroxylase deficiency : 가장 흔한 형태
2. 11β-hydroxylase deficiency
3. 3β-hydroxysteroid dehydrogenase deficiency

참고 *Final Check 부인과 314 page*

23

사춘기 발달이상 분류와 질환의 연결이 맞는 것은 무엇인가?

① 지연성 사춘기 - McCune-Albright syndrome

② 진성 성조숙증 - Congenital adrenal hyperplasia

③ 동성 성조숙증 - PCOS

④ 이성 성조숙증 - Hyperthyroidism

⑤ 비동시성 사춘기 - Andorogen insensitivity

24

염색체 돌연변이 발생 시 저생식샘자극호르몬 생식샘저하증(Hypogonadotropic hypogonadism)을 유발할 수 있는 염색체는 무엇인가?

① KAL　② MUX

③ ERα　④ LHR

⑤ FSHR

23

정답 ⑤

해설

1. McCune-Albright 증후군 : 동성 성조숙증
2. CAH : 이성 성조숙증
3. Polycystic ovary syndrome : 이성 사춘기
4. Primary hypothyroidism : 동성 성조숙증
5. Androgen insensitivity : 비동시성 사춘기

참고 Final Check 부인과 313, 314, 320, 323 page

24

정답 ①

해설

Hypogonadotropic hypogonadism의 원인
– 생리적/체질적 지연
– 만성 질환(크론병, 천식, 염증성 장질환, 만성신부전 등)
– 신경성 식욕부진증
– 운동과 스트레스(육상선수, 발레리나)
– 종양(두개인두종, 배아종, 별아교세포종, 신경아교종 등)
– 유전자 돌연변이(KAL1, FGFR1, DAX1, PC1, GPR54)
– 유전적 질환(Kallman 증후군, Prader-Willi 증후군)
– 갑상샘기능저하증
– 쿠싱증후군

참고 Final Check 부인과 320 page

CHAPTER 20

무월경(Amenorrhea)

01

원발성 무월경(primary amenorrhea)의 정의로 옳은 것을 모두 고르시오.

(가) 이차성징이 보이지 않으면서 11세까지 월경이 없는 경우
(나) 이차성징을 보이지 않으면서 13세까지 월경이 없는 경우
(다) 이차성징을 보이면서 13세까지 월경이 없는 경우
(라) 이차성징을 보이면서 15세까지 월경이 없는 경우

① 가, 나, 다　② 가, 다
③ 나, 라　④ 라
⑤ 가, 나, 다, 라

01

정답 ③

해설

원발성 무월경(primary amenorrhea)

1. 이차성징의 발현이 없이 13세까지 초경이 없는 경우
2. 이차성징의 발현은 있으나 15세까지 초경이 없는 경우

참고 *Final Check 부인과 325 page*

02

만 14세 여학생이 원발성 무월경을 주소로 내원하였다. 신체검사에서 유방 발육과 음모 발현은 약간 있었으나 그 외에 특이 소견은 없었다. 복부 초음파 검사에서 자궁 및 부속기의 존재가 확인되었으며 혈청 난포자극호르몬(FSH) 농도는 정상이었다. 다음 중 가장 가능성 높은 진단은 무엇인가?

① 쿠싱증후군　② 체질적 초경 지연
③ 터너증후군　④ 클라인펠터증후군
⑤ 5α-reductase 결핍

02

정답 ②

해설

월경의 생리적 지연

1. Hypogonadotropic hypogonadism의 1st 원인
2. 원인 : GnRH pulse generator의 재가동 지연
3. GnRH의 농도
   a. 연령에 비해서는 부족
   b. 생리적 발달의 측면에서는 정상적
4. 골 연령은 지연, 대개 신장이 작음

참고 *Final Check 부인과 330 page*

03

15세 여자가 아직 초경이 없다며 내원하였다. 신체검사 소견은 아래와 같았고, 초음파상 자궁 및 난소는 정상이었다. 가장 가능성이 높은 진단명을 고르시오.

- 키 : 157 cm
- 몸무게 : 46 kg
- 유방 발육 : Tanner stage II
- 질 : 정상
- 혈액검사 : FSH, E2 정상

① 체질적 성장지연
② Tuner 증후군
③ Kallmann 증후군
④ Androgen insensitivity
⑤ MRKH 증후군

03

정답 ①

해설

월경의 생리적 지연

1. Hypogonadotropic hypogonadism의 1st 원인
2. 원인 : GnRH pulse generator의 재가동 지연
3. GnRH의 농도
   a. 연령에 비해서는 부족
   b. 생리적 발달의 측면에서는 정상적
4. 골 연령은 지연, 대개 신장이 작음

참고 *Final Check 부인과 330 page*

04

15세 여학생이 초경을 하지 않아 내원하였다. 초음파상 자궁 및 난소는 정상소견이었고, 신체검사상 가슴 Tanner stage II, 음모 Tanner stage II로 확인되었다. 이 환자의 다음 처치로 가장 적절한 것을 고르시오.

① 추적관찰
② FSH, LH 측정
③ Progesterone
④ Sella cone down view
⑤ Bone age 측정

04

정답 ①

해설

생리적 지연의 치료

1. 추적관찰
2. 시간이 지나면 정상적으로 발달함을 설명

참고 *Final Check 부인과 334 page*

05

13세에 초경 후 월경이 불규칙한 15세 여학생이 4개월 동안 월경이 없어 내원하였다. 유방 및 음모 발달은 Tanner stage IV로 확인되었고, 초음파상 자궁 및 난소에는 특이소견이 없었다. 다음 처치로 가장 적절한 것을 고르시오.

① 당분간 관찰
② 프로게스틴 투여
③ 클로미펜 투여
④ 브로모크립틴 투여
⑤ 복합 경구피임제

06

18세 여성이 초경이 없어 내원하였다. 여자는 키 150 cm, 몸무게 54 kg, 초음파상 자궁은 작고 자궁내막 두께 3 mm 정도로 측정되었다. 시행한 혈액검사가 아래와 같다면 다음 처치로 가장 적절한 것을 고르시오.

- FSH : 58 mIU/mL (정상수치 1.8~9.4 mIU/mL)
- LH : 45 mIU/mL (정상수치 0.8~10.4 mIU/mL)
- Estradiol : 10 pg/mL (정상수치 30~120 pg/mL)
- TSH : 4 μU/mL (정상수치 0.49~5.0 μU/mL)
- Prolactin : 5 ng/mL (정상수치 4.79~23.30 ng/mL)

① Kisspeptin
② Testosterone
③ Karyotype
④ Clomiphene citrate challenge test
⑤ Brain MRI

05

정답 ①

해설

생리적 지연의 치료

1. 추적관찰
2. 시간이 지나면 정상적으로 발달함을 설명

참고 *Final Check 부인과 334 page*

06

정답 ③

해설

터너 증후군(Turner syndrome)

1. 핵형 : 45,X(가장 흔한 핵형, 60%)
2. 생식샘부전, 원발성 무월경의 1st 염색체 이상
3. 정상 지능, 작은 신장, 발육이 안 된 유방, 원발성 무월경, 빈약한 액모 및 음모
4. 자궁, 난관은 미성숙하나 정상적, 흔적 생식샘

참고 *Final Check 부인과 327 page*

07

생식샘 부전(gonadal failure)과 원발성 무월경(primary amenorrhea)을 일으키는 가장 흔한 염색체 이상을 쓰시오.(1가지)

07

정답

터너증후군(Turner syndrome)

해설

터너 증후군(Turner syndrome)

1. 핵형 : 45,X(가장 흔한 핵형, 60%)
2. 생식샘부전, 원발성 무월경의 1st 염색체 이상
3. 정상 지능, 작은 신장, 발육이 안 된 유방, 원발성 무월경, 빈약한 액모 및 음모
4. 자궁, 난관은 미성숙하나 정상적, 흔적 생식샘

참고 *Final Check 부인과 327 page*

08

임신력 0-0-0-0인 23세 여성이 임신을 원해 외래를 방문하였다. 초경은 16세에 있었으며 이후 불규칙적인 생리를 하다가 최근에는 월경이 거의 없었다고 하였다. 과거력상 특별한 질환을 앓은 적이 없었고, 특이할 만한 체중 변화나 유즙 분비도 없었다. 신체검사상 정상적인 이차성징을 보였고 남성화를 나타내는 소견도 없었다. Progesterone challenge test 상 withdrawal bleeding이 없었으나 estrogen/progesterone challenge test 상 withdrawal bleeding이 있었다. 혈중 호르몬 검사 상 혈중 난포자극호르몬(FSH) 60 mIU/mL(정상 5~25 mIU/mL), 황체호르몬(LH) 48 mIU/mL(정상 5~25 mIU/mL)로 확인되었다. 이 환자의 무월경에 대한 원인으로 가장 가능성이 높은 질환은 무엇인가?

① 다낭성난소증후군(polycystic ovarian syndrome)

② 원발성 난소기능부전(Primary ovarian insufficiency)

③ 시상하부 기능이상(hypothalamic dysfunction)

④ 자궁내막유착증(Asherman syndrome)

⑤ 뇌하수체기능부전(pituitary insufficiency)

08

정답 ②

해설

원발성 난소기능부전

1. 선천적으로 난소에 보관된 난자가 적거나 난포의 퇴화가 가속되어 나타나는 난소부전
2. 40세 이전의 여성에서 4개월 이상의 무월경과 폐경 수준의 FSH 수치
3. 증상 : 안면홍조, 야간 발한, 정서불안 등
4. 원인 : 대부분 불명확

참고 *Final Check 부인과 346 page*

09

23세 여자 환자가 2년 전부터 생리가 없어 내원하였다. 골반진찰상 자궁 크기가 작았고, 자궁부속기는 잘 만져지지 않았다. 유즙 분비는 없었고, progesterone challenge test 음성, 호르몬 검사상 FSH 상승이 확인되었다. 다음 중 가장 가능성이 높은 진단은 무엇인가?

① Pituitary adenoma

② Hypothyroidism

③ Hypothalamus failure

④ Primary ovarian insufficiency

⑤ Polycystic ovary syndrome

09

정답 ④

해설

원발성 난소기능부전

1. 선천적으로 난소에 보관된 난자가 적거나 난포의 퇴화가 가속되어 나타나는 난소부전
2. 40세 이전의 여성에서 4개월 이상의 무월경과 폐경 수준의 FSH 수치
3. 증상 : 안면홍조, 야간 발한, 정서불안 등
4. 원인 : 대부분 불명확

참고 *Final Check 부인과 346 page*

10

34세 여자 환자가 1년간 지속된 무월경을 주소로 병원을 방문하여 난소부전을 진단받았다. 다음 중 그 원인을 파악하기 위한 검사로 옳은 것을 모두 고르시오.

(가) 부신기능검사
(나) 핵형검사
(다) 자가항체검사
(라) 난소생검

① 가, 나, 다　　② 가, 다

③ 나, 라　　④ 라

⑤ 가, 나, 다, 라

10

정답 ①

해설

이차성징이 동반된 무월경의 진단

1. Estrogen 상태 평가
   a. 프로게스테론 부하검사
   b. 에스트로겐과 프로게스테론 병합 부하검사
2. TSH, Prolactin, FSH, AMH
3. 뇌하수체와 시상하부의 영상

참고 *Final Check 부인과 349 page*

11

원발성 난소기능부전 여성에서 염색체검사 외에 시행해야 할 검사를 서술하시오.(4가지)

12

무월경이 있는 여성에게 필요한 검사에 대한 설명으로 옳은 것을 모두 고르시오.

(가) 13세까지 이차성징이나 성장 가속이 나타나지 않으면 검사를 시작해야 한다
(나) 혈청 프로락틴 검사를 시행한다
(다) 황체호르몬 유발검사가 진단에 도움이 된다
(라) 30세 이전의 난소 기능상실 환자는 염색체 검사를 한다

① 가, 나, 다 ② 가, 다
③ 나, 라 ④ 라
⑤ 가, 나, 다, 라

11

정답

1. Estrogen 상태 평가
   a. 프로게스테론 부하검사
   b. 에스트로겐과 프로게스테론 병합 부하검사
2. TSH, Prolactin, FSH, AMH
3. 뇌하수체와 시상하부의 영상

참고 *Final Check 부인과 349 page*

12

정답 ⑤

해설

1. 원발성 무월경
   a. 이차성징 (-), 13세까지 초경이 없는 경우
   b. 이차성징 (+), 15세까지 초경이 없는 경우
2. Prolactin 증가 : GnRH 증가에 의한 무월경
3. E2, FSH, TSH, PRL : 고생식샘, 저생식샘 감별
4. 원발성 난소기능부전 진단 → 염색체검사

참고 *Final Check 부인과 325, 333, 346, 351 page*

13

17세 여학생이 무월경을 주소로 내원하였다. 신체검사상 특이 소견은 없었고 정상적인 이차성징의 발달도 있었다. 2회의 검사에서 TSH, prolactin 모두 정상 범위였으나, FSH가 80 mIU/mL로 확인되었다. 다음 중 가장 가능성이 높은 진단명은 무엇인가?

① 원발성 난소기능부전 ② 뇌하수체 샘종
③ 시상하부 기능부전 ④ 다낭성난소증후군
⑤ 선천성 부신과다형성

13

정답 ①

해설

원발성 난소기능부전

1. 선천적으로 난소에 보관된 난자가 적거나 난포의 퇴화가 가속되어 나타나는 난소부전
2. 40세 이전의 여성에서 4개월 이상의 무월경과 폐경 수준의 FSH 수치
3. 증상 : 안면홍조, 야간 발한, 정서불안 등
4. 원인 : 대부분 불명확

참고 *Final Check 부인과 346 page*

14

18세 여자 환자가 원발성 무월경을 주소로 내원하였다. 키 150 cm, 체중 54 kg였다. 특별한 증상은 없었으며 초음파상 자궁내막 두께 3.1 mm, 자궁의 큰 지름 33.3 mm, 호르몬검사가 다음과 같다면 이 환자의 다음 검사로 가장 적절한 것을 고르시오.

- TSH : 4 mU/L (정상수치 0.49~5.0 μU/mL)
- FSH : 54 mIU/mL (정상수치 1.8~9.4 mIU/mL)
- LH : 48 mIU/mL (정상수치 0.8~10.4 mIU/mL)
- Estradiol : 10 pg/mL (정상수치 30~120 pg/mL)
- Prolactin : 15 ng/mL (정상수치 4.79~23.30 ng/mL)
- AMH : 0.08 ng/mL (정상수치 1~10 ng/mL)

① Kisspeptin ② Brain MRI
③ Karyotype ④ Testosterone
⑤ Clomiphene citrate challenge test

14

정답 ③

해설

원발성 난소기능부전의 진단

1. 유약엑스증후군 MR1 premature 유무와 karyotype 확인
2. 21-hydroxylase에 대한 항체 검사를 시행

참고 *Final Check 부인과 346, 351 page*

15

산과력 1-0-1-1인 35세 여자가 최근 3개월간의 무월경을 주소로 내원하였다. 평소 월경이 35~40일 간격으로 불규칙 하였을 때, 진단을 위한 첫 검사로 가장 적절한 것을 고르시오.

① Urine hCG
② 초음파
③ FSH
④ Progesterone
⑤ 자궁내막 조직검사

15

정답 ①

해설

이차성징(+). 해부학적 이상(-) 무월경의 원인

1. 임신 : 가임 여성에서 가장 먼저 확인
2. 다낭성 난소 증후군
3. 고프로락틴혈증
4. 조기 난소 부전
5. 뇌하수체와 시상하부의 병변
6. 시상하부의 GnRH 분비 이상

참고 *Final Check 부인과 345 page*

16

28세 여성이 경구피임제를 1년 복용하고 중단한 후 4개월간의 무월경을 주소로 내원하였다. 임신검사가 음성이라면 다음으로 시행할 처치로 올바른 것을 고르시오.

① 2개월 정도 더 기다려 본다
② Clomiphene 투여
③ hMG 투여
④ Bromocriptine 투여
⑤ 경구피임제을 다시 복용한다

16

정답 ①

해설

이차성징 (+) 해부학적 이상(-) 무월경의 원인

1. 말초 호르몬 농도의 변동에 의한 되먹임으로 시상하부 신경조절물질의 분비 조절
   a. Thyroid hormone, corticosteroid, androqen, estrogen의 과다 or 부족 : 월경장애
   b. GH, TSH, ACTH, prolactin 과다분비 : 무월경
2. 질환에 의한 기능장애
   a. Growth hormone 과다 분비
   b. 쿠싱증후군(Cushing's Syndrome)

참고 *Final Check 부인과 348 page*

17

임신력 1-0-0-1인 35세 여성이 8개월간의 무월경을 주소로 내원하였다. 시행한 호르몬검사가 아래와 같았다면 다음 처치로 적절한 것을 모두 고르시오.

- E2 : 10 pg/mL (정상수치 20~400 pg/mL)
- FSH : 50 mIU/mL (정상수치 1.8~9.4 mIU/mL)
- PRL : 12 ng/mL (정상수치 4.79~23.30 ng/mL)

(가) FSH 재측정
(나) 핵형 검사
(다) 자가면역항체 검사
(라) 난소 조직검사

① 가, 나, 다　② 가, 다
③ 나, 라　④ 라
⑤ 가, 나, 다, 라

17
정답 ①
해설
이차성징이 동반된 무월경의 진단
1. 난포자극호르몬(FSH)
   a. 2회 이상 FSH >25~40 mIU/mL
   b. 고생식샘자극호르몬 무월경으로 진단 → 난소의 원인(난소 난포의 결여)
   c. 폐경, 거세, 난소기능부전
2. 원발성 난소기능부전
   a. FMR1 premutation 유무와 karyotype 확인
   b. 21-hydroxylase에 대한 항체 검사를 시행
3. PCOS : 경구당부하검사, 공복 시 지질검사
4. Y세포계(Y cell line) 여부 확인 : 염색체 검사

참고 *Final Check 부인과 351 page*

18

15세에 초경을 한 23세 여자가 6개월 간의 무월경을 주소로 내원하였다. 이 여성에게 시행할 검사를 모두 고르시오.

(가) 혈청 프로락틴 측정
(나) 혈청 갑상샘 자극호르몬 측정
(다) 프로게스테론 부하검사
(라) 에스트로겐 부하검사

① 가, 나, 다　② 가, 다
③ 나, 라　④ 라
⑤ 가, 나, 다, 라

18
정답 ⑤
해설
이차성징이 동반된 무월경의 진단
1. Estrogen 상태 평가
   a. 프로게스테론 부하검사
   b. 에스트로겐과 프로게스테론 병합 부하검사
2. TSH, Prolactin, FSH, AMH
3. 뇌하수체와 시상하부의 영상

참고 *Final Check 부인과 349 page*

19

정상적으로 생리를 하던 27세 여자가 8개월간의 무월경을 주소로 내원하였다. 임신검사는 음성이었고, 혈중 prolactin 및 FSH 수치는 정상이었다. 프로게스테론 부하검사에서 출혈이 없었으며, 에스트로겐과 프로게스테론 병합 부하검사에서 출혈이 있었다. 다음으로 시행해야 할 호르몬 검사 한 가지는 무엇인가?

19

정답 FSH

해설

Estrogen/Progesterone challenge test

1. 양성(positive)
   a. 출혈이 있는 경우
   b. 내인성 estrogen 결핍
2. Hypergonadotrophic or Hypogonadotrophic
   → 감별 위한 FSH & LH 확인

참고 *Final Check 부인과 350 page*

20

28세 미혼 여성이 7개월 전 피임약을 4개월간 사용하였고, 중단 후 월경이 없어서 병원을 방문하였다. 신체검사상 정상이었고, 혈액검사는 아래와 같았다. 다음 처치로 가장 적절한 것을 고르시오.

- FSH : 1 mIU/mL (정상수치 1.8~9.4 mIU/mL)
- LH : 2 mIU/mL (정상수치 0.8~10.4 mIU/mL)
- Estradiol : 10 pg/mL (정상수치 30~120 pg/mL)
- TSH : 3.1 μU/mL (정상수치 0.49~5.0 μU/mL)
- Prolactin : 9.3 ng/mL (정상수치 4.79~23.30 ng/mL)

① Clomiphene citrate
② Raloxifene
③ Bromocriptine
④ Calcium + Vitamin D
⑤ Estrogen + Progestin

20

정답 ⑤

해설

시상하부의 저생식샘자극호르몬 생식샘저하증

1. 박동성 GnRH의 장기 투여
2. 에스트로겐과 프로게스테론 주기요법
3. 무월경을 유발한 기저질환이 치료되기 전까지 호르몬 대체요법 유지

참고 *Final Check 부인과 334 page*

21

28세 여성이 무월경을 주소로 내원하였다. 환자는 초경 이후 규칙적인 생리를 하였으나 8년 전 뇌하수체 수술을 받은 이후부터 생리를 하지 않았다고 하였다. 시행한 호르몬검사는 아래와 같았다면 가장 적절한 치료법을 고르시오.

- FSH, LH, Estradiol : 감소
- TSH, Prolactin : 정상

① Bromocriptine
② Clomiphene citrate
③ Aromatase inhibitor
④ GnRH agonist
⑤ GnRH antagonist

21

정답 ④

해설

시상하부의 저생식샘자극호르몬 생식샘저하증

1. 박동성 GnRH의 장기 투여
2. 에스트로겐과 프로게스테론 주기요법
3. 무월경을 유발한 기저질환이 치료되기 전까지 호르몬 대체요법 유지

참고 *Final Check 부인과 334 page*

22

무월경 환자에서 황체호르몬 부하검사 시 소퇴성 출혈이 없을 때 원인으로 생각할 수 있는 것을 모두 고르시오.

(가) Estrogen 결핍
(나) Pregnancy
(다) Asherman syndrome
(라) Progesterone 투여량 부족

① 가, 나, 다
② 가, 다
③ 나, 라
④ 라
⑤ 가, 나, 다, 라

22

정답 ⑤

해설

프로게스테론 부하검사

1. 음성(negative)
   a. 출혈이 없는 경우
   b. Estrogen/Progesterone challenge test 시행
2. 임신 확인을 안 했다면 임신 여부를 확인
3. 월경 유출로의 이상
4. 내인성 estrogen 결핍 : 자궁내막의 준비 부족
5. 내인성 estrogen 정상 : 자궁내막의 탈락막화

참고 *Final Check 부인과 350 page*

23

28세 여성이 희발월경(oligomenorrhea)을 주소로 내원하였다. 초음파상 자궁은 정상, 자궁내막 두께 13 mm, 양측 난소는 다낭성 난소(polycystic ovary)로 확인되었고, 프로게스테론 부하검사 후 소퇴성 출혈(withdrawal bleeding)이 없다면 다음 처치로 가장 적절한 것을 고르시오.

① Progesterone 재투여

② Estrogen-progesterone challenge

③ 혈중 FSH/LH 측정

④ hCG test

⑤ Sella CT

23

정답 ④

해설

프로게스테론 부하검사

1. 음성(negative)
   a. 출혈이 없는 경우
   b. Estrogen/Progesterone challenge test 시행
2. 임신 확인을 안 했다면 임신 여부를 확인
3. 월경 유출로의 이상
4. 내인성 estrogen 결핍 : 자궁내막의 준비 부족
5. 내인성 estrogen 정상 : 자궁내막의 탈락막화

참고 *Final Check 부인과 350 page*

24

무월경 여성에서 프로게스테론 부하검사가 음성일 가능성이 가장 적은 것을 고르시오.

① 임신

② 아셔만증후군(Asherman syndrome)

③ MRKH 증후군

④ 처녀막막힘증

⑤ 다낭성난소증후군

24

정답 ⑤

해설

프로게스테론 부하검사

1. 음성(negative)
   a. 출혈이 없는 경우
   b. Estrogen/Progesterone challenge test 시행
2. 임신 확인을 안 했다면 임신 여부를 확인
3. 월경 유출로의 이상
4. 내인성 estrogen 결핍 : 자궁내막의 준비 부족
5. 내인성 estrogen 정상 : 자궁내막의 탈락막화

참고 *Final Check 부인과 350 page*

25

무월경 환자에게 소퇴성 출혈(withdrawal bleeding)을 유도하기 위하여 progesterone을 투여하였다. 이 환자가 소퇴성 출혈(withdrawal bleeding)을 보이지 않았다면 이때 감별 진단해야 할 것을 쓰시오.(3가지)

26

산과력이 0-0-0-0인 23세 여성이 이차성 무월경을 주소로 내원하였다. Progesterone 10 mg/day 경구투여 후 관찰하였지만 소퇴성 출혈(withdrawal bleeding)이 없었고, estrogen 1.25 mg/day 단독으로 15일간 복용 progesterone 10 mg/day 병합하여 10일간 복용한 후 출혈이 있었다. 다음 중 이 환자에서 나타날 수 있는 원인을 모두 고르시오.

(가) Uterine synechiae
(나) Primary ovarian insufficiency
(다) Müllerian agenesis
(라) Hypothalamic failure

① 가, 나, 다
② 가, 다
③ 나, 라
④ 라
⑤ 가, 나, 다, 라

25

정답
1. 임신
2. 월경 유출로의 이상
3. 내인성 estrogen 결핍
4. 자궁내막의 탈락막화

참고 *Final Check 부인과 350 page*

26

정답 ③

해설

프로게스테론 부하검사

1. 양성(positive)
   a. 출혈이 2~7일 이내에 있는 경우
   b. 내인성 estrogen에 내막이 충분히 반응
   c. 월경 유출로의 기능은 정상
2. 무월경의 원인 : 무배란(anovulation)

참고 *Final Check 부인과 350 page*

27

27세 여자가 후각소실(anosmia)과 원발성 무월경(primary amenorrhea)을 주소로 내원하였다. 프로게스테론 부하검사에서 출혈이 없었으나 에스트로겐과 프로게스테론 병합 부하검사에서는 출혈을 보였다. 호르몬검사는 아래와 같았고, MRI는 정상 소견이었다. 환자는 임신을 원하고 있을 때 치료법으로 적절한 것을 모두 고르시오.

- LH : 2.86 mIU/mL (정상수치 0.8～10.4 mIU/mL)
- FSH : 3.11 mIU/mL (정상수치 1.8～9.4 mIU/mL)
- Prolactin : 8.6 ng/mL (정상수치 4.79～23.30 ng/mL)
- E2 : 10 pg/mL (정상수치 30～120 pg/mL)

(가) Gonadotropin
(나) Clomiphene citrate
(다) Pulsatile GnRH
(라) GnRH analogue 투여 후 gonadotropin

① 가, 나, 다 ② 가, 다
③ 나, 라 ④ 라
⑤ 가, 나, 다, 라

27

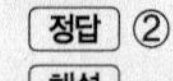

정답 ②

해설

Kallmann 증후군의 배란 유도

1. Gonadotropin : 성공적인 배란 유도 가능
2. 박동성 GnRH 치료 : 정상 뇌하수체면 가능
3. Clomiphene citrate : 배란 유도에 비효과적
4. 난소 기능이 없는 환자는 난자 공여를 고려

참고 *Final Check 부인과 335 page*

28

규칙적으로 월경을 하던 35세 기혼여성이 최근 3개월간의 무월경을 주소로 내원하였다. 프로게스테론 소퇴성 출혈이 없었으며, 에스트로겐과 프로게스테론 병합 부하검사에서도 소퇴성 출혈이 나타나지 않았다. 임신검사는 음성이었으며, 기타 내분비검사상 이상소견은 보이지 않았다. 이 환자에서 다음으로 시행해야 할 검사로 적절한 것을 고르시오.

① 골반 초음파검사
② 복강경검사
③ 자궁난관조영술(HSG)
④ 뇌방사선 촬영(cone-down view)
⑤ 주기적인 추적관찰

29

14세 여아가 3개월 전부터 발생한 주기적인 복통을 주소로 내원하였다. 아직 초경은 없었고, 시행한 MRI 소견이 아래와 같다면 가장 가능성이 높은 진단명을 고르시오.

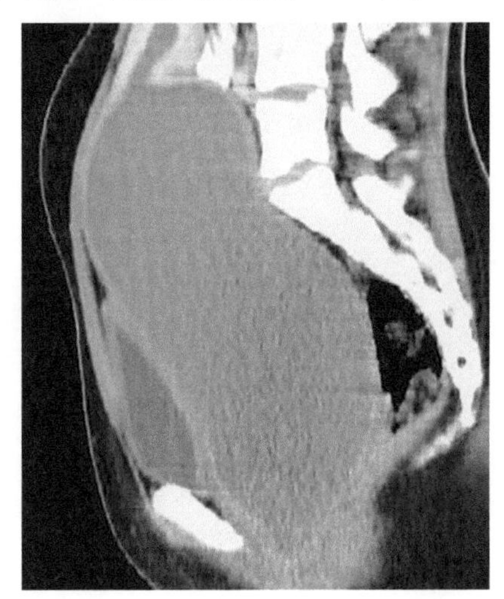

① 처녀막막힘증
② 이중자궁
③ 자궁암
④ 골반염
⑤ 난소 종양

28

정답 ③

해설

에스트로겐과 프로게스테론 병합 부하검사

1. 음성(negative) : 출혈이 없는 경우
2. 월경 유출로 폐쇄(outflow obstruction)
3. 자궁 내막의 파괴(Asherman syndrome)
4. 무자궁(absent of uterus)

참고 *Final Check 부인과 350 page*

29

정답 ①

해설

유출로 폐쇄

1. 종류
   a. 처녀막막힘증(imperforate hymen)
   b. 가로질중격(transverse vaginal septum)
2. 증상
   a. 월경 무배출로 인한 주기적인 통증
   b. 질혈종, 자궁혈종, 혈복강, 자궁내막증 발생

참고 *Final Check 부인과 336 page*

30

15세 여학생이 1년 전부터 발생한 주기적 복통을 주소로 내원하였다. 아직 초경이 없었고, 유방과 음모 발달은 Tanner stage II, 시행한 MRI 소견이 다음과 같다면 가장 가능성이 높은 진단명은 무엇인가?

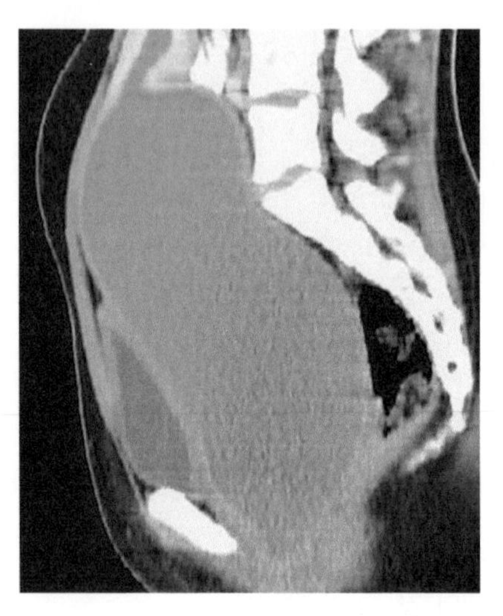

① Müllerian agenesis
② Swyer syndrome
③ Imperforate hymen
④ MRKH syndrome
⑤ Ovarian cancer

30

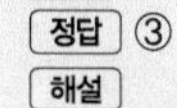
정답 ③

해설

유출로 폐쇄

1. 종류
   a. 처녀막막힘증(imperforate hymen)
   b. 가로질중격(transverse vaginal septum)
2. 증상
   a. 월경 무배출로 인한 주기적인 통증
   b. 질혈종, 자궁혈종, 혈복강, 자궁내막증 발생

참고 *Final Check 부인과 336 page*

31

17세 여자가 주기적인 심한 복통을 주소로 내원하였다. 시행한 검사상 아래와 같다면 이 환자의 진단명을 쓰시오.

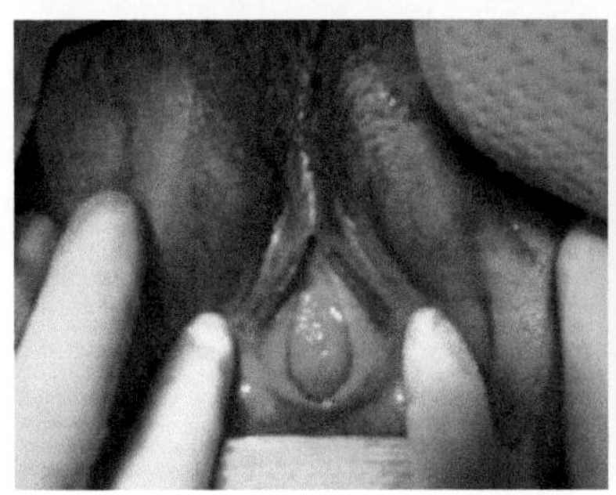
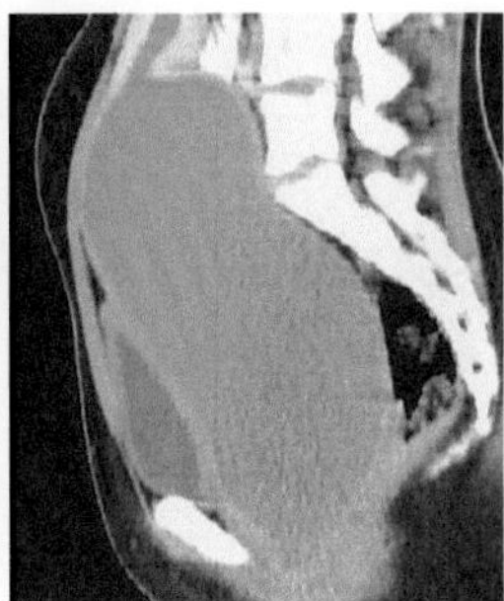

32

17세 여자가 주기적인 심한 복통을 주소로 내원하였다. 시행한 검사상 아래와 같다면 이 환자의 치료로 가장 적절한 것을 고르시오.

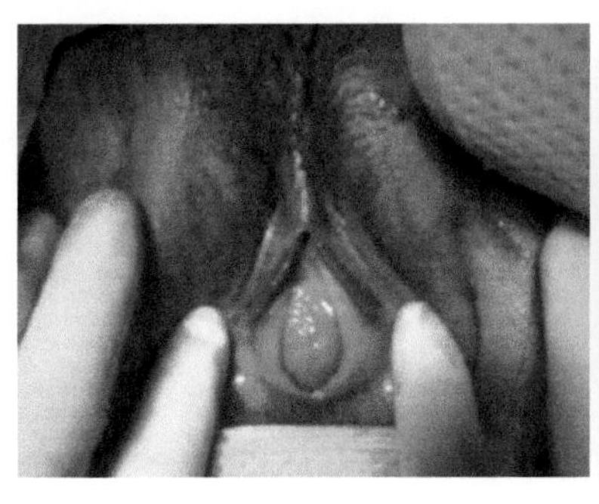
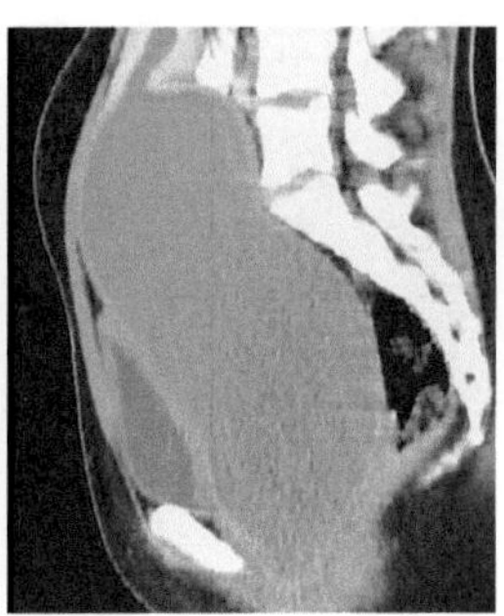

① 처녀막의 십자절개 ② 경과관찰
③ Progesterone ④ 자궁절제술
⑤ Rudimentary horn 제거

31

정답
처녀막 막힘증(imperforate hymen)

해설
유출로 폐쇄

1. 종류
   a. 처녀막막힘증(imperforate hymen)
   b. 가로질중격(transverse vaginal septum)
2. 증상
   a. 월경 무배출로 인한 주기적인 통증
   b. 질혈종, 자궁혈종, 혈복강, 자궁내막증 발생

참고 *Final Check 부인과 336 page*

32

정답 ①

해설
처녀막막힘증의 치료

1. 처녀막의 십자절개(cruciate incision)
2. 주사기로 혈액만을 제거 시 pyocolpos 발생

참고 *Final Check 부인과 343 page*

33

12세 여아가 질이 없음을 주소로 내원하였다. 초음파상 자궁과 질은 정상이었으나 이학적 검사에서 처녀막이 얇은 막으로 붙어있었다. 다음 중 적절한 처치를 고르시오.

① 항생제 투여

② 십자절개

③ Oral contraceptives 투여

④ Testosterone cream 도포

⑤ 수술로 자궁기형 교정

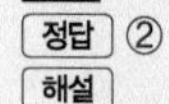

33

정답 ②

해설

처녀막막힘증의 치료

1. 처녀막의 십자절개(cruciate incision)
2. 주사기로 혈액만을 제거 시 pyocolpos 발생

참고 *Final Check 부인과 343 page*

34

15세 여아가 초경 직후부터 점점 심해지는 월경통을 주소로 내원하였다. 시행한 초음파와 MRI는 아래와 같았고 양측 신장에는 이상소견이 없었다면 가장 가능성이 높은 진단명을 고르시오.

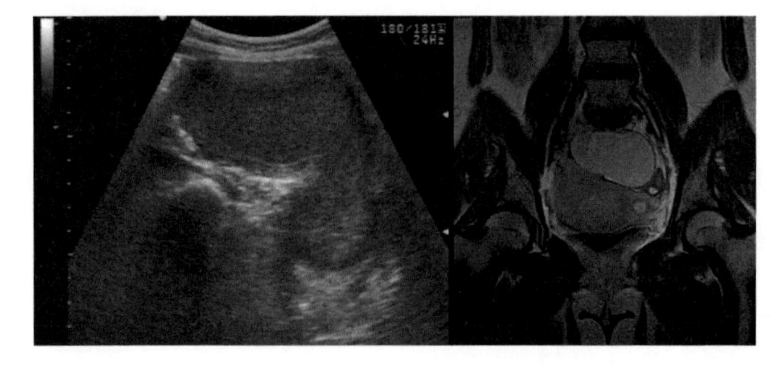

① 궁상자궁 ② 쌍각자궁

③ 중격자궁 ④ MRKH 증후군

⑤ 단각자궁과 비통행성자궁뿔

34

정답 ⑤

해설

단각자궁과 비통행성자궁뿔

1. 단각자궁과 한쪽 뿔 구조만 형성된 경우
2. 한쪽 뮐러관의 이동 실패
3. 신장기형이 약 30%에서 동반
4. 초경 이후 심해지는 생리통과 주기적인 복통

참고 *Final Check 부인과 337 page*

35

17세 여학생이 심한 월경통을 주소로 내원하였다. 환자는 주기적으로 생리를 하였으나 생리통이 매우 심하다고 하였다. 시행한 초음파와 MRI가 다음과 같다면 이 환자의 치료로 가장 적절한 것을 고르시오.

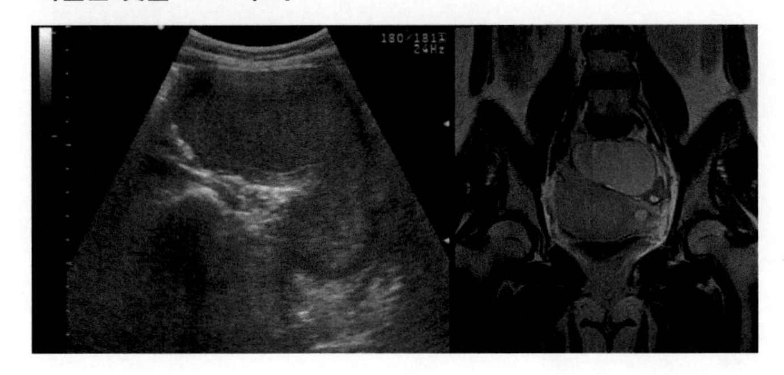

① Cruciate incision
② Uteroplasty
③ Vaginoplasty
④ Hysterectomy
⑤ Salpingo-oophorectomy

35

정답 ②

해설

단각자궁과 비통행성자궁뿔

1. 단각자궁과 한쪽 뿔 구조만 형성된 경우
2. 치료 : 자궁성형술(uteroplasty)

참고 *Final Check 부인과 337 page*

36

17세 여자 환자가 점점 심해지는 생리통을 주소로 내원하였다. 평소 생리 주기는 규칙적이었고, 검사 상 외부 생식기는 정상이었다. MRI 소견이 다음과 같다면 다음으로 시행해야 하는 검사를 고르시오.

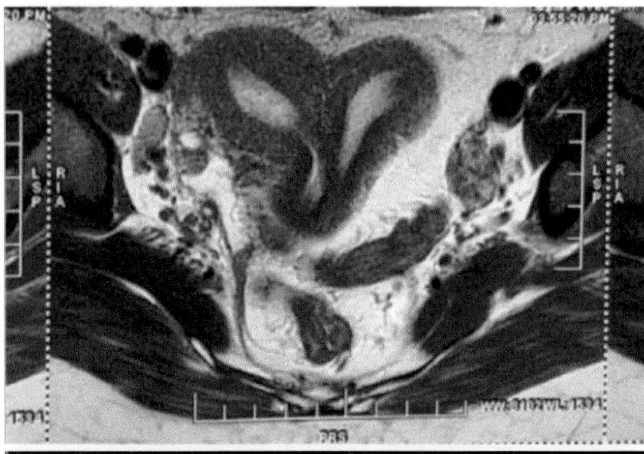

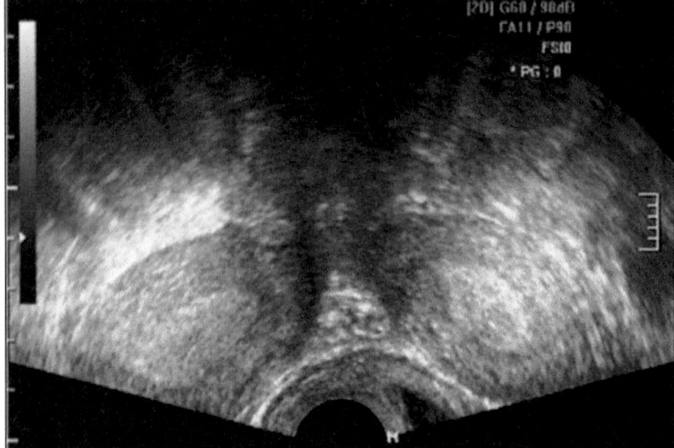

① 심장 초음파

② 대장 내시경

③ 염색체 검사

④ 정맥깔때기조영술

⑤ 뇌하수체 자기공명영상

36

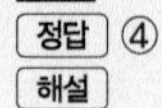

정답 ④

해설

OHVIRA

1. Uterine didelphys + 질 폐쇄 + 신장무형성
2. 진단 : 초음파, MRI, CT, IVP 등

참고 *Final Check 부인과 337 page*

37

산과력 1-0-3-1인 38세 여성이 무월경을 주소로 내원하였다. 6개월 전 불완전 유산으로 자궁경부 개대 및 소파술(dilatation and curettage)을 받은 후 점차 월경량이 줄었으며, 3개월 전부터는 월경이 없었다. 소변 임신검사는 음성이었다면 가장 가능성이 높은 진단명은 무엇인가?

① 갑상샘기능저하증　② 자궁내유착
③ 다낭성난소증후군　④ 고프로락틴혈증
⑤ 시한증후군

37
정답 ②
해설

아셔만증후군(Asherman syndrome)
1. 자궁내막이나 경부의 손상으로 생성된 자궁내막유착에 의해 자궁강의 일부 또는 전부가 폐색되는 경우
2. 증상 : 이차성 무월경, 과소월경, 월경통, 불임

참고 *Final Check 부인과 339 page*

38

분만력 1-0-2-1인 27세 여성이 2년간의 불임을 주소로 내원하였다. 평소 생리는 규칙적이었고, 생리통도 없었으나 1년 전 자연 유산으로 소파술을 받은 후 생리양이 급격히 감소하였다. 내진상 이상소견은 없었고, 자궁난관조영술 시행 결과는 다음 사진과 같았다. 다음 중 가장 가능성이 높은 진단명은 무엇인가?

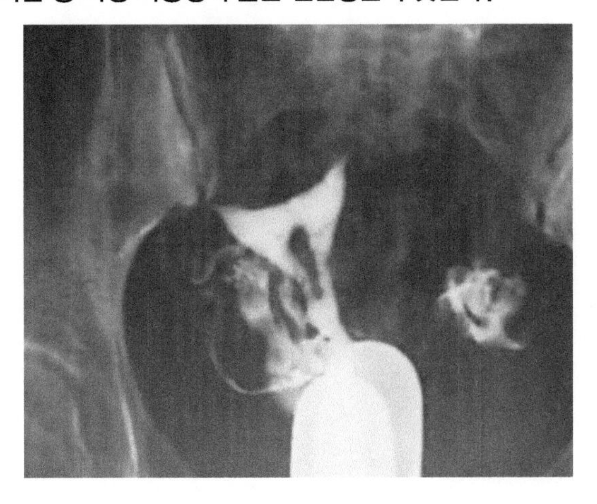

① 근층내 자궁근종　② 자궁내막증
③ 자궁내장치(IUD)　④ 자궁내막유착증
⑤ 쌍각 자궁

38
정답 ④
해설
아셔만증후군(Asherman syndrome)
1. 자궁내막이나 경부의 손상으로 생성된 자궁내막유착에 의해 자궁강의 일부 또는 전부가 폐색되는 경우
2. 증상 : 이차성 무월경, 과소월경, 월경통, 불임

참고 *Final Check 부인과 339 page*

39

다음 중 Asherman syndrome에 대한 설명으로 옳은 것은 무엇인가?

① Insensitive ovary

② Premature menopause

③ Sclerosis of endometrium mainly due to infection or D&C

④ Testicular feminization

⑤ Hypogonadism

39

정답 ③

해설

아셔만증후군(Asherman syndrome)

1. 자궁내막이나 경부의 손상으로 생성된 자궁내막유착에 의해 자궁강의 일부 또는 전부가 폐색되는 경우
2. 증상 : 이차성 무월경, 과소월경, 월경통, 불임

참고 *Final Check 부인과 339 page*

40

자궁 내 유착(intrauterine synechiae)이 있는 환자에서 관찰할 수 있는 것을 모두 고르시오.

(가) 이차성 무월경
(나) 소파술 과거력
(다) 정상 기초 체온
(라) 난포자극호르몬(FSH) 상승

① 가, 나, 다　　② 가, 다

③ 나, 라　　④ 라

⑤ 가, 나, 다, 라

40

정답 ①

해설

아셔만증후군(Asherman syndrome)

1. 자궁내막이나 경부의 손상으로 생성된 자궁내막유착에 의해 자궁강의 일부 또는 전부가 폐색되는 경우
2. 증상 : 이차성 무월경, 과소월경, 월경통, 불임

참고 *Final Check 부인과 339 page*

41

산과력 1-0-5-1인 31세 여성이 임신 10주에 인공 유산을 시행한 이후 6개월간 생리가 없어서 병원에 내원하였다. 임신검사는 음성이었고, 골반 진찰소견 및 갑상선자극호르몬(FSH), 유즙분비호르몬(prolactin) 수치는 정상이었다. 프로게스테론 부하검사에서 소퇴성 출혈이 없었고, 에스트로겐과 프로게스테론 병합 부하검사를 했으나 역시 소퇴성 출혈이 없었다. 가능성이 높은 진단명(A)과 확진을 위한 검사(B) 2가지를 쓰시오.

41

정답

(A) Asherman syndrome

(B) 자궁난관조영술(HSG), 자궁경(hysteroscopy), 월경 분비물이나 자궁내막조직의 배양 검사

해설

아셔만증후군(Asherman syndrome)의 진단

1. 자궁난관조영술(HSG) : 자궁강 유착에 의한 다발성 충만결손(multiple filling defect)
2. 자궁경(hysteroscopy) : 경미한 유착 확인 가능
3. 월경 분비물이나 자궁내막조직의 배양 검사

참고 *Final Check 부인과 343 page*

42

29세 미혼 여성이 임신 15주에 인공 유산을 받았고 이후 수개월간 월경량이 현저히 줄어 병원을 내원하였다. 진단을 위한 검사를 쓰시오.(2가지)

42

정답

1. 자궁난관조영술(hysterosalpingogram, HSG)
2. 자궁경(hysteroscopy)
3. 월경 분비물이나 자궁내막조직의 배양 검사

해설

아셔만증후군(Asherman syndrome)의 진단

1. 자궁난관조영술(HSG) : 자궁강 유착에 의한 다발성 충만결손(multiple filling defect)
2. 자궁경(hysteroscopy) : 경미한 유착 확인 가능
3. 월경 분비물이나 자궁내막조직의 배양 검사

참고 *Final Check 부인과 343 page*

43

33세 여성이 불임을 주소로 내원하였다. 시행한 hysteroscopy의 자궁 내 소견이 아래와 같았다면 치료로 가장 적절한 방법을 쓰시오.

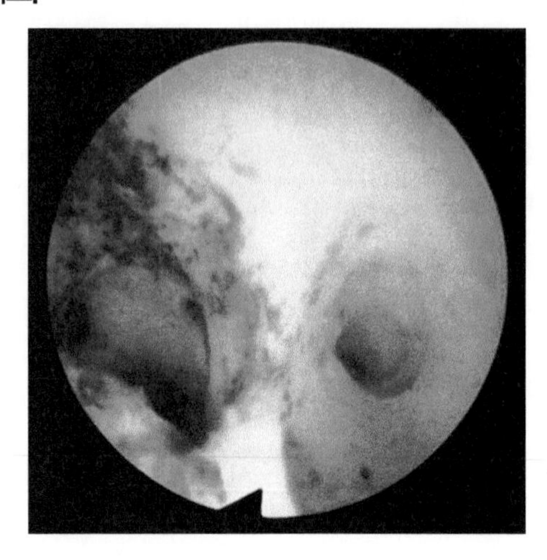

43

정답

Hysteroscopic resection

해설

아셔만증후군(Asherman syndrome)의 치료

1. 자궁경으로 유착을 제거
2. 수술 후 유착의 방지
   a. 소아용 Foley catheter 자궁 내 유치
   b. 광범위 항생제 투여
   c. 재유착 방지 : 2개월간 고용량 E-P 치료

참고 *Final Check 부인과 344 page*

44

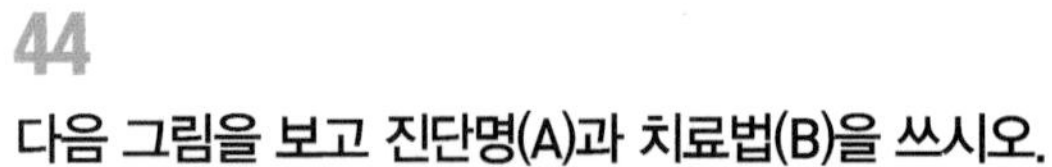
다음 그림을 보고 진단명(A)과 치료법(B)을 쓰시오.

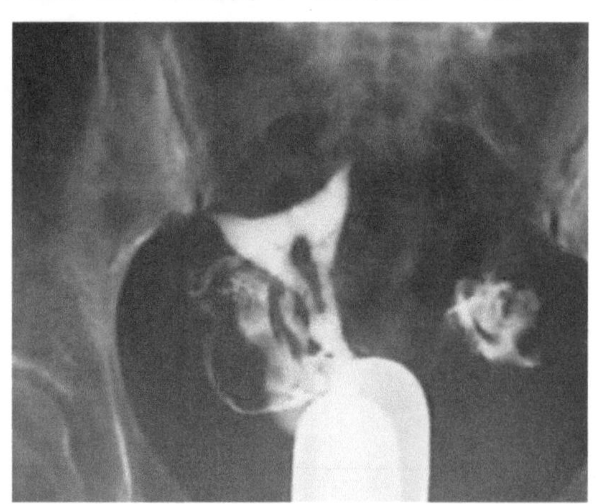

44

정답

A : Asherman syndrome

B : Hysteroscopic resection

해설

아셔만증후군(Asherman syndrome)의 치료

1. 자궁경으로 유착을 제거
2. 수술 후 유착의 방지
   a. 소아용 Foley catheter 자궁 내 유치
   b. 광범위 항생제 투여
   c. 재유착 방지 : 2개월간 고용량 E-P 치료

참고 *Final Check 부인과 343, 344 page*

45

30세 기혼 여성이 자궁내막 유착으로 진단받고 자궁경하 유착 박리술을 시행 받았다. 이 환자에게 추후 유착 방지를 위하여 시행해야 할 처지를 기술하시오.

46

다음 표의 (A), (B), (C), (D)를 채우시오.

구별	MRKH sydrome	Complete androgen insensitivity	Swyer syndrome
Karyotype	46,XX	46,XY	46,XY
내부 생식기	Hypoplasia or absence of uterus	(A)	Normal hypoplastic female
외부 생식기	Normal female	(B)	Infertile female
유방 발육	(C)	Normal development	Under development
Gonadotro-pin	LH 정상 FSH 정상	LH정상 or 증가 FSH 정상	(D)

45

정답

1. 소아용 foley catheter를 7~10일간 자궁 내부에 유치
2. 광범위 항생제 투여
   (broad spectrum antibiotics)
3. 재유착 방지를 위해 2개월간 고용량 estrogen–progesterone 치료

해설

아셔만증후군(Asherman syndrome)의 치료

1. 자궁경으로 유착을 제거
2. 수술 후 유착의 방지
   a. 소아용 Foley catheter 자궁 내 유치
   b. 광범위 항생제 투여
   c. 재유착 방지 : 2개월간 고용량 E–P 치료

참고 *Final Check 부인과 344 page*

46

정답

A : Streak gonad
B : Normal female
C : Normal development
D : FSH 증가

해설

	MRKH	A.I.	Swyer
염색체	46,XX	46,XY	46,XY
내부생식기	자궁(–) 난소(+)	흔적 생식샘	미숙한 여성 양상
외부생식기	정상 여성	정상 여성	어린 여성
유방발육	정상	정상	발육 부전
호르몬	FSH 정상 LH 정상	FSH 정상 LH 정상, 증가	FSH 증가

참고 *Final Check 부인과 343 page*

47

18세 여성이 원발성 무월경을 주소로 내원하였다. 유방 발육은 정상(Tanner stage IV)이었고, 초음파상 자궁은 보이지 않았으며 질은 약 3 cm 정도의 맹관으로 확인되었다. 다음 중 이 환자에게 생각할 수 있는 질환을 모두 고르시오.

(가) Androgen insensitivity syndrome
(나) Mixed gonadal dysgenesis
(다) MRKH syndrome
(라) Turner syndrome

① 가, 나, 다 ② 가, 다
③ 나, 라 ④ 라
⑤ 가, 나, 다, 라

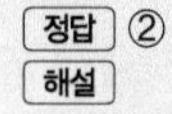

47

정답 ②

해설

MRKH 중후군과 androgen insensitivity 감별

1. 외형상 정상 여성이면서 자궁이 없는 유일한 두 가지 경우
2. 성염색체(46,XX vs 46,XY)
3. Testosterone
   a. MRKH syndrome : 정상 여성 수치
   b. Androgen insensitivity : 정상 남성 수치
4. Pubic & axillary hair
   a. MRKH syndrome : 정상 여성
   b. Androgen insensitivity : 없거나 희박

참고 *Final Check 부인과 343 page*

48

원발성 무월경(primary amenorrhea)을 주소로 20세 여성이 내원하였다. 검사상 환자는 자궁이 없었고 유방 발달은 정상적으로 관찰되었다. 이 환자의 감별을 위한 가장 중요한 혈액검사를 쓰시오.(1가지)

48

정답 Testosterone

해설

MRKH 중후군과 androgen insensitivity 감별

1. 외형상 정상 여성이면서 자궁이 없는 유일한 두 가지 경우
2. 성염색체(46,XX vs 46,XY)
3. Testosterone
   a. MRKH syndrome : 정상 여성 수치
   b. Androgen insensitivity : 정상 남성 수치
4. Pubic & axillary hair
   a. MRKH syndrome : 정상 여성
   b. Androgen insensitivity : 없거나 희박

참고 *Final Check 부인과 343 page*

49

20세 미분만부(nulliparity)가 무월경을 주소로 내원 하였다. 검사 결과상 뮐러관(Mullerian duct) 형성 부전증으로 밝혀졌다. 다음 중 동반 가능성이 가장 높은 기형은 무엇인가?

① 신경계
② 호흡기계
③ 심혈관계
④ 비뇨기계
⑤ 근골격계

49
정답 ④
해설
MRKH 증후군의 동반 질환
1. 비뇨기계 이상
   a. 약 1/3에서 동반(가장 흔한 동반 기형)
   b. 신장질환 : 신장무형성, 말발굽신장 등
2. 골격계 이상
   a. 5~12%에서 동반
   b. 척추 이상(가장 흔한 근골격계 이상)
   c. 무지증, 합지증 등
3. 청력 결함, 난청 : 이소골의 결여로 발생
4. 갈락토오스(galactose) 대사이상

참고 *Final Check 부인과 338 page*

50

안드로겐 무감응(Androgen insensitivity)에 대한 설명으로 맞는 것을 모두 고르시오.

(가) Anti-Müllerian hormone (AMH)이 없다
(나) 원발성 무월경의 두 번째로 가장 많은 원인이다
(다) 상염색체 열성(autosomal recessive) 유전이다
(라) 음모 및 혈청 testosterone 수치로 Müllerian agenesis와 감별한다

① 가, 나, 다
② 가, 다
③ 나, 라
④ 라
⑤ 가, 나, 다, 라

50
정답 ④
해설
안드로겐 무감응(Androgen insensitivity)
1. 염색체 : 46,XY
2. 표현형 : Female
3. 유전 : Maternal X-linked recessive
4. Anti-Müllerian hormone (AMH) : 정상
   a. Müllerian system의 발달이 없음
   b. Short blind vagina, absent cervix & uterus
   c. Testis는 inguinal area에 존재
5. Pubic & axillary hair는 없거나 희박
6. Testosterone은 정상 남자 level
7. 사춘기에 testosterone이 estrogen으로 전환되어 유방 발육 촉진

참고 *Final Check 부인과 340 page*

51

16세 여학생이 무월경을 주소로 내원 하였다. 유방 발달은 정상이었으나 음모 및 액와모는 없었고, 자궁이 만져지지 않았으며 질은 맹관으로 확인되었다. 시행한 혈액 검사상 혈중 남성호르몬은 정상 남성형에 해당하였다. 다음 중 확진을 위해 시행할 검사는 무엇인가?

① 난소 생검　② 염색체검사
③ 뇌 자기공명영상　④ 정맥신우조영술
⑤ 클로미펜 부하검사

52

20세 여성이 무월경을 주소로 내원하였다. 신체검사상 가슴과 음모는 모두 Tanner stage I으로 확인되었고, 음핵이 커져 있었다. 시행한 초음파에서 자궁을 확인할 수 없었다면 이 환자의 진단명으로 가장 적절한 것은 무엇인가?

① MRKH syndrome
② Swyer syndrome
③ Androgen insensitivity
④ 17-20 desmolase 결핍증
⑤ 5α-reductase 결핍증

51

정답 ②

해설

안드로겐 무감응(Androgen insensitivity)

1. 염색체 : 46,XY
2. 표현형 : Female
3. 유전 : Maternal X-linked recessive
4. Anti-Müllerian hormone (AMH) : 정상
   a. Müllerian system의 발달이 없음
   b. Short blind vagina, absent cervix & uterus
   c. Testis는 inguinal area에 존재
5. Pubic & axillary hair는 없거나 희박
6. Testosterone은 정상 남자 level
7. 사춘기에 testosterone이 estrogen으로 전환되어 유방 발육 촉진

참고 *Final Check 부인과 340 page*

52

정답 ⑤

해설

5α-reductase 결핍증

1. Testosterone의 DHT로 선환 실패
2. 염색체검사 : 46,XY
3. 불완전 남성 가성 반음양증
   a. 성할당(sex assignment)은 여성
   b. 외형적으로 여성
   c. 고환의 AMH 분비 → Müllerian 구조 없음
   d. DHT가 없어 외부 생식기 남성 분화 실패
   e. Testosterone 때문에 남성 내부 생식기는 정상적으로 분화
4. Testosterone : 증가(유방 발달을 억제)

참고 *Final Check 부인과 331 page*

53

16세 여자 환자가 월경이 한번도 없고 6개월 전부터 목소리가 굵어져서 병원에 왔다. 환자는 태어날 때 음핵 비대가 있었고 최근 음핵이 더 커졌다. 유방 발달은 없었고, 질은 맹관을 형성하였으며, 핵형 검사는 46,XY로 확인되었다. 다음 중 진단에 도움이 되는 검사는 무엇인가?

① TSH, T4, T3

② FSH/LH ratio

③ Cortisol, aldosterone

④ ACTH 투여 후 17α-hydroxyprogesterone

⑤ hCG 투여 후 testosterone/DHT ratio 측정

53

정답 ⑤

해설

5α-reductase 결핍증의 진단

1. hCG stimulation test
2. hCG 투여 후 testosterone/DHT ratio 측정

참고 *Final Check 부인과 331 page*

54

안드로겐 무감응(androgen insensitivity)에 대한 설명으로 맞는 것을 모두 고르시오.

(가) 정상 남성 표현형을 지닌다
(나) 혈중 LH가 증가되어 있다
(다) 고환에서 성선아세포종 등과 같은 종양이 발생할 가능성이 5%의 빈도로 존재한다
(라) 고환의 발견 즉시 고환 제거를 시행한다

① 가, 나, 다　　② 가, 다

③ 나, 라　　④ 라

⑤ 가, 나, 다, 라

54

정답 ①

해설

안드로겐 무감응(Androgen insensitivity)

1. 핵형 : 남성(46,XY)
2. Gonadotropin : LH 정상 or 증가, FSH 정상
3. 치료
   a. 사춘기 발육이 된 후에 생식샘을 제거
   b. 종양의 발생 빈도(약 5~10%정도)
   c. 수술 후 보충요법으로 estrogen을 투여
   d. XY 염색체 + 남성화 : 즉시 제거

참고 *Final Check 부인과 340, 344 page*

55

19세 여성이 원발성 무월경으로 내원하였다. 신장 165 cm, 체중 52 kg, 질이 맹관으로 끝나면서 자궁경부가 보이지 않고 자궁은 만져지지 않았다. 음모와 액와모는 없고 유방 발달은 Tanner stage III, 유두는 성숙되지 않고 유륜은 엷은 색이었다. 가장 가능성 높은 진단명(A)과 확진을 위한 검사(B) 한 가지만 기술하시오.

55

정답

A : Androgen insensitivity

B : Karyotyping

해설

안드로겐 무감응(Androgen insensitivity)

1. 염색체 : 46,XY
2. 표현형 : Female
3. 유전 : Maternal X-linked recessive
4. Anti-Müllerian hormone (AMH) : 정상
   a. Müllerian system의 발달이 없음
   b. Short blind vagina, absent cervix & uterus
   c. Testis는 inguinal area에 존재
5. Pubic & axillary hair는 없거나 희박
6. Testosterone은 정상 남자 level
7. 사춘기에 testosterone이 estrogen으로 전환되어 유방 발육 촉진

참고 *Final Check 부인과 340 page*

56

14세 여성이 원발성 무월경을 주소로 내원하였다. 환자는 초등학교 때 양측 서해부 탈장으로 수술을 받은 적이 있으며, 진찰소견상 유방 발달은 정상이었으나 음모는 적은 상태였다. 핵형검사를 시행하였고, 46,XY로 확인되었다면 이 환자의 진단과 처치로 올바른 것은 무엇인가?

① Swyer syndrome - 16~18세에 성선제거술

② Swyer syndrome - 즉시 성선제거술

③ Androgen insensitivity syndrome - 16~18세에 성선제거술

④ Androgen insensitivity syndrome - 즉시 성선제거술

⑤ 5α-reductase deficiency - 16~18세에 성선제거술

56

정답 ③

해설

안드로겐 무감응(Androgen insensitivity)

1. 핵형 : 남성(46,XY)
2. Gonadotropin : LH 정상 or 증가, FSH 정상
3. 치료
   a. 사춘기 발육이 된 후에 생식샘을 제거
   b. 종양의 발생 빈도(약 5~10%정도)
   c. 수술 후 보충요법으로 estrogen을 투여
   d. XY 염색체 + 남성화 : 즉시 제거

참고 *Final Check 부인과 344 page*

57

24세 여자 환자가 원발성 무월경을 주소로 내원하였다. 유방 발달은 정상이었으며, 프로게스테론 부하검사와 에스트로겐과 프로게스테론 병합 부하검사에서 소퇴성 출혈은 보이지 않았다. 기초 체온표에서 지속적으로 일상성을 보인다면 가장 가능성이 높은 진단은 무엇인가?

① Imperforate hymen

② Anorexia nervosa

③ MRKH syndrome

④ Androgen insensitivity syndrome

⑤ Transverse vaginal septum

57

정답 ④

해설

1. Estrogen/Progesterone 병합 부하검사 음성
   a. 월경 유출로의 이상
   b. 자궁 내막의 파괴(Asherman syndrome)
   c. 자궁이 없는 경우
2. 외형상 정상 여성 + 무자궁
   a. MRKH syndrome
   b. Androgen insensitivity
3. 기초 체온표의 지속적 일상성 : 난소 발달(−)

참고 *Final Check 부인과 343, 350 page*

58

17세 여학생이 원발성 무월경(primary amenorrhea)을 주소로 내원하였다. 신체검진상 유방은 발달해 있었고, 음모는 완전치 않았으며, 질은 맹관을 형성하고 있었다. 초음파상 자궁은 관찰되지 않았다면 다음 검사로 가장 적절한 것을 고르시오.

① Estradiol

② Progesterone

③ Testosterone

④ DHEA-S

⑤ FSH

58

정답 ③

해설

MRKH 증후군과 androgen insensitivity 감별

1. 외형상 정상 여성이면서 자궁이 없는 유일한 두 가지 경우
2. 성염색체(46,XX vs 46,XY)
3. Testosterone
   a. MRKH syndrome : 정상 여성 수치
   b. Androgen insensitivity : 정상 남성 수치
4. Pubic & axillary hair
   a. MRKH syndrome : 정상 여성
   b. Androgen insensitivity : 없거나 희박

참고 *Final Check 부인과 343 page*

59

18세 여자가 원발성 무월경을 주소로 내원하였다. 신체 발달과 이차성징은 나이에 맞는 정상이었다면 원인 확인을 위한 검사로 적절한 것을 모두 고르시오.

(가) FSH
(나) TSH
(다) Prolactin
(라) Endometrium biopsy

① 가, 나, 다 ② 가, 다
③ 나, 라 ④ 라
⑤ 가, 나, 다, 라

59

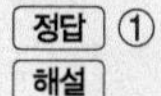 ①

해설

이차성징이 있는 무월경의 검사

1. 해부학적 이상이 있는 경우
   a. 신체 진찰 초음파, MRI, IVP
   b. HSG, hysteroscopy
2. 해부학적 이상이 없는 경우
   a. Estrogen 상태 평가, TSH, prolactin, FSH, AMH
   b. 뇌하수체와 시상하부의 영상검사

참고 *Final Check 부인과 342, 349 page*

60

17세 여학생이 일차성 무월경을 주소로 내원하였다. 환자는 키 150 cm, 유방과 음모는 tanner stage I, ambiguous genitalia가 관찰되었으며 초음파상 자궁이 관찰되지 않았다. 염색체 검사는 46,XY로 확인되었다. 이 환자의 진단명을 쓰시오.

60

정답

스와이어증후군(Swyer syndrome)

해설

스와이어증후군(Swyer syndrome)

1. Yp11의 SRY 돌연변이에 의해 발생
2. 염색체검사 : 46,XY (XY female)
3. 임상소견
   a. 내부 생식기 : 정상 구조, 미숙한 여성 양상
   b. 외부 생식기 : 어린 여성의 외형
   c. 유방 : 발육 부전
4. 혈액검사
   a. AMH, testosterone : 생성 없음
   b. Testosterone : 정상 여성 수치
   c. Estrogen : 감소 → 성적인 발달이 부족

참고 *Final Check 부인과 328 page*

61

13세 여아가 25 cm 크기의 우측 골반종양으로 우측 자궁부속기 절제술을 시행하였다. 육안상 타 장기로의 전이소견은 보이지 않았고, 수술 후 조직검사는 아래와 같다면 다음 처치로 가장 적절한 것을 고르시오.

- Rt ovary and salpinx : Gonadoblastoma, 25 x 10 x 6 cm size
- No capsule involvement
- Karyotype : 46,XY

① 경과관찰
② 호르몬치료
③ 좌측 성선절제술
④ 방사선치료
⑤ 항암화학요법

61
정답 ③
해설
스와이어증후군(Swyer syndrome)의 치료
1. 흔적 생식샘에서 종양 호발
2. 진단 즉시 생식샘 제거술을 실시

참고 *Final Check 부인과 328 page*

62

18세 여학생이 상담을 위해 내원하였다. 환자는 키 142 cm, 유방발달 tanner stage II, 음모발달 tanner stage V로 확인되었다. 시행한 초음파상 자궁과 질은 있었고, 염색체검사상 45,X/46,XY로 확인되었다. 다음 중 이 환자에게 적절한 치료를 모두 고르시오.

(가) hMG 투여
(나) Clomiphene citrate 투여
(다) Growth hormone 투여
(라) Gonadectomy

① 가, 나, 다
② 가, 다
③ 나, 라
④ 라
⑤ 가, 나, 다, 라

62
정답 ④
해설
스와이어증후군(Swyer syndrome)의 치료
1. 흔적 생식샘에서 종양 호발
2. 진단 즉시 생식샘 제거술을 실시

참고 *Final Check 부인과 328 page*

63

17세 여성이 무월경을 주소로 내원하였다. 신체검사상 유방과 음모는 전부 Tanner stage I, 클리토리스 확대가 관찰되었고, 초음파상 자궁이 없었으며, 염색체검사상 46,XY로 확인되었다. 이 환자의 진단명을 고르시오.

① Swyer syndrome

② Müllerian agenesis

③ Asherman syndrome

④ Androgen insensitivity syndrome

⑤ 5α-reductase deficiency

63

정답 ①

해설

스와이어증후군(Swyer syndrome)

1. Yp11의 SRY 돌연변이에 의해 발생
2. 염색체검사 : 46,XY (XY female)
3. 임상소견
   a. 내부 생식기 : 정상 구조, 미숙한 여성 양상
   b. 외부 생식기 : 어린 여성의 외형
   c. 유방 : 발육 부전
4. 혈액검사
   a. AMH, testosterone : 생성 없음
   b. Testosterone : 정상 여성 수치
   c. Estrogen : 감소 → 성적인 발달이 부족

참고 *Final Check 부인과 328 page*

64

18세 여자 환자가 초경이 없어 내원하였다. 음부에 음모는 많았으나 유방 발달이 빈약하였고, 직장수지 검사상 자궁은 작게 촉지 되었다. 다음 중 이 질환에서 발생할 수 있는 것은 무엇인가?

① Dysgerminoma ② Gonadoblastoma

③ Gynandroblastoma ④ Granulosa cell tumor

⑤ Sertoli-Leydig tumor

64

정답 ②

해설

스와이어증후군(Swyer syndrome)

1. 발생 증가 : gonadoblastoma, dysgerminoma, yolk sac tumor
2. 진단 즉시 생식샘 제거

참고 *Final Check 부인과 328 page*

65

다음 중 검사 후 발견된 생식샘을 즉시 제거해야 하는 경우는 어느 것인가?

① Swyer syndrome

② MRKH syndrome

③ Androgen insensitivity syndrome

④ Fragile X syndrome

⑤ Kallmann syndrome

65

정답 ①

해설

생식샘의 제거

1. Swyer syndrome : 진단 즉시 제거
2. Androgen insensitivity : 사춘기 후 제거
3. MRKH, Fragile X, Kallmann synd. : 정상 ovary

참고 *Final Check 부인과 335, 344 page*

66

MRKH 증후군에 대한 설명으로 맞는 것은 무엇인가?

① 질의 구조는 정상이다

② 자궁의 구조는 정상이다

③ 자궁경부의 구조는 정상이다

④ 난소의 구조는 정상이다

⑤ 비뇨기계의 구조는 정상이다

66

정답 ④

해설

MRKH 증후군

1. Müllerian duct의 무형성 또는 형성저하
   a. 자궁, 난관이 없고, 질도 없거나 형성 저하
   b. 난소 : 정상적으로 존재, 기능도 정상적
2. 염색체검사 : 46,XX(정상 여성)
3. 정상 여성외형 + 원발성 무월경 + 비정상 질
4. 동반질환 : 비뇨기계(가장 흔함), 골격계, 난청

참고 *Final Check 부인과 338 page*

67

MRKH 증후군은 어느 구조물의 문제로 유발되는지 고르시오.

① Urogenital sinus

② Mesonephric duct

③ Paramesonephric duct

④ Primordial germ cell

⑤ Mesonephros

67

정답 ③

해설

MRKH 증후군

1. Müllerian duct의 무형성 또는 형성저하
   a. 자궁, 난관이 없고, 질도 없거나 형성 저하
   b. 난소 : 정상적으로 존재, 기능도 정상적
2. 염색체검사 : 46,XX(정상 여성)
3. 정상 여성외형 + 원발성 무월경 + 비정상 질
4. 동반질환 : 비뇨기계(가장 흔함), 골격계, 난청

참고 *Final Check 부인과 338 page*

68

20세 여대생이 원발성 무월경을 주소로 내원하였다. 이학적 검사상 유방 및 음모의 발달은 정상이었으나 질이 약 2 cm 정도의 맹관을 형성하고 있었다. 염색체검사는 46,XX로 정상이었고 혈청 gonadotropin은 모두 정상이었다. 다음 중 가장 가능성 높은 진단은 무엇인가?

① Turner syndrome

② Swyer syndrome

③ MRKH syndrome

④ Androgen insensitivity syndrome

⑤ PCOS

68

정답 ③

해설

MRKH 증후군

1. Müllerian duct의 무형성 또는 형성저하
   a. 자궁, 난관이 없고, 질도 없거나 형성 저하
   b. 난소 : 정상적으로 존재, 기능도 정상적
2. 염색체검사 : 46,XX(정상 여성)
3. 정상 여성외형 + 원발성 무월경 + 비정상 질
4. 동반질환 : 비뇨기계(가장 흔함), 골격계, 난청

참고 *Final Check 부인과 338 page*

69

17세의 여학생이 아직 초경이 없어서 내원하였다. 진찰소견상 유방 및 음모의 발달은 Tanner stage III~IV 정도였고, 외음부는 정상이나 질 부위가 1.5 cm 정도의 맹관을 형성하고 있었다. 염색체검사상 46,XX였으며, LH, FSH, Testosterone은 정상이었다. 이 환자에서 가장 가능성이 높은 진단은 무엇인가?

① Testicular feminization

② Mixed gonadal dysgenesis

③ Polycystic ovarian disease

④ Turner syndrome

⑤ Mayer-Rokitansky-Kuster-Hauser syndrome

69

정답 ⑤

해설

MRKH 증후군

1. Müllerian duct의 무형성 또는 형성저하
   a. 자궁, 난관이 없고, 질도 없거나 형성 저하
   b. 난소 : 정상적으로 존재, 기능도 정상적
2. 염색체검사 : 46,XX(정상 여성)
3. 정상 여성외형 + 원발성 무월경 + 비정상 질
4. 동반질환 : 비뇨기계(가장 흔함), 골격계, 난청

참고 *Final Check 부인과 343 page*

70

MRKH 증후군 환자의 복강경에서 가장 흔히 관찰되는 골반 소견은 무엇인가?

① Absent uterus, Normal testis

② Absent uterus, Normal ovary

③ Absent uterus, Streak ovary

④ Rudimentary uterus, Streak ovary

⑤ Rudimentary uterus, One ovary, One testis

70

정답 ②

해설

MRKH 증후군

1. Müllerian duct의 무형성 또는 형성저하
   a. 자궁, 난관이 없고, 질도 없거나 형성 저하
   b. 난소 : 정상적으로 존재, 기능도 정상적
2. 염색체검사 : 46,XX(정상 여성)
3. 정상 여성외형 + 원발성 무월경 + 비정상 질
4. 동반질환 : 비뇨기계(가장 흔함), 골격계, 난청

참고 *Final Check 부인과 338 page*

71

18세 여자가 초경이 없어 내원하였다. 이학적검사상 유방 및 음모의 발달은 정상이었으나 질은 약 2 cm 정도로 맹관을 형성하고 있었다. 염색체검사는 46,XX로 정상이었고, 혈청 gonadotropin도 정상이었다. 가장 가능성이 높은 진단명을 쓰시오.

71

정답 MRKH syndrome

해설

MRKH 증후군

1. Müllerian duct의 무형성 또는 형성저하
   a. 자궁, 난관이 없고, 질도 없거나 형성 저하
   b. 난소 : 정상적으로 존재, 기능도 정상적
2. 염색체검사 : 46,XX(정상 여성)
3. 정상 여성외형 + 원발성 무월경 + 비정상 질
4. 동반질환 : 비뇨기계(가장 흔함), 골격계, 난청

참고 *Final Check 부인과 338 page*

72

Müllerian agenesis에서 병행해야 할 검사를 모두 고르시오.

(가) 청력 검사
(나) 바륨 대장검사
(다) IVP
(라) Upper GI

① 가, 나, 다
② 가, 다
③ 나, 라
④ 라
⑤ 가, 나, 다, 라

73

MRKH 증후군에 대한 설명으로 잘못된 것은 무엇인가?

① 생식샘자극호르몬(gonadotropin)은 정상 수준이다
② 난소 종양의 빈도가 증가한다
③ Galactose 대사이상과 관계가 있다
④ 비뇨기계, 골격계 기형이 동반될 수 있다
⑤ 핵형은 46,XX이다

74

MRKH 증후군의 소견이 아닌 것은 무엇인가?

① 원발성 무월경
② 흔적 자궁
③ 난소와 난관 결여
④ 정상적인 이차성징 발현
⑤ 46,XX

72

정답 ②

해설

MRKH 증후군의 동반질환

1. 비뇨기계 이상
   a. 약 1/3에서 동반(가장 흔한 동반 기형)
   b. 신장질환 : 신장무형성, 말발굽신장 등
2. 골격계 이상
   a. 5~12%에서 동반
   b. 척추 이상(가장 흔한 근골격계 이상)
   c. 무지증, 합지증 등
3. 청력 결함, 난청 : 이소골의 결여로 발생
4. 갈락토오스(galactose) 대사이상

참고 *Final Check 부인과 338 page*

73

정답 ②

해설

MRKH 증후군

1. Müllerian duct의 무형성 또는 형성저하
   a. 자궁, 난관이 없고, 질도 없거나 형성 저하
   b. 난소 : 정상적으로 존재, 기능도 정상적
2. 염색체검사 : 46,XX(정상 여성)
3. 정상 여성외형 + 원발성 무월경 + 비정상 질
4. 동반질환 : 비뇨기계(가장 흔함), 골격계, 난청

참고 *Final Check 부인과 338 page*

74

정답 ③

해설

MRKH 증후군

1. Müllerian duct의 무형성 또는 형성저하
   a. 자궁, 난관이 없고, 질도 없거나 형성 저하
   b. 난소 : 정상적으로 존재, 기능도 정상적
2. 염색체검사 : 46,XX(정상 여성)
3. 정상 여성외형 + 원발성 무월경 + 비정상 질
4. 동반질환 : 비뇨기계(가장 흔함), 골격계, 난청

참고 *Final Check 부인과 338 page*

75

18세 여성이 생리가 한번도 없다며 상담을 위해 내원하였다. 유방 발달은 Tanner stage III, 음모는 Tanner stage IV, 질 상부는 맹관을 형성하고 있었고, 초음파상 자궁이 관찰되지 않았다. 가장 가능성이 높은 진단은 무엇인가?

① Swyer syndrome

② Turner syndrome

③ MRKH syndrome

④ Asherman syndrome

⑤ Androgen insensitivity

76

24세 여자가 원발성 무월경을 주소로 내원하였다. 과거력상 특이소견은 없었으며, 이차성징은 잘 발달되어 있었다. 프로게스테론 부하검사와 에스트로겐-프로게스테론 병합 부하검사에도 소퇴성 출혈이 없었다. 복부 초음파상 난소와 난포를 확인할 수 있었지만 자궁은 확인되지 않았다. 기초 체온표는 이상성 소견을 보였고 호르몬검사는 아래와 같았다. 이 환자의 다음 처치로 가장 적절한 것을 고르시오.

- E2 : 85 pg/mL (정상수치 30~120 pg/mL)
- FSH : 5.5 mIU/mL (정상수치 1.8~9.4 mIU/mL)
- LH : 6.8 mIU/mL (정상수치 0.8~10.4 mIU/mL)
- PRL : 8.0 ng/mL (정상수치 4.79~23.30 ng/mL)

① 호르몬요법

② 난소 제거

③ 난소 제거 후 호르몬 요법

④ McIndoe 수술

⑤ Gonadotropin 투여

75

정답 ③

해설

MRKH 증후군

1. Müllerian duct의 무형성 또는 형성저하
   a. 자궁, 난관이 없고, 질도 없거나 형성 저하
   b. 난소 : 정상적으로 존재, 기능도 정상적
2. 염색체검사 : 46,XX(정상 여성)
3. 정상 여성외형 + 원발성 무월경 + 비정상 질
4. 동반질환 : 비뇨기계(가장 흔함), 골격계, 난청

참고 *Final Check 부인과 338 page*

76

정답 ④

해설

질이 없거나 맹관을 형성한 경우의 치료

1. 질확장기(Frank dilator) : 점진적 질 확장 시도
2. 질 확장 실패한 경우 : McIndoe operation(피부 이식에 의한 인공 질 형성)

참고 *Final Check 부인과 344 page*

77

28세 여자가 생리가 한번도 없다며 내원하였다. 환자의 유방 발달과 음모의 발달은 거의 없었고, 냄새를 맡지 못한다고 하였다. 이 질환의 원인이 되는 호르몬을 쓰시오.(1가지)

77

정답
생식샘자극호르몬분비호르몬(GnRH)

해설
Kallmann 증후군

1. 후각상실증을 동반한 생식샘기능저하증
   a. 시상하부 GnRH 분비장애 → 생식샘저하증
   b. 후각망울의 미형성 → 후각소실(anosmia)
2. 염색체검사 : 46,XX (정상 여성)
3. Testosterone, E2, progesterone, FSH 감소
4. 임상소견
   a. 이차성징 발달 지연, 무월경
   b. 낮은 생식샘자극호르몬(gonadotropin)
   c. 후각소실(anosmia)
   d. 색맹(color blindness)

참고 *Final Check 부인과 331 page*

78

출산 경험이 없는 20세 여성이 일차성 무월경을 주소로 내원하였다. 환자는 평소 냄새를 잘 못맡는다고 하였고, 두통, 시각장애, 유루증 등의 증상은 없었다. 환자의 어머니도 비슷한 증상이 있었다고 하였고, 혈액검사 소견은 아래와 같았다면 가장 가능성이 높은 진단명을 고르시오.

- Estradiol 5 pg/mL (정상수치 30~120 pg/mL)
- FSH 1.2 mIU/mL (정상수치 1.8~9.4 mIU/mL)
- LH 1.3 mIU/mL (정상수치 0.8~10.4 mIU/mL)

① Anorexia nervosa

② Polycystic ovary syndrome

③ Pituitary tumor

④ Kallmann syndrome

⑤ Androgen insensitivity syndrome

78

정답 ④

해설
Kallmann 증후군

1. 후각상실증을 동반한 생식샘기능저하증
   a. 시상하부 GnRH 분비장애 → 생식샘저하증
   b. 후각망울의 미형성 → 후각소실(anosmia)
2. 염색체검사 : 46,XX (정상 여성)
3. Testosterone, E2, progesterone, FSH 감소
4. 임상소견
   a. 이차성징 발달 지연, 무월경
   b. 낮은 생식샘자극호르몬(gonadotropin)
   c. 후각소실(anosmia)
   d. 색맹(color blindness)

참고 *Final Check 부인과 331 page*

79

18세 여성이 원발성 무월경을 주소로 내원하였다. 환자는 평소 냄새를 잘 맡지 못하고, 색맹이 있었다. 시행한 염색체검사상 46,XX로 확인되었다면 이 환자의 문제가 되는 원인 호르몬은 무엇인가?

① 테스토스테론

② 생식샘자극호르몬분비호르몬

③ 5α-reductase

④ 난포자극호르몬

⑤ 방향화효소

79

정답 ②

해설

Kallmann 증후군

1. 후각상실증을 동반한 생식샘기능저하증
   a. 시상하부 GnRH 분비장애 → 생식샘저하증
   b. 후각망울의 미형성 → 후각소실(anosmia)
2. 염색체검사 : 46,XX (정상 여성)
3. Testosterone, E2, progesterone, FSH 감소
4. 임상소견
   a. 이차성징 발달 지연, 무월경
   b. 낮은 생식샘자극호르몬(gonadotropin)
   c. 후각소실(anosmia)
   d. 색맹(color blindness)

참고 *Final Check 부인과 331 page*

80

27세 여자가 무후각증, 원발성 무월경을 주소로 내원하였다. 프로게스테론 부하검사에서 소퇴성 출혈이 없었고, 에스트로겐/프로게스테론 병합 부하검사 후 질 출혈이 있었다. 혈액검사가 아래와 같다면 이 환자의 치료로 가장 적절한 것을 고르시오.

- E2 : 10 pg/mL (정상수치 30~120 pg/mL)
- LH : 2.1 mIU/mL (정상수치 0.8~10.4 mIU/mL)
- FSH : 2.5 mIU/mL (정상수치 1.8~9.4 mIU/mL)

① Clomiphene citrate 투여

② Estrogen + Progesterone 주기요법

③ GnRH agonist + Gonadotropin

④ 난자 공여

⑤ Metformin 투여

80

정답 ②

해설

Kallmann 증후군의 치료

1. 호르몬 요법을 시행
   a. 박동성 GnRH의 장기 투여
   b. 에스트로겐과 프로게스테론 주기요법
2. 저용량 경구피임제 투여
   a. 저에스트로겐 상태를 교정
   b. 골다공증 예방과 피임효과

참고 *Final Check 부인과 334 page*

81

29세 여성이 6개월 간의 무월경을 주소로 내원하였다. 엄마와 이모 모두 40세 이전에 폐경 되었다고 하였다. 골반진찰 및 이학적검사는 정상이었고, 호르몬검사와 염색체검사는 아래와 같았다면 확진을 위한 검사로 가장 적절한 것을 고르시오.

- FSH : 53 mIU/mL (정상수치 1.8~9.4 mIU/mL)
- LH : 45 mIU/mL (정상수치 0.8~10.4 mIU/mL)
- E2 : 10 pg/mL (정상수치 30~120 pg/mL)
- 염색체검사 : 46,XX

① 난소조직검사 ② FMR1 유전자 확인
③ Prolactin 수치 확인 ④ GnRH 수치 확인
⑤ Brain MRI

81
정답 ②
해설
유약엑스 보인자(Fragile X carrier)
1. Xq27.3에 위치하고 있는 FMR1 유전자의 예비돌연변이(premutation carriers)로 발생
   a. 보인자 : CGG triplet 반복 60~200개 사이
   b. 비정상 FMR1 mRNA 발현 → 난소기능부전
   c. 아들에게 Fragile X syndrome이 발생
2. 13~26%에서 원발성 난소기능부전 발현

참고 *Final Check 부인과 346 page*

82

Xq27.3의 FMR1 gene mutation으로 CGG triplet 반복이 유발되어 생기는 질환은 무엇인가?

① Kallmann syndrome ② Fragile X syndrome
③ Turner syndrome ④ Swyer syndrome
⑤ Cri-Du-Chat syndrome

82
정답 ②
해설
유약엑스 보인자(Fragile X carrier)
1. Xq27.3에 위치하고 있는 FMR1 유전자의 예비돌연변이(premutation carriers)로 발생
   a. 보인자 : CGG triplet 반복 60~200개 사이
   b. 비정상 FMR1 mRNA 발현 → 난소기능부전
   c. 아들에게 Fragile X syndrome이 발생
2. 13~26%에서 원발성 난소기능부전 발현

참고 *Final Check 부인과 346 page*

83

하시모토 갑상샘염(Hashimoto's thyroiditis) 환자가 치료 후 증상은 호전되었으나 6개월 간 무월경이 지속되어 내원하였다. Anti-nuclear Ab, Anti-thyroglobulin Ab, anti-microsound Ab 모두 양성이었다면 가장 의심되는 질환은 무엇인가?

① Hypothalamic amenorrhea

② Polycystic ovary syndrome

③ Premature ovarian failure

④ Adrenal hyperplasia

⑤ Hyperprolactinemia

83

정답 ⑤

해설

고프롤락틴혈증(Hyperprolactinemia)

1. PRL 증가 → GnRH 분비 촉진 → 월경 이상
2. 원인
   a. 임신, 뇌하수체선종, 도파민장애 CNS질환
   b. 도파민 분비를 방해하는 약물
3. TSH, prolactin 증가 : 갑상샘저하증 먼저 치료

참고 *Final Check 부인과 346 page*

84

심한 운동으로 인한 무월경에 대한 내용으로 잘못된 것을 고르시오.

① 운동 자체가 초경을 지연시키지는 않는다

② Hypogonadotropic hypogonadism 양상

③ GnRH 감소

④ Gonadotropin 감소

⑤ Leptin의 감소

84

정답 ①

해설

운동과 무월경

1. 특징적 증상 : 무월경, 골다공증, 식사장애
2. 검사 : Hypogonadotropic hypogonadism
   a. FSH 박동빈도로 GnRH 박동빈도 감소 확인
   b. Estrogen, DEXA, leptin 확인
3. 렙틴(leptin)
   a. 지방세포에서 분비, 에너지 항상성에 관여
   b. 월경 기능과 골밀도에 관여
   c. Leptin이 감소하면 무월경이 초래

참고 *Final Check 부인과 348 page*

85

육상선수인 20대 여성이 생리 불규칙을 주소로 내원하였다. 여성은 BMI 12였고, 시행한 검사상 hypogonadotropic hypogonadism으로 확인되었다. 이 여성에게 필요한 추가 검사를 고르시오.

① Bone densitometry

② Testosterone

③ Brain MRI

④ Chest CT

⑤ Observation

85

정답 ①

해설

운동과 무월경

1. 특징적 증상 : 무월경, 골다공증, 식사장애
2. 검사 : Hypogonadotropic hypogonadism
   a. FSH 박동빈도로 GnRH 박동빈도 감소 확인
   b. Estrogen, DEXA, leptin 확인
3. 렙틴(leptin)
   a. 지방세포에서 분비, 에너지 항상성에 관여
   b. 월경 기능과 골밀도에 관여
   c. Leptin이 감소하면 무월경이 초래

참고 *Final Check 부인과 348 page*

86

무월경이 있는 육상 선수에 대하여 맞는 것을 모두 고르시오.

(가) 피로골절(stress fracture)의 위험성이 높다
(나) 폐경과 비슷한 골 소실을 보인다
(다) 호르몬 치료가 필요하다
(라) 운동을 줄이면 생리가 돌아올 수 있다

① 가, 나, 다
② 가, 다
③ 나, 라
④ 라
⑤ 가, 나, 다, 라

86

정답 ⑤

해설

운동과 무월경

1. 특징적 증상 : 무월경, 골다공증, 식사장애
2. 검사 : Hypogonadotropic hypogonadism
   a. FSH 박동빈도로 GnRH 박동빈도 감소 확인
   b. Estrogen, DEXA, leptin 확인
3. 렙틴(leptin)
   a. 지방세포에서 분비, 에너지 항상성에 관여
   b. 월경 기능과 골밀도에 관여
   c. Leptin이 감소하면 무월경이 초래

참고 *Final Check 부인과 348 page*

87

18세 여자 피겨스케이트 선수가 최근 몇 개월간의 무월경을 주소로 내원하였다. 평소 월경은 규칙적이었지만 최근 강도 높은 훈련과 심한 스트레스로 체중 8 kg이 빠지고 이후 몇 개월간 생리가 없었다고 하였다. 다음 중 원인으로 생각되는 것은 무엇인가?

① Hypergonadotropic hypogonadism
② Hypogonadotropic hypogonadism
③ Hypergonadotropic hypergonadism
④ Hypogonadotropic hypergonadism
⑤ Isolated gonadotropin deficiency

87

정답 ②

해설

운동과 무월경

1. 특징적 증상 : 무월경, 골다공증, 식사장애
2. 검사 : Hypogonadotropic hypogonadism
   a. FSH 박동빈도로 GnRH 박동빈도 감소 확인
   b. Estrogen, DEXA, leptin 확인
3. 렙틴(leptin)
   a. 지방세포에서 분비, 에너지 항상성에 관여
   b. 월경 기능과 골밀도에 관여
   c. Leptin이 감소하면 무월경이 초래

참고 *Final Check 부인과 348 page*

88

17세 여학생이 이차성 무월경(secondary amenorrhea)을 주소로 내원하였다. 신장 168 cm 몸무게 41 kg이고, 학교 성적은 아주 좋다고 하였다. 호르몬검사는 아래와 같았고, Skull X-ray에서 pituitary tumor는 발견되지 않았다. 다음 중 가장 가능성 있는 진단은 무엇인가?

- LH, FSH, E2 : 감소
- ACTH는 정상, plasma cortisol은 약간 상승, T3 level은 낮은 것으로 확인되었다.

① Cushing's syndrome
② Asherman syndrome
③ Pure gonadal dysgenesis
④ Anorexia nervosa
⑤ Polycystic ovary syndrome

88

정답 ④

해설

신경성 식욕부진(anorexia nervosa) 호르몬변화

1. FSH, LH : 낮거나, 수면 중 FSH 박동 증가
2. ACTH 정상
3. Cortisol : 증가()
4. CRH 투여에도 ACTH 반응이 거의 없음
5. T3 감소, reverse T3 증가
6. TSH, T4 : 정상

참고 *Final Check 부인과 347 page*

89

다음 중 clomiphene citrate에 의해 분비가 증가되는 호르몬은 무엇인가?

① FSH
② LH
③ hCG
④ TSH
⑤ ACTH

89

정답 ①

해설

Clomiphene citrate의 작용

1. Selective estrogen receptor modulator (SERM)
2. 시상하부의 에스트로겐 수용체에 결합
   → 수용체 차단 효과
   → 난소-시상하부 estrogen feedback 약화
   → GnRH 파동성 분비 진폭(amplitude) 증가
   → FSH 분비 촉진

참고 *Final Check 부인과 353 page*

90

다음 중 배란유도에 clomiphene citrate가 효과적인 질환은 어느 것 인가?

① Turner syndrome
② Kallmann's syndrome
③ Gonadal dysgenesis
④ Katagener syndrome
⑤ Polycystic ovary syndrome

90

정답 ⑤

해설

Clomiphene citrate의 배란유도 효과

임신 주수가 정확하고 AFP가 2.0 MoM 이상으로

1. PCOS 환자에서 효과적
   a. LH/FSH ratio가 증가되어 있기 때문
   b. 80%에서 배란, 40%에서 임신
2. 생식샘기능저하증에서는 효과 없음

참고 *Final Check 부인과 353 page*

CHAPTER 21

내분비장애(Endocrine disorders)

01

Hypothalamic pituitary stalk의 손상 시 증가하는 호르몬은 무엇인가?

① FSH
② LH
③ Growth hormone
④ Prolactin
⑤ TSH

01

정답 ④

해설

고프로락틴혈증(Hyperprolactinemia)의 원인

1. 생리적인 원인
   a. 임신, 수유, 가슴자극, 운동, 수면, 스트레스
   b. 약 40%는 원인불명(idiopathic)
   c. 식사, 마취, 성교, 흉벽 수술이나 장애
2. 병적인 원인
   a. 시상하부-뇌하수체 줄기의 차단
   b. 뇌하수체의 과다분비
   c. 전신질환에 의한 증가
3. 약물에 의한 원인

참고 *Final Check 부인과 375 page*

02

다음 중 sex hormone binding globulin (SHBG)이 증가의 경우를 고르시오.

① Polycystic ovary syndrome
② Congenital adrenal hyperplasia
③ Obesity
④ Pregnancy
⑤ Hyperprolactinemia

02

정답 ④

해설

SHBG의 변화

SHBG가 증가하는 경우
– 고농도 에스트로겐 상태 (임신, 황체기, 에스트로겐 투여, 경구피임제) – 갑상샘호르몬 증가 – 간경화
SHBG가 감소하는 경우
– 안드로겐질환(PCOS, 부신증식, 종양, 쿠싱증후군) – 안드로겐약물(danazol, glucocorticoids, GH 등) – 고인슐린혈증 – 비만

참고 *Final Check 부인과 375 page*

03

비만, 여드름, 월경 이상, 다모증이 있는 여성이 내원하였다. 이 여성의 질환에 대한 설명으로 옳지 않은 것은 무엇인가?

① 지속적인 무배란이 일어날 수 있다

② 난포막세포(theca cell)의 활발한 활동이 특징이다

③ 난소, 부신, 뇌하수체 등의 기능장애로 올 수 있다

④ 안드로겐 생성부족이 원인이다

⑤ 인슐린 저항성이 나타난다

03

정답 ④

해설

다낭성난소증후군(PCOS)의 특성

1. 월경불순 : 희발월경, 무월경
2. 난포막과다형성(hyperthecosis)
3. 난소, 부신, 말초요인, 시상하부–뇌하수체 요인에 의해 발생
4. 고안드로겐혈증(hyperandrogenism)
5. 인슐린 저항성(insulin resistance)

참고 *Final Check 부인과 362, 364 page*

04

27세 여자가 팔, 다리에 털이 많다는 증상으로 내원하였다. 환자의 얼굴에는 여드름이 많았고, 복부에도 털이 많았다면 가능성이 높은 질환을 모두 고르시오.

(가) Ovarian neoplasm
(나) Cushing's syndrome
(다) Polycystic ovary syndrome
(라) Congenital adrenal hyperplasia

① 가, 나, 다　　② 가, 다

③ 나, 라　　④ 라

⑤ 가, 나, 다, 라

04

정답 ⑤

해설

다모증(Hirsutism)

1. 다낭성난소증후군
2. 특발성 고안드로겐증
3. 특발성 다모증
4. HAIRAN 증후군
5. 선천성 부신증식증
6. 안드로겐 분비 종양
7. 외부 요인
8. 기타 : 고프로락틴혈증, 말단비대증, 쿠싱병

참고 *Final Check 부인과 358 page*

05

21세 미혼 여성이 다모증(hirsutism)을 주소로 내원하였다. 환자는 13세때부터 생리가 불규칙했다고 하였고, 여성의 얼굴과 턱에는 체모가 많았으며 testosterone 120 ng/mL로 확인되었다. 다음으로 시행할 검사는 무엇인가?

① Androstenedione ② Cortisol
③ FSH ④ DHEA-S
⑤ LH

05
정답 ④
해설
다모증(hirsutism)의 혈액검사 소견
1. Total testosterone, Free testosterone
 a. 유리 테스토스테론의 측정이 가장 중요
 b. Total testosterone ≥200 ng/dL : 즉시 부신 또는 난소 종양 유무 확인
2. DHEAS
3. 17-OH progesterone
4. FSH, LH, prolactin, TSH : 생리장애시 추가

참고 *Final Check 부인과 359 page*

06

복합 경구피임제 사용 시 다모증 감소에 관한 기전으로 맞는 것을 모두 고르시오.

(가) 난소에서 androgen 생성 억제
(나) 간에서 SHBG 생성 증가
(다) 피부에서 5α-reductase 억제
(라) 부신에서 androgen 생성 감소

① 가, 나, 다 ② 가, 다
③ 나, 라 ④ 라
⑤ 가, 나, 다, 라

06
정답 ⑤
해설
경구피임제가 다모증(hirsutism)에 작용기전
1. 뇌하수체의 성선자극호르몬 분비 억제
 a. 난소에서의 androgen 합성을 억제
 b. Estrogen 성분이 SHBG 합성을 증가시켜 Free testosterone 농도 감소
2. 항안드로겐성 프로게스틴 포함 경구피임제
 a. Progestin이 모낭에서의 androgen 수용체에 경쟁적으로 결합
 b. 5α-reductase 활성을 억제

참고 *Final Check 부인과 360 page*

07

다모증(hirsutism) 환자에서 경구피임제를 투여 시 나타나는 작용기전을 쓰시오.

08

다낭성난소증후군의 진단기준을 쓰시오.(3가지)

07

정답

1. 뇌하수체의 성선자극호르몬 분비 억제
   a. 난소에서의 androgen 합성을 억제
   b. Estrogen 성분이 SHBG 합성을 증가시켜 Free testosterone 농도 감소
2. 항안드로겐성 프로게스틴 포함 경구피임제
   a. Progestin이 모낭에서의 androgen 수용체에 경쟁적으로 결합
   b. 5α-reductase 활성을 억제

참고 *Final Check 부인과 360 page*

08

정답

1. 만성적인 월경 이상(oligo-ovulation 또는 anovulation)
2. 고안드로겐혈증(hyperandrogenism)
3. 다낭성 난소(polycystic ovary)

참고 *Final Check 부인과 364 page*

09

다낭성난소증후군에 대한 설명으로 옳지 않은 것은 무엇인가?

① Free testosterone 증가

② Theca cell은 insulin의 영향으로 androgen을 생산을 증가시킨다

③ SHBG(sex hormone binding globulin) 증가

④ 난소의 estrogen 농도는 증가되지 않지만 총 estrogen 농도는 증가한다

⑤ 특이하게 acanthosis nigricans를 동반하는 경향이 있다

09

정답 ③

해설

다낭성난소증후군의 인슐린 분비 및 작용 이상

1. 유리 인슐린이 증가하면 IGF-1 수용체에 결합
   → IGF-1은 LH의 난포막세포 반응성 증가
   → 난소에서 androgen 생성 증가
2. 인슐린 증가로 간의 SHBG, IGFBP-1 생성억제
   → IGFBP-1의 감소 : 혈중 유리 IGF-1 증가, 난소 내 IGF-1, IGF-2 활동성 증가
   → 증가된 IGF-1 또한 간의 SHBG 생성 억제
   → SHBG 감소로 유리 testosterone, E2 증가

참고 *Final Check 부인과 362 page*

10

다낭성난소증후군의 호르몬검사 결과로 적절한 것을 고르시오.

① 매우 높은 FSH와 LH

② 매우 높은 FSH와 정상의 LH

③ 매우 높은 LH와 낮은 FSH

④ 높은 LH와 정상의 FSH

⑤ 매우 높은 FSH와 LH

10

정답 ④

해설

다낭성난소증후군의 호르몬검사	
FSH	Normal or Decreased
LH	Normal or Increased
LH/FSH	Normal or Increased >2~3
DHEAS	Normal or Increased <700 μg/dL
Testosterone	Normal or Increased <200 ng/dL
Prolactin	Normal or Increased <500 ng/mL
Estrogen	Increased
SHBG	Decreased

참고 *Final Check 부인과 366 page*

11

30세 주부가 6개월간의 무월경을 주소로 내원하였다. 산과력은 1-0-0-1로 1년 전 질식분만을 하였고, 특별한 병력은 없었으나 최근 7개월간 약 5 kg의 체중 증가와 체모 증가를 보였다. 내원 당시 실시한 복부 초음파는 아래와 같았으며 환자에게 황체호르몬을 투여한 지 4일 뒤 월경이 있었다. 다음 중 이 환자에서 보기 어려운 소견은 무엇인가?

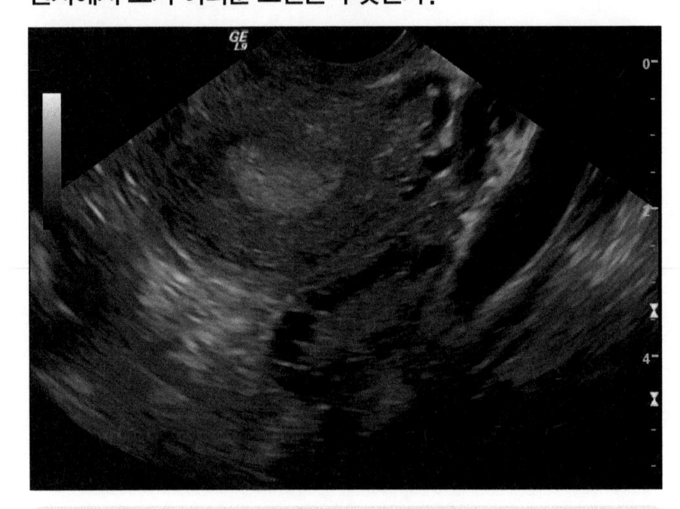

(가) Poor breast development
(나) Endometrial hyperplasia
(다) Osteoporosis
(라) Serum LH/FSH ratio 증가

① 가, 나, 다 ② 가, 다
③ 나, 라 ④ 라
⑤ 가, 나, 다, 라

11

정답 ②

해설

다낭성난소증후군(PCOS)의 임상증상

1. 고안드로겐혈증 : LH/FSH ratio >2~3
2. 월경장애 : 무월경, 희발월경
3. 비만
4. 인슐린 저항성, 고인슐린혈증
5. 비정상 lipoprotein 수치 : HDL 감소
6. 다낭성 난소(polycystic ovary)

참고 *Final Check 부인과 364 page*

12

다낭성난소증후군 환자에서 인슐린 저항성(insulin resistance)을 시사하는 소견이 아닌 것은 무엇인가?

① BMI >27 kg/m^2

② Waist to hip ratio >0.85

③ Acanthosis nigricans

④ 목에 발생하는 hyperkeratosis

⑤ Fasting glucose/Insulin ratio >4.5

12

정답 ⑤

해설

인슐린 저항성과 고인슐린혈증 시사 소견

1. 가장 흔한 원인 : 비만(obesity)
2. Hyperandrogenism : testosterone >150 ng/dL
3. Insulin resistance
   a. Fasting insulin >25 μIU/mL
   b. Maximum insulin response >300 μIU/mL
4. Acanthosis nigricans
   a. 외음부, 겨드랑이, 목, 가슴 아래, 허벅지 안쪽의 두꺼워지고 착색된 거친 피부변
   b. 특징소견 : hyperkeratosis, papillomatosis

참고 Final Check 부인과 364 page

13

다음 그림과 같은 소견 가진 다낭성난소증후군 환자의 검사 결과에 해당하는 것을 고르시오.

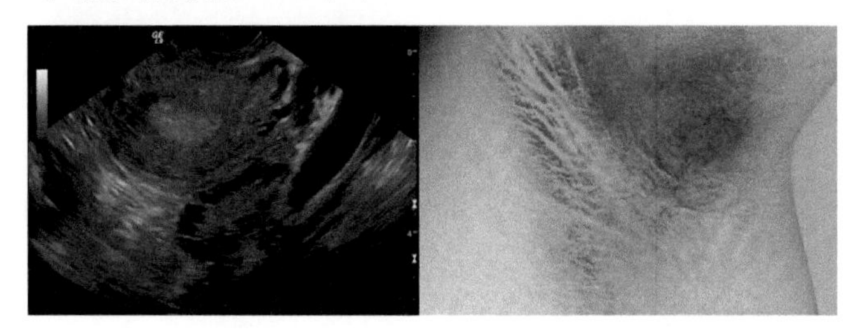

① FSH increased

② LH decreased

③ Fasting insulin <25 μIU/mL

④ Testosterone <20 ng/dL

⑤ hyperandrogenism

13

정답 ⑤

해설

다낭성난소증후군의 호르몬검사	
FSH	Normal or Decreased
LH	Normal or Increased
LH/FSH	Normal or Increased >2~3
DHEAS	Normal or Increased <700 μg/dL
Testosterone	Normal or Increased <200 ng/dL
Prolactin	Normal or Increased <500 ng/mL
Estrogen	Increased
SHBG	Decreased

참고 Final Check 부인과 366 page

14

임신력 0-0-0-0인 30세 여성이 2년간 임신이 되지 않아 내원하였다. 키 160 cm, 몸무게 68 kg, 얼굴에 여드름이 많았고, 평소 월경은 불규칙하였다. 초음파소견이 아래와 같았다면 피부의 색소침착과 관련이 있는 혈액검사 소견을 고르시오.

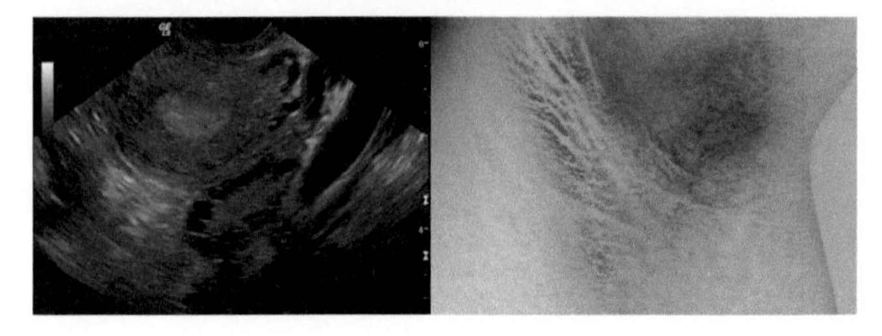

① LH 21 mIU/mL (정상수치 0.8~10.4 mIU/mL)

② AMH 15 ng/mL (정상수치 1~10 ng/mL)

③ Estradiol 200 pg/mL (정상수치 30~120 pg/mL)

④ Fasting insulin 70 mg/dL (정상수치 5~25 mg/dL)

⑤ Testosterone : 10 ng/dL (정상수치 20~80 ng/dL)

14

정답 ④

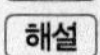
해설

HAIRAN 증후군

1. Hyperandrogenism : testosterone >150 ng/dL
2. Insulin resistance
   a. Fasting insulin >25 μIU/mL
   b. maximum insulin response >300 μIU/mL
3. Acanthosis nigricans
   a. 외음부, 겨드랑이, 목, 가슴 아래, 허벅지 안쪽의 두꺼워지고 착색된 거친 피부변화
   b. 말초조직의 인슐린 저항성을 반영
   c. 특징소견 : hyperkeratosis, papillomatosis

참고 *Final Check 부인과 365 page*

15

27세 여성이 불임을 주소로 내원하였다. 이 환자는 몇 년 전부터 월경이 4개월에 한번 정도 있었으며 생리양도 적었고, 키 165 cm, 몸무게 65 kg, 팔과 다리에 털이 많았다. 이 환자에 관한 설명으로 맞는 것을 모두 고르시오.

(가) 초음파상 난소 크기가 커져 있고, 난소 피질의 두께가 증가되어 있을 가능성이 높다
(나) 인슐린 저항성 때문에 혈중 인슐린이 증가되어 있다
(다) 다모증을 결정하는 것은 5α-reductase이며, 동양인은 이 효소가 서양인에 비해 적어 다모증의 빈도가 비교적 적다
(라) 혈중 안드로겐이 증가되어 있다

① 가, 나, 다　② 가, 다
③ 나, 라　④ 라
⑤ 가, 나, 다, 라

15
정답 ⑤
해설
다낭성난소증후군(PCOS)의 임상증상
1. 고안드로겐혈증 : LH/FSH ratio >2~3
2. 월경장애 : 무월경, 희발월경
3. 비만
4. 인슐린 저항성, 고인슐린혈증
5. 비정상 lipoprotein 수치 : HDL 감소
6. 다낭성 난소(polycystic ovary)

참고 *Final Check 부인과 364 page*

16

다낭성난소증후군에서 위험성이 감소하는 질환은 무엇인가?

① 자궁내막암　② 당뇨병
③ 난소암　④ 골다공증
⑤ 유방암

16
정답 ④
해설
다낭성난소증후군에서 증가하는 위험성
1. 내당능장애 및 당뇨 발생 증가
2. 대사증후군(metabolic syndrome)
3. 심혈관계 질환
4. 악성 암(자궁내막암, 유방암, 난소암)
5. 우울증 및 기분조절 장애

참고 *Final Check 부인과 367 page*

17

다낭성난소증후군에서 위험성이 증가하지 않는 것은 무엇인가?

① 당뇨병　② 유방암
③ 골다공증　④ 자궁내막암
⑤ 불임

17

정답 ③

해설

다낭성난소증후군에서 증가하는 위험성

1. 내당능장애 및 당뇨 발생 증가
2. 대사증후군(metabolic syndrome)
3. 심혈관계 질환
4. 악성 암(자궁내막암, 유방암, 난소암)
5. 우울증 및 기분조절 장애

참고 *Final Check 부인과 367 page*

18

산과력 0-0-0-0인 32세 여자가 2년간의 불임을 주소로 내원하였다. 키 160 cm, 체중 72 kg, 얼굴에는 여드름이 많았으며, 얼굴과 아랫배에 털이 많이 있었다. 초경은 14세에 있었고, 최근에는 1년에 3~4회의 월경이 있었다. 초음파와 복부소견이 아래와 같았다면 이 환자에게서 증가하는 질환이 아닌 것은 무엇인가?

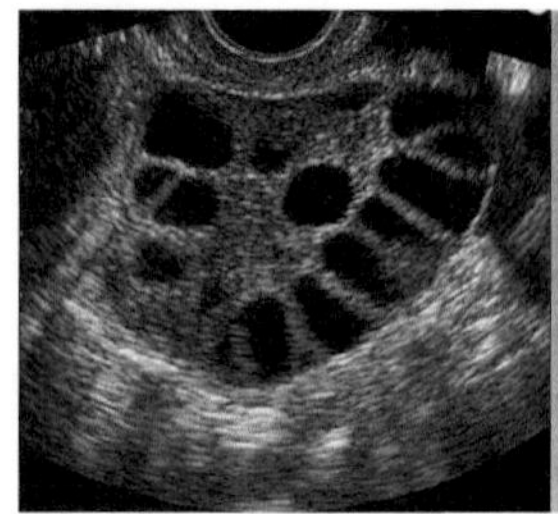
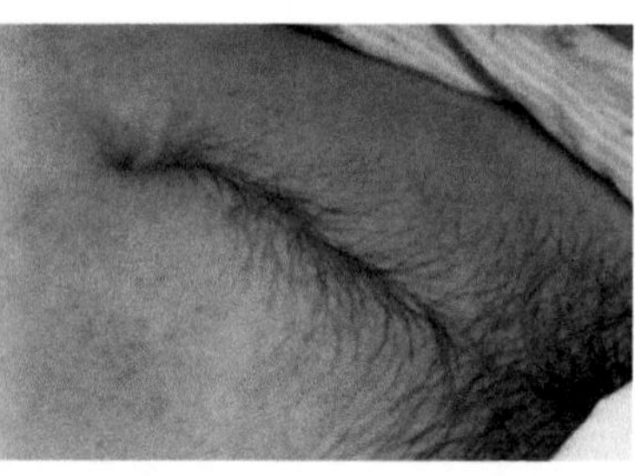

① 당뇨　② 이상지질혈증
③ 고혈압　④ 쿠싱증후군
⑤ 자궁내막암

18

정답 ④

해설

다낭성난소증후군에서 증가하는 위험성

1. 내당능장애 및 당뇨 발생 증가
2. 대사증후군(metabolic syndrome)
3. 심혈관계 질환
4. 악성 암(자궁내막암, 유방암, 난소암)
5. 우울증 및 기분조절 장애

참고 *Final Check 부인과 367 page*

19

23세 여자가 이차성 무월경과 다모증을 주소로 내원하였다. 월경주기 3일에 LH/FSH ratio = 3.4, 초음파상 자궁의 크기는 정상이었으며, 좌우 난소의 크기는 자궁보다 조금 작았다. 이 환자에서 발생 위험이 증가하지 않는 것은 무엇인가?

① 관상동맥질환
② 고혈압
③ 당뇨병
④ 자궁경부암
⑤ 유방암

19

정답 ④

해설

다낭성난소증후군에서 증가하는 위험성

1. 내당능장애 및 당뇨 발생 증가
2. 대사증후군(metabolic syndrome)
3. 심혈관계 질환
4. 악성 암(자궁내막암, 유방암, 난소암)
5. 우울증 및 기분조절 장애

참고 *Final Check 부인과 367 page*

20

29세 여자가 5개월간의 무월경을 주소로 내원하였다. 환자는 키 165 cm, 몸무게 53 kg이었고, 몸에 털이 많았다. 초음파와 호르몬 검사가 아래와 같다면 이 질환의 원인과 관련이 있는 질환을 고르시오.

- 초음파 : 10 mm 미만의 난포가 양측 난소 모두 15개 이상 관찰
- FSH 6.5 mIU/mL
- LH 14.5 mIU/mL
- PRL 15 ng/mL
- TSH 2.9 mU/L

① 당뇨
② 자궁기형
③ 자궁내막증
④ 뇌하수체 선종
⑤ 생리전증후군

20

정답 ①

해설

다낭성난소증후군에서 증가하는 위험성

1. 내당능장애 및 당뇨 발생 증가
2. 대사증후군(metabolic syndrome)
3. 심혈관계 질환
4. 악성 암(자궁내막암, 유방암, 난소암)
5. 우울증 및 기분조절 장애

참고 *Final Check 부인과 367 page*

21

40세 여자가 질 출혈을 주소로 병원에 내원하였다. 환자는 사춘기부터 월경이 불규칙 하였고, 여드름이 많아 피부과 치료를 받았다고 하였다. 결혼 후에는 임신이 잘 되지 않아 배란 유도제를 사용하여 임신이 되었고, 최근에는 체중 증가가 있었으며, 가끔씩 다량의 질 출혈이 있었다. 이 질환과 관련하여 발생 가능한 암은 무엇인가?

① 질암 ② 난소암
③ 난관암 ④ 자궁경부암
⑤ 자궁내막암

21

정답 ⑤

해설

다낭성난소증후군에서 증가하는 악성 암

1. 만성 무배란
   → low progesterone + unopposed estrogen
2. 자궁내막암 : 위험도 증가
3. 난소암 : 2~3배 증가
4. 유방암 : 위험도 증가

참고 *Final Check 부인과 367 page*

22

30세 여자가 10일 전부터 시작된 지속적인 질 출혈을 주소로 내원하였다. 마지막 월경은 6개월 전이었고, 평소 월경은 불규칙하였다. 골반 진찰에서 자궁과 부속기에 만져지는 덩어리는 없었고, 소변 임신검사는 음성이었다. 골반 초음파가 아래와 같았다면 이 환자에게 가장 적절한 처치를 고르시오.

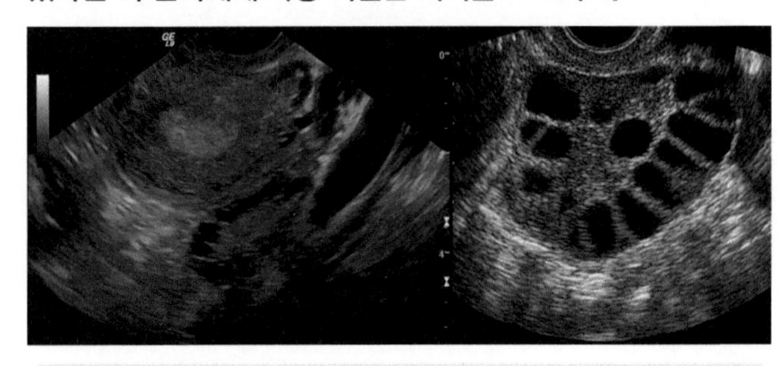

– 자궁내막 두께 : 21.4 mm

① 에스트로겐
② 주기적 프로게스틴
③ 복합 경구피임제
④ 레보노르게스트렐분비 자궁내장치
⑤ 자궁내막 조직검사

22

정답 ⑤

해설

다낭성난소증후군과 자궁내막암

1. 대부분 1기, 완치율이 90% 이상
2. 고위험 : 출혈, 체중 증가, 나이가 많은 경우
3. 자궁내막의 과증식을 억제하기 위해 최소한 3개월에 한 번은 월경을 유도
4. 예방법
   a. 규칙적인 배란 유도
   b. 지속적 or 주기적 프로게스테론 투여

참고 *Final Check 부인과 367 page*

23

다음 중 안드로겐 활성이 가장 강한 것은 무엇인가?

① Testosterone

② Androstenedione

③ Dihydrotestosterone

④ Dehydroepiandrosterone

⑤ Dehydroepiandrosterone sulfate

23

정답 ③

해설

안드로겐(androgen)	상대적 활성도
DHEAS	5
DHEA	
Androstenedione	10
Testosterone	100
DHT	300

참고 *Final Check 부인과 356 page*

24

다낭성난소증후군 환자의 임신 전 처치로 적절한 것을 고르시오.

① 체중 감량은 예후에 큰 영향이 없다

② Metformin을 쓰면 배란에 도움이 된다

③ Clomiphene은 별 효과가 없으므로 처음부터 hMG를 권장한다

④ GnRH agonist를 쓰면 OHSS를 예방할 수 있다

⑤ 일단 임신에 성공하면 합병증이 증가하지는 않는다

24

정답 ②

해설

임신을 원하는 PCOS 환자의 치료

1. 체중감량 : PCOS에서의 1차 치료법
2. 클로미펜(clomiphene citrate)
3. 메트포민(metformin)
4. 저용량 성선자극호르몬 치료
5. 복강경 난소천공술
6. 체외수정(IVF-ET)

참고 *Final Check 부인과 368 page*

25

25세 비만 여성이 6개월간의 무월경을 주소로 내원하였다. 이학적 검사에서 다모증을 보였으며, 골반 초음파 검사에서 직경 5 mm 크기의 난포가 양쪽 난소에서 여러 개가 보였다. 다음 중 이 환자의 다모증 치료제로 사용할 수 없는 것은 무엇인가?

① Oral pill

② Finasteride

③ GnRH agonist

④ Spironolactone

⑤ Conjugated estrogen

25

정답 ⑤

해설

다모증(hirsutism)의 치료제
Topical eflornithine
호르몬억제제
경구피임제(oral contraceptive pill)
Medroxyprogesterone acetate (MPA)
Long-acting GnRH agonist
부신피질호르몬(glucocorticoids)
스테로이드합성효소억제제
Ketoconazole
5α-reductase 억제제
Finasteride
항안드로겐
Spironolactone
Cyproterone acetate
Flutamide

참고 *Final Check 부인과 360 page*

26

26세 여성이 4개월간의 불규칙한 월경을 주소로 내원하였다. 환자는 BMI 28, 시행한 초음파에서 좌측 난소는 정상적이었으나 우측 난소는 아래와 같았고, 복부에는 다수의 털을 확인할 수 있었다. 이 환자의 치료로 가장 적절한 것을 고르시오.

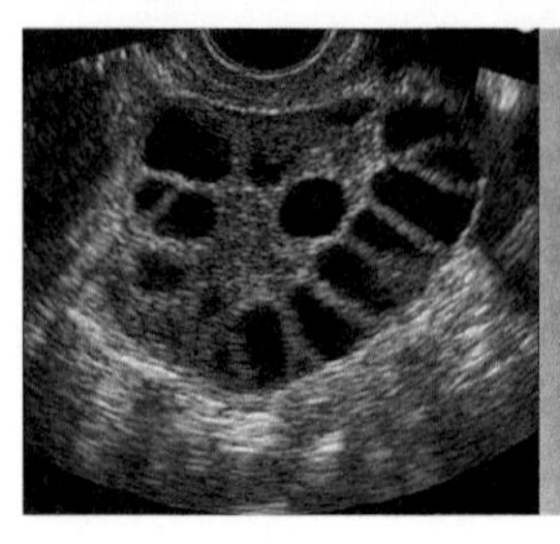
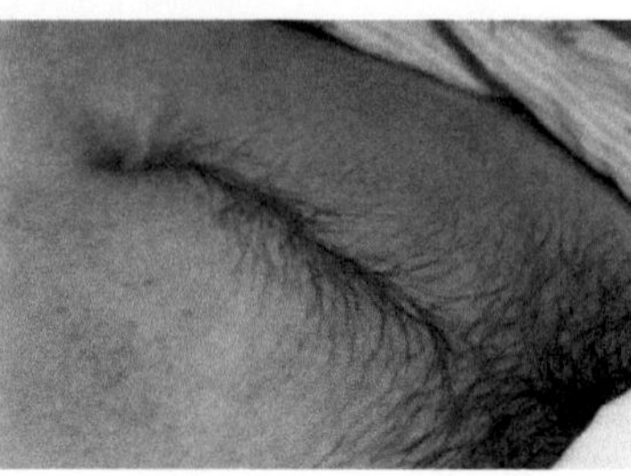

① Observation
② Oral contraceptive pill
③ GnRH antagonist
④ Gonadotropin
⑤ Progestin

27

28세 여성이 최근 목소리가 굵어지고 월경이 불규칙하다며 내원하였다. 환자는 BMI 32, 전신의 체모가 많은 양상이었다. 이 여성의 첫 번째 치료로 가장 적절한 것은 무엇인가?

① 체중 감량
② Medroxyprogesterone acetate
③ Oral contraceptive
④ Spironolactone
⑤ Metformin

26

정답 ②

해설

다모증(hirsutism)의 치료제
Topical eflornithine
호르몬억제제
경구피임제(oral contraceptive pill)
Medroxyprogesterone acetate (MPA)
Long-acting GnRH agonist
부신피질호르몬(glucocorticoids)
스테로이드합성효소억제제
Ketoconazole
5α-reductase 억제제
Finasteride
항안드로겐
Spironolactone
Cyproterone acetate
Flutamide

참고 *Final Check 부인과 360 page*

27

정답 ①

해설

고안드로겐혈증과 다모증에서 생활습관교정

1. 과체중 또는 비만인 경우 생활습관교정을 통한 체중감소가 우선적으로 권장
2. 다낭성난소증후군 환자에서 효과적

참고 *Final Check 부인과 360 page*

28

32세 환자가 결혼 후 지속적인 노력에도 임신이 되지 않아 상담을 위해 내원하였다. 환자는 키 160 cm, 70 kg이었고, 초음파상 아래와 같은 소견이 관찰되었으며, 여드름과 다모증을 호소하였다. 환자의 불임치료를 위해 가장 먼저 시도할 수 있는 방법은 무엇인가?

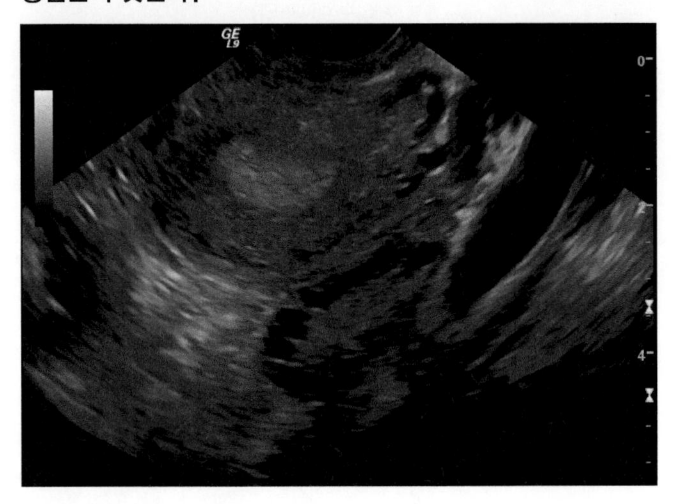

① 클로미펜

② 프로게스테론

③ 생식샘자극호르몬

④ 생식샘자극호르몬분비호르몬 길항제

⑤ 생식샘자극호르몬분비호르몬 작용제

28

정답 ①

해설

임신을 원하는 PCOS 환자의 치료

1. 체중감량 : PCOS에서의 1차 치료법
2. 클로미펜(clomiphene citrate)
3. 메트포민(metformin)
4. 저용량 성선자극호르몬 치료
5. 복강경 난소천공술
6. 체외수정(IVF-ET)

참고 *Final Check 부인과 368 page*

29

다낭성난소증후군으로 진단된 불임 환자에서 배란 유도를 하고자 할 때 가장 우선적으로 추천되는 약물은 무엇인가?

① Clomiphene citrate ② Bromocriptine

③ Dexamethasone ④ GnRH

⑤ Gonadotropin

29

정답 ①

해설

임신을 원하는 PCOS 환자의 치료

1. 체중감량 : PCOS에서의 1차 치료법
2. 클로미펜(clomiphene citrate)
3. 메트포민(metformin)
4. 저용량 성선자극호르몬 치료
5. 복강경 난소천공술
6. 체외수정(IVF-ET)

참고 *Final Check 부인과 368 page*

30

29세 기혼 여성(0-0-0-0)이 불임을 주소로 내원하였다. 키 160 cm, 체중 68 kg로 다소 비만 상태였고, 생리는 3년 전부터 불규칙하였다. 신체 검사상 털이 많았으나 가족력상 털이 많은 가계는 아니었다. 내원 시 혈중 LH/FSH ratio 3.0, progesterone 부하검사에서 소퇴성 출혈을 보였고, 자궁난관조영술, 정액검사는 정상이었다. 이 환자의 배란유도 시 가장 먼저 선택할 수 있는 약물을 고르시오.

① hMG ② Clomiphene citrate

③ Dopamine agonist ④ Pure FSH

⑤ GnRH agonist

30

정답 ②

해설

임신을 원하는 PCOS 환자의 치료

1. 체중감량 : PCOS에서의 1차 치료법
2. 클로미펜(clomiphene citrate)
3. 메트포민(metformin)
4. 저용량 성선자극호르몬 치료
5. 복강경 난소천공술
6. 체외수정(IVF-ET)

참고 *Final Check 부인과 368 page*

31

29세 여자가 결혼한 지 4년이 지난 후에도 임신이 되지 않아 병원에 왔다. 신장 158 cm, 체중 72 kg, 다모증의 소견을 보였고, 생리는 일년에 4~5회 정도 하였다. 초음파 검사에서 직경 5 mm 크기의 난포가 양쪽 난소에서 여러 개 보였다. 자궁난관조영술 및 남편의 정액검사는 모두 정상이었다. 가장 먼저 시도할 약물치료로 적절한 것을 고르시오.

① 클로미펜(clomiphene) 투여

② 사람폐경생식생자극호르몬(hMG) 투여

③ 자궁강 내 인공수정(intrauterine insemination, IUI)

④ 난자 세포질 내 정자주입술(intracytoplasmic sperm injection, ICSI)

⑤ 체외수정시술 및 배아이식(in vitro fertilization and embryotransfer, IVF-ET)

31

정답 ①

해설

임신을 원하는 PCOS 환자의 치료

1. 체중감량 : PCOS에서의 1차 치료법
2. 클로미펜(clomiphene citrate)
3. 메트포민(metformin)
4. 저용량 성선자극호르몬 치료
5. 복강경 난소천공술
6. 체외수정(IVF-ET)

참고 *Final Check 부인과 368 page*

32

임신을 원하는 PCOS 환자에서 치료 방법을 서술하시오.

32

정답

1. 체중감량
2. 클로미펜(clomiphene citrate)
3. 메트포민(metformin)
4. 저용량 성선자극호르몬 치료
5. 복강경 난소천공술
6. 체외수정(IVF-ET)

참고 *Final Check 부인과 368 page*

33

32세 여자가 4년간의 불임을 주소로 내원하였다. 지난 2년간 몸무게가 증가하였고, 여드름이 많아지며 월경불순이 반복되었다. 지난 1년간 클로미펜으로 6회 배란 유도하여 임신을 시도했지만 실패하였다. 다음으로 시도해볼 수 있는 배란유도법을 고르시오.

① Progestin
② hCG
③ Metformin
④ GnRH agonist
⑤ GnRH antagonist

33

정답 ③

해설

1. 체중감량
2. 클로미펜(clomiphene citrate)
3. 메트포민(metformin)
4. 저용량 성선자극호르몬 치료
5. 복강경 난소천공술
6. 체외수정(IVF-ET)

참고 *Final Check 부인과 368 page*

34

26세 비만 여성이 생리불순을 주소로 내원하였다. 혈액검사는 아래와 같고 초음파 검사상 1 mm follicle이 다수 관찰되었다면 다음 중 이 질환에 대한 내용으로 잘못된 것을 고르시오.

- E2 : 54 pg/mL
- TSH : 5.1 mU/L
- LH : 14.6 mIU/mL

① GnRH agonist 투여 시 insulin 감소
② 심혈관질환 위험성 증가
③ 배란유도를 위해 metformin 사용
④ 체중 감소 시 insulin, 남성 호르몬 감소
⑤ 자궁내막암 위험성 증가

34

정답 ①

해설

1. PCOS는 long-acting GnRH agonist 투여에도 인슐린 농도와 당내성에 영향이 없음
2. 심혈관계 질환 발생의 위험도가 증가
3. PCOS의 배란유도 : clomiphene, metformin
4. 체중 감소 시 insulin, SHBG, androgen 감소
5. 지속적 estrogen 자극으로 내막암 위험 증가

참고 *Final Check 부인과 364 page*

35

다낭성난소증후군 환자에서 metformin 사용 시 기대할 수 있는 효과는 무엇인가?

① 배란 촉진
② 혈당 증가
③ 비만도 증가
④ 인슐린 민감도 감소
⑤ 기저 LH 증가

35

정답 ①

해설

PCOS에서 배란유도 시 metformin의 효과

1. 인슐린 반응개선제로 제2형 당뇨의 치료제
2. 인슐린 저항성을 감소시켜 인슐린과 안드로겐을 감소시키고 배란율을 개선
3. CC 치료의 전처치제 또는 병합치료제로 사용

참고 *Final Check 부인과 368 page*

36

다낭성난소증후군 환자에서 메트포민(metformin)을 사용할 때 기대할 수 있는 효과는 무엇인가?

① 저밀도 콜레스테롤 증가
② 비만도 증가
③ 인슐린 민감도 증가
④ 기저 황체화호르몬 증가
⑤ 유리 테스토스테론 증가

36

정답 ③

해설

PCOS에서 배란유도 시 metformin의 효과

1. 인슐린 저항성을 감소시켜 인슐린과 안드로겐을 감소시키고 배란율을 개선
2. 간에서 glucose 생성 감소
3. 말초조직에서의 glucose uptake 증가

참고 *Final Check 부인과 368 page*

37

다낭성난소증후군 환자에서 metformin 사용 시 기대할 수 있는 효과는 무엇인가?

① 비만 증가
② 인슐린 민감도 증가
③ 테스토스테론 증가
④ LH 증가
⑤ LDH 증가

37

정답 ②

해설

PCOS에서 배란유도 시 metformin의 효과

1. 인슐린 저항성을 감소시켜 인슐린과 안드로겐을 감소시키고 배란율을 개선
2. 간에서 glucose 생성 감소
3. 말초조직에서의 glucose uptake 증가

참고 *Final Check 부인과 368 page*

38

다낭성난소증후군에서 metformin의 사용에 대한 내용으로 맞는 것은 무엇인가?

① 가장 흔한 부작용은 편두통이다

② 태아기형 발생 위험이 있다

③ 간의 당 생성에는 영향이 없다

④ 혈청 creatinine이 증가하는 경우에는 사용할 수 없다

⑤ 임신을 원할 시 clomiphene citrate와 병합사용은 금지해야 한다

38

정답 ④

해설

PCOS 환자에서 metformin의 부작용

1. 오심, 구토, 설사, 부유감, 장 내 가스저류
2. Lactic acidosis 위험 : Cr이 증가한 경우 금지

참고 *Final Check 부인과 368 page*

39

다모증, 희발월경을 주소로 30세 여자가 내원하였다. 혈액검사 소견이 아래와 같다면 가장 가능성이 높은 진단명을 고르시오.

- DHEA-S : 300 ug/dL (정상수치 100~350 ug/dL)
- Testosterone : 250 ng/dL (정상수치 20~80 ng/dL)
- 17-OHP : 200 ng/dL (정상수치 <200 ng/dL)

① Polycystic ovary syndrome

② Congenital adrenal hyperplasia

③ Androgen producing tumor

④ Asherman's syndrome

⑤ MRKH syndrome

39

정답 ③

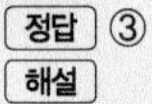

해설

Total testosterone, Free testosterone

1. 유리 테스토스테론의 측정이 가장 중요
2. Total testosterone ≥200 ng/dL : 즉시 부신 또는 난소 종양 유무 확인

참고 *Final Check 부인과 359, 366 page*

40

Hyperandrogenism 소견을 보이는 adult onset adrenal hyperplasia (AOAH)와 PCOS를 감별할 수 있는 검사는 무엇인가?

① GnRH stimulation test

② ACTH stimulation test

③ Glucose intolerance test

④ Clomiphene citrate challenge test

⑤ Dexamethasone suppression test

40

정답 ②

해설

ACTH 자극검사(ACTH stimulation test)

1. PCOS와 AOAH의 구분을 위해 시행
2. ACTH IV 1시간 후 17-OHP를 측정
   → ≥1,000 ng/dL 시 확진

참고 *Final Check 부인과 315 page*

41

28세의 다분만부가 약 1년 간의 속발성 무월경과 유즙 분비를 주소로 내원하였다. 과거력상 특이소견은 없었으며, 임신검사상 음성이었다. 이 환자에서 시행하여야 할 가장 의미 있는 호르몬 검사는 무엇인가?

① Luteinizing hormone

② Follicle stimulation hormone

③ Prolactin

④ Adrenocortical hormone

⑤ Estrogen

41

정답 ③

해설

Prolactin의 기능

1. 젖 분비
2. LH, FSH 분비 조절
3. 성적인 각성과 극치감에 관여

참고 *Final Check 부인과 374 page*

42

18세 미혼인 여성이 최근 6개월 간의 무월경을 주소로 내원하였다. 환자의 신체발육은 나이에 맞았지만 최근 월경이 1년에 3~4회 정도 있었고, 검사 결과가 아래와 같았다. 다음 처치로 가장 적절한 것을 고르시오.

- 소변 임신검사 : 음성
- LH 10 mIU/mL (정상수치 0.8~10.4 mIU/mL)
- FSH 5 mIU/mL (정상수치 1.8~9.4 mIU/mL)
- Prolactin 35 ng/mL (정상수치 4.79~23.30 ng/mL)

① Bromocriptine
② Progesterone
③ Estrogen
④ Ovulation induction
⑤ Observation

43

23세 미혼 여성이 유즙 분비가 있음이 우연히 발견되어 내원하였다. 환자는 평소 월경은 규칙적인 30일 주기였고, 다른 증상은 없었다. 검사 결과가 아래와 같다면 다음 처치로 가장 적절한 것을 고르시오.

- 갑상샘호르몬 : 정상
- Prolactin : 50 ng/mL (정상수치 4.79~23.30 ng/mL)
- Brain MRI : 5 mm 크기의 뇌하수체 선종

① Bromocriptine 투여
② Bromocriptine + 부신피질 호르몬 병합요법
③ 수술 요법
④ 방사선 요법
⑤ 기대 요법

42

정답 ①

해설

고프로락틴혈증(hyperprolactinemia)의 치료

1. Bromocriptine
2. Cabergoline

참고 *Final Check 부인과 377 page*

43

정답 ⑤

해설

미세샘종(microadenoma)의 기대요법

1. 임신을 원하지 않는 경우
2. Microadenoma 또는 hyperprolactinemia without microadenoma가 있지만 정상 생리를 하는 경우

참고 *Final Check 부인과 376 page*

44

20대 여성이 불규칙한 생리를 주소로 내원하였다. 시행한 혈액검사상 prolactin이 상승해 있었고, MRI에서 pituitary microadenoma가 확인되었다면 이 여성에게 가장 적절한 치료는 무엇인가?

① Cabergoline
② Clomiphene citrate
③ 수술요법
④ 방사선요법
⑤ 기대요법

44
정답 ①
해설
미세샘종(microadenoma)의 약물요법
1. Bromocriptine
   a. 반알(1.25 mg)을 매일 취침 전 일주일간 복용
   b. 이후 아침, 저녁 반알을 두번(2.5 mg) 복용
2. Cabergoline : 일주일에 한번 경구 투여

참고 *Final Check 부인과 377 page*

45

38세 여성이 무월경과 속옷이 젖을 정도의 유즙 분비를 주소로 내원하였다. 검사 결과가 아래와 같다면 이 환자의 치료로 가장 적절한 방법을 쓰시오.(2가지)

- 임신검사 : 음성
- Prolactin : 158 ng/mL (정상수치 4.79~23.30 ng/mL)
- Brain MRI : pituitary microadenoma

45
정답
1. Bromocriptine
2. Cabergoline

해설
미세샘종(microadenoma)의 약물요법
1. Bromocriptine
   a. 반알(1.25 mg)을 매일 취침 전 일주일간 복용
   b. 이후 아침, 저녁 반알을 두번(2.5 mg) 복용
2. Cabergoline : 일주일에 한번 경구 투여

참고 *Final Check 부인과 377 page*

46

26세 불임 환자가 유즙 분비(galactorrhea)와 무월경(amenorrhea)을 주소로 내원하였다. Serum prolactin 100 ng/mL, brain MRI 상 9 mm 크기의 선종이 확인되었다. 이 환자의 치료로 가장 적절한 것을 고르시오.

① 고용량 bromocriptine을 아침 저녁 10 mg 복용한다
② TSA 수술 후 bromocriptine으로 치료한다
③ Bromocriptine 치료 후 TSA 수술을 한다
④ Bromocriptine 1.25 mg을 1주일 준 후 용량 늘린다
⑤ Estrogen, progesterone 치료 후 cyclic menstruation을 유도한다

46
정답 ④
해설
미세샘종(microadenoma)의 약물요법
1. Bromocriptine
   a. 반알(1.25 mg)을 매일 취침 전 일주일간 복용
   b. 이후 아침, 저녁 반알을 두번(2.5 mg) 복용
2. Cabergoline : 일주일에 한번 경구 투여

참고 *Final Check 부인과 377 page*

47

여성의 대사증후군 진단 기준을 쓰시오.

47

정답

1. 허리 둘레 : >88 cm (>35 inch) in USA,
   >80 cm (>32 inch) in Asian women
2. 중성지질(Triglyceride) ≥150 mg/dL
3. HDL cholesterol <50 mg/dL
4. 혈압 : 수축기 ≥130 mmHg or
   이완기 ≥85 mmHg
5. 공복 혈당 : ≥100 mg/dL 또는 기존에 진단된 당뇨

참고 *Final Check 부인과 367 page*

48

갑상샘질환이 생식에 미치는 영향에 대한 설명 중 틀린 것은 무엇인가?

① 갑상샘기능저하증은 황체기 결함을 유발할 수 있다

② 갑상샘기능저하증은 배란장애를 유발할 수 있다

③ 갑상샘기능항진증은 반드시 배란장애를 초래하지 않는다

④ 갑상샘기능항진증은 자연유산과 관련이 있다

⑤ Graves 환자와 fetal, neonatal hyperthyroidism은 관계없다

48

정답 ⑤

해설

갑상샘기능의 영향

1. 갑상샘기능항진증(Hyperthyroidism)
   a. Fetal neonatal hyperthyroidism 유발
   b. 체중 감소, 생리 불규칙, 무월경 유발
   c. 자연 유산 위험성 증가
2. 갑상샘기능저하증(Hypothyroidism)
   a. 배란장애에 의한 임신률 감소
   b. 무월경, 무배란 유발 가능
   c. Hyperprolactinemia 유발
   d. 황체기 결함 유발

참고 *Final Check 부인과 378 page*

CHAPTER 22

불임(Infertility)

01

정자(sperm)가 생성되는 데 소요되는 시간은 얼마인가?

① 23일 ② 35일
③ 50일 ④ 65일
⑤ 75일

01

정답 ⑤

해설

정자의 생성(Spermatogenesis)

1. 세정관의 바닥막으로부터 세정관 내강을 향하여 정자세포의 분열 순서대로 정렬
2. 정조세포에서 성숙정자까지 약 75일이 소요

참고 *Final Check 부인과 383 page*

02

다음 중 배란 예측을 가장 정확히 할 수 있는 방법을 고르시오.

① 기초체온검사법 ② 자궁경부 점액
③ 질 초음파 연속 관찰 ④ 혈청 progesterone 농도
⑤ 소변 LH

02

정답 ⑤

해설

소변 LH 검사

1. LH surge 동안 소변에서 LH가 상승하므로 검사기구(LH kit)를 이용해 확인
2. LH peak 후 2시간이면 소변에서 LH가 검출
3. 35~50 mIU/mL 이상이면 확인 가능
4. 배란 여부와 배란 예측에 흔히 사용

참고 *Final Check 부인과 398 page*

03

불임에 대한 나이의 영향에 대한 내용으로 맞는 것을 고르시오.

① 여성의 임신력은 30대 초에 감소하기 시작하고 40대 이후 급격히 감소한다
② 여성의 연령에 따른 수태 감소는 고유 난자수 감소 때문이다
③ 고령 여성보다 젊은 여성에서 채취한 난자의 공여가 좋다
④ 고령과 젊은 여성 자궁내막의 수태 기능은 차이가 크다
⑤ 남성 가임력의 절정은 35세이다

03

정답 ③

해설

나이에 따른 임신력

여성
– Peak fertility : 20~25세 – 생식능력의 감소는 30대 초반에 시작 – 30대 후반, 40대 초반에 급격히 감소 – 난소의 기능 감소가 가장 명확 – 난자의 양과 질 모두 감소
남성
– Peak fertility : 35세 – 45세 이후 감소 – 80대에도 임신이 가능 – 어느 연령대에도 임신 가능

참고 *Final Check 부인과 394 page*

04

불임의 원인 중 누적 임신율이 가장 높은 것은 무엇인가?

① Anatomic factor
② Ovulation factor
③ Peritoneal factor
④ Tubal factor
⑤ Cervical factor

04

정답 ②

해설

여성 불임의 원인 중 난소요인(배란장애)

1. 여성 불임의 21~36% 차지
2. 불임의 원인 or 영향을 미치는 하나의 인자
3. 치료효과가 좋아 누적 임신율이 가장 높음

참고 *Final Check 부인과 397 page*

05

다음과 basal body temperature (BBT)에 관한 설명으로 맞지 않는 것은 무엇인가?

① Progesterone은 체온 상승의 원인이다
② LH surge와 저온기 날이 반드시 일치하지는 않는다
③ 황체기가 10일 이상이면 정상적인 황체기 일 수 있다
④ 배란이 되더라도 단상성(monophasic)일 수 있다
⑤ 임신이 가장 잘 되는 때는 저온기 이후 바로 다음 첫날이다

05

정답 ⑤

해설

기초체온검사법(basal body temperature, BBT)

1. 아침 기상 or 3~4시간 수면 후 활동 전 측정
2. Progesterone의 체온 상승 효과를 이용
   a. 배란 여성 : 이분성 양상(biphasic pattern)
   b. 배란 하루 전 or 배란날 최저로 낮게 측정
   c. 배란 후 4일 뒤 체온 상승(0.5~1.0℉ 상승)
3. 가장 임신이 잘되는 시기 : 체온이 상승하기 직전부터 그 뒤로 7일 동안

참고 *Final Check 부인과 398 page*

06

다음 중 기초 체온표와 직접적인 연관이 있는 호르몬은 무엇인가?

① Progesterone ② Inhibin
③ E2 ④ LH
⑤ FSH

06

정답 ①

해설

기초체온검사법(basal body temperature, BBT)

1. 아침 기상 or 3~4시간 수면 후 활동 전 측정
2. Progesterone의 체온 상승 효과를 이용
   a. 배란 여성 : 이분성 양상(biphasic pattern)
   b. 배란 하루 전 or 배란날 최저로 낮게 측정
   c. 배란 후 4일 뒤 체온 상승(0.5~1.0°F 상승)
3. 가장 임신이 잘되는 시기 : 체온이 상승하기 직전부터 그 뒤로 7일 동안

참고 *Final Check 부인과 398 page*

07

여성의 불임 검사 중 기초체온검사법에 대한 설명으로 옳은 것을 모두 고르시오.

(가) 아침에 기상 후 활동 전에 측정한다
(나) 아침에 기상 후 간단한 활동 후에도 측정할 수 있다
(다) 하루 중 어느 때이건 3~4시간의 수면 후에는 활동 전에 측정해도 무방하다
(라) 감기 등의 질환은 기초 체온에 영향을 주지 않는다

① 가, 나, 다 ② 가, 다
③ 나, 라 ④ 라
⑤ 가, 나, 다, 라

07

정답 ②

해설

기초체온검사법(basal body temperature, BBT)

1. 아침 기상 or 3~4시간 수면 후 활동 전 측정
2. Progesterone의 체온 상승 효과를 이용
   a. 배란 여성 : 이분성 양상(biphasic pattern)
   b. 배란 하루 전 or 배란날 최저로 낮게 측정
   c. 배란 후 4일 뒤 체온 상승(0.5~1.0°F 상승)
3. 가장 임신이 잘되는 시기 : 체온이 상승하기 직전부터 그 뒤로 7일 동안

참고 *Final Check 부인과 398 page*

08

불임 환자에서 배란 여부를 알 수 있는 검사를 쓰시오.(3가지)

08

정답

1. 월경력
2. 기초체온검사법
3. 황체기 중기 progesterone 측정
4. 소변 LH 검사
5. 질 초음파

참고 *Final Check 부인과 397 page*

09

배란 직전의 자궁경부 점액의 변화와 기능에 관한 내용으로 옳은 것은 무엇인가?

① 자궁경부 점액은 혼탁 해져서 정자의 보존을 돕는다
② 자궁경부 점액 내 세포의 수가 증가하여 세균의 침입을 막는다
③ 점액의 견사성이 감소하여 정자 보존처의 역할을 한다
④ 점액양이 많아지고 투명 해져서 정자가 쉽게 이동할 수 있게 한다
⑤ 점액 점도가 높아져서 정자를 보호한다

09

정답 ④

해설

자궁경부 점액(Cervical mucus)

1. 기능
   a. 사정액 중 혈장을 제외한 정자만 통과
   b. 비정상적인 정자를 차단
   c. 정자에 영양을 공급하며 보관소 역할
2. 호르몬의 변화로 정자의 통과를 돕거나 방해
   a. Estrogen : 점액의 양이 많아지고 맑아지며 액화되어 정자가 쉽게 통과
   b. Progesterone : 점액 형성을 막고 불투명하며 끈적이게 되어 정자의 통과를 차단

참고 *Final Check 부인과 402 page*

10

다음 중 수술적 치료로 임신율의 향상을 기대하기 어려운 경우는 어느 것인가?

① Uterine synechia
② Bicornuate uterus
③ Submucosal myoma
④ Uterine septum
⑤ Endometriosis

10

정답 ②

해설

선천성 자궁기형(Uterine anomaly)

1. 조기의 자연유산 발생 빈도, 조기분만이 증가
2. 중격자궁(septate uterus)
   a. 수술로 임신율 향상이 가능한 유일한 기형
   b. 지궁경을 이용한 중격제기술 시행

참고 *Final Check 부인과 411 page*

11

33세 여성이 난관재문합술(tubal reanastomosis)을 위하여 내원하였다. 이 여성은 31세에 이혼하고 금년 현 남편과 재혼하였다. 전 남편과의 사이에서 아이를 두 명 낳았고, 인공 유산을 2회 시행하였다. 마지막 분만은 3년 전이고 그때 난관결찰술(tubal ligation)을 받았으며, 월경은 28일 주기로 규칙적이었다. 다음 중 가장 먼저 시행되어야 할 검사는 무엇인가?

① 복강경 검사
② 자궁경부 점액검사
③ 자궁내막 조직검사
④ 혈청 성선자극호르몬 측정
⑤ 현 남편의 정액검사

11

정답 ⑤

해설

배란장애 이외의 다른 불임 원인인자의 평가

1. 정액검사 : 배란유도 전 한 번은 반드시 시행
2. 자궁난관조영술(HSG)

참고 *Final Check 부인과 403 page*

12

29세 여자가 불임을 주소로 내원하였다. 환자는 3회의 자연 유산 경력이 있었다. 시행한 자궁난관조영술이 아래와 같을 때 이 환자에게 불임 해결을 위한 가장 적절한 치료를 고르시오.

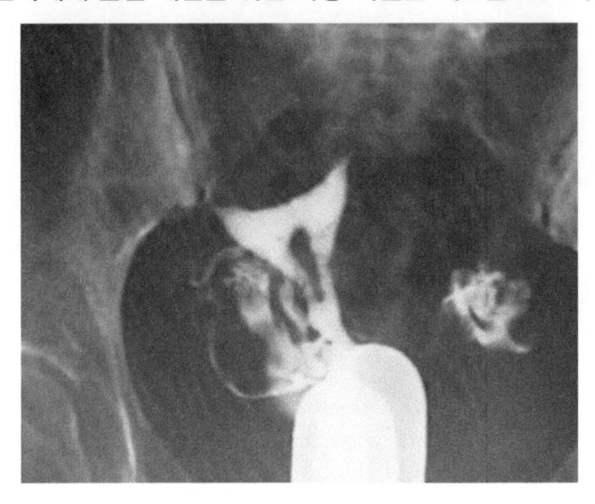

① 경과 관찰
② Laparoscopic 수술
③ Hysteroscopic 수술
④ IVF-ET
⑤ 과배란유도 후 인공수정

12

정답 ③

해설

자궁내유착(Intrauterine adhesion)

1. 자궁경을 이용한 유착박리(adhesiolysis)
2. 수술 후 유착의 방지
   a. Foley catheter를 7~10일간 자궁 내 유치
   b. 광범위 항생제 투여
   c. 2개월 고용량 estrogen–progesterone 치료

참고 *Final Check 부인과 412 page*

13

33세 기혼 여성이 불임을 주소로 내원하였다. 시행한 초음파와 자궁난관조영술, 복강경, 자궁경 사진은 아래와 같다면 이 환자의 진단명으로 가장 적절한 것은 무엇인가?

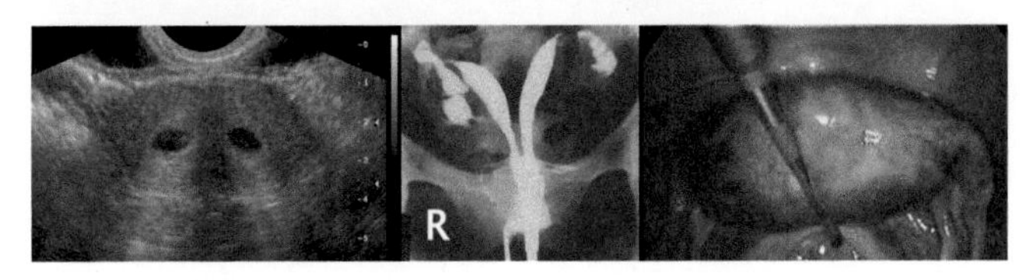

① 두뿔자궁(bicornuate uterus)
② 궁상자궁(arcuate uterus)
③ 중격자궁(septate uterus)
④ 단각자궁(unicornuate uterus)
⑤ 두자궁(uterine didelphys)

13

정답 ③

해설

중격자궁(Septate uterus)

1. 수술로 임신율 향상이 가능한 유일한 기형
2. 자궁경을 이용한 중격제거술 시행

참고 *Final Check 부인과 411 page*

14

35세 여성이 3번의 반복 유산을 주소로 내원하였다. 시행한 검사 소견이 아래와 같다면 이 환자의 임신을 위한 치료로 가장 먼저 시행할 것을 고르시오.

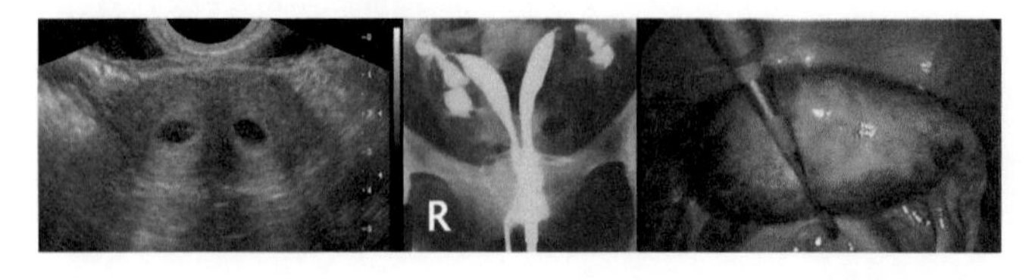

① 자연임신 시도
② 인공수정
③ 자궁중격절제술
④ 흔적자궁불절제술
⑤ 자궁 내 유착박리술

14

정답 ③

해설

중격자궁(Septate uterus)

1. 수술로 임신율 향상이 가능한 유일한 기형
2. 자궁경을 이용한 중격제거술 시행

참고 *Final Check 부인과 411 page*

15

30세 기혼 여성이 불임을 주소로 내원하였다. 시행한 초음파와 자궁난관조영술, 복강경, 자궁경 사진은 아래와 같다면 이 환자의 치료로 가장 적당한 방법을 쓰시오.

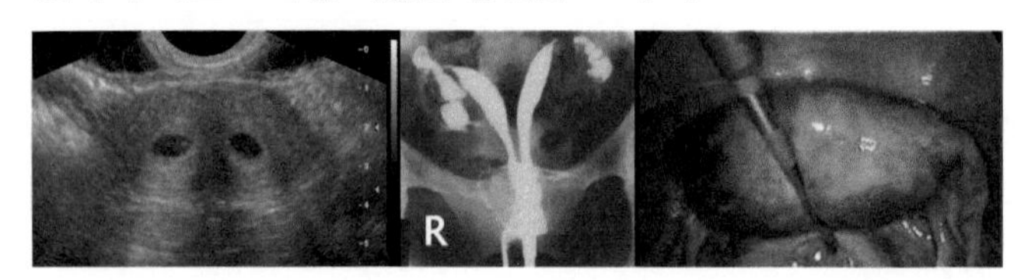

15

정답

자궁경을 이용한 중격제거술
(hysteroscopic septectomy)

해설

중격자궁(Septate uterus)

1. 수술로 임신율 향상이 가능한 유일한 기형
2. 자궁경을 이용한 중격제거술 시행

참고 *Final Check 부인과 411 page*

16

다음 중 clomiphene citrate 이용한 배란유도에 대한 내용으로 옳은 것은 무엇인가?

① Clomiphene citrate는 GnRH의 pulse amplitude를 증가시킨다

② hCG의 병합은 도움이 되지 않는다

③ OHSS의 빈도는 hMG와 비슷하다

④ 첫 주기에 1일 100 mg을 생리 5일부터 5일간 투여한다

⑤ GnRH agonist 병합투여가 도움이 된다

16

정답 ①

해설

Clomiphene citrate를 이용한 배란유도

1. GnRH의 파동성 분비 진폭(amplitude) 증가
2. 배란이 안되면 hCG 투여 34~46시간 후 배란
3. 하루 용량 : 50~150 mg (50 mg부터 시작)

참고 *Final Check 부인과 405 page*

17

과배란유도의 예후를 가장 잘 반영하는 검사는 무엇인가?

① Basal FSH

② Clomiphene citrate challenge test

③ Basal E2

④ Basal LH

⑤ GnRH agonist stimulation test

17

정답 ②

해설

클로미펜 부하검사(CCCT)

1. 과배란유도의 예후를 가장 잘 반영하는 검사
2. 생리주기 5~9일에 CC 100 mg 투여 후 day 3 FSH와 day 10 FSH를 비교
3. 난소기능저하 시 CC 투여 후 FSH 많이 상승

참고 *Final Check 부인과 396 page*

18

난소예비력을 확인할 수 있는 검사를 쓰시오.(4가지)

18

정답

1. Anti-Müllerian hormone (AMH)
2. 동난포개수(antral follicle count)
3. 기저 FSH, estradiol 검사
4. 클로미펜 부하검사(CCCT)
5. Inhibin B
6. GnRH agonist stimulation test (GAST)

참고 *Final Check 부인과 395 page*

19

Clomiphene citrate로 배란 유도 시 효과적인 경우는 어느 것인가?

① FSH 감소, Estrogen 감소

② FSH 증가, Estrogen 감소

③ FSH 정상, Estrogen 정상

④ Savage syndrome

⑤ 신경성 식욕부진(anorexia nervosa)

20

Clomiphene citrate을 이용한 배란 유도에 대한 내용으로 옳은 것을 모두 고르시오.

(가) 비정상적인 hormone feedback 기전으로 인한 배란장애에 유용하다

(나) Progesterone withdrawal bleeding에 유용하다

(다) 표준용량 1일 50 mg을 생리주기 2일에 시작하여 5일간 투여한다

(라) hCG의 병합 투여는 효과가 없다

① 가, 나, 다　　② 가, 다

③ 나, 라　　④ 라

⑤ 가, 나, 다, 라

19

정답 ③

해설

Clomiphene citrate (CC)

1. 무배란 제2군에 배란유도 효과가 우수
   a. 다낭성난소증후군(PCOS)이 대부분을 차지
   b. 정상생식샘자극호르몬 무배란 : FSH, Estrogen 정상 ± 고안드로겐증
2. 무배란 제1, 3군은 효과 없음

참고 *Final Check 부인과 402, 405 page*

20

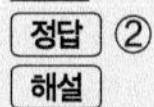

정답 ②

해설

1. 시상하부의 estrogen negative-feedback 감소
2. Estrogen breakthrough bleeding에 유용
3. 하루용량 : 50~150 mg (50 mg부터 시작)
4. CC 투여 후 배란이 되지 않으면 hCG 투여

참고 *Final Check 부인과 405 page*

21

원인불명 불임 진단의 필요조건은 무엇인가?

① 배란 확인, 난관 소통 확인, 정상 정액 소견

② 난관 소통 확인, 정상 정액 소견, 정상 복강경 소견

③ 난관 소통 확인, 정상 정액 소견, 정상 자궁내막 검사

④ 배란 확인, 난관 소통 확인, 정상 정액 소견, 정상 복강경 소견

⑤ 배란 확인, 난관 소통 확인, 정상 정액 소견, 정상 자궁내막 검사

21

정답 ⑤

해설

원인불명 불임(unexplained infertility)

1. 남성요인, 배란요인, 자궁 및 난관 확 후 진단
2. 여성의 나이와 밀접한 관련(35세 이상)

참고 *Final Check 부인과 402 page*

22

33세의 여성이 4년간의 원발성 불임으로 내원하였다. 월경은 규칙적으로 하였으며 자궁난관조영술, 초음파, 남편의 정자 검사는 정상이었다. 다음 중 올바른 처치는 무엇인가?

① 6개월 간 timed conception ② Clomiphene citrate

③ IUI ④ IVF

⑤ ZIFT

22

정답 ③

해설

인공수정(Intrauterine insemination)

1. 처리된 정자를 여성의 생식기에 넣어주는 시술
2. 원인불명의 불임과 남성 불임에 사용
3. 최대 3회의 IUI 실패 시 ICSI를 고려

참고 *Final Check 부인과 391 page*

23

원인불명 불임(unexplained infertility)의 치료 중 일차적으로 사용할 수 있는 것은 무엇인가?

① IUI

② hMG + IVF-ET

③ IVF-ET with assisted hatching

④ IVF-ET with COH

⑤ ICSI

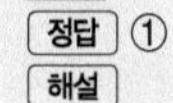

정답 ①

해설

인공수정(Intrauterine insemination)

1. 처리된 정자를 여성의 생식기에 넣어주는 시술
2. 원인불명의 불임과 남성 불임에 사용
3. 최대 3회의 IUI 실패 시 ICSI를 고려

참고 *Final Check 부인과 391 page*

24

결혼 3년 된 28세 여성이 원인불명의 불임을 주소로 내원하였다. 가장 적절한 처치를 고르시오.

① Clomiphene citrate
② Bromocriptine
③ IUI
④ GIFT
⑤ IVF

정답 ③

해설

인공수정(Intrauterine insemination)

1. 처리된 정자를 여성의 생식기에 넣어주는 시술
2. 원인불명의 불임과 남성 불임에 사용
3. 최대 3회의 IUI 실패 시 ICSI를 고려

참고 *Final Check 부인과 391 page*

25

다음은 여성의 기초 체온 측정 그래프이다. 배란 예측과 확인을 위한 검사가 옳은 것을 고르시오.

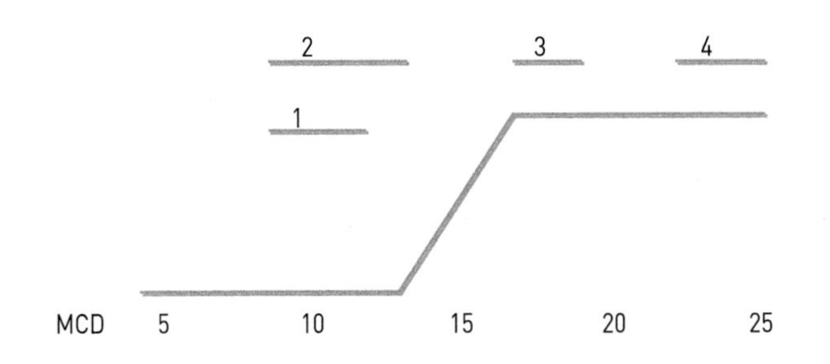

	1	2	3	4
①	자궁경부 점액	초음파	Progesterone	내막 검사
②	Estradiol	Progesterone	초음파	내막 검사
③	자궁경부 점액	초음파	내막 검사	Progesterone
④	Estradiol	자궁경부 점액	초음파	내막 검사
⑤	초음파	Estradiol	Progesterone	내막 검사

25

정답 ①

해설

생리 주기에 따른 불임 검사

1. 처음 방문 시 : Prolactin, TSH
2. MCD 3 : Basal FSH, LH, E2, androgen
3. MCD 6~12 : HSG(생리가 끝난 직후)
4. MCD 10~14 : 관계 후 검사, 경부점액검사
5. MCD 21 : Midluteal progesterone
6. MCD 24~26 : Endometrial biopsy
7. 모든 검사 후 필요 시 diagnostic laparoscopy

참고 *Final Check 부인과 397 page*

26

불임의 원인을 확인하기 위한 검사로 잘못된 것을 모두 고르시오.

(가) 자궁경부 점액의 양, 신장성, 결정 형성, 점도와 세포수를 검사한다

(나) 황체기 이상 유무를 보기 위한 검사로 자궁내막조직검사를 월경 1~3일 전에 시행한다

(다) 프로게스테론은 주기성을 가지고 분비되므로 한번 측정으로 황체기 기능을 판단하기는 충분치 않고 황체기 동안에 연속적으로 측정하여야 한다

(라) 성교 후 검사는 정자와 자궁경부 점액 사이의 상호 작용을 보는 생체 내 검사로서 배란 직후인 월경주기 14~16일에 시행한다

① 가, 나, 다　　② 가, 다

③ 나, 라　　④ 라

⑤ 가, 나, 다, 라

26

정답 ④

해설

생리 주기에 따른 불임 검사

1. 처음 방문 시 : Prolactin, TSH
2. MCD 3 : Basal FSH, LH, E2, androgen
3. MCD 6~12 : HSG(생리가 끝난 직후)
4. MCD 10~14 : 관계 후 검사, 경부점액검사
5. MCD 21 : Midluteal progesterone
6. MCD 24~26 : Endometrial biopsy
7. 모든 검사 후 필요 시 diagnostic laparoscopy

참고 *Final Check 부인과 397 page*

27

34세 여성이 결혼 후 2년이 지나도 임신이 되지 않아 불임 검사를 하기 위해 내원하였다. 다음 중 불임 검사의 종목과 시기로 맞지 않는 것은 무엇인가?

① 성교 후 검사 : 배란 1~2일 전

② 자궁난관조영술 : 월경주기 6~11일째

③ 자궁내막조직검사 : 월경 2~3일 전

④ 혈청 progesterone 측정 : 월경주기 14~15일째

⑤ 혈청 LH, FSH : 월경주기 3~6일째

27

정답 ④

해설

생리 주기에 따른 불임 검사

1. 처음 방문 시 : Prolactin, TSH
2. MCD 3 : Basal FSH, LH, E2, androgen
3. MCD 6~12 : HSG(생리가 끝난 직후)
4. MCD 10~14 : 관계 후 검사, 경부점액검사
5. MCD 21 : Midluteal progesterone
6. MCD 24~26 : Endometrial biopsy
7. 모든 검사 후 필요 시 diagnostic laparoscopy

참고 *Final Check 부인과 397 page*

28

다음 불임 검사 시술 중 시기가 올바른 것을 고르시오.

① 자궁내막조직검사 - 황체기 초기

② 황체호르몬 측정 - 난포기 후기

③ 난소 초음파 - 황체기 초기

④ 성교 후 검사 - 난포기 중기

⑤ 자궁난관조영술 - 난포기 중기

28

정답 ⑤

해설

생리 주기에 따른 불임 검사

1. 처음 방문 시 : Prolactin, TSH
2. MCD 3 : Basal FSH, LH, E2, androgen
3. MCD 6~12 : HSG(생리가 끝난 직후)
4. MCD 10~14 : 관계 후 검사, 경부점액검사
5. MCD 21 : Midluteal progesterone
6. MCD 24~26 : Endometrial biopsy
7. 모든 검사 후 필요 시 diagnostic laparoscopy

참고 *Final Check 부인과 397 page*

29

다음 중 불임 검사의 시기가 맞지 않은 것은 무엇인가?

① Postcoital test : 배란 1~2일 전

② Hysterosalpingography : 생리주기 6~11일

③ Endometrial biopsy : 생리 시작 2~3일 전

④ 혈중 progesterone : 생리주기 11~15일

⑤ 혈중 LH, FSH : 생리주기 3~5일

29

정답 ④

해설

생리 주기에 따른 불임 검사

1. 처음 방문 시 : Prolactin, TSH
2. MCD 3 : Basal FSH, LH, E2, androgen
3. MCD 6~12 : HSG(생리가 끝난 직후)
4. MCD 10~14 : 관계 후 검사, 경부점액검사
5. MCD 21 : Midluteal progesterone
6. MCD 24~26 : Endometrial biopsy
7. 모든 검사 후 필요 시 diagnostic laparoscopy

참고 *Final Check 부인과 397 page*

30

불임 검사 중 황체기에 실시할 수 있는 것을 고르시오.

① 복강경

② 성교 후 검사

③ 자궁난관조영술

④ 자궁경부 점액검사

⑤ 프로게스테론 검사

30

정답 ⑤

해설

생리 주기에 따른 불임 검사

1. 처음 방문 시 : Prolactin, TSH
2. MCD 3 : Basal FSH, LH, E2, androgen
3. MCD 6~12 : HSG(생리가 끝난 직후)
4. MCD 10~14 : 관계 후 검사, 경부점액검사
5. MCD 21 : Midluteal progesterone
6. MCD 24~26 : Endometrial biopsy
7. 모든 검사 후 필요 시 diagnostic laparoscopy

참고 *Final Check 부인과 397 page*

31

36세 여성 불임을 주소로 내원하였다. 7년 전 자궁내막증으로 진단받아 복강경으로 양쪽 난소의 혹만 제거하는 수술을 받은 과거력이 있지만 다른 증상은 현재 없었고 초음파상 양측 난소 및 자궁은 정상소견이었다. 다음으로 시행하기에 적합한 검사는 무엇인가?

① 자궁경 검사 ② 성교 후 검사
③ 자궁내막조직검사 ④ 생리 3일째 FSH
⑤ 황체기 중반 혈중 progesterone 측정

31
정답 ④
해설
월경 3일째 FSH 검사(day 3 FSH)
1. 나이 증가에 따라 난포기 초기 FSH가 상승
2. 수치가 높을수록 난소예비력이 부족해 배란유도에 잘 반응하지 않을 것이라 예측

참고 *Final Check 부인과 396 page*

32

30세 여성이 불임을 주소로 내원하였다. 환자는 3년 전 결핵을 치료받은 병력이 있었고, 월경주기 24일에 자궁내막조직검사를 시행한 결과 날짜는 23일로 확인되었다. 이 환자에서 가장 먼저 시행해야 하는 검사를 고르시오.

① Progesterone 측정 ② Post coital test
③ Hysterosalpingography ④ Cervical mucus test
⑤ Laparoscopy

32
정답 ③
해설
자궁요인
1. 해부학적 이상 : 자궁기형, 자궁근종, 자궁내유착, 자궁내용종
2. 자궁 기능의 이상 : 만성 자궁내막염
3. 검사
   a. 자궁난관조영술(hysterosalpingography)
   b. 질 초음파
   c. 초음파 자궁조영술(sonohysterography)
   d. 자궁경(hysteroscopy)

참고 *Final Check 부인과 401 page*

33

난관재문합술의 성공률이 낮을 것으로 예상되는 경우를 모두 고르시오.

(가) 이전 난관의 손상 과거력
(나) 복원된 난관 길이 3 cm
(다) 여성의 나이 38세
(라) 척수 손상

① 가, 나, 다　② 가, 다
③ 나, 라　④ 라
⑤ 가, 나, 다, 라

33
정답 ⑤
해설
난관재문합술의 성공 예후 인자
1. 35세 이하
2. 협부–협부 또는 팽대부–팽대부 문합
3. 복원된 난관 길이 4 cm 이상
4. 덜 파괴적인 방법(링, 클립)으로 수술한 경우

참고 *Final Check 부인과 410 page*

34

황체기 결함에 대한 설명 중 옳은 것을 고르시오.

① 황체기가 14일보다 길다
② 난포기의 난포 성장은 정상이다
③ 정자의 자궁경부 통과가 어려워져서 수정률이 낮아진다
④ 황체의 부적절한 progesterone 생산으로 발생한다
⑤ 20대의 미혼 여성에서 흔히 나타나는 현상이다

34
정답 ④
해설
황체기 결함의 발생기전
1. 배란 후 황체의 부적절한 progesterone 생산
2. 부적절한 GnRH 박동성분비로 LH surge 이상
3. Progesterone에 대한 내막의 부적절한 반응

참고 *Final Check 부인과 399 page*

35

난관재문합술 시 임신율이 가장 높은 경우를 고르시오.

	불임시술법	문합 부위	문합 후 난관 길이	봉합사
①	Ring	isthmus-isthmus	7 cm	Vicryl
②	단극성 소작	ampulla-ampulla	4 cm	Vicryl
③	양극성 소작	isthmus-ampulla	6 cm	Dexon
④	Clip	isthmus-isthmus	3 cm	Catgut
⑤	양극성 소작	isthmus-ampulla	6 cm	Nylon

35

정답 ①

해설

난관재문합술의 성공 예후 인자

1. 35세 이하
2. 협부-협부 또는 팽대부-팽대부 문합
3. 복원된 난관 길이 4 cm 이상
4. 덜 파괴적인 방법(링, 클립)으로 수술한 경우

참고 *Final Check 부인과 410 page*

36

다음 중 정상 정액검사의 소견은 무엇인가?

① 정액용적 0.2 mL

② 정자 농도 $10x10^6$/mL

③ 정상 형태 20%

④ 운동성을 지닌 정자 20%

⑤ 정액 내 백혈구의 부재

36

정답 ⑤

해설

정상 정액검사 소견	
용적(volume)	≥1.5 mL
산도(pH)	7.2 ~ 8.0
정자 농도	$\geq 15x10^6$/mL
총 정자수	$\geq 39x10^6$/ejaculation
운동성	≥32%
정상 형태	≥4% (by strict criteria)
생존율	≥58%
백혈구	$<1x10^6$/mL
혼합 항글로불린	<50%

참고 *Final Check 부인과 388 page*

37

32세 여성이 결혼 후 2년 동안 임신이 되지 않아 내원하였다. 시행한 초음파 및 자궁난관조영술은 정상이었고, 남편의 정액검사 소견은 다음과 같았다. 이 환자에게 가장 적절한 처치를 고르시오.

- pH : 7.4
- Volume : 4.0 mL
- Sperm concentration : 30 million/mL
- Motility : 50% 이상
- Morphology : 정상 20% 이상

① Observation ② IVF-ET
③ IUI ④ ICSI
⑤ Testicular sperm extraction

37

정답 ①

해설

정상 정액검사 소견	
용적(volume)	≥1.5 mL
산도(pH)	7.2 ~ 8.0
정자 농도	≥15x10^6/mL
총 정자수	≥39x10^6/ejaculation
운동성	≥32%
정상 형태	≥4% (by strict criteria)
생존율	≥58%
백혈구	<1x10^6/mL
혼합 항글로불린	<50%

참고 *Final Check 부인과 388 page*

38

결혼 10년차 부부가 불임을 주소로 내원하였다. 남편의 정액검사 결과는 아래와 같았다. 임신을 위한 다음 처치로 가장 적절한 것을 고르시오.

- 정자수 : 1x10^7개
- 운동성 : 35%
- 용량 : 1.5 mL

① IVF-ET를 시행한다
② 다시 정액검사를 한다
③ 불임이라고 말한다
④ 부인의 불임 원인을 찾기 위한 검사를 한다
⑤ 다른 사람으로부터 정액을 공여 받는다

38

정답 ②

해설

정액검사(Semen analysis)

1. 불임 시 부부가 가장 먼저 시행하는 검사
2. 2~3일 사이의 금욕 기간 후 검사 시행
3. 비정상적 결과가 나타나면 재검을 시행

참고 *Final Check 부인과 387 page*

39

38세 불임 환자가 자궁난관조영술 결과 5 cm 크기의 양측 난관수종이 있고 기타 불임 검사, 남편 정액검사는 정상이었다. 다음 중 가장 적절한 치료는 무엇인가?

① 채부성형술 후 ZIFT

② 채부성형술 후 IUI

③ 채부성형술 후 자연임신 시도

④ IVF

⑤ 난관절제술 후 IVF

39

정답 ⑤

해설

난관수종(Hydrosalpinx)

1. 난관수종 내 액체가 배아 발달과 착상 방해
2. 체외수정 전 난관절제술을 먼저 시행 시 체외수정 임신율과 출생률이 유의하게 증가
3. 복강경하 난관폐쇄술 시행 후 체외수정을 해도 임신율 향상 가능

참고 *Final Check 부인과 411 page*

40

원인불명 불임을 주소로 부부가 내원하였다. 남편은 당뇨를 앓고 있었고, 남편과 아내의 불임검사에서 모두 정상소견으로 확인되었다. 다음으로 시행할 검사를 고르시오.

① 사정 후 요 현미경검사

② 정액검사 반복

③ 항정자항체 검사

④ 부인의 진단적 복강경

⑤ 경과관찰

40

정답 ①

해설

역행성 사정(Retrograde ejaculation)

1. 방광경부의 폐쇄부전으로 인해 후부요도에서 방광으로 정액이 역류되는 상태
2. 원인 : 후복막강 내 림프절제술, 방광경부 수술, 당뇨, 다발성경화증, 척수손상, 항정신성 약물, 알파차단제
3. 확진 : 사정 후 요 현미경검사상 정자가 관찰
4. 치료 : α-adrenergics, 정자채취 후 IUI or ART

참고 *Final Check 부인과 390 page*

41

정자를 채취하는 방법 중 다음 그림에서 나타낸 시술 방법은 무엇인가?

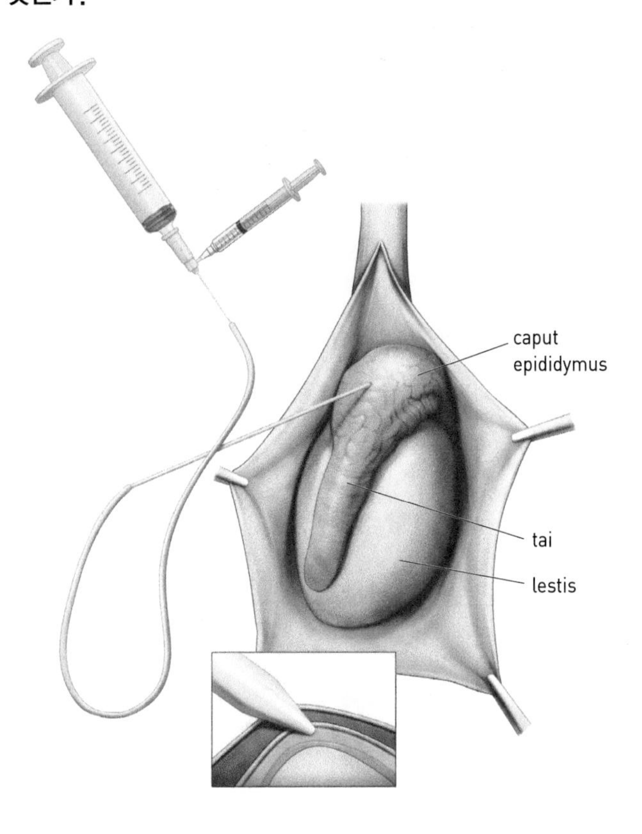

41

정답

미세수술적 부고환 정자흡입술(MESA)

해설

미세수술적 부고환 정자흡입술(MESA)

1. 미세 수술기구를 이용해 부고환의 serosa에 구멍을 내고 주사기로 정자를 흡인
2. 적응증 : 선천성 양측 정관형성부전증(CBAVD), 실패한 부고환문합술, 수술적 교정이 불가능한 폐쇄성 무정자증

참고 *Final Check 부인과 391 page*

42

과립막 세포에서 분비되며 FSH를 억제하고 난소예비력(ovarian reserve) 검사에 이용하는 호르몬을 쓰시오.

42

정답

Inhibin B

해설

Inhibin-B

1. 과립막 세포에서 분비되며 FSH를 억제
2. 측정치가 낮을수록 난포 수와 질 감소 예측

참고 *Final Check 부인과 396 page*

<R-Type>

① 자궁경관 조영술
② 성교 후 검사
③ 자궁경관 점액 검사
④ 자궁내막 조직 검사
⑤ 프로락틴
⑥ 혈중 난포 자극호르몬
⑦ 갑상선 자극 호르몬
⑧ 혈중 에스트리올
⑨ 혈중 프로게스테론

43

여자 결혼 후 4년간 임신이 되지 않아 내원하였다. 생리 시작일이 2일 전이라면 시행할 검사로 적절한 것을 고르시오. (2가지)

43

정답 ⑥, ⑧

해설

생리 주기에 따른 불임 검사

1. 처음 방문 시 : Prolactin, TSH
2. MCD 3 : Basal FSH, LH, E2, androgen
3. MCD 6~12 : HSG(생리가 끝난 직후)
4. MCD 10~14 : 관계 후 검사, 경부점액검사
5. MCD 21 : Midluteal progesterone
6. MCD 24~26 : Endometrial biopsy
7. 모든 검사 후 필요 시 diagnostic laparoscopy

참고 *Final Check 부인과 397 page*

44

32세 여자가 결혼 후 4년간 임신이 되지 않아 내원하였다. 생리는 30일로 규칙적이고 생리 시작일은 20일 전이었다면 시행할 검사로 적절한 것을 고르시오. (1가지)

44

정답 ⑨

해설

생리 주기에 따른 불임 검사

1. 처음 방문 시 : Prolactin, TSH
2. MCD 3 : Basal FSH, LH, E2, androgen
3. MCD 6~12 : HSG(생리가 끝난 직후)
4. MCD 10~14 : 관계 후 검사, 경부점액검사
5. MCD 21 : Midluteal progesterone
6. MCD 24~26 : Endometrial biopsy
7. 모든 검사 후 필요 시 diagnostic laparoscopy

참고 *Final Check 부인과 397 page*

CHAPTER 23

보조생식술(Assisted reproductive technology)

01

정상 여성의 정상 방광기능에 대한 설명으로 잘못된 것은 무엇인가?

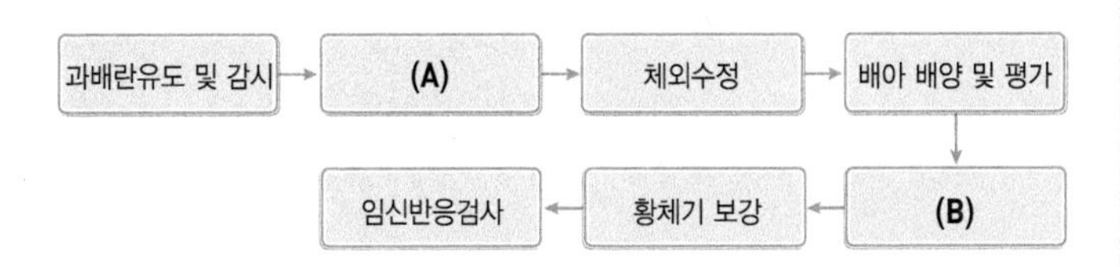

01

정답
(A) 난자 채취
(B) 배아 이식

참고 *Final Check 부인과 424 page*

02

보조생식술에서 GnRH agonist 및 GnRH antagonist 사용의 주된 목적은 무엇인가?

① 자궁경부 점액 증가

② 조기 LH 급증 억제

③ 착상률 향상

④ 난소과자극증후군 감소

⑤ 유산 감소

02

정답 ②

해설

GnRH agonist 및 antagonist의 효과

1. GnRH agonist : 내인성 gonadotropin 분비 억제로 외인성 gonadotropin 투여에도 LH의 조기 급증을 차단
2. GnRH antagonist : 내인성 LH 조기분비 차단

참고 *Final Check 부인과 418 page*

03

hMG를 이용한 과배란유도 시 hCG 투여 여부 및 시기 결정에 유용한 검사를 모두 고르시오.

(가) E2
(나) Progesterone
(다) 난포의 크기
(라) 기초 체온측정

① 가, 나, 다 ② 가, 다
③ 나, 라 ④ 라
⑤ 가, 나, 다, 라

03

정답 ②

해설

과배란유도 시 반응의 관찰

1. 난소 난포의 크기
2. 혈청 E2

참고 *Final Check 부인과 417 page*

04

과배란 자극 시 마지막으로 난포 성숙을 위해 투여할 수 있는 것을 쓰시오.

04

정답

hCG (uhCG or rhCG)

해설

과배란유도 시 난포 발달 자극

1. 충분한 난포 성숙이 확인되면 마지막 단계의 난포 발달의 자극이 필요
2. urinary hCG (uhCG) 5,000~10,000 IU or 재조합 hCG (rhCG) 250 μg 투여

참고 *Final Check 부인과 417 page*

05

다음 중 과배란유도 시 난소 반응의 예측에 사용할 수 있는 지표를 모두 고르시오.

(가) Ultrasonography
(나) Basal FSH
(다) AMH
(라) Basal LH

① 가, 나, 다　　② 가, 다
③ 나, 라　　④ 라
⑤ 가, 나, 다, 라

06

과배란유도 시 난소 반응이 불량할 것으로 예상되는 것을 고르시오.

① Basal FSH level 감소(MCD 3)
② Basal E2 level 증가(MCD 3)
③ CCCT에서 FSH 수치 감소
④ GAST에서 E2 수치 증가
⑤ Basal progesterone 수치 감소

05

정답 ①

해설

과배란유도 시 난소반응의 예측인자

1. 환자의 연령
2. 난소예비력(ovarian reserve)
   a. 기저 FSH 검사
   b. 기저 estradiol 검사
   c. Anti–Müllerian hormone (AMH)
   d. 동난포개수(antral follicle count, AFC)

참고 *Final Check 부인과 415 page*

06

정답 ②

해설

과배란유도 시 난소반응 저하의 예측인자

1. 환자의 연령 증가
2. 기저 FSH (day 3 FSH) ≥10~20 IU/L
3. 기저 E2 (day 3 E2) ≥60~80 pg/mL
4. 낮은 AMH
5. 동난포개수(AFC) ≤4개

참고 *Final Check 부인과 415 page*

07

정상 월경 주기를 가지고 있는 난임 여성에서 과배란유도를 위해 gonadotropin 투여를 한 후 난소반응을 감시하기 위한 검사를 모두 고르시오.

(가) Estradiol
(나) Progesterone
(다) Ultrasonography
(라) FSH/LH

① 가, 나, 다
② 가, 다
③ 나, 라
④ 라
⑤ 가, 나, 다, 라

07

정답 ②

해설

과배란유도 시 반응의 관찰

1. 난소 난포의 크기
2. 혈청 E2

참고 *Final Check 부인과 417 page*

08

과배란유도 방법들 중 가장 표준적이고 성적이 좋은 방법은 무엇인가?

① Clomiphene citrate/hMG
② Pure FSH
③ GnRH agonist long protocol
④ GnRH agonist short protocol
⑤ Ultralong GnRH agonist + pure FSH

08

정답 ③

해설

GnRH agonist 장기투여법(Long protocol)

1. 내인성 gonadotropin의 분비를 억제하여 외인성 gonadotropin을 투여해도 LH의 조기 급증을 막을 수 있는 방법
2. 체외수정의 표준적인 방법

참고 *Final Check 부인과 418 page*

09

체외수정을 위한 과배란유도 방법 중 가장 많이 사용되는 것은 무엇인가?

① GnRH agonist with short protocol

② GnRH agonist with long protocol

③ Microdose GnRH agonist protocol

④ GnRH agonist discontinuation protocol

⑤ Clomiphene citrate + hMG + GnRH antagonist

09

정답 ②

해설

GnRH agonist 장기투여법(Long protocol)

1. 내인성 gonadotropin의 분비를 억제하여 외인성 gonadotropin을 투여해도 LH의 조기 급증을 막을 수 있는 방법
2. 체외수정의 표준적인 방법

참고 *Final Check 부인과 418 page*

10

과배란유도 방법 중 GnRH agonist long protocol에 비해서 GnRH antagonist의 장점은 무엇인가?

① 채취되는 난자의 수가 더 많다

② FSH 용량을 감소시킬 수 있다

③ 환자의 순응도가 낮아도 사용 가능하다

④ LH surge 발생 후에도 쓸 수 있다

⑤ OHSS 위험도가 더 적다

10

정답 ⑤

해설

GnRH antagonist 투여법

1. 장점
   a. Flare 효과가 없어 난소낭종, 난소과자극증후군의 위험성이 적음
   b. 내인성 LH의 조기 분비를 막는 효과가 즉각적이어서 estrogen 결핍증상이 없음
2. 단점 : 매일 투여 때문에 환자 순응도가 필요

참고 *Final Check 부인과 419 page*

11

34세 여자가 intrauterine insemination (IUI)를 위해 과배란유도 8일째에 내원하였다. 이전 GnRH agonist를 이용한 과배란유도에서 조기 황체호르몬의 급증으로 시술이 취소되었다면 이번 주기에서 이를 막기 위한 적절한 방법은 무엇인가?

① GnRH agonist 용량 증가 ② GnRH antagonist 투여
③ hCG 조기 투여 ④ Estrogen 투여
⑤ Progesterone 투여

11

정답 ②

해설

GnRH antagonist 투여법

1. 장점
   a. Flare 효과가 없어 난소낭종, 난소과자극증후군의 위험성이 적음
   b. 내인성 LH의 조기 분비를 막는 효과가 즉각적이어서 estrogen 결핍증상이 없음
2. 단점 : 매일 투여 때문에 환자 순응도가 필요

참고 *Final Check 부인과 419 page*

12

과배란유도에서 난자를 채취하기 전에 hCG를 투여하는 이유는 무엇인가?

① 난포 크기 증가 ② 난자 성숙 유도
③ 난포 성장 정지 ④ 난포수 증가
⑤ OHSS 억제

12

정답 ②

해설

과배란유도 시 난포 발달 자극

1. 충분한 난포 성숙이 확인되면 마지막 단계의 난포 발달의 자극이 필요
2. urinary hCG (uhCG) 5,000~10,000 IU or 재조합 hCG (rhCG) 250 μg 투여

참고 *Final Check 부인과 417 page*

13

IVF-ET를 위해 과배란유도를 했던 여성에서 배란이식(ET) 10일 뒤부터 구역, 구토, 복수 등의 증상이 나타났다. 시행한 초음파상 양측난소와 복부 소견이 아래와 같았다면 가장 가능성이 높은 진단은 무엇인가?

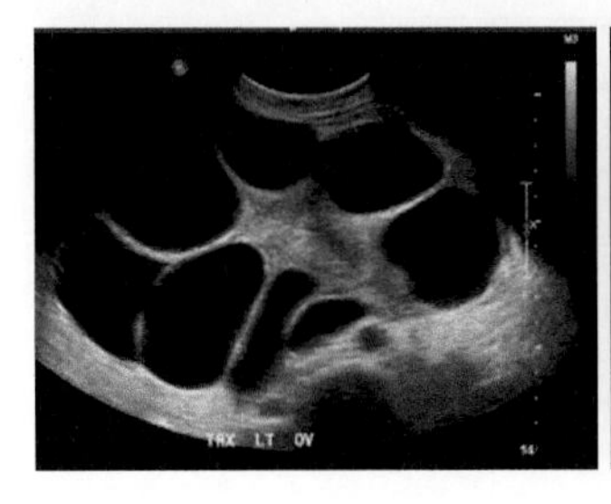

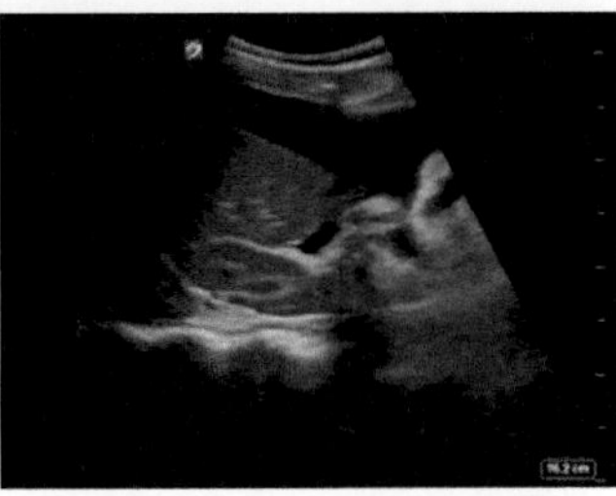

① 난소과자극증후군(OHSS)

② 난소암(Ovarian cancer)

③ 임신과다구토(hyperemesis gravidarum)

④ 자궁외임신(Ectopic pregnancy)

⑤ 다낭성난소증후군(PCOS)

13

정답 ①

해설

난소과자극증후군(OHSS)의 증상
난소 증대(ovarian enlargement)
과도한 스테로이드 생성
복수, 흉수, 호흡부전
혈액농축(hemoconcentration)
과응고(hypercoagulability)
난소 염전(torsion) 또는 파열(rupture)
심한 전해질 장애
메스꺼움, 구토, 설사
발작
신부전

참고 *Final Check 부인과 421 page*

14

과배란유도 중 생길 수 있는 난소과자극증후군(OHSS)의 증상을 모두 고르시오.

(가) 신부전
(나) 전해질 장애
(다) 복수
(라) 혈액의 과응고

① 가, 나, 다 ② 가, 다

③ 나, 라 ④ 라

⑤ 가, 나, 다, 라

14

정답 ⑤

해설

난소과자극증후군(OHSS)의 증상
난소 증대(ovarian enlargement)
과도한 스테로이드 생성
복수, 흉수, 호흡부전
혈액농축(hemoconcentration)
과응고(hypercoagulability)
난소 염전(torsion) 또는 파열(rupture)
심한 전해질 장애
메스꺼움, 구토, 설사
발작
신부전

참고 *Final Check 부인과 421 page*

15

난소과자극증후군(OHSS) 시 발생하는 증상이 아닌 것은 무엇인가?

① Abdominal distension　　② Oliguria

③ Proteinuria　　④ Weight gain

⑤ Pleural effusion

15

정답 ③

해설

난소과자극증후군(OHSS)의 증상
난소 증대(ovarian enlargement)
과도한 스테로이드 생성
복수, 흉수, 호흡부전
혈액농축(hemoconcentration)
과응고(hypercoagulability)
난소 염전(torsion) 또는 파열(rupture)
심한 전해질 장애
메스꺼움, 구토, 설사
발작
신부전

참고 Final Check 부인과 421 page

16

다낭성난소증후군인 32세 여성이 hMG와 hCG를 이용하여 과배란유도 중이었고, 주사 9일 후 복부팽만과 오심 증상이 발생하였다. 시행한 골반 초음파상 양측 난소와 골반 소견이 아래와 같다면 나타날 수 있는 검사 소견을 고르시오.

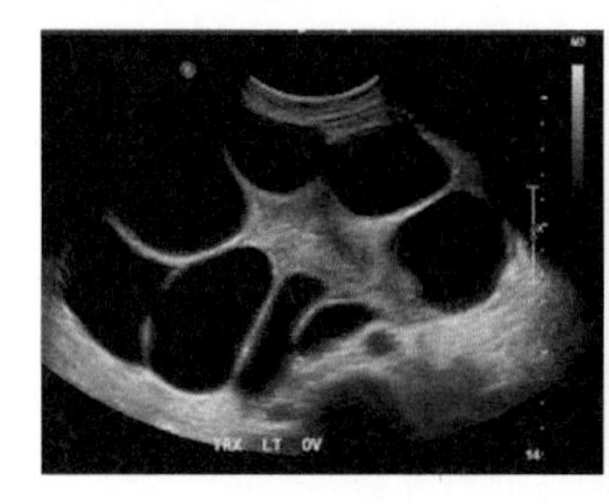

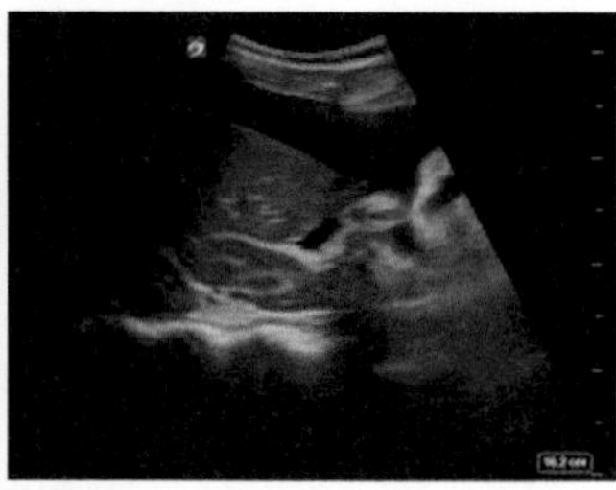

① 요 비중 감소　　② 혈청 BUN 감소

③ Hematocrit 증가　　④ 혈청 potassium 감소

⑤ 백혈구 감소

16

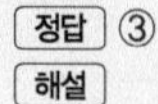

정답 ③

해설

난소과자극증후군(OHSS)의 증상
난소 증대(ovarian enlargement)
과도한 스테로이드 생성
복수, 흉수, 호흡부전
혈액농축(hemoconcentration)
과응고(hypercoagulability)
난소 염전(torsion) 또는 파열(rupture)
심한 전해질 장애
메스꺼움, 구토, 설사
발작
신부전

참고 Final Check 부인과 421 page

17

과배란유도 중인 여성이 호흡곤란, 구역, 구토, 복부 팽만을 호소하며 내원하였다. X-ray 사진이 다음과 같을 때 가장 가능성이 높은 진단은 무엇인가?

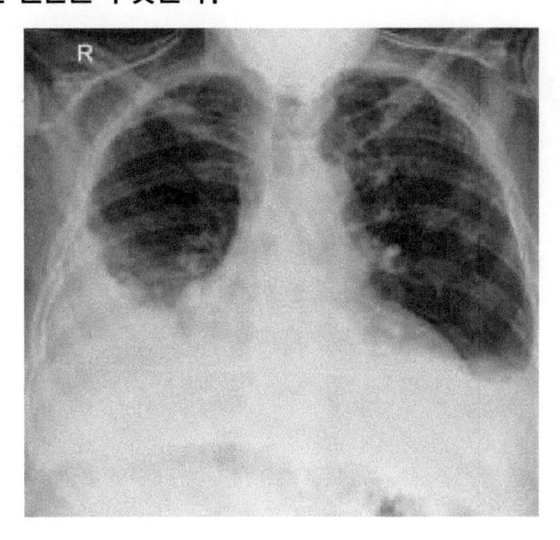

① Liver cirrhosis

② Ovarian cancer

③ Gestational trophoblastic disease

④ Congenital adrenal hyperplasia

⑤ Ovarian hyperstimulation syndrome

17

정답 ⑤

해설

난소과자극증후군(OHSS)의 증상
난소 증대(ovarian enlargement)
과도한 스테로이드 생성
복수, 흉수, 호흡부전
혈액농축(hemoconcentration)
과응고(hypercoagulability)
난소 염전(torsion) 또는 파열(rupture)
심한 전해질 장애
메스꺼움, 구토, 설사
발작
신부전

참고 *Final Check 부인과 421 page*

18

난임으로 14일 전 난자채취를 한 30대 여성이 구역, 구토, 복부 불편감을 주소로 내원하였다. 시행한 초음파 소견이 아래와 같다면 이와 관련이 있는 호르몬을 고르시오.

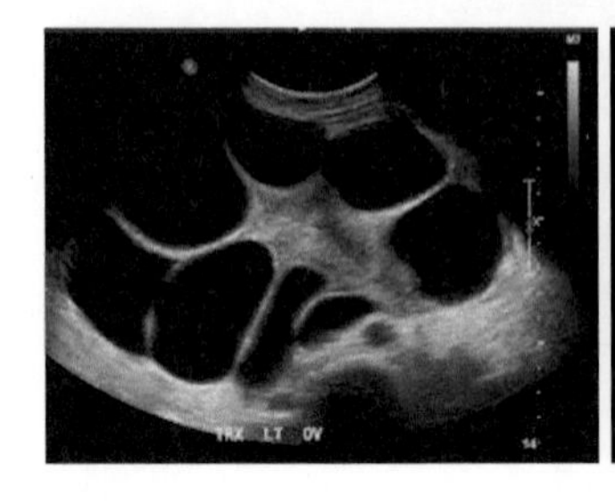

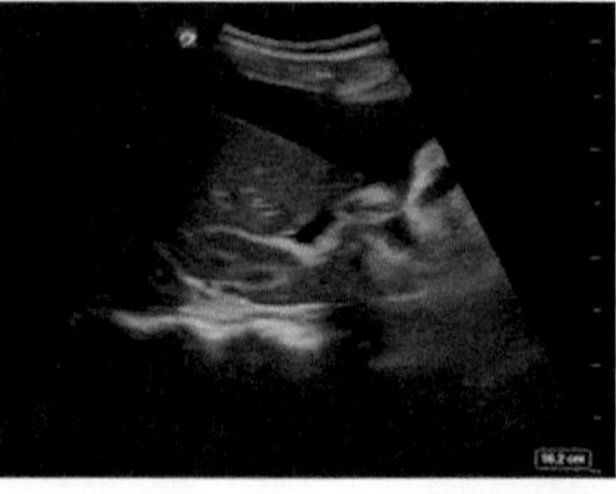

① hCG
② Progesterone
③ AMH
④ FSH
⑤ LH

18

정답 ①

해설

난소과자극증후군(OHSS)

1. Early type OHSS
   a. hCG 투여 3~7일 후 증상 발현
   b. 외부에서 투여된 hCG에 의한 발생
2. Late type OHSS
   a. hCG 투여 12~17일 후 증상 발현
   b. 임신에 의해 분비되는 hCG에 의한 발생
   c. 다태임신에서 더 심한 증상

참고 *Final Check 부인과 421 page*

19

불임으로 과배란유도를 위해 hMG 투여 후 난소과자극증후군(OHSS)이 발생하였다. 이에 대한 설명으로 잘못된 것은 무엇인가?

① E2 >3,000 pg/mL이면 hCG를 주지 않는다
② Hematocrit 증가
③ hCG 준 뒤 1~2일이면 증상이 생긴다
④ 복수가 심하면 복수천자를 시행한다
⑤ 치료로 알부민이 효과가 있다

19

정답 ③

해설

난소과자극증후군(OHSS)

1. Early type OHSS
   a. hCG 투여 3~7일 후 증상 발현
   b. 외부에서 투여된 hCG에 의한 발생
2. Late type OHSS
   a. hCG 투여 12~17일 후 증상 발현
   b. 임신에 의해 분비되는 hCG에 의한 발생
   c. 다태임신에서 더 심한 증상

참고 *Final Check 부인과 421 page*

20

과배란유도 중인 여성이 검사 중 소량의 복수가 관찰되었다. 시행한 혈액검사상 특이소견은 없었고, 환자는 특별한 증상을 호소하지는 않았다. 다음 처치로 가장 적절한 것을 고르시오.

① 수액 치료
② 이뇨제 투여
③ 시험적 개복술 시행
④ 과배란유도 즉시 중단
⑤ 복수천자 시행

20

정답 ①

해설

경증이나 중등도 난소과자극증후군의 치료

1. 특별한 치료의 필요성은 없음
2. 임신이 되지 않으면 대부분의 증상은 배란 후 10~12일이 지나면 서서히 사라짐

참고 *Final Check 부인과 422 page*

21

과배란유도 후 초음파상 양쪽 난소의 크기가 각각 6 cm, 9 cm 이고, 복수가 보일 때 시행해야 하는 처치로 잘못된 것은 무엇인가?

① 휴식을 취한다
② 내진을 하여 자궁압통을 확인한다
③ 경구 수분 섭취를 독려한다
④ 이온음료를 섭취한다
⑤ 초음파 추적검사를 한다

21

정답 ②

해설

중증 난소과자극증후군의 치료

1. 입원하여 안정, 대증적 요법 시행
   a. 수액치료(fluid therapy)
   b. 혈액용적 확장제 : albumin, dextran
   c. Heparin : 혈전색전증의 증거가 있을 때
   d. Dopamine : 신혈류 증가를 위해
2. 난소가 부서지기 쉬우므로 골반 내진은 금기
3. 수술적 치료
   a. 복수천자
   b. 시험적 개복술

참고 *Final Check 부인과 422 page*

22

중증 난소과자극증후군(OHSS)의 치료법을 2가지 이상 나열하시오.

23

35세 여성이 체외수정 시술 후 배가 불러오고 복통이 있어 응급실에 내원하였다. 초음파 상 양쪽 난소가 10 cm 이상이고 여러 개의 낭종이 관찰되었으며 다량의 복수가 있었다. 다음 중 적합한 치료를 모두 고르시오.

(가) 수액 공급
(나) hCG 투여로 황체기 보강
(다) 복수천자
(라) 초음파를 이용한 낭종 흡입

① 가, 나, 다 ② 가, 다
③ 나, 라 ④ 라
⑤ 가, 나, 다, 라

22

정답

1. 입원하여 안정, 대증적 요법 시행
   a. 수액치료(fluid therapy)
   b. 혈액용적 확장제 : albumin, dextran
   c. Heparin : 혈전색전증의 증거가 있을 때
   d. Dopamine : 신혈류 증가를 위해
2. 수술적 치료
   a. 복수천자
   b. 시험적 개복술

참고 *Final Check 부인과 422 page*

23

정답 ②

해설

중증 난소과자극증후군의 치료

1. 입원하여 안정, 대증적 요법 시행
   a. 수액치료(fluid therapy)
   b. 혈액용적 확장제 : albumin, dextran
   c. Heparin : 혈전색전증의 증거가 있을 때
   d. Dopamine : 신혈류 증가를 위해
2. 난소가 부서지기 쉬우므로 골반 내진은 금기
3. 수술적 치료
   a. 복수천자
   b. 시험적 개복술

참고 *Final Check 부인과 422 page*

24

IVF 10일 후부터 발생한 복부팽만, 호흡곤란, 구토, 설사를 주소로 내원하였다. 시행한 검사 결과는 아래와 같다면 이 여성의 다음 처치로 가장 적절한 것을 고르시오.

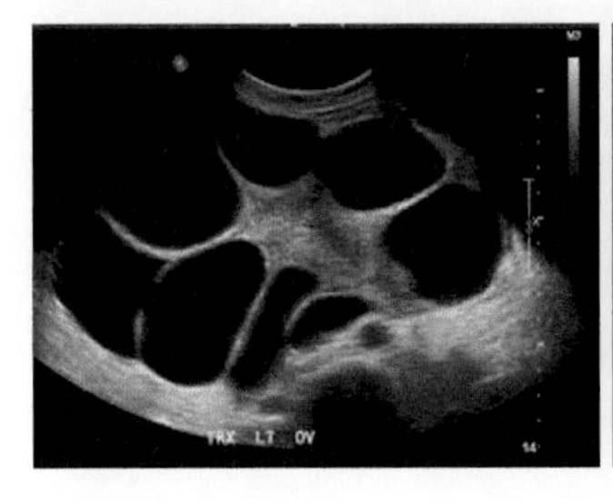

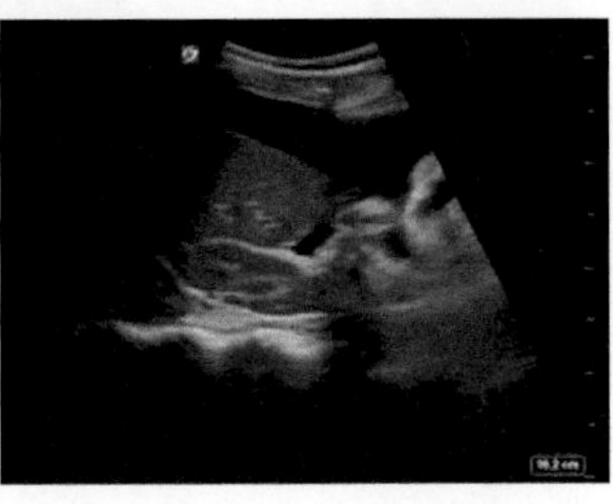

– Hb : 14.8 g/dL	– Hct : %
– WBC : 15,000/mL	– Platelet : 550K/mL

① 증상 경감을 위한 산소 공급

② 증상악화 방지를 위한 progesterone 투여

③ 혈전색전증 예방을 위한 heparin 두어

④ 구토 억제를 위한 항구토제 투여

⑤ 신장혈류 증가를 위한 dopamine 투여

24

정답 ⑤

해설

중증 난소과자극증후군의 치료

1. 입원하여 안정, 대증적 요법 시행
   a. 수액치료(fluid therapy)
   b. 혈액용적 확장제 : albumin, dextran
   c. Heparin : 혈전색전증의 증거가 있을 때
   d. Dopamine : 신혈류 증가를 위해
2. 난소가 부서지기 쉬우므로 골반 내진은 금기
3. 수술적 치료
   a. 복수천자
   b. 시험적 개복술

참고 *Final Check 부인과 422 page*

25

불임 여성이 과배란유도 3일 뒤부터 발생한 호흡곤란을 주소로 내원하였다. 초음파상 약 4,000 mL의 복수가 관찰되었고, 난소의 크기는 양측 모두 12 cm 정도였다. 다음 처치로 가장 적절한 것을 고르시오.

① Dopamine 투여

② Lasix 투여

③ Albumin 투여

④ Paracentesis

⑤ Heparin 투여

25

정답 ④

해설

OHSS에서 복수천자(paracentesis)의 적응증

1. 증상의 개선이 필요할 때
2. 요감소(oliguria)
3. Creatinine 상승, creatinine clearance 감소
4. 저혈압과 동반된 다량의 복수
5. 내과적 치료에 호전 안되는 혈액 점도 증가

참고 *Final Check 부인과 422 page*

26

난자 채취 시 난자의 성숙도를 평가할 때 가장 잘 성숙된 난자를 고르시오.

① Pronucleus ② Trophoblast
③ 1st polar body ④ 2nd polar body
⑤ Germinal vesicle

26

정답 ③

해설

난자의 성숙도 평가

1. 1st polar body : 성숙된 난자를 의미
2. Germinal vesicle : 미성숙 난자를 의미

참고 *Final Check 부인과 425 page*

27

착상전유전진단(preimplantation genetic diagnosis)을 할 때 할구세포생검(blastomere biopsy)과 극체생검(polar body biopsy)의 비교 시 할구세포생검의 장점을 모두 고르시오.

(가) 가장 많이 이용되는 방법이다
(나) 모계와 부계의 유전질환을 검사할 수 있다
(다) 잔존 배아의 성장 및 발달에 지장이 없다
(라) 섞임증(mosaicism)의 위험도가 낮다

① 가, 나, 다 ② 가, 다
③ 나, 라 ④ 라
⑤ 가, 나, 다, 라

27

정답 ①

해설

할구세포생검(Blastomere biopsy)

1. 6~8세포기 배아에서 할구세포 1~2개를 생검하여 유전진단하는 방법
2. 8세포기 이전 할구세포 1~2개를 제거하여도 배아 성장 및 발달에는 지장이 없음
3. 부계와 모계로부터 받은 유전적 또는 염색체 구성에 대한 진단이 가능
4. PGD는 유전자검사 자체의 오류나 섞임증(mosaicism) 등으로 인한 진단 오류 가능성이 내재

참고 *Final Check 부인과 432 page*

28

착상전유전진단(preimplantation genetic diagnosis)를 할 때 할구세포생검을 시행하는 가장 적절한 시기를 고르시오.

①
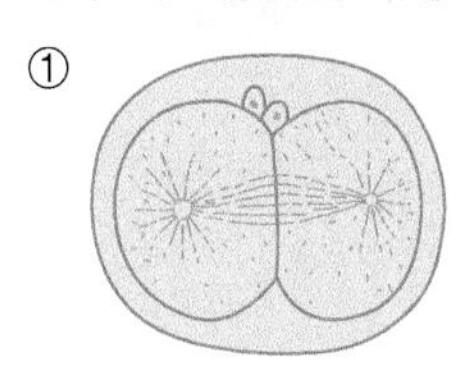

②
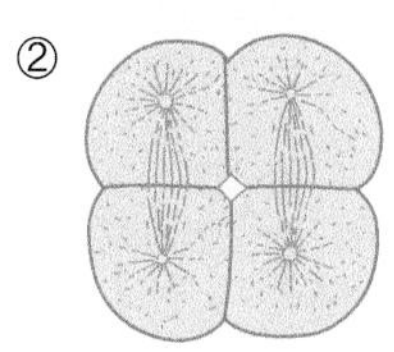

③
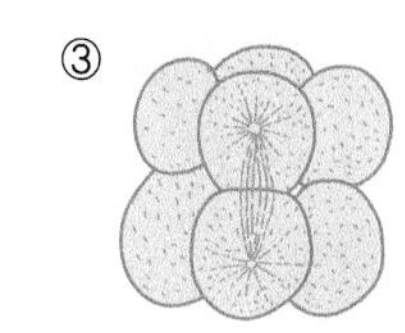

④
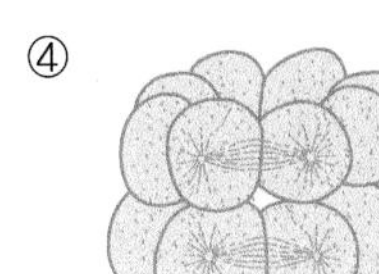

⑤
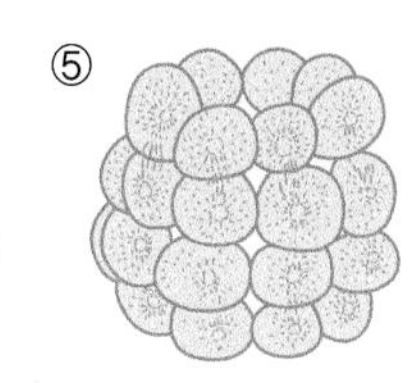

28

정답 ③

해설

할구세포생검(Blastomere biopsy)

1. 6~8세포기 배아에서 할구세포 1~2개를 생검하여 유전진단하는 방법
2. 8세포기 이전 할구세포 1~2개를 제거하여도 배아 성장 및 발달에는 지장이 없음
3. 부계와 모계로부터 받은 유전적 또는 염색체 구성에 대한 진단이 가능

참고 *Final Check 부인과 432 page*

29

황체기 결함의 치료 방법에 대하여 옳은 것은 무엇인가?

① 증식기의 gonadotropin 부족이 원인이므로 FSH와 hMG를 쓴다
② 분비기의 progesterone 생성 부족이 근본적인 원인이므로 progesterone을 보충한다
③ 황체기 결함으로 진단된 여성은 임신이 거의 불가능하다
④ 자궁내막의 progesterone 수용체 이상이 원인이다
⑤ 난자 채취 직후부터 스테로이드의 외부 공급이 필수이다

29

정답 ②

해설

황체기 보강

1. 난자 채취 후 1주일간은 충분한 양의 스테로이드가 생성되어 있어 외부 공급 불필요
2. 난자 공여 같은 경우 외부 스테로이드에 전적으로 의존하므로 progesterone 투여가 필수적
3. 보강 방법
   a. Progesterone in oil 50 mg, 근주, 1회/day
   b. Crinone gel 8%, 질 내 투여, 1회/day
   c. Utrogestan 200 mg 질 내 투여, 3회/day

참고 *Final Check 부인과 429 page*

30

27세 여성이 2년 전 채부성형술 후에도 임신이 되지 않아 내원하였다. 남편의 정액검사는 정상이었고, 여성의 자궁난관조영술(HSG) 소견은 아래와 같았다면 다음 처치로 가장 적절한 것을 고르시오.

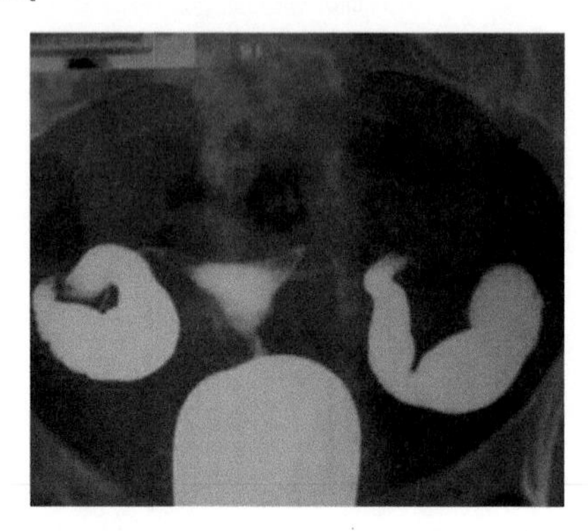

① 복강경하 채부성형술

② 개복하 채부성형술 및 유착박리술

③ 체외수정

④ 난관내 인공수정

⑤ 과배란유도와 자궁내 인공수정

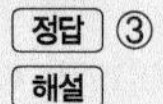

정답 ③

해설

체외수정(IVF)의 적응증

1. 난관요인 : 난관폐쇄나 난관절제술의 과거력
2. 남성요인
3. 자궁내막증
4. 자궁경부 점액의 이상 및 면역학적 원인
5. 원인불명의 불임

참고 *Final Check 부인과 423 page*

31

1년 전 양측 난관의 말단부폐쇄로 채부성형술을 시행 받은 29세 여성이 불임을 주소로 내원하였다. 남편은 검사상 이상 소견이 없었고, 여성은 자궁난관조영술(HSG)상 아래와 같았다면 다음 처치로 가장 적절한 것을 고르시오.

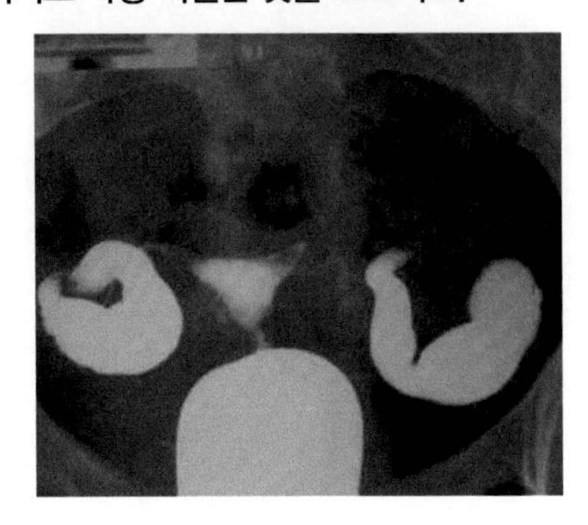

① 과배란유도　② 자궁내 인공수정
③ 난관내 인공수정　④ 배우자간 체외수정
⑤ 비배우자간 인공수정

31

정답 ④

해설

체외수정(IVF)의 적응증

1. 난관요인 : 난관폐쇄나 난관절제술의 과거력
2. 남성요인
3. 자궁내막증
4. 자궁경부 점액의 이상 및 면역학적 원인
5. 원인불명의 불임

참고 *Final Check 부인과 423 page*

32

1년 전 난관복원술을 받은 37세 여성의 자궁난관조영술이 아래와 같다면 임신을 위한 방법으로 가장 적절한 것을 고르시오.

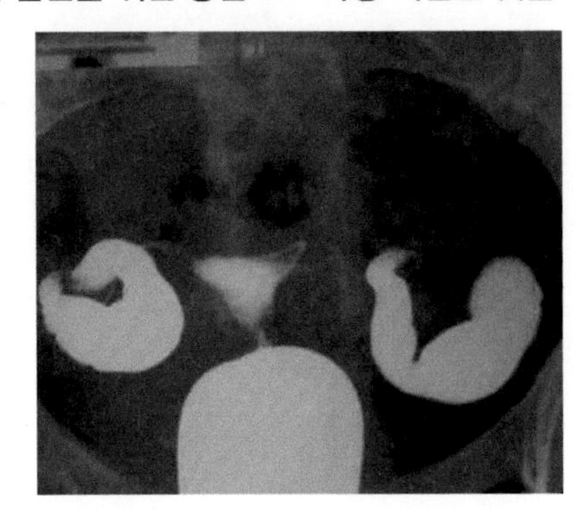

① 배란일을 맞춘 부부관계　② 인공수정(IUI)
③ 체외수정(IVF)　④ 난관 내 생식세포이식술(GIFT)
⑤ 채부성형술(fimbrioplasty)

32

정답 ③

해설

체외수정(IVF)의 적응증

1. 난관요인 : 난관폐쇄나 난관절제술의 과거력
2. 남성요인
3. 자궁내막증
4. 자궁경부 점액의 이상 및 면역학적 원인
5. 원인불명의 불임

참고 *Final Check 부인과 423 page*

33

30세 여성이 불임을 주소로 내원하였다. 환자는 과거 2회의 자궁외임신으로 MTX 치료를 받았고, 최근에 시행한 자궁난관조영술(HSG)은 아래와 같았다. 이 환자에게 가장 적절한 치료를 고르시오.

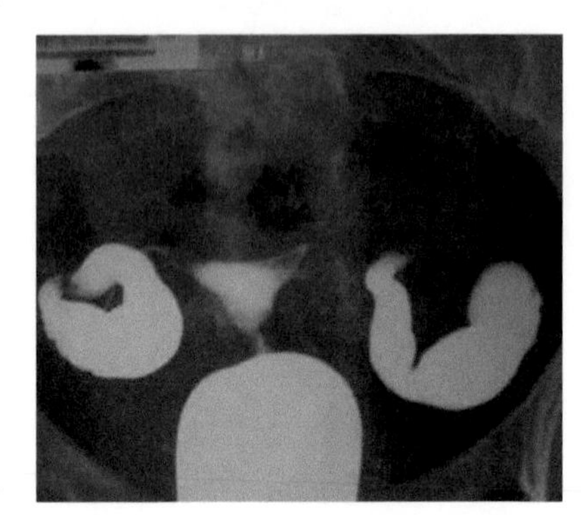

① Doxycycline
② Hysteroscopic catheterization
③ Bilateral fimbrioplasty
④ IVF
⑤ ICSI

33

정답 ④

해설

체외수정(IVF)의 적응증

1. 난관요인 : 난관폐쇄나 난관절제술의 과거력
2. 남성요인
3. 자궁내막증
4. 자궁경부 점액의 이상 및 면역학적 원인
5. 원인불명의 불임

참고 *Final Check 부인과 423 page*

34

Sperm function 중 IVF 성적을 가장 잘 반영하는 것은 무엇인가?

① Sperm motility
② Sperm concentration
③ Sperm volume
④ Immunobead test
⑤ Strict morphology

34

정답 ⑤

해설

정자의 형태(morphology)

1. 정상 정자의 형태 ≥4%
2. IVF 시 임신 가능성의 평가 지표

참고 *Final Check 부인과 425 page*

35

다음 중 sperm strict morphology에 대하여 틀린 것은 무엇인가?

① IVF 성적을 가장 정확히 반영한다

② Strict morphology란 acrosome 이상을 포함하여 아주 작은 이상도 선별한다는 뜻이다

③ Normal morphology가 5% 이상이면 정상 임신율을 기대할 수 있다

④ Normal morphology가 4% 미만이면 임신율은 7% 정도로 매우 낮다

⑤ Computer-assisted morphometric evaluation의 도움을 받을 수 있다

35

정답 ③

해설

Strict morphology

1. IVF 성적에 가장 중요
2. Criteria
   a. >14% : 정상 임신율
   b. 4~14% : 중간 임신율
   c. <4% : 낮은 임신율

참고 *Final Check 부인과 425 page*

36

세포질내정자주입(ICSI) 후 약 15~18시간에 정상적인 수정 여부를 확인하는 데 흔히 이용되는 것은 무엇인가?

① Two pronuclei

② Polar body

③ Zona pellucida의 sperm tail

④ Germinal vesicle

⑤ Perivitelline space의 sperm tail

36

정답 ①

해설

배아의 평가

1. ICSI 15~20시간 후 시행
2. 정상적인 수정 : 난자 중앙에 2개의 전핵과 제2극체가 관찰

참고 *Final Check 부인과 426 page*

37

임신력 0-0-2-0인 29세 여성이 불임을 주소로 내원하였다. 체외수정을 시행하였고, hMG로 배란을 유도하여 월경주기 제12일 오전 8시에 성숙 난자를 채취하였다. 수정 후 다음날 오전 9시의 난자 상태를 보여주는 사진으로, 화살표가 가리키는 것은 무엇인가?

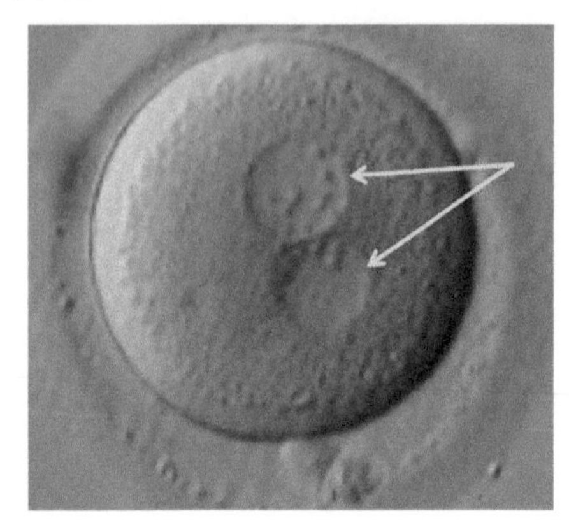

① Mitochondria ② Blastocyst
③ Pronucleus ④ Zona pellucida
⑤ Cytoplasm

37
정답 ③
해설
배아의 평가
1. ICSI 15~20시간 후 시행
2. 정상적인 수정 : 난자 중앙에 2개의 전핵과 제2극체가 관찰

참고 Final Check 부인과 426 page

38

다음 시술의 명칭을 쓰시오.

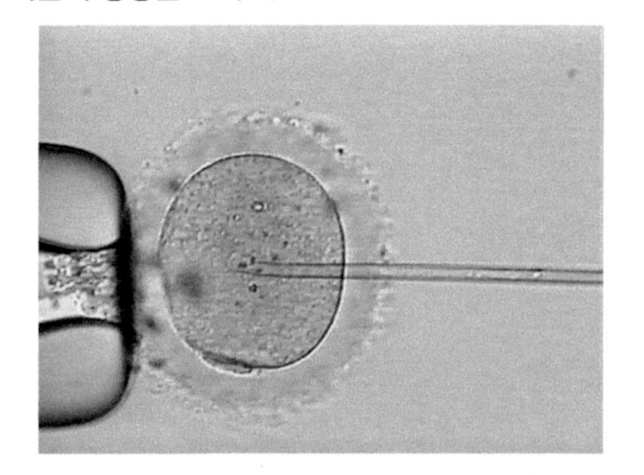

38
정답
난자세포질내 정자주입술(ICSI)

참고 Final Check 부인과 430 page

39

불임을 주소로 부부가 내원하였다. 여성과 남성의 불임검사에서 여성은 모두 정상이었지만 남성의 소견은 아래와 같았다. 다음 처치로 가장 적절한 것을 고르시오.

- 용적 : 3 mL
- 총 정자수 : $70x10^6$/ejaculation
- 운동성 : 2%
- 정상 형태 : 25%

① IUI ② GIFT
③ IVF + ET ④ ICSI
⑤ 경과관찰

39

정답 ④

해설

ICSI의 적응증

- 남성 불임(male infertility)
  - 정자수가 적은 경우(총 정자수 ≤$5x10^6$)
  - 운동성이 낮은 경우(총 운동성 정자수 ≤$1x10^6$)
  - 형태학적 이상(정상형태 정자의 비율 <4%)
  - 무정자증에서 정자를 고환이나 부고환에서 채취
- 이전 고식적 시술에서 원인미상 수정 실패
- 동결보존 정자를 이용하여 체외수정을 하는 경우
- 척수손상, 사정장애, 역방향사정
- 남성이 HIV 양성자인 경우
- 채취된 난자 수가 적은 경우
- 동결보존 or 체외성숙된 난자를 이용한 체외수정
- 난자가 형태학적으로 비정상적인 경우
- 유전진단을 위한 제1극체생검, 할구생검이 필요

참고 *Final Check 부인과 430 page*

40

월경이 규칙적인 30세 여성이 결혼 후 1년이 지나도 임신이 되지 않아 내원하였다. 여성의 초음파 및 HSG 소견 상 특이소견은 없었고, 남편의 정액검사가 아래와 같다면 다음으로 시행할 방법으로 가장 적절한 것을 고르시오.

- 용적 : 0.5 mL
- 농도 : $1.5x10^6$/mL
- 운동성 : 4%
- 정상 형태 : 1%

① 자연임신 ② 보조부화술
③ 고식적 체외수정 ④ 인공수정
⑤ 세포질내 정자주입술

40

정답 ⑤

해설

ICSI의 적응증

- 남성 불임(male infertility)
  - 정자수가 적은 경우(총 정자수 ≤$5x10^6$)
  - 운동성이 낮은 경우(총 운동성 정자수 ≤$1x10^6$)
  - 형태학적 이상(정상형태 정자의 비율 <4%)
  - 무정자증에서 정자를 고환이나 부고환에서 채취
- 이전 고식적 시술에서 원인미상 수정 실패
- 동결보존 정자를 이용하여 체외수정을 하는 경우
- 척수손상, 사정장애, 역방향사정
- 남성이 HIV 양성자인 경우
- 채취된 난자 수가 적은 경우
- 동결보존 or 체외성숙된 난자를 이용한 체외수정
- 난자가 형태학적으로 비정상적인 경우
- 유전진단을 위한 제1극체생검, 할구생검이 필요

참고 *Final Check 부인과 430 page*

41

남편의 희소정자증(oligozoospermia)으로 아이를 가지지 못하고 있는 부부에게 추천되는 방법을 고르시오.

① ICSI

② GIFT

③ Peritoneal oocyte sperm transfer

④ 냉동 보관

⑤ 배우자 인공 정자 주입

41

정답 ①

해설

ICSI의 적응증

- 남성 불임(male infertility)
  - 정자수가 적은 경우(총 정자수 ≤5x10^6)
  - 운동성이 낮은 경우(총 운동성 정자수 ≤1x10^6)
  - 형태학적 이상(정상형태 정자의 비율 <4%)
  - 무정자증에서 정자를 고환이나 부고환에서 채취
- 이전 고식적 시술에서 원인미상 수정 실패
- 동결보존 정자를 이용하여 체외수정을 하는 경우
- 척수손상, 사정장애, 역방향사정
- 남성이 HIV 양성자인 경우
- 채취된 난자 수가 적은 경우
- 동결보존 or 체외성숙된 난자를 이용한 체외수정
- 난자가 형태학적으로 비정상적인 경우
- 유전진단을 위한 제1극체생검, 할구생검이 필요

참고 Final Check 부인과 430 page

42

IUI 6회, IVF 3회 실시했지만 지속적인 불임을 주소로 부부가 내원하였다. 부부의 검사에서 여성은 정상이었고 남성은 아래와 같았다면 임신을 위한 보조생식술 방법 중 가장 적절한 것을 고르시오.

- 용적 : 4 mL
- 총 정자수 : 4x10^6/ejaculation
- 운동성 : 20%
- 정상 형태 : 23%

42

정답

세포질내 정자주입(ICSI)

해설

ICSI의 적응증

- 남성 불임(male infertility)
  - 정자수가 적은 경우(총 정자수 ≤5x10^6)
  - 운동성이 낮은 경우(총 운동성 정자수 ≤1x10^6)
  - 형태학적 이상(정상형태 정자의 비율 <4%)
  - 무정자증에서 정자를 고환이나 부고환에서 채취
- 이전 고식적 시술에서 원인미상 수정 실패
- 동결보존 정자를 이용하여 체외수정을 하는 경우
- 척수손상, 사정장애, 역방향사정
- 남성이 HIV 양성자인 경우
- 채취된 난자 수가 적은 경우
- 동결보존 or 체외성숙된 난자를 이용한 체외수정
- 난자가 형태학적으로 비정상적인 경우
- 유전진단을 위한 제1극체생검, 할구생검이 필요

참고 Final Check 부인과 430 page

43

남성 불임 원인으로 IVF를 시행한 여성에서 난자 채취 다음 날부터 투여해야 할 약제를 한가지 쓰시오.

44

31세 여자가 2년 간의 불임을 주소로 산부인과 외래로 내원하였다. 평소 월경은 규칙적이었으며 다른 내과적 질환은 없었다. 자궁난관조영술은 정상이었고, 다른 특이소견은 없었다. 여성의 혈액 검사상 FSH, LH, estradiol, prolactin 모두 정상이었고, 남성의 정액검사상 용적 1.5 mL, 정자농도 500,000/mL, 운동성 정자 10%, 정상 형태 1%로 확인되었다. 이 부부에게 시행해야 할 시술로 가장 적절한 것을 고르시오.

① IUI ② Conventional IVF

③ ICSI ④ Assisted hatching

⑤ Testicular sperm extraction

43

정답

Progesterone

해설

황체기 보강

1. 난자 채취 후 1주일간은 충분한 양의 스테로이드가 생성되어 있어 외부 공급 불필요
2. 난자 공여 같은 경우 외부 스테로이드에 전적으로 의존하므로 progesterone 투여가 필수적

참고 *Final Check 부인과 429 page*

44

정답 ③

해설

ICSI의 적응증

- 남성 불임(male infertility)
  - 정자수가 적은 경우(총 정자수 ≤$5x10^6$)
  - 운동성이 낮은 경우(총 운동성 정자수 ≤$1x10^6$)
  - 형태학적 이상(정상형태 정자의 비율 <4%)
  - 무정자증에서 정자를 고환이나 부고환에서 채취
- 이전 고식적 시술에서 원인미상 수정 실패
- 동결보존 정자를 이용하여 체외수정을 하는 경우
- 척수손상, 사정장애, 역방향사정
- 남성이 HIV 양성자인 경우
- 채취된 난자 수가 적은 경우
- 동결보존 or 체외성숙된 난자를 이용한 체외수정
- 난자가 형태학적으로 비정상적인 경우
- 유전진단을 위한 제1극체생검, 할구생검이 필요

참고 *Final Check 부인과 430 page*

45

남성 불임으로 인해 미세수술 후 보조생식술을 할 때 가장 성적이 좋은 방법을 고르시오.

① Zona drilling

② Partial zona dissection

③ SUZI (subzonal sperm injection)

④ ICSI (intracytoplasmic sperm injection)

⑤ IUI (intrauterine insemination)

45

정답 ④

해설

ICSI의 적응증

- 남성 불임(male infertility)
  - 정자수가 적은 경우(총 정자수 $\leq 5 \times 10^6$)
  - 운동성이 낮은 경우(총 운동성 정자수 $\leq 1 \times 10^6$)
  - 형태학적 이상(정상형태 정자의 비율 <4%)
  - 무정자증에서 정자를 고환이나 부고환에서 채취
- 이전 고식적 시술에서 원인미상 수정 실패
- 동결보존 정자를 이용하여 체외수정을 하는 경우
- 척수손상, 사정장애, 역방향사정
- 남성이 HIV 양성자인 경우
- 채취된 난자 수가 적은 경우
- 동결보존 or 체외성숙된 난자를 이용한 체외수정
- 난자가 형태학적으로 비정상적인 경우
- 유전진단을 위한 제1극체생검, 할구생검이 필요

참고 Final Check 부인과 430 page

46

30세 불임 여성의 복강경에서 난관 주위의 심한 유착이 확인되었다. 남편은 정액검사상 무정자증이었으나 혈청 성선자극호르몬 농도는 정상이었고, 고환 조직검사에서 정상 정자를 관찰할 수 있었다. 항정자항체 검사 결과 IgG와 IgM이 정자의 머리와 꼬리에 각각 90% 이상 관찰되었다. 이후에 정관문합술을 시행했으나 사정된 정액에서 정자를 관찰할 수 없었다면 다음으로 가장 적합한 치료법은 무엇인가?

① 다시 정관문합술 시행

② GIFT

③ TESE-ICSI and IUI

④ TESE-ICSI and IVF

⑤ Tuboplasty 후 IUI

46

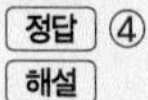

정답 ④

해설

ICSI의 적응증

- 남성 불임(male infertility)
  - 정자수가 적은 경우(총 정자수 $\leq 5 \times 10^6$)
  - 운동성이 낮은 경우(총 운동성 정자수 $\leq 1 \times 10^6$)
  - 형태학적 이상(정상형태 정자의 비율 <4%)
  - 무정자증에서 정자를 고환이나 부고환에서 채취
- 이전 고식적 시술에서 원인미상 수정 실패
- 동결보존 정자를 이용하여 체외수정을 하는 경우
- 척수손상, 사정장애, 역방향사정
- 남성이 HIV 양성자인 경우
- 채취된 난자 수가 적은 경우
- 동결보존 or 체외성숙된 난자를 이용한 체외수정
- 난자가 형태학적으로 비정상적인 경우
- 유전진단을 위한 제1극체생검, 할구생검이 필요

참고 Final Check 부인과 430 page

<R-Type>

① Clomiphene citrate	⑤ IUI
② Insulin sensitizer	⑥ IVF
③ Testicular sperm extraction	⑦ ICSI
④ Salpingectomy	⑧ GIFT

47

불임을 주소로 부부가 내원하였다. 검사상 여자는 정상이었고, 남자는 정액검사상 총 정자수 $70x10^6$/ml, 정상 형태 3%, 운동성 정자 2%를 나타냈다. 다음 중 임신을 위한 방법으로 가장 적절한 방법을 고르시오.(1가지)

48

불임을 주소로 부부가 내원하였다. 시행한 검사상 남편의 정액검사는 정상이었고, 아내의 자궁난관조영술은 다음과 같았다. 이 여성에게 가장 적절한 처치를 모두 고르시오.(2가지)

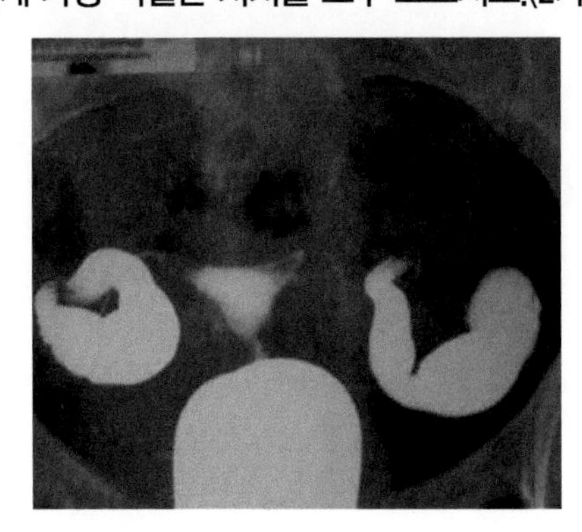

47

정답 ⑦

해설

ICSI의 적응증

- 남성 불임(male infertility)
  - 정자수가 적은 경우(총 정자수 ≤$5x10^6$)
  - 운동성이 낮은 경우(총 운동성 정자수 ≤$1x10^6$)
  - 형태학적 이상(정상형태 정자의 비율 <4%)
  - 무정자증에서 정자를 고환이나 부고환에서 채취
- 이전 고식적 시술에서 원인미상 수정 실패
- 동결보존 정자를 이용하여 체외수정을 하는 경우
- 척수손상, 사정장애, 역방향사정
- 남성이 HIV 양성자인 경우
- 채취된 난자 수가 적은 경우
- 동결보존 or 체외성숙된 난자를 이용한 체외수정
- 난자가 형태학적으로 비정상적인 경우
- 유전진단을 위한 제1극체생검, 할구생검이 필요

참고 *Final Check 부인과 430 page*

48

정답 ④, ⑥

해설

난관수종(Hydrosalpinx)

1. 난관수종 내 액체가 배아 발달과 착상 방해
2. 체외수정 전 난관절제술을 먼저 시행 시 체외수정 임신율과 출생률이 유의하게 증가
3. 복강경하 난관폐쇄술 시행 후 체외수정을 해도 임신율 향상 가능

참고 *Final Check 부인과 411 page*

49

35세 여성이 유방암으로 진단받고 항암 및 방사선 치료 예정이다. 다음 중 임신능력의 보존을 위해 할 수 있는 것으로 가장 적절한 것을 고르시오.

① Progesterone
② Raloxifene
③ Clomiphene citrate
④ 난자 동결보존
⑤ 난소 전위

49

정답 ④

해설

난자(Ovum)의 동결보존

1. 난소기능 소실 염려 환자의 가임력 보존
2. 미혼 여성에서 추후 임신의 기회를 제공
3. 배아 동결보존의 법적, 윤리적 문제가 적음

참고 *Final Check 부인과 436 page*

CHAPTER 24

폐경(Menopause)

01

폐경 이행기에 가장 처음으로 변화하기 시작하는 호르몬은 무엇인가?

① Inhibin ② Estriol
③ Progesterone ④ LH
⑤ TSH

01

정답 ①

해설

주폐경기(Perimenopause)의 호르몬 변화

1. 난포의 granulosa cell 폐쇄로 estrogen, inhibin 생성 감소, FSH 증가
2. 난포 고갈로 난소의 FSH, LH에 대한 무반응
3. FSH는 증가하지만 난소의 음성되먹임은 없음
4. 호르몬분비 감소로 난포성숙 실패, 배란 감소

참고 *Final Check 부인과 440 page*

02

폐경기에 일어나는 호르몬의 변화로 맞는 것을 고르시오.

① FSH 증가 ② LH 감소
③ Estrogen 증가 ④ Androgen 증가
⑤ Inhibin 증가

02

정답 ①

해설

폐경기 호르몬의 변화

호르몬	수치 변화
Inhibin	감소
FSH	증가
LH	증가
Estrogen	감소
Progesterone	감소
Testosterone (난소)	수년간 유지 후 감소
Testosterone (부신)	감소
Androstenedione (난소)	수년간 유지 후 감소
Androstenedione (부신)	수년간 유지 후 감소
DHEA (부신)	감소
DHEAS (부신)	유지

참고 *Final Check 부인과 443 page*

03

다음 중 폐경기 여성의 호르몬 검사소견으로 올바른 것을 모두 고르시오.

(가) FSH 증가
(나) Inhibin 감소
(다) LH 증가
(라) Total androgen 감소

① 가, 나, 다
② 가, 다
③ 나, 라
④ 라
⑤ 가, 나, 다, 라

04

다음 중 폐경기에 대한 설명으로 옳은 것을 모두 고르시오.

(가) 혈중 androstenedione은 폐경 전보다 낮다
(나) 혈중 estrone/estradiol 비율이 폐경 전보다 높아진다
(다) 생리주기 단축이 폐경기의 첫 증상이다
(라) 폐경 직후 난소에서 androstenedione보다 testosterone을 상대적으로 더 많이 분비된다

① 가, 나, 다
② 가, 다
③ 나, 라
④ 라
⑤ 가, 나, 다, 라

03

정답 ⑤

해설

폐경기 호르몬의 변화

호르몬	수치 변화
Inhibin	감소
FSH	증가
LH	증가
Estrogen	감소
Progesterone	감소
Testosterone (난소)	수년간 유지 후 감소
Testosterone (부신)	감소
Androstenedione (난소)	수년간 유지 후 감소
Androstenedione (부신)	수년간 유지 후 감소
DHEA (부신)	감소
DHEAS (부신)	유지

참고 *Final Check 부인과 443 page*

04

정답 ⑤

해설

1. ADD는 폐경 전보다 50% 이상 생산 감소
2. E1은 폐경 후의 주된 estrogen : E2의 2~4배
3. 주폐경기 : 불규칙한 생리주기, 짧은 황체기
   임신 주수가 정확하고 AFP가 2.0 MoM 이상으로
4. 폐경 후 첫 1년간 폐경 전보다 더 많은 testosterone을 분비, ADD는 50% 감소

참고 *Final Check 부인과 441 page*

05

52세 여성이 6개월 전부터 발생한 무월경을 주소로 내원하였다. 시행한 검사상 이상소견은 없었고, 초음파상 자궁내막 두께 2.2 mm로 측정되었다. 이 환자에게 가장 적절한 처치를 고르시오.

① Observation
② GnRH agonist
③ Endometrial biopsy
④ Progestin
⑤ Endometrial ablation

05

정답 ①

해설

주폐경기(Perimenopause)

1. 난소기능 감소로 월경주기 규칙성이 사라지고 FSH 수치가 증가하기 시작하는 시기에서 마지막 월경을 하는 시기
2. 폐경 직전과 직후의 시기
3. 특징 : 불규칙한 생리주기, 짧은 황체기

참고 *Final Check 부인과 440 page*

06

42세 여성이 6개월 간의 무월경, 안면홍조, 발한을 주소로 내원하였다. 이 환자에게 가장 먼저 시행해야 할 검사를 고르시오.

① Estradiol
② Progesterone
③ Testosterone
④ FSH
⑤ LH

06

정답 ④

해설

폐경 시 FSH의 변화

1. Inhibin 감소로 FSH 증가
2. 폐경 전보다 10~20배 증가
3. 폐경 후 1~3년 정점을 이룬 후 서서히 감소

참고 *Final Check 부인과 441 page*

07

50세 여성이 안면홍조 및 야간 발한과 이에 따른 심한 불면증을 주소로 내원하였다. 이 여성은 6년 전 자궁근종으로 자궁절제술을 하였고, 내진 및 이학적 검사상 특이소견은 없었다. 다음 처치로 가장 적절한 것을 고르시오.

① 혈중 Dehydroepiandrosterone sulfate 측정
② 혈중 Prolactin 측정
③ 혈중 FSH 측정
④ 혈중 Thyroxine 측정
⑤ 혈중 Triiodothyronine 측정

07

정답 ③

해설

폐경 시 FSH의 변화

1. Inhibin 감소로 FSH 증가
2. 폐경 전보다 10~20배 증가
3. 폐경 후 1~3년 정점을 이룬 후 서서히 감소

참고 *Final Check 부인과 441 page*

08

나이에 따라 지속적으로 감소하는 양상을 보이고, 폐경 이후에 검출되지 않으며, 반복 측정해도 생리주기 간에 변화가 적은 표지자는 무엇인가?

① AMH
② Inhibin
③ Estradiol
④ Progesterone
⑤ Testosterone

08

정답 ①

해설

Anti-Müllerian hormone (AMH)

1. Antral follicle의 granulosa cell에서 분비
2. 난소예비력이 감소함에 따라 AMH는 감소
3. 폐경 후에는 검출되지 않을 정도로 감소
4. 월경주기에 관계없이 검사 가능

참고 *Final Check 부인과 442 page*

09

평소 30일 간격으로 규칙적인 월경을 하던 47세 여성이 폐경 증상을 주소로 내원하였다. 이 환자의 난소예비력(ovarian reserve)을 확인하는 호르몬 검사로 가장 적절한 것을 고르시오.

① LH
② FSH
③ AMH
④ E2
⑤ Inhibin

09

정답 ③

해설

Anti-Müllerian hormone (AMH)

1. Antral follicle의 granulosa cell에서 분비
2. 난소예비력이 감소함에 따라 AMH는 감소
3. 폐경 후에는 검출되지 않을 정도로 감소
4. 월경주기에 관계없이 검사 가능

참고 *Final Check 부인과 442 page*

10

폐경 후 여성의 혈중 난포 호르몬은 주로 다음 중 어느 물질의 말초전환으로 인한 것인가?

① Pregnenolone
② Testosterone
③ Androstenedione
④ 17-hydroxyprogesterone
⑤ Dehydroepiandrosterone

10

정답 ③

해설

폐경 시 E1 (estrone)의 변화

1. 폐경 이후의 주된 estrogen (E2의 2~4배)
2. 난소에서의 estrogen 생성은 감소
3. 말초조직에서 ADD에서 E1으로 변환이 증가

참고 *Final Check 부인과 442 page*

11

폐경 여성에서 estrogen 부족으로 인한 증상 및 징후를 모두 고르시오.

(가) 안면홍조
(나) 수면장애
(다) 골다공증
(라) 유방 통증

① 가, 나, 다
② 가, 다
③ 나, 라
④ 라
⑤ 가, 나, 다, 라

12

골다공증과 연관된 설명으로 맞지 않은 것을 고르시오.

① 골소실에 가장 중요한 요인은 나이이다
② 유전과 관계가 있고 최대 골량과는 연관이 없다
③ 칼슘 섭취보다 estrogen 상태가 골소실에 미치는 영향이 크다
④ 흡연은 위험인자로 생각되지만 골밀도에 미치는 영향은 없다
⑤ 운동은 골밀도 보전에 좋다

13

골다공증의 호르몬치료에 대한 설명으로 잘못된 것은 무엇인가?

① 투여 전 골밀도가 증가되면 1년 내 상승률은 더욱 증가된다
② 5년 이상 예방이 가능하다
③ IGF-1이 관여한다
④ 폐경 후에는 효과가 없다
⑤ 골량을 유지하고 골 구조를 보존하여 골다공증을 예방한다

11

정답 ①

해설

폐경 후 증상들의 발현

급성증상	아급성증상
안면홍조	비뇨생식기의 위축
발한	성교통
불면증	성욕 감퇴
전신의 통증	피부 노화
불안감, 초조, 근심	
기억력 감퇴	
우울증	

참고 *Final Check 부인과 444 page*

12

정답 ②

해설

골다공증(Osteoporosis)

1. 여성호르몬 결핍
   a. 골흡수 증가 & 골소실
   b. 골 교체속도 증가, 흡수와 형성의 불균형
2. 주요 원인
   a. 청장년기에 낮게 형성된 최대 골량
   b. 폐경 및 노화로 인한 빠른 골소실

참고 *Final Check 부인과 446 page*

13

정답 ④

해설

골다공증의 호르몬치료

1. Estrogen or Estrogen + Progestin
2. 대퇴골, 척추, 전체 골절의 감소
3. 혈관운동증상 및 비뇨생식기 위축의 치료
4. 위험성 : 유방암, 담낭질환, 정맥혈전색전증, 관상동맥질환, 뇌졸중 등
5. 부작용 : 질 출혈, 유방 압통

참고 *Final Check 부인과 447 page*

14

다음 중 골다공증의 위험인자가 아닌 것은 무엇인가?

① 노령

② 칼슘 섭취의 부족

③ 흡연

④ 비만

⑤ 음주

15

다음 중 골다공증 발생의 위험성이 가장 적은 경우를 고르시오.

① 폐경 전 양측 난소절제술을 한 경우

② 운동에 의해서 유발된 무월경의 경우

③ Prolactin을 분비하는 뇌하수체 종양

④ 비만

⑤ 흡연자

14

정답 ④

해설

골다공증의 위험인자

교정 불가능	내과적 문제
나이	갑상샘기능항진증
백인 또는 아시아인	부갑상샘기능항진증
조기폐경	만성 신장질환
골절의 과거력	제1형 당뇨
부모의 대퇴골골절 과거력	쿠싱증후군
교정 가능	류마티스관절염
Calcium/Vit. D 부족	장기간 스테로이드 사용
흡연, 과도한 음주	
저체중, 운동 부족	

참고 *Final Check 부인과 446 page*

15

정답 ④

해설

골다공증의 위험인자

교정 불가능	내과적 문제
나이	갑상샘기능항진증
백인 또는 아시아인	부갑상샘기능항진증
조기폐경	만성 신장질환
골절의 과거력	제1형 당뇨
부모의 대퇴골골절 과거력	쿠싱증후군
교정 가능	류마티스관절염
Calcium/Vit. D 부족	장기간 스테로이드 사용
흡연, 과도한 음주	
저체중, 운동 부족	

참고 *Final Check 부인과 446 page*

16

다음 중 골다공증의 위험인자가 아닌 것을 모두 고르시오.

(가) 산과력 : 3-0-2-3
(나) 폐경 연령 : 49세
(다) 신장/체중 : 162 cm/70 kg
(라) 여성

① 가, 나, 다
② 가, 다
③ 나, 라
④ 라
⑤ 가, 나, 다, 라

16

정답 ①

해설

골다공증의 위험인자

교정 불가능	내과적 문제
나이	갑상샘기능항진증
백인 또는 아시아인	부갑상샘기능항진증
조기폐경	만성 신장질환
골절의 과거력	제1형 당뇨
부모의 대퇴골골절 과거력	쿠싱증후군
교정 가능	류마티스관절염
Calcium/Vit. D 부족	장기간 스테로이드 사용
흡연, 과도한 음주	
저체중, 운동 부족	

참고 Final Check 부인과 446 page

17

다음 중 골 형성(bone formation)을 나타내는 지표는 무엇인가?

① Urine calcium
② Hydroxyproline
③ Type I collagen crosslinked N-telopeptide
④ Osteocalcin
⑤ Urine deoxypyridinoline

17

정답 ④

해설

골형성 및 골재흡수 표지자

골형성 표지자(Bone formation marker)
– 조골세포(osteoblast)를 반영
– Osteocalcin
– Bone specific alkaline phosphatase (BAP)
골재흡수 표지자(Bone resorption marker)
– 파골세포(osteoclast)를 반영
– Urine calcium
– Hydroxyproline
– Type I collagen linked N-telopeptide (NTx)
– Type I collagen C-telopeptide (CTx, ICTP)
– Urine deoxypyridinoline (DPD)

참고 Final Check 부인과 447 page

18

50세 여성이 1년 간의 불규칙적인 월경, 비정상 자궁 출혈, 안면홍조, 수면 장애와 우울증을 주소로 내원하였다. 다음 중 우선 시행해야 하는 검사는 무엇인가?

① 혈중 LH, FSH
② Estrogen, Progesterone
③ 골밀도 검사
④ 자궁내막 검사
⑤ Lipid profile

18

정답 ④

해설

폐경 후 호르몬요법 중 발생한 질 출혈

1. 출혈 발생 시 자궁내막 조직검사를 시행
2. 가장 흔한 원인 : 자궁내막위축(EM atrophy)
3. 부정출혈 : 자궁내막증식증, 악성일 가능성

참고 *Final Check 부인과 450 page*

19

60세 여성이 건강검진을 위해 내원하였다. 환자는 질 위축증을 제외한 다른 이상 소견은 보이지 않았다. 다음 중 가장 올바른 약제는 무엇인가?

① Estrogen
② Progestin
③ Vaginal ring
④ Vaginal estrogen cream
⑤ Veralipride

19

정답 ④

해설

비뇨생식기의 위축의 치료

1. 전신 estrogen : 질건조증, 성교통, 요증상
2. 국소 estrogen
   a. 비뇨생식기 위축을 효과적으로 치료
   b. 질건조증, 성교통, 요증상, 요로감염 감소
   c. 질크림, 질좌제, 링형태

참고 *Final Check 부인과 451 page*

20

63세 여성이 위축성 질염 소견과 자궁경부세포검사상 ASC-US로 내원하였다. 지난 3년간의 자궁경부세포검사는 정상이었을 때 이 환자에게 가장 적합한 치료를 고르시오.

① 자궁경부 원추절제술(conization)
② 질확대경생검(colposcopy directed biopsy)
③ 에스트로겐 질내투여 후 반복 자궁경부세포검사
④ 내자궁경부소파술(endocervical curettage)
⑤ 자궁경부소작술(cervical ablation)

20

정답 ③

해설

비뇨생식기의 위축의 치료

1. 전신 estrogen : 질건조증, 성교통, 요증상
2. 국소 estrogen
   a. 비뇨생식기 위축을 효과적으로 치료
   b. 질건조증, 성교통, 요증상, 요로감염 감소
   c. 질크림, 질좌제, 링형태

참고 *Final Check 부인과 451 page*

21

53세 여자가 안면홍조를 주소로 내원하였다. 환자는 유방암으로 tamoxifen을 사용 중이었다. 이 여성에게 가장 적절한 치료는 무엇인가?

① Gabapentin

② Medroxyprogesterone acetate

③ Megestrol acetate

④ Fluoride

⑤ Alendronate

21

정답 ①

해설

혈관운동증상의 치료

호르몬치료	비호르몬성 약물치료
Estrogen	Gabapentin
경구피임제	Clonidine
Progesterone	SSRI (paroxetine, venla-faxine)
비처방 물질	**생활방식의 변화**
Bellergal	체온감소
Isoflavone	건강한 몸무게 유지
대두단백(soy protein)	금연
승마(Black cohosh)	호흡조절
Vit. E	

참고 Final Check 부인과 445 page

22

안면홍조를 호소하는 환자에서 6개월간 Premarin 0.625 mg 투여에도 증상이 호전되지 않을 때 쓸 수 있는 처치를 모두 고르시오.

(가) Progestin
(나) Clonidine
(다) Paroxetine
(라) Bellergal

① 가, 나, 다 ② 가, 다

③ 나, 라 ④ 라

⑤ 가, 나, 다, 라

22

정답 ⑤

해설

혈관운동증상의 치료

호르몬치료	비호르몬성 약물치료
Estrogen	Gabapentin
경구피임제	Clonidine
Progesterone	SSRI (paroxetine, venla-faxine)
비처방 물질	**생활방식의 변화**
Bellergal	체온감소
Isoflavone	건강한 몸무게 유지
대두단백(soy protein)	금연
승마(Black cohosh)	호흡조절
Vit. E	

참고 Final Check 부인과 445 page

23

53세 여자가 폐경 후 발생한 열감 및 발한을 주소로 내원하였다. 5년 전 자궁근종으로 자궁절제술을 받았고, 골반 초음파상 정상이었으며, DXA에서 T score −1.5로 확인되었다. 다음 중 이 환자에서 가장 적절한 치료는 무엇인가?

① 경과관찰

② Estrogen

③ Estrogen + Progesterone 병합요법

④ Raloxifene

⑤ Bisphosphonate

23

정답 ②

해설

혈관운동증상의 estrogen 치료

1. 가장 효과적인 치료법
2. Progestin 병합 : 자궁적출을 하지 않은 경우 저용량 estrogen을 사용하더라도 병합이 필요
3. 표준용량 : CEE 0.625 mg + MPA 2.5 mg
4. 저용량 : CEE 0.3 mg + MPA 1.5 mg
5. 약물 중단 시 수개월에 걸쳐 천천히 감량

참고 *Final Check 부인과 445 page*

24

53세 여자가 폐경 후 몸에 열감 및 땀이 많이 난다는 주소로 내원하였다. 환자는 불면증에 시달리고 있고, 골반 초음파 상 정상이었으며, DXA에서 T score가 −1.5로 나왔다. 다음 중 이 환자에서 가장 적절한 치료는 무엇인가?

① 경과 관찰

② Estrogen

③ Estrogen과 Progesterone 병합요법

④ Raloxifene

⑤ Bisphosphonate

24

정답 ③

해설

혈관운동증상의 estrogen 치료

1. 가장 효과적인 치료법
2. Progestin 병합 : 자궁적출을 하지 않은 경우 저용량 estrogen을 사용하더라도 병합이 필요
3. 표준용량 : CEE 0.625 mg + MPA 2.5 mg
4. 저용량 : CEE 0.3 mg + MPA 1.5 mg
5. 약물 중단 시 수개월에 걸쳐 천천히 감량

참고 *Final Check 부인과 445 page*

25

51세 여성이 안면홍조를 주소로 병원에 내원하였다. 환자는 3년 전 자궁내막암으로 자궁절제술과 양측 난관난소절제술을 받았다. 다음 중 가장 적절한 치료는 무엇인가?

① Thyroxine
② Testosterone
③ Paroxetine
④ Raloxifene
⑤ Bisphosphonate

25

정답 ③

해설

혈관운동증상의 치료

호르몬치료	비호르몬성 약물치료
Estrogen	Gabapentin
경구피임제	Clonidine
Progesterone	SSRI (paroxetine, venlafaxine)
비처방 물질	**생활방식의 변화**
Bellergal	체온감소
Isoflavone	건강한 몸무게 유지
대두단백(soy protein)	금연
승마(Black cohosh)	호흡조절
Vit. E	

참고 *Final Check 부인과 445 page*

26

유방암으로 치료받은 50대 여성에서 안면홍조 및 혈관운동증상이 심할 때, 사용할 수 있는 약을 고르시오.

① Paroxetine
② Medroxyprogesterone acetate
③ Megestrol acetate
④ Fluoride
⑤ Alendronate

26

정답 ①

해설

혈관운동증상의 치료

호르몬치료	비호르몬성 약물치료
Estrogen	Gabapentin
경구피임제	Clonidine
Progesterone	SSRI (paroxetine, venlafaxine)
비처방 물질	**생활방식의 변화**
Bellergal	체온감소
Isoflavone	건강한 몸무게 유지
대두단백(soy protein)	금연
승마(Black cohosh)	호흡조절
Vit. E	

참고 *Final Check 부인과 445 page*

27

2년 전부터 유방암으로 치료 중인 55세 여자가 안면홍조가 심해 병원에 내원하였다. 다음 중 가장 적절한 치료는 무엇인가?

① Tibolone

② Raloxifene

③ Transdermal estrogen

④ SSRI

⑤ Low dose oral contraceptives

정답 ④

해설

혈관운동증상의 치료

호르몬치료	비호르몬성 약물치료
Estrogen	Gabapentin
경구피임제	Clonidine
Progesterone	SSRI (paroxetine, venlafaxine)
비처방 물질	**생활방식의 변화**
Bellergal	체온감소
Isoflavone	건강한 몸무게 유지
대두단백(soy protein)	금연
승마(Black cohosh)	호흡조절
Vit. E	

참고 Final Check 부인과 445 page

28

유방암으로 호르몬요법을 시행하지 못하는 환자가 안면홍조를 심하게 호소할 때 가장 좋은 치료법은 무엇인가?

① Clonidine patch

② Naloxone

③ Progestin

④ Methyldopa

⑤ Veralipride

28

정답 ③

해설

혈관운동증상의 치료

호르몬치료	비호르몬성 약물치료
Estrogen	Gabapentin
경구피임제	Clonidine
Progesterone	SSRI (paroxetine, venlafaxine)
비처방 물질	**생활방식의 변화**
Bellergal	체온감소
Isoflavone	건강한 몸무게 유지
대두단백(soy protein)	금연
승마(Black cohosh)	호흡조절
Vit. E	

참고 Final Check 부인과 445 page

29

폐경 여성에서 estrogen 호르몬요법 시 나타날 수 있는 부작용을 모두 고르시오.

(가) 유방암
(나) 자궁내막암
(다) 정맥혈전증
(라) 대장암

① 가, 나, 다
② 가, 다
③ 나, 라
④ 라
⑤ 가, 나, 다, 라

30

폐경 여성에게 호르몬요법을 시행할 수 있는 경우를 고르시오.

① 고혈압
② 담낭질환 과거력
③ 유방암 과거력
④ 혈전색전증 과거력
⑤ 원인불명의 질 출혈

29

정답 ①

해설

	Estrogen	Estrogen+Progesterone
증가	뇌졸중 정맥혈전증 폐색전증	뇌졸중, 알츠하이머병 치매, 유방암, 난소암 정맥혈전증, 관상동맥질환
변화 없음	유방암(장기투여 시 유의한 증가) 관상동맥질환	말초동맥질환 예방 인지장애 예방 심혈관질환 예방
감소	고관절골절	고관절골절, 직장/대장암

참고 *Final Check 부인과 449 page*

30

정답 ①

해설

폐경 후 호르몬치료의 금기증

절대적 금기증
– Estrogen 의존성 종양 : 유방암, 자궁내막암
– Estrogen 대사 관련 질환 : 활동성 간 또는 담낭질환
– 진단되지 않은 비정상 생식기 출혈
– 관상동맥질환, 뇌혈관질환, 혈전색전증
상대적 금기증
– 심장질환
– 편두통
– 간, 담도 질환의 과거력
– 자궁내막암의 과거력
– 혈전색전증의 과거력

참고 *Final Check 부인과 451 page*

31

폐경 후 호르몬치료를 시행하기 전 자궁내막 조직검사를 시행해야 하는 경우를 열거하시오.(2가지)

32

폐경 후 호르몬치료의 심혈관에 대한 효과로 옳은 것을 모두 고르시오.

(가) 경구 estrogen의 경우 HDL은 높이고 LDL을 감소한다
(나) 경구 estrogen의 경우는 TG는 감소한다
(다) 혈중 지질변화와 관상동맥에 대한 직접적인 영향 등에 의한 효과가 있다
(라) 경피투여의 경우 혈중 지질의 변화가 없다

① 가, 나, 다 ② 가, 다
③ 나, 라 ④ 라
⑤ 가, 나, 다, 라

31

정답
1. 만성적인 estrogen 노출
2. 길항작용 없는 estrogen 노출
3. Estrogen/Progesterone 병합요법에서 progesterone 투여 후 10일 이전의 출혈

참고 *Final Check 부인과 451 page*

32

정답 ②

해설

호르몬요법의 심혈관질환에 대한 영향
1. 관상동맥질환의 예방
2. 뇌졸중의 발생률은 증가, 사망률은 감소
3. 에스트로겐에 의한 심장보호 효과
   a. 지질변화 : HDL 증가, LDL 감소, TG 증가
   b. 동맥 확장, 동맥경화 억제, 염증반응 관여

참고 *Final Check 부인과 452 page*

33

폐경 후 골다공증의 치료 중 Estrogen 보충요법에 대한 설명으로 잘못된 것을 고르시오.

① 칼슘 필요량을 낮춘다

② 심혈관계에 대한 보호작용이 있다

③ 골다공증 예방에는 효과가 없다

④ 혈관을 이완시키는 작용이 있다

⑤ 말초 glucose의 대사를 증가시킨다

33

정답 ③

해설

골다공증(osteoporosis)의 호르몬치료

1. Estrogen or Estrogen + Progestin
2. 대퇴골, 척추, 전체 골절의 감소
3. 혈관운동증상 및 비뇨생식기 위축의 치료
4. 잠재적 위험성 : 유방암, 담낭질환, 정맥혈전색전증, 관상동맥질환, 뇌졸중 등
5. 부작용 : 질 출혈, 유방 압통

참고 *Final Check 부인과 447 page*

34

폐경 여성에서 에스트로겐 투여 시 몸에 대한 작용으로 옳은 것은 무엇인가?

① 혈중 total cholesterol, LDL, HDL의 감소

② 혈관 수축

③ 심장에 대한 positive inotropic action

④ 항산화작용의 감소

⑤ 혈액 응고성의 증가

34

정답 ③

해설

호르몬요법의 심혈관질환에 대한 영향

1. 관상동맥질환의 예방
2. 뇌졸중의 발생률은 증가, 사망률은 감소
3. 에스트로겐에 의한 심장보호 효과
   a. 지질변화 : HDL 증가, LDL 감소, TG 증가
   b. 동맥 확장, 동맥경화 억제, 염증반응 관여

참고 *Final Check 부인과 452 page*

35

Estrogen 투여 시 체내 중성지질이 가장 많이 올라갈 수 있는 투여경로는 무엇인가?

① Vaginal

② Oral

③ Nasal spray

④ Transdermal

⑤ Subcutaneous

35

정답 ②

해설

Estrogen 투여 경로에 따른 장점과 단점

1. 장점 : 투여가 간편
2. 단점
   a. 표적장기 도달 전 간 배설
   b. Renin substrate, binding globulin 증가
   c. E2/E1 ratio 증가
   d. 지질에 대한 영향이 많음

참고 *Final Check 부인과 450 page*

36

폐경 여성에서 estrogen 투여 시 심혈관계에 작용하는 이점을 열거하시오.

36

정답

1. 관상동맥질환의 예방
2. 심장보호 효과(동맥 확장, 동맥경화 억제)

참고 *Final Check 부인과 452 page*

37

폐경기 여성에서 estrogen 투여로 개선되지 않는 증상을 고르시오.

① 빈뇨 ② 절박뇨

③ 배뇨통 ④ 반복 요로감염

⑤ 긴장성 요실금

37

정답 ⑤

해설

비뇨생식기의 위축의 치료

1. 전신 estrogen : 질건조증, 성교통, 요증상
2. 국소 estrogen
   a. 비뇨생식기 위축을 효과적으로 치료
   b. 질건조증, 성교통, 요증상, 요로감염 감소
   c. 질크림, 질좌제, 링형태

참고 *Final Check 부인과 451 page*

38

폐경기 호르몬 대치요법에서 estrogen 작용 중 progesterone의 추가로 변환되는 것은 무엇인가?

① HDL과 TG 상승작용 억제

② LDL과 cholesterol 감소작용 억제

③ Antiatherosclerotic effect 억제

④ Antioxidant activity 억제

⑤ Fibrinolysis 증가 억제

38

정답 ①

해설

호르몬의 지질에 대한 영향

	LDL	HDL	Cholesterol	TG
Estrogen	감소	증가	감소	증가
Progestin Androgen	증가	감소		감소
Tamoxifen	감소		감소	
Raloxifene	감소		감소	

참고 *Final Check 부인과 449 page*

39

개복 자궁절제술과 양측 부속기절제술 후 호르몬 보충요법을 시행할 때 estrogen 및 progesterone 병합요법이 필요한 경우는 무엇인가?

① 자궁근종 ② 자궁선근종
③ 자궁내막증 ④ 자궁경부암
⑤ 난소 기형종

39
정답 ③
해설
자궁이 없어도 progestin 병합요법이 필요
1. Endometrial Ca. stage I, low grade adenoca.
2. 과거력 : endometriosis, endometroid tumor
3. 골다공증(osteoporosis)의 위험성이 높을 때
4. Triglyceride (TG)가 상승했을 때

참고 *Final Check 부인과 449 page*

40

폐경 여성에서 개복 자궁절제술과 양측 부속기절제술 후 호르몬 보충 요법 시행 시 반드시 progesterone을 병합투여해야 하는 것을 고르시오.

① 자궁근종
② 자궁선근증
③ 골밀도 감소가 있었던 폐경 여성
④ 자궁내막증 있는 경우
⑤ 혈중 TG의 농도가 감소 되어있는 경우

40
정답 ④
해설
자궁이 없어도 progestin 병합요법이 필요
1. Endometrial Ca. stage I, low grade adenoca.
2. 과거력 : endometriosis, endometroid tumor
3. 골다공증(osteoporosis)의 위험성이 높을 때
4. Triglyceride (TG)가 상승했을 때

참고 *Final Check 부인과 449 page*

41

자궁절제술을 시행한 폐경 여성에서 estrogen+progesterone 투여를 해야 하는 경우를 모두 고르시오.

(가) 자궁내막증의 과거력이 있는 환자
(나) Triglyceride (TG)가 높은 여성
(다) Osteoporosis 위험군
(라) Cholesterol 높은 여성

① 가, 나, 다 ② 가, 다
③ 나, 라 ④ 라
⑤ 가, 나, 다, 라

41
정답 ①
해설
자궁이 없어도 progestin 병합요법이 필요
1. Endometrial Ca. stage I, low grade adenoca.
2. 과거력 : endometriosis, endometroid tumor
3. 골다공증(osteoporosis)의 위험성이 높을 때
4. Triglyceride (TG)가 상승했을 때

참고 *Final Check 부인과 449 page*

42

자궁절제술을 시행한 환자에서 폐경 후 호르몬치료를 시행할 때에 progestin 병합요법이 필요한 경우를 서술하시오.(2가지)

43

폐경 후 여성의 Estrogen/Progesterone 병합요법에 대한 WHI 연구 결과에 대한 기술로 옳은 것을 모두 고르시오.

(가) 정맥혈전증의 유의한 증가
(나) 대장암의 유의한 감소
(다) 대퇴골 골절의 유의한 감소
(라) 유방암의 유의한 감소

① 가, 나, 다
② 가, 다
③ 나, 라
④ 라
⑤ 가, 나, 다, 라

42

정답
1. Endometrial Ca. stage I, low grade adenoca.
2. 과거력 : endometriosis, endometroid tumor
3. 골다공증(osteoporosis)의 위험성이 높을 때
4. Triglyceride (TG)가 상승했을 때

참고 *Final Check 부인과 449 page*

43

정답 ①

해설

	Estrogen	Estrogen+Progesterone
증가	뇌졸중	뇌졸중, 알츠하이머병
	정맥혈전증	치매, 유방암, 난소암
	폐색전증	정맥혈전증, 관상동맥질환
변화 없음	유방암(장기투여 시 유의한 증가)	말초동맥질환 예방
		인지장애 예방
	관상동맥질환	심혈관질환 예방
감소	고관절골절	고관절골절, 직장/대장암

참고 *Final Check 부인과 449 page*

44

WHI 연구 결과에 근거하여 폐경 후 여성에서 estrogen 단독요법과 estrogen/progesterone 병합요법 모두에서 위험성이 증가 또는 감소되는 질환으로 맞는 것을 고르시오.

	증가되는 질환	감소되는 질환
①	유방암	대장암
②	뇌졸중	고관절 골절
③	심혈관질환	고관절 골절
④	뇌졸중	대장암
⑤	유방암	치매

44
정답 ②
해설

	Estrogen	Estrogen+Progesterone
증가	뇌졸중 정맥혈전증 폐색전증	뇌졸중, 알츠하이머병 치매, 유방암, 난소암 정맥혈전증, 관상동맥질환
변화 없음	유방암(장기투여 시 유의한 증가) 관상동맥질환	말초동맥질환 예방 인지장애 예방 심혈관질환 예방
감소	고관절골절	고관절골절, 직장/대장암

참고 *Final Check 부인과 449 page*

45

폐경 후 여성에서 estrogen 단독치료와 estrogen/progesterone 병합치료 시 공통적으로 위험성이 감소되는 질환을 고르시오.

① 치매
② 관상동맥질환
③ 고관절 골절
④ 난소암
⑤ 직장대장암

45
정답 ③
해설

	Estrogen	Estrogen+Progesterone
증가	뇌졸중 정맥혈전증 폐색전증	뇌졸중, 알츠하이머병 치매, 유방암, 난소암 정맥혈전증, 관상동맥질환
변화 없음	유방암(장기투여 시 유의한 증가) 관상동맥질환	말초동맥질환 예방 인지장애 예방 심혈관질환 예방
감소	고관절골절	고관절골절, 직장/대장암

참고 *Final Check 부인과 449 page*

46

폐경 여성의 호르몬치료 시 estrogen 단독요법과 estrogen/progesterone 병합요법에서 모두 감소하는 질환을 고르시오.

① Stroke
② Rectal cancer
③ Breast cancer
④ Hip fracture
⑤ Ovarian cancer

46
정답 ④
해설

	Estrogen	Estrogen+Progesterone
증가	뇌졸중 정맥혈전증 폐색전증	뇌졸중, 알츠하이머병 치매, 유방암, 난소암 정맥혈전증, 관상동맥질환
변화 없음	유방암(장기투여 시 유의한 증가) 관상동맥질환	말초동맥질환 예방 인지장애 예방 심혈관질환 예방
감소	고관절골절	고관절골절, 직장/대장암

참고 *Final Check 부인과 449 page*

47

WHI 연구 결과에 근거하여 폐경 후 에스트로겐 단독요법의 영향에 대한 기술로 옳은 것을 고르시오.

① 관상동맥질환 증가　② 유방암 증가
③ 혈전색전증 증가　④ 뇌졸중 증가
⑤ 대장암 증가

47

정답 ④

해설

	Estrogen	Estrogen+Progesterone
증가	뇌졸중 정맥혈전증 폐색전증	뇌졸중, 알츠하이머병 치매, 유방암, 난소암 정맥혈전증, 관상동맥질환
변화 없음	유방암(장기투여 시 유의한 증가) 관상동맥질환	말초동맥질환 예방 인지장애 예방 심혈관질환 예방
감소	고관절골절	고관절골절, 직장/대장암

참고 *Final Check 부인과 449 page*

48

폐경 후 여성에서 estrogen 단독요법과 estrogen/progesterone 병합요법의 결과에서 위험성의 유의한 증가나 감소의 관점에서 볼 때 동일한 결과를 보이는 질환을 고르시오.

① 정맥혈전색전증　② 유방암
③ 뇌졸증　④ 심혈관질환
⑤ 대장암

48

정답 ③

해설

	Estrogen	Estrogen+Progesterone
증가	뇌졸중 정맥혈전증 폐색전증	뇌졸중, 알츠하이머병 치매, 유방암, 난소암 정맥혈전증, 관상동맥질환
변화 없음	유방암(장기투여 시 유의한 증가) 관상동맥질환	말초동맥질환 예방 인지장애 예방 심혈관질환 예방
감소	고관절골절	고관절골절, 직장/대장암

참고 *Final Check 부인과 449 page*

49

폐경 여성에서 5년간 호르몬 보충요법을 했을 때 estrogen 단일요법과 estrogen/progesterone 병합요법에서 공통적으로 위험도가 증가하는 질환은 무엇인가?

① 뇌졸증　② 대장암
③ 유방암　④ 자궁내막암
⑤ 대퇴 골절

49

정답 ①

해설

	Estrogen	Estrogen+Progesterone
증가	뇌졸중 정맥혈전증 폐색전증	뇌졸중, 알츠하이머병 치매, 유방암, 난소암 정맥혈전증, 관상동맥질환
변화 없음	유방암(장기투여 시 유의한 증가) 관상동맥질환	말초동맥질환 예방 인지장애 예방 심혈관질환 예방
감소	고관절골절	고관절골절, 직장/대장암

참고 *Final Check 부인과 449 page*

50

폐경 후 호르몬치료에서 estrogen/progesterone 병합요법 시 위험도가 감소하는 질환을 쓰시오.(2가지)

50

정답

1. 고관절 골절
2. 직장/대장암

해설

	Estrogen	Estrogen+Progesterone
증가	뇌졸중 정맥혈전증 폐색전증	뇌졸중, 알츠하이머병 치매, 유방암, 난소암 정맥혈전증, 관상동맥질환
변화 없음	유방암(장기투여 시 유의한 증가) 관상동맥질환	말초동맥질환 예방 인지장애 예방 심혈관질환 예방
감소	고관절골절	고관절골절, 직장/대장암

참고 Final Check 부인과 449 page

51

Medroxyprogesterone acetate를 주기적으로 사용하는 환자에서 우울증과 유방통이 나타났다. 환자는 계속 호르몬치료를 유지해야 한다면 할 수 있는 처치를 쓰시오.(3가지)

51

정답

1. 경구용 natural micronized progesterone
2. Cyclic progestins 1년에 3~4회 투여
3. Progestin–containing IUD or vaginal progesterone cream

참고 Final Check 부인과 450 page

52

Raloxifene에 대한 설명 중 틀린 것은 무엇인가?

① 선택적 에스트로겐수용체조절제(SERM)의 일종이다
② 뼈에 대하여 보호작용을 한다
③ HDL을 높여 심혈관계의 보호작용을 한다
④ 자궁내막암의 발생에 영향이 없다
⑤ 안면홍조에는 효과가 없다

52

정답 ③

해설

Raloxifene의 영향	
자궁내막	길항제(antagonist)로 작용 자궁내막의 두께 증가 없음 자궁내막암의 위험성은 차이 없음
유방	길항제(antagonist)로 작용 유방암의 위험성 감소
심혈관계	Total cholesterol, LDL 감소 HDL, TG 증가 없음
뼈	폐경 후 여성에서 사용 시 BMD 증가 폐경 전 여성에서 사용 시 BMD 감소

참고 Final Check 부인과 452 page

53

다음 중 raloxifene에 대한 설명으로 옳은 것을 고르시오.

① 자궁내막 증식

② 안면홍조 감소

③ 골밀도에 대한 효과는 없음

④ HDL 상승

⑤ 유방암 감소

53

정답 ⑤

해설

Raloxifene의 영향	
자궁내막	길항제(antagonist)로 작용
	자궁내막의 두께 증가 없음
	자궁내막암의 위험성은 차이 없음
유방	길항제(antagonist)로 작용
	유방암의 위험성 감소
심혈관계	Total cholesterol, LDL 감소
	HDL, TG 증가 없음
뼈	폐경 후 여성에서 사용 시 BMD 증가
	폐경 전 여성에서 사용 시 BMD 감소

참고 *Final Check 부인과 452 page*

54

51세 여성이 건강검진을 위해 내원하였다. 평소 5년 전 자궁절제술의 과거력이 있었고, 친정어머니가 유방암으로 진단받았다. 검사 결과가 아래와 같다면 가장 적절한 처치를 고르시오.

- DXA T-score : −2.7
- LDL : 175 mg/dL (정상수치 0~130 mg/dL)
- HDL : 52 mg/dL (정상수치 여성 45~65 mg/dL)
- TG : 270 mg/dL (정상수치 0~200 mg/dL)

① Estrogen

② Tibolone

③ Raloxifene

④ Alendronate

⑤ Vit. D

54

정답 ③

해설

Raloxifene의 영향	
자궁내막	길항제(antagonist)로 작용
	자궁내막의 두께 증가 없음
	자궁내막암의 위험성은 차이 없음
유방	길항제(antagonist)로 작용
	유방암의 위험성 감소
심혈관계	Total cholesterol, LDL 감소
	HDL, TG 증가 없음
뼈	폐경 후 여성에서 사용 시 BMD 증가
	폐경 전 여성에서 사용 시 BMD 감소

참고 *Final Check 부인과 452 page*

55

유방암으로 치료중인 환자가 검진상 아래와 같았다면 이 환자의 치료로 가장 적절한 것을 고르시오.

- DXA T-score : −2.8
- Total cholesterol : 260 mg/dL (정상수치 0~240 mg/dL)
- HDL : 28 mg/dL (정상수치 여성 45~65 mg/dL)
- LDL : 160 mg/dL (정상수치 0~130 mg/dL)
- TG : 230 mg/dL (정상수치 0~200 mg/dL)

① Estrogen/Progesterone 병합요법

② Raloxifene

③ Tibolone

④ Calcitonin

⑤ Alendronate

55

정답 ②

해설

Raloxifene의 영향	
자궁내막	길항제(antagonist)로 작용
	자궁내막의 두께 증가 없음
	자궁내막암의 위험성은 차이 없음
유방	길항제(antagonist)로 작용
	유방암의 위험성 감소
심혈관계	Total cholesterol, LDL 감소
	HDL, TG 증가 없음
뼈	폐경 후 여성에서 사용 시 BMD 증가
	폐경 전 여성에서 사용 시 BMD 감소

참고 *Final Check 부인과 452 page*

56

56세 여자가 2년 전 유방암으로 우측 유방절제술을 받고 현재 aromatase inhibitor 투여 받고 있다. BMD 상 T-score가 −2.8로 확인되었다면 이 환자에게 가장 적절한 약을 고르시오.

① Paroxetine

② Denosumab

③ Bazedoxifene

④ Bisphosphonate

⑤ Estrogen/Progesterone

56

정답 ②

해설

골다공증의 치료

- 예방 : Calcium, Vit. D 섭취, 운동, 금연
- Estrogen or Estrogen + Progestin
- Tibolone
- Bisphosphonate
- Selective estrogen-receptor modulator (SERM)
- Parathyroid hormone
- Strontium ranelate
- Denosumab

→ 유방암으로 aromatase inhibitor를 사용 중인 경우 SERM 투여 시 상충작용 발생

→ Bisphosphonate와 비교해 뼈 관련 합병증의 발생 지연효과, 적은 신독성

참고 *Final Check 부인과 447 page*

57

폐경 후 호르몬요법과 유방암과의 관계 중 맞는 것은 무엇인가?

① 유방암은 호르몬치료의 절대적 금기증이다
② 호르몬치료 후 생긴 유방암은 예후가 나쁘다
③ 암 치료 후 호르몬 대체 치료는 안전하다
④ 약물 사용 기간과 유방암 발생은 무관하다
⑤ 비정상 질 출혈이 있어도 호르몬치료는 가능하다

57

정답 ①

해설

호르몬치료의 금기증

절대적 금기증
– Estrogen 의존성 종양 : 유방암, 자궁내막암
– Estrogen 대사 관련 질환 : 활동성 간 또는 담낭질환
– 진단되지 않은 비정상 생식기 출혈
– 관상동맥질환, 뇌혈관질환, 혈전색전증
상대적 금기증
– 심장질환
– 편두통
– 간, 담도 질환의 과거력
– 자궁내막암의 과거력
– 혈전색전증의 과거력

참고 *Final Check 부인과 451 page*

58

8년 전 폐경 된 57세 비만 여성이 6개월 전부터 시작된 흉추 부위의 통증을 주소로 정형외과에 내원하였다. 흉추 X–ray 검사상 압박골절 및 골다공증 소견이 확인되었고, 골밀도검사에서 현저히 저하된 골밀도 소견을 확인하였다. 이 환자의 치료로 적절한 것을 모두 고르시오.

(가) 호르몬요법
(나) 칼슘 섭취 권장
(다) 운동 권장
(라) GnRH agonist 장기 투여

① 가, 나, 다 ② 가, 다
③ 나, 라 ④ 라
⑤ 가, 나, 다, 라

58

정답 ①

해설

골다공증의 치료
– 예방 : Calcium, Vit. D 섭취, 운동, 금연
– Estrogen or Estrogen + Progestin
– Tibolone
– Bisphosphonate
– Selective estrogen–receptor modulator (SERM)
– Parathyroid hormone
– Strontium ranelate
– Denosumab

참고 *Final Check 부인과 447 page*

59

여성이 골다공증 검사를 위해 내원하였다. 평소 폐경증상도 없었고, 내과적 문제의 과거력도 없었다. 시행한 검사 결과가 아래와 같다면 이 여성에게 가장 적절한 다음 처치를 고르시오.

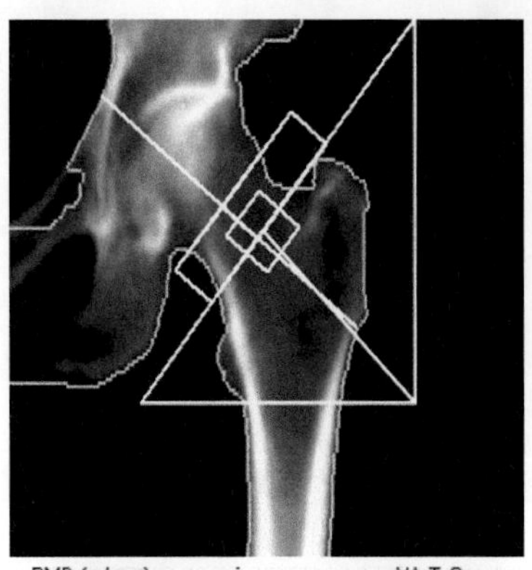

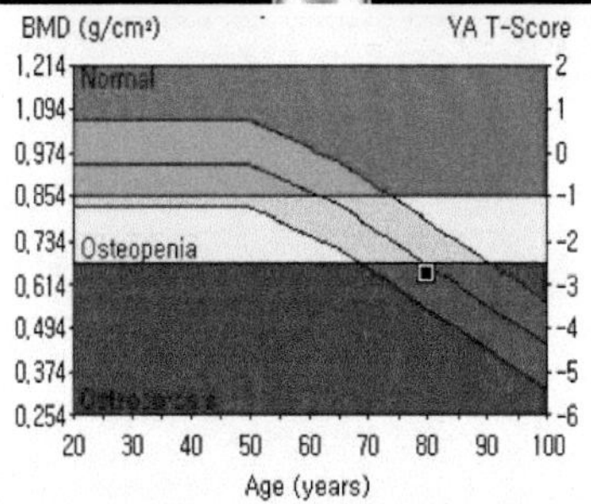

Region	BMD[1] (g/cm²)	Young-Adult[2] T-Score	Age-Matched[3] Z-Score
Neck	0.611	-2.8	0.0
Upper Neck	0.440	-	-
Lower Neck	0.777	-	-
Wards	0.423	-3.0	0.1
Troch	0.511	-2.1	0.1
Shaft	0.737	-	-
Total	0.642	-2.8	-0.2

① 여성호르몬　　② 칼슘

③ Alendronate　　④ 여성호르몬 + 칼슘

⑤ 여성호르몬 + Alendronate

59

정답 ③

해설

Bisphosphonates

1. 뼈의 칼슘 친화력은 높이고 골흡수를 억제
2. 파골세포(osteoclast)의 세포자멸사 증가
3. 종류 : Alendronate, Risedronate, Ibandronate
4. 부작용 : 위장장애, 식도궤양, 턱뼈괴사 등

참고 *Final Check 부인과 448 page*

60

62세 폐경 여성이 골다공증 상담을 위해 내원하였다. 평소 특별한 이우시오.

Region	T-score	Z-score
Neck	-3.2	-2.4
Upper neck		
Lower neck		
Wards	-3.0	-2.3
Troch	-2.8	-1.9
Shaft		
Total	-3.1	-2.3

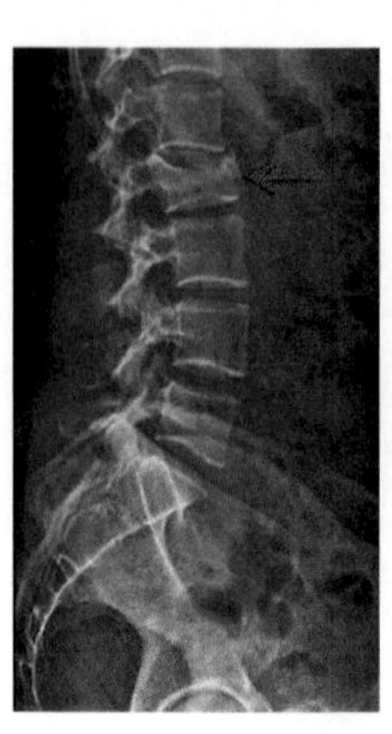

① Hormone replacement therapy

② Calcium 섭취

③ Estrogen

④ Alendronate

⑤ 경과관찰

60

정답 ④

해설

Bisphosphonates

1. 뼈의 칼슘 친화력은 높이고 골흡수를 억제
2. 파골세포(osteoclast)의 세포자멸사 증가
3. 종류 : Alendronate, Risedronate, Ibandronate
4. 부작용 : 위장장애, 식도궤양, 턱뼈괴사 등

참고 *Final Check 부인과 448 page*

61

Bisphosphonate를 6년간 복용한 67세 여성이 인공치아이식술 전 상담을 위해 내원하였다. 이 여성에게 가장 적절한 다음 처치를 고르시오.

① 예정대로 수술한다

② Testosterone 투여 후 수술한다

③ Progesterone과 estrogen 투여 후 수술한다

④ Bisphosphonate를 주사제로 변경하여 투여한다

⑤ Bisphosphonate 휴약기 후에 수술한다

61

정답 ⑤

해설

Bisphosphonates

1. 뼈의 칼슘 친화력은 높이고 골흡수를 억제
2. 파골세포(osteoclast)의 세포자멸사 증가
3. 종류 : Alendronate, Risedronate, Ibandronate
4. 부작용 : 위장장애, 식도궤양, 턱뼈괴사 등
   → 치아 임플란트 시 휴약 후 시행

참고 *Final Check 부인과 448 page*

62

폐경 후 증상치료를 위한 호르몬치료의 절대적 금기증에 해당하는 것을 모두 고르시오.

(가) Undiagnosed bleeding
(나) Acute thrombophlebitis
(다) Chronic active hepatitis
(라) DM

① 가, 나, 다　　② 가, 다
③ 나, 라　　④ 라
⑤ 가, 나, 다, 라

62
정답 ①
해설
호르몬치료의 금기증

절대적 금기증
– Estrogen 의존성 종양 : 유방암, 자궁내막암
– Estrogen 대사 관련 질환 : 활동성 간 또는 담낭질환
– 진단되지 않은 비정상 생식기 출혈
– 관상동맥질환, 뇌혈관질환, 혈전색전증
상대적 금기증
– 심장질환
– 편두통
– 간, 담도 질환의 과거력
– 자궁내막암의 과거력
– 혈전색전증의 과거력

참고 *Final Check 부인과 451 page*

63

폐경 후 호르몬치료 시 androgen을 첨가하였을 때의 효과에 대하여 틀린 설명은 무엇인가?

① Bone에 대한 보호작용을 한다
② Cholesterol을 낮추어 cardiovascular system에 보호 작용을 한다
③ Libido가 증가한다
④ Well-being sense가 좋아진다
⑤ 자궁내막에 대하여는 보호작용이 없다

63
정답 ②
해설
폐경 후 testosterone 투여

1. Testosterone 수치가 낮고 특별한 이유가 없는 폐경 여성의 성기능 장애에 사용
2. 질 평활근 이완을 유도, 감각신경 수용체의 기능유지에 관여 → 외성기 감각의 개선
3. 양측 난소절제술후 성기능 장애가 발생한 여성
   a. Testosterone 수치 약 50% 감소
   b. Estrogen + Testosterone 치료 시 성욕, 성환상, 성흥분 등이 향상

참고 *Final Check 부인과 455 page*

64

56세 여성이 자궁절제술 및 양측 부속기절제술 시행 후 estrogen 대체요법 중 성욕의 저하를 호소하여 하루 19-methyl nortestosterone 1.25 mg을 경구 투여하였다. 다음 중 나타날 수 있는 부작용을 고르시오.

① 질 분비물 감소
② 심혈관 질환의 위험성 증가
③ 골밀도 감소
④ 안면홍조 증가
⑤ 심리적 안녕감(well being) 상실

64

정답 ②

해설

Testosterone의 부작용

1. 체중 증가
2. 음핵비대
3. 다모증
4. 여드름
5. 목소리 변화
6. 간기능과 지질 대사의 변화(LDL 증가, HDL 감소, TG 감소)

참고 *Final Check 부인과 449, 455 page*

65

38세 여성이 간헐적인 열감을 주소로 내원하였다. 평소 월경주기는 30일로 규칙적이었고 최종 월경 시작일은 10일 전이었다. 현 상태에서 난소예비력(ovarian reserve)의 평가로 가장 적합한 방법을 고르시오.

① LH
② FSH
③ AMH
④ Estradiol
⑤ Inhibin B

65

정답 ③

해설

Anti-Müllerian hormone (AMH)

1. Antral follicle의 granulosa cell에서 분비
2. 난소예비력이 감소함에 따라 AMH는 감소
3. 폐경 후에는 검출되지 않을 정도로 감소
4. 월경주기에 관계없이 검사 가능

참고 *Final Check 부인과 442 page*

CHAPTER 25

항암화학요법(Chemotherapy)

01

다음 중 항암제의 기전이 다른 하나는 무엇인가?

① Cisplatin

② Carboplatin

③ Ifosfamide

④ Taxol

⑤ Cyclophosphamide

01

정답 ④

해설

항암제의 종류

알킬화제제(Alkylating agent)
Nitrogen mustard, Cyclophosphamide, Melphalan, Chlorambucil, Thiotepa, Busulfan, Nitrosourea, BCNU, Platinum 항암제(cisplatin, carboplatin, oxaliplatin)
항종양 항생제(Antitumor antibiotics)
Doxorubicin, Daunorubicin, Actinomycin D, Bleomycin, Mitomycin, Mithramycin
항대사물질(Antimetabolite)
MTX, 6-MP, 5-FU, Ara-C, Hydroxyurea
식물성 알칼로이드(Plant alkaloid)
Vinca alkaloid (vincristine, vinblastine), Etoposide, Paclitaxel, Taxotere, Topotecan

참고 *Final Check 부인과 461 page*

02

항암제의 cell kinetic concept에 대한 내용으로 잘못된 것을 고르시오.

① Gompertzian 성장은 종양의 크기가 증가할 수록 용적이 2배가 되는데 필요한 시간이 길다는 개념이다

② Doubling time이란 종괴의 크기가 2배가 되는데 필요한 시간이다

③ Growth fraction이란 종괴 내 세포 분열이 활발히 이루어지고 있는 세포의 비율이다

④ 세포 주기 중에서 가장 시간 변동이 심한 주기는 S phase이다

⑤ 종양의 성장은 산소 분압과 혈액 공급에 의해 영향을 받는다

02

정답 ④

해설

1. Gompertzian 성장 : 암의 크기가 증가할수록 암의 부피가 두 배가 되는데 필요한 시간이 증가
2. Doubling time : 암의 크기가 2배가 되는데 필요한 시간
3. Growth fraction : 종괴 내에서 세포분열이 활발한 세포의 비율
4. G1 : 세포활성과 단백질, RNA 합성이 계속되는 가변적 단계로 가장 시간 변동이 큰 주기
5. 종양의 성장에 영향을 주는 요인 : 산소 분압 및 혈액 공급의 변화

참고 *Final Check 부인과 461 page*

03

다음 항암제들의 사용 중 주의 깊게 살펴야 하는 독성이 잘못 된 것을 고르시오.

① Adriamycin - Cardiac toxicity

② Methotrexate - Hepatic toxicity

③ Ifosfamide - Bladder toxicity

④ Bleomycin - Nephrotoxicity

⑤ Taxol - Neurotoxicity

03

정답 ④

해설

1. Adriamycin : cardiac toxicity
2. MTX : hepatic toxicity, nephrotoxicity
3. Ifosfamide : bladder toxicity
4. Bleomycin : pulmonary toxicity, 과색소침착
5. Taxol : neurotoxicity, 골수억제

참고 *Final Check 부인과 466 page*

04

항암제와 독성이 잘못 연결된 것을 고르시오.

① Taxol - Neutropenia

② Vincristine - Myelosuppression

③ Cisplatin - Neurotoxicity

④ Adriamycin - Cardiotoxicity

⑤ Carboplatin - Myelosuppression

04

정답 ②

해설

Vincristine의 독성

1. Neurotoxicity
2. Myelosuppression
3. Cranial nerve palsy
4. Gastrointestinal toxicity

참고 *Final Check 부인과 463 page*

05

다음 항암제 중 난소의 기능저하를 유발할 수 있는 것을 고르시오.

① Vincristine　② Bleomycin

③ Methotrexate　④ 5-FU

⑤ Cyclophosphamide

05

정답 ⑤

해설

생식샘기능저하(Gonadal dysfunction)

1. Alkylating agent : Cyclophosphamide
2. 무월경, 무정자증 유발
3. FSH, LH 상승, E2 감소

참고 *Final Check 부인과 466 page*

06

다음 중 항암제와 주요 부작용의 연결이 잘못된 것을 고르시오.

① Cyclophosphamide - Necrotizing enterocolitis

② Cisplatin - Renal toxicity

③ Bleomycin - Pulmonary fibrosis

④ Paclitaxel - Bone marrow depression

⑤ Doxorubicin - Cardiac toxicity

06

정답 ①

해설

생식샘기능저하(Gonadal dysfunction)

1. Alkylating agent : Cyclophosphamide
2. 무월경, 무정자증 유발
3. FSH, LH 상승, E2 감소

참고 *Final Check 부인과 466 page*

07

다음 중 난소 기능저하의 위험이 가장 큰 항암제를 고르시오.

① Bleomycin ② Vincristine

③ Methotrexate ④ 5-FU

⑤ Cyclophosphamide

07

정답 ⑤

해설

생식샘기능저하(Gonadal dysfunction)

1. Alkylating agent : Cyclophosphamide
2. 무월경, 무정자증 유발
3. FSH, LH 상승, E2 감소

참고 *Final Check 부인과 466 page*

08

다음 중 항암제와 대표적 독성을 연결한 것으로 옳은 것을 고르시오.

① Liposomal doxorubicin - Hand foot syndrome

② Mitomycin - Hepatic toxicity

③ Bleomycin - Neurotoxicity

④ Docetaxel - Neutropenia

⑤ Gemcitabine - Bladder toxicity

08

정답 ④

해설

Docetaxel의 독성

1. Myelosuppression
2. Alopecia
3. Hypersensitivity reactions
4. Peripheral edema

참고 *Final Check 부인과 463 page*

09

Cisplatin보다 carboplatin에서 더 심한 독성은 무엇인가?

① 이 독성 ② 신경 독성
③ 신장 독성 ④ 골수억제
⑤ 위장관 독성

09

정답 ④

해설

Carboplatin의 독성

1. Cisplatin보다 neurotoxicity, ototoxicity, nephrotoxicity 적음
2. Cisplatin보다 myelosuppression, thrombocytopenia 심함

참고 *Final Check 부인과 461 page*

10

항암제의 혈액학적 독성에 관한 것으로 옳은 것을 모두 고르시오.

(가) WBC는 항암화학요법 시작 후 10~12일 사이에 감소하기 시작한다
(나) 혈소판 감소가 WBC 감소보다 먼저 일어난다
(다) 혈소판이 2만개 이하일 때 자연적인 뇌출혈의 가능성이 높아진다
(라) GCSF는 혈소판 및 WBC 모두에 효과가 있다

① 가, 나, 다 ② 가, 다
③ 나, 라 ④ 라
⑤ 가, 나, 다, 라

10

정답 ②

해설

1. Acute granulocytopenia : 6~12일 후에 발생하고, 21~24일 정도 되면 회복
2. Thrombocytopenia : Granulocytopenia보다 4~5일 뒤에 나타나고, WBC가 회복된 후 회복
3. Platelet : 20K 이하면 자연발생 출혈의 가능성이 높아 수혈이 필요
4. GCSF : Neutropenia 기간을 단축할 수 있으나 혈소판에는 작용이 거의 없음

참고 *Final Check 부인과 463 page*

11

정맥으로 actinomycin-D를 투여하던 중 혈관 밖으로 유출되었다. 다음 중 적절한 조치를 모두 고르시오.

(가) 항암 주사 즉시 중단
(나) Corticosteroid 국소 주사
(다) 얼음 찜질
(라) 환측 사지 거상(elevation)

① 가, 나, 다　② 가, 다
③ 나, 라　④ 라
⑤ 가, 나, 다, 라

11
정답 ⑤
해설
Actinomycin D에 의한 피부괴사 치료
1. 즉시 정맥선 제거
2. 스테로이드 국소주입
3. 손상부위 거상
4. 냉찜질 or 온찜질
5. 필요시 괴사조직제거 및 피부이식

참고 *Final Check 부인과 465 page*

12

57세 환자가 난소암이 의심되어 병기설정술을 시행하였다. 병기는 IIB였으며 잔류 종괴는 없어 수술 후 Paclitaxel + Carboplatin 항암화학요법을 6회 시행하였다. 이와 같은 항암화학요법을 무엇이라고 하는지 고르시오.

① Induction chemotherapy
② Adjuvant chemotherapy
③ Neoadjuvant chemotherapy
④ Consolidation chemotherapy
⑤ Salvage chemotherapy

12
정답 ②
해설
보조 항암화학요법(Adjuvant chemotherapy)
1. 수술 후 보조적으로 실시하는 항암화학요법
2. 완치 및 재발의 가능성이 높은 경우 시행

참고 *#Final Check 부인과 460 page*

13

선행 항암화합요법(neoadjuvant chemotherapy)의 장점을 모두 고르시오.

(가) 예측되는 microinvasion을 파괴할 수 있다
(나) 종양의 volume을 감소시켜 근치적 수술을 보다 용이하게 한다
(다) 생존율을 향상시킨다
(라) 방사선요법까지의 시간을 단축시킨다

① 가, 나, 다
② 가, 다
③ 나, 라
④ 라
⑤ 가, 나, 다, 라

13

정답 ①

해설

선행 항암화합요법(Neoadjuvant chemotherapy)

1. 장점
   a. 혈류량 감소 전 투여로 투과성, 효과 증진
   b. 종양의 축소, 방사선 감수성 증가
   c. 수술 가능군으로의 전환
   d. 미세침윤암, 임파선의 암세포 등을 치료
2. 단점
   a. 방사선 치료까지의 시간의 지연
   b. 치료의 연장
   c. 항암제 치료에 대한 독성
   d. 항암제 저항세포의 발현 가능성

참고 *Final Check 부인과 460 page*

14

항암제의 임상실험 단계에 대한 내용 중 (A), (B)를 채우시오.

Phase I : (A)
Phase II : 특정 암에 효과적인지 적용
Phase III : (B)
Phase IV : 장기간의 부작용 평가

14

정답

(A) 용량에 따른 독성과 일정 등을 결정
(B) 치료 효과를 비교

해설

1. Phase I : 용량에 따른 독성과 일정 등을 결정
2. Phase II : Phase I에서 결정된 용량과 일정을 이용하여 특정 암에 적용
3. Phase III : 무작위 연구를 통해 치료 효과를 비교
4. Phase IV : 장기간의 안정성 및 부작용 평가

참고 *Final Check 부인과 460 page*

15

항암제에 대한 임상시험 시 phase II의 정의(A) 및 임상적 의의(B)를 쓰시오.

15

정답

(A) Clinical investigation
(B) Phase I에서 결정된 용량과 일정을 이용하여 특정 암에 적용

참고 *Final Check 부인과 460 page*

16

항암치료의 반응평가를 목적으로 시행한 CT 상 병변의 크기가 5 cm → 1.5 cm, 7 cm → 3 cm으로 감소하였다면 고형암 반응평가 기준법(RECIST)상 어디에 해당하는지 고르시오.

① Complete response　② Partial response
③ Stable disease　④ Progressive disease
⑤ 판별 불가

16

정답 ②

해설

고형암 반응평가 기준법(RECIST)

1. Complete Response (CR)
   - 모든 표적 병변의 소실
   - 모든 병리학적 림프절(표적 or 비표적)은 짧은 지름이 10 mm 미만으로 감소
2. Partial Response (PR)
   - 표적 병변의 지름의 합이 기준선의 합보다 최소 30% 감소
3. Stable Disease (SD)
   - PR 기준을 충족할 만큼 충분히 축소되지도, PD 기준을 충족할 만큼 충분히 증가하지도 않은 경우
4. Progressive Disease (PD)
   - 표적 병변의 지름의 합이 연구상 최소 지름의 합보다 20%이상 증가
   - 20%의 상대적 증가에 더불어 지름의 합이 5 mm 이상 증가
   - 하나 이상의 새로운 병변의 출현도 진행으로 간주

참고 *Final Check 부인과 461 page*

17

항암화학요법에서 사용되고 있고 partial response의 정의를 쓰시오.

17

정답

표적 병변의 지름의 합이 기준선의 합보다 최소 30% 감소

해설

고형암 반응평가 기준법(RECIST)

1. Complete Response (CR)
   - 모든 표적 병변의 소실
   - 모든 병리학적 림프절(표적 or 비표적)은 짧은 지름이 10 mm 미만으로 감소
2. Partial Response (PR)
   - 표적 병변의 지름의 합이 기준선의 합보다 최소 30% 감소
3. Stable Disease (SD)
   - PR 기준을 충족할 만큼 충분히 축소되지도, PD 기준을 충족할 만큼 충분히 증가하지도 않은 경우
4. Progressive Disease (PD)
   - 표적 병변의 지름의 합이 연구상 최소 지름의 합보다 20%이상 증가
   - 20%의 상대적 증가에 더불어 지름의 합이 5 mm 이상 증가
   - 하나 이상의 새로운 병변의 출현도 진행으로 간주

참고 *Final Check 부인과 461 page*

18

항암화학요법 시 오심, 구토를 유발하는 chemoreceptor trigger zone에 작용하는 신경전달물질은 무엇인가?

① Serotonin

② Dopamine

③ Acetylcholine

④ Substance P

⑤ Norepinephrine

18

정답 ①

해설

항암제의 위장관계 독성

1. 구역(nausea), 구토(vomiting)
   a. 급성 발생 : 몇 분~몇 시간 이내에 발생
   b. 지연 발생 : 24시간 이후 발생
2. Chemoreceptor trigger zone에 작용하는 신경전달 물질 : Serotonin

참고 *Final Check 부인과 464 page*

CHAPTER 26

자궁내막증식증 및 자궁암 (Endometrial hyperplasia and Uterine cancer)

01

다음 중 자궁내막증식증의 원인에 대한 내용으로 옳은 것을 모두 고르시오.

(가) 가임기 여성에서는 무배란 주기 때 발생한다
(나) Progesterone 자극없이 계속적인 estrogen 자극 때문에 발생한다
(다) Granulosa cell tumor와 관련되어 발생할 수 있다
(라) 폐경 이후 단독 estrogen 보충요법시에는 발생하지 않는다

① 가, 나, 다
② 가, 다
③ 나, 라
④ 라
⑤ 가, 나, 다, 라

01

정답 ①

해설

자궁내막증식증의 원인

1. Progesterone의 길항작용 없이 estrogen의 지속적인 자궁내막 자극
2. 가임기 여성
   a. 무배란 → 지속적인 estrogen 자극
   b. 난소에 황체가 없이 여러 개의 난포 관찰
3. 폐경 여성
   a. 말초조직(특히 지방조직)에서의 E1 전환
   b. 지속적인 외부의 estrogen

참고 *Final Check 부인과 467, 481 page*

02

다음 자궁내막 병변 중 자궁내막암으로 이행 가능성이 가장 높은 것은 무엇인가?

① Endometrial polyp
② Atrophic endometritis
③ Simple hyperplasia without atypia
④ Complex hyperplasia without atypia
⑤ Complex atypical hyperplasia

02

정답 ⑤

해설

자궁내막증식증의 암 발생률

1. Simple hyperplasia without atypia : 1%
2. Complex hyperplasia without atypia : 3%
3. Simple atypical hyperplasia : 8%
4. Complex atypical hyperplasia : 29%

참고 *Final Check 부인과 468 page*

03

폐경 여성에서 질 출혈이 있을 때 가장 흔한 원인은 무엇인가?

① Exogenous hormone use
② Endometrial polyp
③ Endometrial cancer
④ Cervical cancer
⑤ Endometrial hyperplasia

03

정답 ①

해설

폐경 후 출혈의 원인

1. Exogenous estrogens : 30%
2. Atrophic endometritis/vaginitis : 30%
3. Endometrial cancer : 15%
4. Endometrial or cervical polyps : 10%
5. Endometrial hyperplasia : 5%

참고 *Final Check 부인과 474 page*

04

다음 중 폐경 후 여성에서 자궁출혈의 가장 흔한 원인은 무엇인가?

① 자궁근종
② 위축성 자궁내막
③ 자궁경부암
④ 자궁내막암
⑤ 자궁내막 용종

04

정답 ②

해설

폐경 후 자궁출혈의 원인

1. Endometrial atrophy : 60~80%
2. Estrogen replacement therapy : 15~25%
3. Endometrial polyps : 2~12%
4. Endometrial hyperplasia : 5~10%
5. Endometrial cancer : 10%

참고 *Final Check 부인과 475 page*

05

8년 전 폐경이 된 60세 여성이 질 출혈을 주소로 내원하였다. 자궁경부세포진검사는 정상, 골반 초음파상 자궁내막 두께 2 mm로 확인되었고 다른 이상소견은 없었다면 가장 가능성이 높은 원인은 무엇인가?

① 자궁근종
② 위축성 자궁내막
③ 자궁경부암
④ 자궁내막암
⑤ 자궁내막 용종

05

정답 ②

해설

폐경 후 자궁출혈의 원인

1. Endometrial atrophy : 60~80%
2. Estrogen replacement therapy : 15~25%
3. Endometrial polyps : 2~12%
4. Endometrial hyperplasia : 5~10%
5. Endometrial cancer : 10%

참고 *Final Check 부인과 475 page*

06

2년 전 폐경이 된 54세 여성이 1주 전부터 시작된 질 출혈을 주소로 내원하였다. 내원 2주 전 시행한 Pap smear는 정상 소견이었고, 초음파 상 자궁내막 두께 2 mm, 3 x 3 cm 크기의 장막하근종(subserosal myoma) 양상의 종괴가 관찰되었다. 다음 중 가장 가능성이 높은 출혈의 원인은 무엇인가?

① Endometrial cancer

② Cervix cancer

③ Endometrial hypertrophy

④ Endometrial atrophy

⑤ Myoma

07

63세 여성이 질 출혈을 주소로 내원하였다. 다음 중 가능성 있는 원인을 모두 고르시오.

(가) Fallopian tube cancer
(나) Endometrial hyperplasia
(다) Endometrial carcinoma
(라) Atrophic endometrium

① 가, 나, 다　　② 가, 다

③ 나, 라　　④ 라

⑤ 가, 나, 다, 라

06

정답 ④

해설

폐경 후 자궁출혈의 원인

1. Endometrial atrophy : 60~80%
2. Estrogen replacement therapy : 15~25%
3. Endometrial polyps : 2~12%
4. Endometrial hyperplasia : 5~10%
5. Endometrial cancer : 10%

참고 *Final Check 부인과 475 page*

07

정답 ⑤

해설

폐경 후 출혈의 원인

1. Exogenous estrogens : 30%
2. Atrophic endometritis/vaginitis : 30%
3. Endometrial cancer : 15%
4. Endometrial or cervical polyps : 10%
5. Endometrial hyperplasia : 5%

참고 *Final Check 부인과 474 page*

08

산과력 0-0-0-0인 40세 여성이 질 출혈을 주소로 내원하였다. 환자는 10년 전부터 당뇨, 다낭성난소증후군으로 월경이 불규칙했고, 조직검사상 endometrioid adenocarcinoma로 확인되었다면 이 여성과 가장 연관이 있는 유전자는 무엇인가?

① PTEN ② p53
③ RAS ④ BRCA
⑤ p21

08
정답 ①
해설
에스트로겐 의존성 종양(Estrogen-dependent)
1. Type I endometrial carcinoma
2. PTEN tumor suppressive gene mutation 연관
3. 가장 많은 형태(약 75~85%)
4. 젊은 여성 및 길항작용이 없는 내인성 또는 외인성 에스트로겐에 노출된 과거력
5. EM hyperplasia로 시작해 악성종양으로 발전
6. 에스트로겐 비의존성보다 분화 및 예후 양호

참고 *#Final Check 부인과 474 page*

09

29세 여성이 불규칙한 질 출혈을 주소로 내원하였다. 자궁내막 조직검사상 simple hyperplasia without atypia로 확인되었다면 다음 처치로 가장 적절한 것을 고르시오.

① 자궁절제술
② 3~6개월간 황체호르몬 투여 후 자궁경부세포진검사
③ 3~6개월간 황체호르몬 투여 후 자궁내막 조직검사
④ 배란유도제
⑤ 자궁내막 전기적 절제술

09
정답 ③
해설
Endometrial hyperplasia without atypia 치료
1. 경구 progesterone 제재(약 3개월간 복용)
2. MPA 10~20 mg/day for 14 days per month
3. Continuous progestin (megestrol 20~160 mg)

참고 *Final Check 부인과 472 page*

10

28세 여자가 불임과 무월경을 주소로 산부인과 외래를 방문하였다. 환자의 자궁내막 조직검사상 complex hyperplasia with atypia가 나온 경우 이 환자의 적절한 치료는 무엇인가?

① Observation
② Hysterectomy
③ Estrogen-Progesterone therapy
④ Ovulation induction
⑤ Continuous progestin therapy

10
정답 ⑤
해설
Endometrial hyperplasia with atypia 치료
1. Continuous progestin therapy
2. Megestrol acetate 160~320 mg/day

참고 *Final Check 부인과 472 page*

11

35세 여성이 질 출혈을 주소로 내원하였다. 시행한 자궁내막 조직검사상 복합 자궁내막증식증(complex hyperplasia without atypia)으로 확인되었다면 다음 처치로 가장 적절한 것을 고르시오.

① Hysteroscopic endometrial biopsy

② Observation

③ Continuous progestin therapy

④ Hysterectomy

⑤ Endometrial ablation

11

정답 ③

해설

Endometrial hyperplasia without atypia 치료

1. 경구 progesterone 제재(약 3개월간 복용)
2. MPA 10~20 mg/day for 14 days per month
3. Continuous progestin (megestrol 20~160 mg)

참고 *Final Check 부인과 472 page*

12

32세 여성이 불규칙한 월경과 불임을 주소로 내원하였다. 시행한 자궁내막 조직검사가 mild atypical cell을 보이는 complex endometrial hyperplasia로 확인되었다면 다음 중 가장 적절한 처치는 무엇인가?

① 경과관찰 ② 배란유도

③ Estrogen-Progestin 요법 ④ Progestin 요법

⑤ 자궁절제술

12

정답 ④

해설

Endometrial hyperplasia with atypia 치료

1. Continuous progestin therapy
2. Megestrol acetate 160~320 mg/day

참고 *Final Check 부인과 472 page*

13

28세 여성이 2년 간의 불임을 주소로 내원하였다. 기초 체온표상 단상성 양상(monophasic state)이었고, 자궁내막 조직검사는 endometrial hyperplasia with mild atypia로 확인되었다. 다음 처치로 가장 적절한 것을 고르시오.

① Danazol ② Progestins

③ OC ④ GnRH agonist

⑤ Tamoxifen

13

정답 ②

해설

Endometrial hyperplasia with atypia 치료

1. Continuous progestin therapy
2. Megestrol acetate 160~320 mg/day

참고 *Final Check 부인과 472 page*

14

37세 여성이 3개월간 지속된 질 출혈을 주소로 내원하였다. 환자는 다낭성난소증후군으로 치료를 받은 과거력이 있었다. 자궁내막소파술을 시행하였고 complex endometrial hyperplasia without atypia로 확인되었다면 가장 적절한 치료 방법을 고르시오.

① Danazol

② Progestins

③ Chemotherapy

④ Endometrial ablation

⑤ Hysterectomy with BSO

14

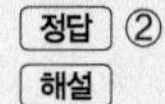
정답 ②

해설

Endometrial hyperplasia with atypia 치료

1. Continuous progestin therapy
2. Megestrol acetate 160~320 mg/day

참고 *Final Check 부인과 472 page*

15

25세 미혼 여성이 3개월 간의 질 출혈을 주소로 내원하였다. 시행한 자궁내막 조직검사상 simple atypical hyperplasia로 확인되었다면 가장 적절한 치료법을 고르시오.

① Estrogen

② Progestins

③ Hysteroscopy

④ Hysterectomy

⑤ CCRT

15

정답 ②

해설

Endometrial hyperplasia with atypia 치료

1. Continuous progestin therapy
2. Megestrol acetate 160~320 mg/day

참고 *Final Check 부인과 472 page*

16

30세 미혼 여성의 자궁내막 조직검사 결과 complex hyperplasia without atypia로 확인되었다. 다음 중 가장 적절한 처치는 무엇인가?

① Raloxifene

② Progestins

③ Estrogen/progestins

④ GnRH agonist

⑤ Endometrial ablation

16

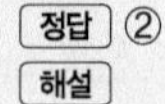
정답 ②

해설

Endometrial hyperplasia with atypia 치료

1. Continuous progestin therapy
2. Megestrol acetate 160~320 mg/day

참고 *Final Check 부인과 472 page*

17

57세 여성이 질 출혈을 주소로 내원하여 시행한 자궁내막 조직검사상 complex atypical hyperplasia로 확인되었다면 다음 처치로 가장 적절한 것을 고르시오.

① Combined OCs
② Progestin therapy
③ Observation
④ Hysterectomy
⑤ Chemotherapy

17

정답 ④

해설

자궁내막증식증 치료 시 고려사항

1. 환자의 나이
   a. 가임기 여성 : 대부분 보존적치료 시행
   b. 폐경기 이후의 여성(특히 선종성 혹은 비정형 선종성증식증) : TAH with BSO
2. 비정형이 있으면 자궁내막암 가능성 증가

참고 *Final Check 부인과 472 page*

18

63세 비만 여성이 질 출혈을 주소로 내원하였다. 초음파검사상 자궁은 임신 2개월 정도의 크기였고, 자궁내막 두께는 2 cm으로 확인되었다. 폐경 후 지금까지 호르몬 보충요법을 시행한 과거력은 없었고, 시행한 자궁내막소파술에서 복합 비정형자궁내막증식증(complex atypical hyperplasia)으로 확인되었다면 가장 적절한 치료법을 고르시오.

① 경과관찰
② 에스트로겐 투여
③ 자궁절제술
④ 항암화학요법
⑤ 방사선치료

18

정답 ③

해설

자궁내막증식증 치료 시 고려사항

1. 환자의 나이
   a. 가임기 여성 : 대부분 보존적치료 시행
   b. 폐경기 이후의 여성(특히 선종성 혹은 비정형 선종성증식증) : TAH with BSO
2. 비정형이 있으면 자궁내막암 가능성 증가

참고 *Final Check 부인과 472 page*

19

다음 중 자궁내막증식증(endometrial hyperplasia)에 대한 설명으로 옳은 것을 모두 고르시오.

(가) Cancer 위험은 atypia의 존재 여부 정도에 달려 있다
(나) Complex atypical hyperplasia의 3% 정도에서 암으로 발전한다
(다) D&C로 atypical hyperplasia를 진단해도 자궁내막암을 배제할 수 없다
(라) Atypia가 없으면 progestin 치료 효과가 감소한다

① 가, 나, 다　　② 가, 다
③ 나, 라　　④ 라
⑤ 가, 나, 다, 라

20

다음 중 자궁내막증식증의 위험인자를 모두 고르시오.

(가) 장기적 에스트로겐 단독요법
(나) 다낭성난소증후군(polycystic ovary syndrome)
(다) 난소의 과립막 세포종(granulosa cell tumor)
(라) 난소의 자궁내막종(endometrioma)

① 가, 나, 다　　② 가, 다
③ 나, 라　　④ 라
⑤ 가, 나, 다, 라

19

정답 ②

해설

Endometrial hyperplasia

1. 암으로 진행 : Atypia, severity에 따라 결정
2. Complex atypical hyperplasia : 암발생률 29%
3. D&C로 atypical hyperplasia를 진단해도 자궁내막암을 배제할 수 없음
4. Progestin 치료 : 비정형이 없는 자궁내막증식증에 매우 효과적, 비정형이 있는 경우 가임력 보존을 위해 시행

참고 *Final Check 부인과 468, 472, 473 page*

20

정답 ①

해설

자궁내막증식증의 위험인자

ADD 대사의 변화	Estrogen 분비 질환
비만	granulosa cell tumor
당뇨병	thecoma
고혈압	adrenocortical hyperplasia
간질환	polycystic ovary
호르몬 대체요법	**기타**
젊은 여성에서 BSO	만성 무배란증
난소발육부전	늦은 폐경(55세 이후)
원발성 난소기능부전	미분만부
갱년기증후군 여성	
타목시펜(tamoxifen) 사용	

참고 *Final Check 부인과 467 page*

21

Endometrial cancer 수술로 얻어진 자궁을 절개하여 얻을 수 있는 정보를 열거하시오.(3가지 이상)

21

정답

1. Myometrial invasion depth
2. Isthmus–cervix extension
3. Tumor size
4. Adnexal involvement
5. Extrauterine disease

참고 *Final Check 부인과 482 page*

22

Endometrial cancer에서 가장 예후가 나쁜 조직학적 형태를 고르시오.

① Papillary serous carcinoma

② Mucinous carcinoma

③ Endometrioid cancer

④ Clear cell carcinoma

⑤ Adenosquamous carcinoma

22

정답 ④

해설

투명세포암(Clear cell carcinoma)

1. 자궁내막암의 약 5% 이하
2. 선암조직 내 투명한 상피세포가 섞인 양상
3. 고령에서 호발
4. 자궁내막암 중 가장 나쁜 예후

참고 *Final Check 부인과 479 page*

23

자궁내막암 중 유두상선암(papillary adenocarcinoma)의 특징으로 옳은 것은 무엇인가?

① Unopposed estrogen 노출과 관련

② 상피성 난소암에 준해 치료

③ 비만, 당뇨, 불임과 관련

④ 폐경 전 여성에 많음

⑤ 예후가 좋음

정답 ②

해설

유두상선암(Papillary adenocarcinoma)

1. 선암의 약 1~10%를 차지
2. Ovary, tubal serous carcinoma와 유사
3. 고령, 저에스트로겐 여성에서 호발
4. 좋지 않은 예후(자궁내막암 사망의 약 50%)

참고 Final Check 부인과 479 page

24

자궁내막암과 가장 관련 깊은 난소 종양을 고르시오.

① Dysgerminoma

② Granulosa cell tumor

③ Immature cystic teratoma

④ Gynandroblastoma

⑤ Sertoli Leydig cell tumor

24

정답 ②

해설

자궁내막암의 위험인자

1. 길항없는 estrogen에 지속적 노출
2. 자궁내막증식증과 유사

ADD 대사의 변화	Estrogen 분비 질환
비만	granulosa cell tumor
당뇨병	thecoma
고혈압	adrenocortical hyperplasia
간질환	polycystic ovary
호르몬 대체요법	**기타**
젊은 여성에서 BSO	만성 무배란증
난소발육부전	늦은 폐경(55세 이후)
원발성 난소기능부전	미분만부
갱년기증후군 여성	
타목시펜(tamoxifen) 사용	

참고 Final Check 부인과 467, 475 page

25

다음 중 자궁내막암의 발생과 관계가 많은 것을 모두 고르시오.

(가) Polycystic ovary syndrome
(나) Granulosa cell tumor
(다) Obesity
(라) Combined oral pill

① 가, 나, 다 ② 가, 다
③ 나, 라 ④ 라
⑤ 가, 나, 다, 라

25

정답 ①

해설

자궁내막암의 위험인자

Characteristic	Relative Risk
미분만부	2~3
늦은 폐경	2.4
비만(obesity)	1.5~2.5
9~22 kg 과체중	3
>22 kg 과체중	10
당뇨(Diabetes mellitus)	2.8
길항작용 없는 estrogen 치료	4~8
Tamoxifen	2~3
Atypical endometrial hyperplasia	8~29
Lynch II syndrome	20

참고 Final Check 부인과 475 page

26

다음 중 자궁내막암의 위험도가 가장 높은 것을 고르시오.

① Nulliparity
② Obesity
③ Diabetes mellitus
④ Tamoxifen therapy
⑤ Complex atypical hyperplasia

26

정답 ⑤

해설

자궁내막암의 위험인자

Characteristic	Relative Risk
미분만부	2~3
늦은 폐경	2.4
비만(obesity)	1.5~2.5
9~22 kg 과체중	3
>22 kg 과체중	10
당뇨(Diabetes mellitus)	2.8
길항작용 없는 estrogen 치료	4~8
Tamoxifen	2~3
Atypical endometrial hyperplasia	8~29
Lynch II syndrome	20

참고 Final Check 부인과 475 page

27

다음 중 자궁내막암의 병기 설정에 이용되지 않는 것을 고르시오.

① 방광 침윤

② 자궁장막 침윤

③ 림프혈관 침윤

④ 자궁근육 침범 정도

⑤ 림프절 전이

27

정답 ③

해설

자궁내막암의 FIGO stage

Stage	Definition
IA	Myometrial invasion <1/2
IB	Myometrial invasion ≥1/2
II	Cervical stroma 침범(+), 자궁 밖으로 확장(−)
IIIA	자궁의 serosa 또는 adnexa 침범
IIIB	Vagina 또는 parametrium 침범
IIIC1	Positive pelvic LN
IIIC2	Positive para−aortic LN ± pelvic LN
IVA	Bladder 또는 bowel mucosa 침범
IVB	복강 내 또는 inguinal nodes 전이를 포함하는 distant metastasis

− Endocervical glandular involvement는 Stage I

− Positive cytology는 병기를 바꾸지 않고 별도로 보고

참고 Final Check 부인과 477 page

28

자궁내막암 환자의 수술에서 종양이 자궁근층의 25% 침범, 자궁경부의 기질 침범, 복강세척 세포진에서 암세포가 확인되었다. 다음 중 이 환자의 수술적 병기를 고르시오.

① IA

② II

③ IIIA

④ IIIB

⑤ IVB

28

정답 ②

해설

자궁내막암의 FIGO stage

Stage	Definition
IA	Myometrial invasion <1/2
IB	Myometrial invasion ≥1/2
II	Cervical stroma 침범(+), 자궁 밖으로 확장(−)
IIIA	자궁의 serosa 또는 adnexa 침범
IIIB	Vagina 또는 parametrium 침범
IIIC1	Positive pelvic LN
IIIC2	Positive para−aortic LN ± pelvic LN
IVA	Bladder 또는 bowel mucosa 침범
IVB	복강 내 또는 inguinal nodes 전이를 포함하는 distant metastasis

− Endocervical glandular involvement는 Stage I

− Positive cytology는 병기를 바꾸지 않고 별도로 보고

참고 Final Check 부인과 477 page

29

자궁내막암 수술 후 조직학적 검사 결과가 다음과 같다면 이 환자의 병기를 고르시오.

- Endometrioid carcinoma, Grade 3
- Myometrial Invasion 〉1/2
- Cervix involvement (-)
- Adnexa involvement (-)
- Lymph node involvement (+)
- Omentum : 3 cm metastatic mass

① II ② IIIA
③ IIIB ④ IVA
⑤ IVB

29

정답 ⑤

해설

자궁내막암의 FIGO stage

Stage	Definition
IA	Myometrial invasion <1/2
IB	Myometrial invasion ≥1/2
II	Cervical stroma 침범(+), 자궁 밖으로 확장(-)
IIIA	자궁의 serosa 또는 adnexa 침범
IIIB	Vagina 또는 parametrium 침범
IIIC1	Positive pelvic LN
IIIC2	Positive para-aortic LN ± pelvic LN
IVA	Bladder 또는 bowel mucosa 침범
IVB	복강 내 또는 inguinal nodes 전이를 포함하는 distant metastasis

- Endocervical glandular involvement는 Stage I
- Positive cytology는 병기를 바꾸지 않고 별도로 보고

참고 *Final Check 부인과 477 page*

30

75세 여성이 자궁내막 선암(endometrioid adenocarcinoma)으로 진단받았다. 검진상 좌측 서혜부에 약 2 cm 크기의 종괴가 만져졌고 수술을 시행하였다. 수술 소견이 아래와 같다면 병기를 고르시오.

- Peritoneal washing cytology : negative
- Myometrial involvement : whole depth of myometrium
- Pelvic lymph node : positive
- Inguinal lymph node : positive

① IIIA ② IIIB
③ IIIC1 ④ IVA
⑤ IVB

30

정답 ⑤

해설

자궁내막암의 FIGO stage

Stage	Definition
IA	Myometrial invasion <1/2
IB	Myometrial invasion ≥1/2
II	Cervical stroma 침범(+), 자궁 밖으로 확장(-)
IIIA	자궁의 serosa 또는 adnexa 침범
IIIB	Vagina 또는 parametrium 침범
IIIC1	Positive pelvic LN
IIIC2	Positive para-aortic LN ± pelvic LN
IVA	Bladder 또는 bowel mucosa 침범
IVB	복강 내 또는 inguinal nodes 전이를 포함하는 distant metastasis

- Endocervical glandular involvement는 Stage I
- Positive cytology는 병기를 바꾸지 않고 별도로 보고

참고 *Final Check 부인과 477 page*

31

51세 여성이 자궁내막 조직검사에서 endometrioid adenocarcinoma, Grade II로 진단되었다. 수술을 시행하였고, 수술적 병기설정상 이 환자의 병기는 무엇인가?

- Cervical involvement (+)
- Left ovary involvement (+), Right ovary involvement (−)
- Para-aortic lymph node (+)
- Inguinal lymph node (+)
- Peritoneal washing cytology (−)

① IIIA ② IIIB
③ IIIC2 ④ IVA
⑤ IVB

31

정답 ⑤

해설

자궁내막암의 FIGO stage

Stage	Definition
IA	Myometrial invasion <1/2
IB	Myometrial invasion ≥1/2
II	Cervical stroma 침범(+), 자궁 밖으로 확장(−)
IIIA	자궁의 serosa 또는 adnexa 침범
IIIB	Vagina 또는 parametrium 침범
IIIC1	Positive pelvic LN
IIIC2	Positive para-aortic LN ± pelvic LN
IVA	Bladder 또는 bowel mucosa 침범
IVB	복강 내 또는 inguinal nodes 전이를 포함하는 distant metastasis

- Endocervical glandular involvement는 Stage I
- Positive cytology는 병기를 바꾸지 않고 별도로 보고

참고 *Final Check 부인과 477 page*

32

45세 여성이 자궁내막암으로 병기설정술을 시행하였다. 결과가 아래와 같다면 이 환자의 병기를 고르시오.

- Uterine papillary serous carcinoma
- Myometrial invasion : 27/35 mm
- Cervical involvement (−)
- Adnexal involvement (−)
- Lymph node involvement (−)
- Omentum : 3 cm metastatic mass

① IIIA ② IIIB
③ IIIC ④ IVA
⑤ IVB

32

정답 ⑤

해설

자궁내막암의 FIGO stage

Stage	Definition
IA	Myometrial invasion <1/2
IB	Myometrial invasion ≥1/2
II	Cervical stroma 침범(+), 자궁 밖으로 확장(−)
IIIA	자궁의 serosa 또는 adnexa 침범
IIIB	Vagina 또는 parametrium 침범
IIIC1	Positive pelvic LN
IIIC2	Positive para-aortic LN ± pelvic LN
IVA	Bladder 또는 bowel mucosa 침범
IVB	복강 내 또는 inguinal nodes 전이를 포함하는 distant metastasis

- Endocervical glandular involvement는 Stage I
- Positive cytology는 병기를 바꾸지 않고 별도로 보고

참고 *Final Check 부인과 477 page*

33

다음은 자궁내막암으로 수술한 환자의 소견이다. FIGO staging 에 따른 병기를 고르시오.

- Endometroid adenocarcinoma, grade 1
- Myometrial invasion <1/2
- Cervical invasion : glandular invasion only
- Pelvic lymph node and para-aortic lymph node : not metastasis
- Peritoneal washing cytology : negative

① IA ② IB
③ II ④ IIIA
⑤ IIIB

33

정답 ①

해설

자궁내막암의 FIGO stage

Stage	Definition
IA	Myometrial invasion <1/2
IB	Myometrial invasion ≥1/2
II	Cervical stroma 침범(+), 자궁 밖으로 확장(−)
IIIA	자궁의 serosa 또는 adnexa 침범
IIIB	Vagina 또는 parametrium 침범
IIIC1	Positive pelvic LN
IIIC2	Positive para-aortic LN ± pelvic LN
IVA	Bladder 또는 bowel mucosa 침범
IVB	복강 내 또는 inguinal nodes 전이를 포함하는 distant metastasis

- Endocervical glandular involvement는 Stage I
- Positive cytology는 병기를 바꾸지 않고 별도로 보고

참고 *Final Check 부인과 477 page*

34

60세 여성이 질 출혈을 주소로 내원하여 시행한 초음파상 자궁내막 두께 10 mm로 확인되었다. 자궁내막조직검사를 시행하였고 papillary serous carcinoma로 확인되어 자궁절제술을 시행하였다. 동결절편검사상 표재성 자궁근층 침윤(superficial invasion)으로 확인되었다면 가장 적절한 수술 방법은 무엇인가?

① TAH
② TAH + BSO
③ TAH + Peritoneal cytology
④ TAH + Peritoneal cytology + PLND + Omentectomy + Peritoneal biopsy
⑤ Radical hysterectomy + BSO + Peritoneal cytology

34

정답 ④

해설

자궁내막암의 수술적 병기 설정

1. Modified (Type II) radical hysterectomy
2. Bilateral salpingo-oophorectomy
3. Peritoneal washings for cytologic study
4. Pelvic lymphadenectomy to the mid. iliac area
5. Resection of enlarged para-aortic nodes
6. Omental biopsy
7. Biopsy of any suspicious peritoneal nodules

참고 *Final Check 부인과 482 page*

35

35세 여성이 자궁내막 조직 검사에서 grade 2 endometrial carcinoma로 자궁절제술을 시행하였다. 수술 중 절개한 자궁에서 자궁근층의 4/5 (80%)를 침범한 것으로 확인되었다. 다음으로 시행해야 하는 수술을 고르시오.

① 수술 종료

② 양측 부속기절제술

③ 양측 부속기절제술, 질 상부절제술

④ 양측 부속기절제술, 골반 림프절절제술

⑤ 양측 부속기절제술, 골반 및 대동맥 림프절절제술

35

정답 ⑤

해설

골반과 대동맥주변 림프절절제술의 적응증

1. 조직분화도 G2, G3
2. 암 ≥2 cm, pelvic nodes (+)
3. Adenosquamous carcinoma, Clear cell carcinoma, Papillary adenocarcinoma
4. 자궁근층 침윤 ≥50%
5. 자궁외조직의 침범

참고 *Final Check 부인과 483 page*

36

47세 여성이 불규칙 질 출혈과 자궁근종을 주소로 자궁절제술 및 양측 부속기절제술을 시행 받았다. 조직검사에서 자궁내막암(endometrioid adenocarcinoma)이 근층의 2/3까지 침윤된 것이 발견되었고, 분화도 3으로 확인되었다. 이 환자에 대한 후속 조치로 가장 적합한 것을 고르시오.

① 경과관찰

② 종양표지자 추적관찰

③ 재개복하여 병기설정술 시행

④ 타목시펜 투여

⑤ 에스트로겐 투여

36

정답 ③

해설

골반과 대동맥주변 림프절절제술의 적응증

1. 조직분화도 G2, G3
2. 암 ≥2 cm, pelvic nodes (+)
3. Adenosquamous carcinoma, Clear cell carcinoma, Papillary adenocarcinoma
4. 자궁근층 침윤 ≥50%
5. 자궁외조직의 침범

참고 *Final Check 부인과 483 page*

37

54세 여성의 자궁내막암 병기설정술 결과가 아래와 같다면 처치로 가장 적절한 것을 고르시오.

- Endometrioid adenocarcinoma, Grade 3
- Myometrial invasion : 18/30 mm
- Lymph–vascular space involvement (–)
- Cervical involvement (–)
- Adnexal involvement (–)
- Lymph node involvement (–)

① 경과관찰 ② 호르몬요법
③ 방사선요법 ④ 항암화학요법
⑤ 동시 항암방사선요법

37
정답 ③
해설
자궁내막암의 치료
1. Stage IB, G3
2. Adverse risk factors (–)
→ Vault brachytherapy or EBRT
± Systemic Tx

참고 *Final Check 부인과 481 page*

38

초기 자궁내막암 환자의 병기설정술을 할 때 대망절제술(omentectomy)을 고려해야 하는 경우를 모두 고르시오.

(가) Endometrioid adenocarcinoma
(나) Mixed Müllerian tumor
(다) Mucinous carcinoma
(라) Papillary serous carcinoma

① 가, 나, 다 ② 가, 다
③ 나, 라 ④ 라
⑤ 가, 나, 다, 라

38
정답 ③
해설
자궁내막암 수술 중 대망절제술의 적응증
1. 복강 내 전이가 흔한 경우
2. 조직학적 분류상 non–endometrioid cancer
a. Papillary serous carcinoma
b. Mixed Müllerian tumor
c. Clear cell carcinoma

참고 *Final Check 부인과 483 page*

39

자궁내막암의 selective pelvic and para-aortic lymph node dissection의 적응증을 쓰시오.(4가지)

39

정답

1. 조직분화도 G2, G3
2. 암의 직경이 2 cm 이상일 때 골반림프절 암 전이가 있을 경우
3. Adenosquamous carcinoma, Clear cell carcinoma, Papillary adenocarcinoma
4. 자궁근층 침윤(myometrial invasion) ≥50%
5. 자궁외조직의 침범

참고 *Final Check 부인과 483 page*

40

자궁내막암 환자의 lymph node metastasis 위험인자 중 가장 중요한 것은 무엇인가?

① 분화도와 크기

② 분화도와 자궁경부 침범 여부

③ 분화도와 자궁근층 침윤 깊이

④ 크기와 자궁근층 침윤 깊이

⑤ 자궁경부 침범 여부와 자궁근층 침윤 깊이

40

정답 ③

해설

림프절 전이의 위험인자 중 가장 중요한 인자

1. 조직학적 소견
2. 자궁근층 침윤 깊이

참고 *Final Check 부인과 483 page*

41

60세 여성이 부정출혈을 주소로 내원하여 시행한 조직검사 상 endometrial cancer로 진단받은 후 TAH with BSO를 시행하였고 검사결과가 아래와 같다면 이 여성에게 가장 적절한 다음 처치를 고르시오.

- Endometrioid adenocarcinoma, G2
- Tumor size : 2 cm
- Myometrial invasion <1/2
- Lymph node involvement (−)

① Observation

② Vaginal vault irradiation

③ External pelvic radiation therapy

④ Chemotherapy

⑤ Concurrent chemoradiation

41

정답 ①

해설

자궁내막암 수술 후 보조치료가 필요 없는 경우

1. IA, grade 1, 2, 3
2. IB, grade 1, 2
3. 1 or 2 + 림프-혈관공간 침윤(−)

참고 *Final Check 부인과 483 page*

42

자궁내막암으로 병리 설정 수술 시행 후 조직검사 소견이 다음과 같을 때 추후 처치로 가장 적절한 것을 고르시오.

- Endometrial adenocarcinoma, Grade 1
- Myometrial involvement <1/2
- Cervix : chronic cervicitis
- Ovary : free of tumor
- Pelvic LN : no involvement (0/25)

① 경과관찰　② 면역요법

③ 프로게스테론　④ 항암화학요법

⑤ 방사선요법

42

정답 ①

해설

자궁내막암 수술 후 보조치료가 필요 없는 경우

1. IA, grade 1, 2, 3
2. IB, grade 1, 2
3. 1 or 2 + 림프-혈관공간 침윤(−)

참고 *Final Check 부인과 483 page*

43

52세 여성이 자궁내막암으로 자궁절제술을 시행 후 병리소견이 아래와 같다면 다음 처치로 가장 적절한 것을 고르시오.

- Endometrial adenocarcinoma, Grade 1
- Myometrium : focal minimal invasion
- Pelvic LN : no involvement (0/25)

① Observation

② Vaginal radiation

③ Pelvic radiation and vaginal boost

④ Whole abdominal radiation

⑤ Chemotherapy

43

정답 ①

해설

자궁내막암 수술 후 보조치료가 필요 없는 경우

1. IA, grade 1, 2, 3
2. IB, grade 1, 2
3. 1 or 2 + 림프-혈관공간 침윤(-)

참고 *Final Check 부인과 483 page*

44

55세 여성의 자궁내막암 수술 후 조직검사가 아래와 같다면 다음 처치로 가장 적절한 치료는 무엇인가?

- Endometrioid adenocarcinoma, Grade 2
- Tumor size : 1 cm
- Myometrial invasion (-)
- Cervix invasion (-)
- Pelvic LN (-)
- Para-aortic LN (-)

① 추적관찰 ② 항암화학치료

③ 질내 방사선치료 ④ 골반 방사선치료

⑤ 항암화학방사선치료

44

정답 ①

해설

자궁내막암 수술 후 보조치료가 필요 없는 경우

1. IA, grade 1, 2, 3
2. IB, grade 1, 2
3. 1 or 2 + 림프-혈관공간 침윤(-)

참고 *Final Check 부인과 483 page*

45

60세 여성이 폐경 후 질 출혈을 주소로 내원하여 자궁내막 조직검사를 시행하였고 자궁내막선암 Grade 1으로 확인되었다. 병기설정을 위한 수술을 시행하였고 결과가 아래와 같다면 향후 처치로 가장 적절한 것을 고르시오.

- Endometrioid adenocarcinoma, G1
- Myometrial invasion <1/2
- Cervix : chronic cervicitis
- Ovary : free of tumor
- Lymph–vascular space invasion (–)
- Pelvic lymph node (–)

① 주기적 관찰　② 골반 및 복부 방사선치료
③ 지속적 megestrol 경구투여　④ P32 복강 내 투여
⑤ 복합 항암화학요법

45
정답 ①
해설
자궁내막암 수술 후 보조치료가 필요 없는 경우
1. IA, grade 1, 2, 3
2. IB, grade 1, 2
3. 1 or 2 + 림프–혈관공간 침윤(–)

참고 *Final Check 부인과 483 page*

46

50세 여성이 자궁내막암으로 진단받고 병기설정술을 시행하였다. 조직검사 소견이 아래와 같았다면 이후 치료로 가장 적절한 것을 고르시오.

- Endometrioid carcinoma, Grade 1
- Myometrial invasion <1/2
- Size : 2.2 x 2 cm
- Cervical invasion (–)
- Pelvic LN (–), para–aortic LN (–)
- Peritoneal cytology (–)

① Observation　② Vaginal radiation therapy
③ Pelvic radiation therapy　④ Extended field radiation therapy
⑤ Chemotherapy

46
정답 ①
해설
자궁내막암 수술 후 보조치료가 필요 없는 경우
1. IA, grade 1, 2, 3
2. IB, grade 1, 2
3. 1 or 2 + 림프–혈관공간 침윤(–)

참고 *Final Check 부인과 483 page*

47

57세 여성이 자궁내막암으로 수술한 후 조직검사가 아래와 같다면 다음 처치로 가장 적절한 것을 고르시오.

- Endometrioid carcinoma, Grade 2
- Myometrial invasion : 2/3
- Size : 2 x 1 cm
- Cervical invasion (−)
- Lymph−vascular space invasion (−)
- Pelvic LN (−), para−aortic LN (−)
- Peritoneal cytology (−)

① 추적관찰　② Vault irradiation
③ Pelvic radiation　④ Chemotherapy
⑤ Progestin therapy

47
정답 ①
해설
자궁내막암 수술 후 보조치료가 필요 없는 경우
1. IA, grade 1, 2, 3
2. IB, grade 1, 2
3. 1 or 2 + 림프−혈관공간 침윤(−)

참고 *Final Check 부인과 483 page*

48

65세 여자 환자가 자궁내막암으로 진단되어 병기설정술을 시행하였다. 결과가 아래와 같다면 다음 처치로 가장 적절한 것을 고르시오.

- Endometrioid adenocarcinoma, G3
- Myometrial invasion ≥1/2
- Tumor size : 1.5 x 1 cm
- Cervix : cervicitis
- Ovary : free of tumor
- lymph−vascular space invasion (−)
- Pelvic LN (−), para−aortic LN (−)

① 추적관찰　② Estrogen
③ Estrogen + Progestin　④ 골반 방사선치료
⑤ 전복부 방사선치료

48
정답 ④
해설
자궁내막암의 치료
1. Stage IB, G3
2. Adverse risk factors (−)
   → Vault brachytherapy or EBRT
   ± Systemic Tx

참고 *Final Check 부인과 481 page*

49

Endometrial cancer에서 외부 골반 방사선치료(external pelvic radiation)을 시행하는 적응증을 쓰시오.(4가지)

49

정답

1. 외과적 병기결정을 시행치 않은 고위험 환자들
2. 자궁경부 침범이 있는 경우
3. 골반 림프절 전이가 있는 경우
4. 림프절 전이의 가능성이 높은 환자

참고 *Final Check 부인과 483 page*

50

29세 미혼 여성이 질 출혈을 주소로 내원하였다. 시행한 자궁내막 조직검사에서 Endometrioid adenocarcinoma, grade 1으로 확인되었다. Pelvic MRI 상 의심스러운 자궁 병변 및 림프절 소견은 없었고 환자는 자궁과 난소의 보존을 강력히 원한다면 시행할 수 있는 치료를 고르시오.

① Danazol

② Tamoxifen

③ Clomiphene citrate

④ Medroxyprogesterone acetate

⑤ Combined oral contraceptives

50

정답 ④

해설

Progestin 치료

1. 적응증 : 아이를 낳고자 하는 젊은 여성과 내과적 질환으로 수술이 불가능한 환자에게서 임상병기가 조기면서 분화도가 좋고 프로게스테론 수용체가 있는 경우
2. 약물 : MPA, Megestrol acetate

참고 *Final Check 부인과 484 page*

51

67세 여자 환자가 자궁내막암으로 수술 후 다음과 같은 결과를 얻었다. 이 환자에서 가장 적절한 치료는 무엇인가?

- Myometrial invasion : 17/25 mm
- Size : 3 x 3 cm
- Cervical invasion (–)
- Para aortic LN : 5/25
- Pelvic LN : 3/15
- Omentum : multiple metastasis (largest size 3 cm)

① 호르몬 치료　② 질내 방사선
③ 골반 방사선　④ 단일 항암화학요법
⑤ 복합 항암화학요법

51

정답 ⑤

해설

자궁내막암 Stage IV의 치료

1. 수술, 방사선, 호르몬치료, 항암화학치료 병행
2. 완화치료(palliative treatment)
3. 항암화학요법(chemotherapy)
   a. 진행된 자궁내막암에서의 표준 치료
   b. Carboplatin + Paclitaxel

참고 *Final Check 부인과 484 page*

52

65세 환자가 자궁내막암으로 수술 후 다음과 같은 결과를 얻었다. 이 환자에게 가장 적절한 치료를 고르시오.

- Serous carcinoma, G3
- Myometrial invasion > 1/2
- Tumor size : 3 x 2.5 cm
- Pelvic LN : positive
- Para–aortic LN : positive
- Omentum : multiple metastasis (largest size 5 cm)

① 경과관찰　② 골반 방사선
③ 질내 방사선　④ 단일 항암화학요법
⑤ 복합 항암화학요법

52

정답 ⑤

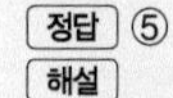

해설

자궁내막암 Stage IV의 치료

1. 수술, 방사선, 호르몬치료, 항암화학치료 병행
2. 완화치료(palliative treatment)
3. 항암화학요법(chemotherapy)
   a. 진행된 자궁내막암에서의 표준 치료
   b. Carboplatin + Paclitaxel

참고 *Final Check 부인과 484 page*

53

자궁내막의 papillary serous adenocarcinoma로 수술한 환자의 조직검사 결과가 아래와 같았다. 다음으로 시행할 치료로 적절한 것을 고르시오.

- Papillary serous adenocarcinoma, G3
- Depth of invasion : 12 mm/17 mm
- Tumor size : 3 x 3 cm
- Cervical invasion (–)
- Adnexal involvement (–)
- Pelvic lymph node (+)
- Para–aortic lymph node (+)
- Omental multiple metastasis : largest tumor size 5 cm

① 호르몬치료 ② 근접 방사선치료
③ 외부 골반방사선치료 ④ 단일 항암화학요법
⑤ 복합 항암화학요법

53
정답 ⑤
해설
자궁내막암 Stage IV의 치료
1. 수술, 방사선, 호르몬치료, 항암화학치료 병행
2. 완화치료(palliative treatment)
3. 항암화학요법(chemotherapy)
   a. 진행된 자궁내막암에서의 표준 치료
   b. Carboplatin + Paclitaxel

참고 *Final Check 부인과 484 page*

54

Early endometrial carcinoma의 수술 후 예후가 가장 불량한 소견은 무엇인가?

① Cervix extension

② Lymph node metastasis

③ Deep myometrial invasion

④ Ovarian metastasis

⑤ Grade 3

54
정답 ②
해설
림프절 전이(lymph node metastasis)
1. 조기 자궁내막암 예후에 가장 중요한 인자
2. 림프절 전이가 있을 때 재발할 확률 증가
3. Para–aortic lymph node : 예후에 매우 중요

참고 *Final Check 부인과 480 page*

55

다음 중 endometrial cancer에 대한 설명으로 옳은 것을 모두 고르시오.

(가) Peritoneal cytology (+) → poor prognosis
(나) Young age → good prognosis
(다) Papillary serous carcinoma → poor prognosis
(라) 수술 전 clinical Stage I → Adnexa 전이 가능성 없음

① 가, 나, 다　② 가, 다
③ 나, 라　④ 라
⑤ 가, 나, 다, 라

55

정답 ①

해설

자궁내막암의 예후인자

1. 복강세포검사 : 양성일 경우 안 좋은 예후
2. 연령 : 어릴수록 좋은 예후
3. Papillary serous Ca. : 예후가 안 좋은 조직형
4. Early stage에도 난관을 통한 확산이 가능

참고 *Final Check 부인과 479, 480 page*

56

72세 여성이 자궁내막암으로 수술을 받았다. 수술 후 조직검사 소견이 아래와 같다면 불량한 예후의 예측인자를 모두 고르시오.

- Papillary serous carcinoma, G1
- Tumor size : 3 cm
- Myometrial invasion ≥1/2
- HER-2/neu 종양유전자 과발현

(가) 나이
(나) Papillary serous carcinoma
(다) 종양유전자 과발현
(라) 종양 크기 3 cm

① 가, 나, 다　② 가, 다
③ 나, 라　④ 라
⑤ 가, 나, 다, 라

56

정답 ⑤

해설

1. 연령 : 어릴수록 좋은 예후
2. Papillary serous Ca. : 안 좋은 예후인자
3. HER-2/neu의 overexpression : 생존율 감소
4. 종양이 클수록(기준 약 ≥2 cm) 생존율 감소

참고 *Final Check 부인과 480 page*

57

재발성 자궁내막암에서 progesterone receptor negative이고, progestin에 대하여 반응이 없었다. 이 때 progestin 치료의 반응을 증가시키기 위해 사용할 수 있는 방법은 무엇인가?

① Tamoxifen
② Estrogen
③ Chemotherapy
④ Radiation
⑤ Debulking surgery

57

정답 ①

해설

Selective estrogen-receptor modulator (SERM)

1. 고용량 progestin의 상대적 금기 시 시행
2. 자궁 estrogen receptor에 대한 E2 결합 억제
   a. Estrogen에 의한 증식 차단
   b. Progesterone receptor 증가
3. Tamoxifen 20 mg/day, 하루 1~2회, 지속 투여

참고 *Final Check 부인과 485 page*

58

53세 여자 환자가 유방암으로 종괴절제술(lumpectomy) 후 tamoxifen 복용 중으로 최근 발생한 질 출혈을 주소로 내원하였다. 시행한 초음파상 자궁내막 두께 15 mm로 확인되었다면 다음 처치로 가장 적절한 것을 고르시오.

① 경과관찰
② 자궁내막 조직검사
③ 프로게스틴
④ 복합 경구피임제
⑤ 생식샘자극호르몬분비호르몬 작용제

58

정답 ②

해설

자궁내막 조직검사가 필요한 경우

시기	자궁내막 두께
Premenopausal	
Asymptomatic	16 mm
Abnormal bleeding	16 mm
Postmenopausal	
Asymptomatic	8~11 mm
Abnormal bleeding	5 mm
Tamoxifen use	
Asymptomatic	9 mm
Abnormal bleeding	5 mm

참고 *Final Check 부인과 471 page*

59

유방암(breast cancer) 수술 후 tamoxifen 치료를 1년째 하고 있는 55세 여성에게 가장 적절한 자궁내막암의 선별검사를 고르시오.

① 질 초음파와 자궁내막 조직검사를 1년 마다 시행한다
② 정기적 질 초음파를 시행하고 자궁내막 두께를 확인한다
③ 질 출혈 있으면 tamoxifen을 중단한다
④ CA-125의 추적관찰은 재발 예측에 유용하다
⑤ 질 출혈 같은 증상이 없으면 선별검사는 필요 없다

59

정답 ②

해설

자궁내막 조직검사가 필요한 경우

시기	자궁내막 두께
Premenopausal	
Asymptomatic	16 mm
Abnormal bleeding	16 mm
Postmenopausal	
Asymptomatic	8~11 mm
Abnormal bleeding	5 mm
Tamoxifen use	
Asymptomatic	9 mm
Abnormal bleeding	5 mm

참고 *Final Check 부인과 471, 475 page*

60

자궁내막암의 고위험인자를 가진 여성에서 자궁내막암 선별검사의 간격 및 방법으로 적절한 것을 고르시오.

① 6개월, 초음파검사 ② 6개월, 자궁내막 조직검사
③ 6개월, 자궁경부세포진검사 ④ 1년, 초음파검사
⑤ 1년, 자궁내막 조직검사

60

정답 ⑤

해설

자궁내막암 고위험군의 선별검사

1. 35세 이상, 1년 마다 자궁내막 조직검사 시행
2. HNPCC 유전적돌연변이, Lynch II synd. 확인
   a. 질 초음파, 자궁내막 조직검사, CA-125
   b. 유방촬영술, 대장내시경

참고 *Final Check 부인과 476 page*

61

다음 중 endometrial carcinoma의 위험도가 가장 높은 것을 고르시오.

① Nulliparity ② Obesity
③ Diabetes ④ Tamoxifen therapy
⑤ Lynch II syndrome

61

정답 ⑤

해설

자궁내막암의 위험인자

Characteristic	Relative Risk
미분만부(nulliparity)	2~3
늦은 폐경(late menopause)	2.4
비만(obesity)	1.5~2.5
9~22 kg 과체중	3
>22 kg 과체중	10
당뇨(Diabetes mellitus)	2.8
길항작용 없는 estrogen 치료	4~8
Tamoxifen	2~3
Atypical endometrial hyperplasia	8~29
Lynch II syndrome	20

참고 *Final Check 부인과 475 page*

62

35세 미혼 여성이 가족력 상 HNPCC syndrome이 있으며 MSH2 유전자 mutation이 확인 되었다면 CA-125, TV-USG 이외에 주기적으로 해야 하는 검사를 쓰시오.(3가지)

62

정답

1. 자궁내막 조직검사
2. 유방촬영술(mammography)
3. 대장내시경(colonoscopy)

해설

자궁내막암 고위험군의 선별검사

1. 35세 이상, 1년 마다 자궁내막 조직검사 시행
2. HNPCC 유전적돌연변이, Lynch II synd. 확인
   a. 질 초음파, 자궁내막 조직검사, CA-125
   b. 유방촬영술, 대장내시경

참고 *Final Check 부인과 476 page*

63

Endomedtrial cancer가 자궁경부로 확장(extension)되는 방법을 쓰시오.

63

정답

1. 연속적인 표면을 통한 전파(contiguous surface spread)
2. 조직 심층면의 침범(invasion of deep tissue planes)
3. 림프 파종(lymphatic dissemination)

참고 *Final Check 부인과 474 page*

64

자궁내막암 수술 후 재발이 가장 흔한 부위는 어디인가?

① 골반 ② 질
③ 림프절 ④ 골
⑤ 폐

64

정답 ②

해설

자궁내막암의 재발 부위

1. Vaginal wall (33%)
2. Pelvis (20%)
3. Lung (17%)
4. Lymph node (2%)

참고 *Final Check 부인과 485 page*

65

Endometrial cancer의 재발이 가장 흔한 부위를 고르시오.

65

정답

Vaginal wall

참고 *Final Check 부인과 485 page*

66

임신력 0-0-0-0인 30세 여성이 2주간 지속된 질 출혈을 주소로 내원하였다. 초음파상 자궁 내 덩이가 보여 자궁경을 시행하였고 조직검사상 Low grade endometrial stromal sarcoma로 진단되었다. Pelvic CT상 다른 곳으로의 전이는 없었다면 다음 처치로 가장 적절한 것을 고르시오.

① 경과관찰

② 방사선치료

③ 항암화학치료

④ 전자궁절제술

⑤ 전자궁절제술 + 양측 난관난소절제술

66

정답 ⑤

해설

Low grade ESS의 치료

1. Hysterectomy with BSO
2. Pelvic RT : 불완전 절제, 국소적인 재발 시
3. Hormonal therapy (progestin) : 재발 시

참고 *Final Check 부인과 489 page*

67

49세 여성이 자궁근종으로 자궁절제술을 시행 받았다. 수술 후 병리소견이 아래와 같았다면 이 환자의 추후 치료로 가장 적절한 것을 고르시오.

- Endometrial stromal sarcoma
- Tumor size : 2.6 cm
- Mitotic rate 6 MF/10HPF

① 경구피임제

② 프로게스테론

③ 난관난소절제술

④ 항암화학요법

⑤ 방사선치료

67

정답 ③

해설

Low grade ESS의 치료

1. Hysterectomy with BSO
2. Pelvic RT : 불완전 절제, 국소적인 재발 시
3. Hormonal therapy (progestin) : 재발 시

참고 *Final Check 부인과 489 page*

68

42세 여자가 자궁근종절제술 후 조직검사 결과가 아래와 같았다면 다음 처치로 가장 적절한 것을 고르시오.

- Endometrial stromal sarcoma, low grade
- Tumor size : 8 cm
- Mild atypia
- Necrosis (–)
- Mitosis : 6 MF/10 HPF

① 경과관찰　② TAH + BSO
③ 병기결정술　④ 항암화학요법
⑤ 방사선치료

68
정답 ②
해설
Low grade ESS의 치료
1. Hysterectomy with BSO
2. Pelvic RT : 불완전 절제, 국소적인 재발 시
3. Hormonal therapy (progestin) : 재발 시

참고 *Final Check 부인과 489 page*

69

55세 경산부가 low grade endometrial stromal sarcoma로 진단받고, TAH with BSO를 시행 받았다. 다음 중 수술 후 추가 치료로 적당한 것을 고르시오.

① Single chemotherapy
② Combined chemotherapy
③ Whole abdominal radiation therapy
④ Hormone therapy
⑤ Observation

69
정답 ⑤
해설
Low grade ESS의 치료
1. TAH + BSO
2. Pelvic RT : 불완전 절제, 국소적인 재발 시
3. Hormonal therapy (progestin) : 재발 시

참고 *Final Check 부인과 489 page*

70

다음 중 progestin 치료에 가장 잘 반응하는 육종을 고르시오.

① Leiomyosarcoma

② Endometrial stromal sarcoma

③ Rhabdomyosarcoma

④ Mixed mesodermal tumor

⑤ Carcinosarcoma

70

정답 ②

해설

자궁육종에서 호르몬치료

1. 대부분의 ESS는 ER, PR 양성
2. 진행성 및 재발성 질환이 있는 환자에서 progestin, aromatase inhibitor (letrozole) 등에 반응
3. Low-grade ESS : progestin 치료에 잘 반응
4. High-grade ESS : progestin 치료에 반응 없음

참고 *Final Check 부인과 489 page*

71

43세 여자 환자가 8 cm 크기의 자궁근종으로 자궁근종절제술을 시행하였고, 조직검사 결과 leiomyosarcoma로 확인되었다. CT 검사상 폐나 림프절 등 다른 곳으로의 전이 소견은 없었다. 다음 처치로 가장 적절한 것을 고르시오.

① 3개월 후 CT 재촬영 ② 자궁절제술

③ 방사선치료 ④ 항암화학치료

⑤ 동시 방사선항암화학치료

71

정답 ②

해설

자궁평활근육종(Leiomyosarcoma)의 치료

1. Hysterectomy with BSO
   a. 치료의 기본이자 유일하게 이점이 입증
   b. 폐경 전 여성에서는 BSO 제외를 고려
2. 자궁평활근육종의 병기에 따른 치료 시행

참고 *Final Check 부인과 491 page*

72

자궁평활근육종(leiomyosarcoma)의 예후인자로 가장 중요한 것을 고르시오.

① 폐경 여부 ② 종양 크기

③ 핵분열상 수 ④ 세포 비정형성

⑤ 종양내부 괴사

72

정답 ③

해설

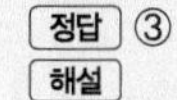

Leiomyosarcoma (LMS)의 핵분열상 수

1. <5 MF/10HPF : 양성 종양의 양상
2. 5~10 MF/10HPF : 세포성 자궁근종 or STUMP
3. >10 MF/10HPF : 불량한 예후의 악성 종양

→ 악성 양상에 대한 가장 믿을 만한 지표

참고 *Final Check 부인과 491 page*

73

45세 여성이 자궁근종으로 자궁절제술을 받았고, 조직검사 결과가 아래와 같았다. CT 검사상 다른 곳의 전이나 림프절 비대의 소견이 없다면 다음 처치로 가장 적절한 것을 고르시오.

- Leiomyosarcoma
- Mitotic figure : 4 MF/10 HPF
- Atypia (−)
- Necrosis (−)

① Observation

② BSO

③ BSO with pelvic lymphadenectomy

④ Radiation therapy

⑤ Chemotherapy

73

정답 ①

해설

자궁평활근육종(Leiomyosarcoma)의 치료

1. Hysterectomy with BSO
   a. 치료의 기본이자 유일하게 이점이 입증
   b. 폐경 전 여성에서는 BSO 제외를 고려
2. 자궁평활근육종의 병기에 따른 치료 시행

참고 *Final Check 부인과 491 page*

74

자궁육종(uterine sarcoma) 중 이전의 골반 방사선의 과거력과 관련이 있는 것을 모두 고르시오.

(가) Leiomyosarcoma
(나) Endometrial stromal sarcoma
(다) MMMT
(라) Stromal nodule

① 가, 나, 다 ② 가, 다

③ 나, 라 ④ 라

⑤ 가, 나, 다, 라

74

정답 ②

해설

방사선치료 과거력과 연관된 자궁육종

1. Leiomyosarcoma
2. Malignant mixed Müllerian tumors (MMMT)

참고 *Final Check 부인과 490, 492 page*

75

58세 여성이 갑자기 발생한 복통을 주소로 내원하였다. 지금까지 건강검진 상 특이소견은 없었다고 하였다. 초음파상 우측 자궁체부에 15 cm 크기의 덩이가 보이고 내부에는 혼합 음영이 관찰되었다. 혈액검사상 CA-125 230 μg/mL로 확인되었다면 다음 처치로 가장 적절한 것을 고르시오.

① 자궁동맥색전술
② 고주파용해술
③ HIFU
④ 복식 자궁절제술
⑤ 복강경 근종절제술

76

골반 내 방사선 치료 후 생길 수 있는 암을 쓰시오.(2가지)

75

정답 ④

해설

자궁암 의심증상

1. 15 cm 큰 종양, 갑자기 커진 양상
2. CA-125 : 230 μg/mL

→ 자궁내막암, 자궁육종 등의 가능성으로 복식 자궁절제술 시행

참고 *Final Check 부인과 477, 489 page*

76

정답

1. Leiomyosarcoma
2. Malignant mixed Müllerian tumors (MMMT)

참고 *Final Check 부인과 490, 492 page*

CHAPTER 27

자궁경부암(Cervical cancer)

01

자궁경부암 발생 과정에서 인유두종 바이러스(HPV) 감염 시 자궁경부에서 변이를 일으키는 세포는 무엇인가?

① 표피세포(Superficial cell)

② 중간세포(Intermediate cell)

③ 부바닥세포(Parabasal cell)

④ 바닥세포(Basal cell)

⑤ 간질세포(Stromal cell)

01

정답 ④

해설

인유두종 바이러스(HPV) 감염

1. 자궁경부 이형성과 발암의 초기 이벤트
2. 변이를 일으키는 자궁경부세포 : basal cell
3. E6, E7 단백질이 p53과 Rb유전자를 불활성화
   a. HPV E6 protein : p53 degradation
   b. HPV E7 protein : Rb inactivation
4. 고위험 유형 : HPV 16, 18번(62% 차지)

참고 *Final Check 부인과 495 page*

02

다음 중 자궁경부암의 위험인자를 모두 고르시오.

(가) Young age at first intercourse (<16 years)
(나) Low parity
(다) Cigarette smoking
(라) Obesity

① 가, 나, 다 ② 가, 다

③ 나, 라 ④ 라

⑤ 가, 나, 다, 라

02

정답 ②

해설

자궁경부암의 위험인자	
낮은 사회경제적 상태	HPV 감염
성관계 및 출산력	경구피임제
– 이른 성관계(<16세)	남자 파트너의 영향
– 다수의 성 파트너	이전의 비정상 pap smear
– 이른 임신	선별검사 미실시
– 많은 출산력	영양 결핍
인종 : African-American	난관 손상으로 인한 불임
흡연	DES exposure
면역억제상태	

참고 *Final Check 부인과 495 page*

03

다음 중 자궁경부암과 가장 관련이 높은 것은 무엇인가?

① HPV
② HSV
③ HIV
④ Mycoplasma hominis
⑤ Chlamydia trachomatis

03

정답 ①

해설

인유두종 바이러스(HPV) 감염

1. 자궁경부 이형성과 발암의 초기 이벤트
2. 변이를 일으키는 자궁경부세포 : basal cell
3. E6, E7 단백질이 p53과 Rb유전자를 불활성화
   a. HPV E6 protein : p53 degradation
   b. HPV E7 protein : Rb inactivation
4. 고위험 유형 : HPV 16, 18번(62% 차지)

참고 *Final Check 부인과 495 page*

04

20세 여자가 자궁경부암 예방접종 1차 후 7개월 뒤 내원하였다. 이 환자에게 적절한 접종 시기와 방법은 무엇인가?

① 1차부터 다시 접종한다
② 즉시 2차 접종 후 스케줄 대로 3차 접종한다
③ 백신 접종을 2차까지로 중단하고 더 이상 접종하지 않는다
④ 즉시 2차 접종 후 한달 후 3차 접종한다
⑤ 효과가 없으므로 접종하지 않는다

04

정답 ②

해설

자궁경부암 예방백신 접종 방법

1. 시기 : 0, 2, 6개월
2. 주의사항
   a. 2차는 1차로부터 최소 1개월 후
   b. 3차는 2차로부터 최소 3개월 후
   c. 1년 이내 3회 접종을 마치면 유효성 확인
   d. 접종 지연되어도 다시 새 일정을 시작 안 함
   e. 1차 혹은 2차 접종 후 일정이 지연된 경우 가능한 빨리 남은 횟수를 접종

참고 *Final Check 부인과 496 page*

05

다음 중 펀치 생검(punch biopsy)으로 진단이 어려운 것은 무엇인가?

① Squamous cell carcinoma
② Adenocarcinoma
③ Adenoma malignum
④ Glassy cell carcinoma
⑤ Adenoid basal carcinoma

05

정답 ③

해설

악성 선종(Adenoma malignum)

1. 분화도가 매우 좋은 암
2. 조직학적으로 양성처럼 보여 적은 범위의 조직 생검으로는 진단이 매우 어려움
3. 조기 발견되면 좋은 예후

참고 *Final Check 부인과 499 page*

06

HPV 감염 시 불활성화되어 자궁경부 이형성 및 자궁경부암을 유발하는 암 유전자는 무엇인가?

① ErbB-2 ② p53
③ Ras ④ FMS
⑤ neu

06

정답 ②

해설

인유두종 바이러스(HPV) 감염

1. 자궁경부 이형성과 발암의 초기 이벤트
2. 변이를 일으키는 자궁경부세포 : basal cell
3. E6, E7 단백질이 p53과 Rb유전자를 불활성화
   a. HPV E6 protein : p53 degradation
   b. HPV E7 protein : Rb inactivation
4. 고위험 유형 : HPV 16, 18번(62% 차지)

참고 *Final Check 부인과 495 page*

07

HPV E6 protein에 의해 기능이 억제되어 자궁경부암 발생을 유발하는 종양억제유전자는 무엇인가?

① APC ② p53
③ BRCA1 ④ Rb
⑤ HER-2/neu

07

정답 ②

해설

인유두종 바이러스(HPV) 감염

1. 자궁경부 이형성과 발암의 초기 이벤트
2. 변이를 일으키는 자궁경부세포 : basal cell
3. E6, E7 단백질이 p53과 Rb유전자를 불활성화
   a. HPV E6 protein : p53 degradation
   b. HPV E7 protein : Rb inactivation
4. 고위험 유형 : HPV 16, 18번(62% 차지)

참고 *Final Check 부인과 495 page*

08

다음 중 p53에 결합하여 불활성화 시키는 인유두종 바이러스의 단백질은 어느 것인가?

① L1 ② L2
③ E5 ④ E6
⑤ E7

08

정답 ④

해설

인유두종 바이러스(HPV) 감염

1. 자궁경부 이형성과 발암의 초기 이벤트
2. 변이를 일으키는 자궁경부세포 : basal cell
3. E6, E7 단백질이 p53과 Rb유전자를 불활성화
   a. HPV E6 protein : p53 degradation
   b. HPV E7 protein : Rb inactivation
4. 고위험 유형 : HPV 16, 18번(62% 차지)

참고 *Final Check 부인과 495 page*

09

자궁경부암화 과정 중 p53 및 Rb 단백질을 비활성화 시키는 고위험군 인유두종 바이러스의 암단백(oncoprotein)을 쓰시오.(2가지)

10

자궁경부암 환자의 임상적 병기설정을 위한 검사로 옳은 것을 모두 고르시오.

(가) 마취하 내진
(나) Chest X-ray
(다) Intravenous pyelogram (IVP)
(라) Rectoscopy

① 가, 나, 다　② 가, 다
③ 나, 라　④ 라
⑤ 가, 나, 다, 라

09

정답
1. E6
2. E7

해설

인유두종 바이러스(HPV) 감염

1. 자궁경부 이형성과 발암의 초기 이벤트
2. 변이를 일으키는 자궁경부세포 : basal cell
3. E6, E7 단백질이 p53과 Rb유전자를 불활성화
   a. HPV E6 protein : p53 degradation
   b. HPV E7 protein : Rb inactivation
4. 고위험 유형 : HPV 16, 18번(62% 차지)

참고 *Final Check 부인과 495 page*

10

정답 ⑤

해설

임상적 병기설정에 필요한 검사들

필수적인 검사	선택적인 검사
이학적 검진	Lymphangiography
림프절 촉진	Ultrasound
질 시진	CT
양손 직장-질 내진	MRI
방사선 검사	PET-CT
IVP	Bone scan
Barium enema	
Chest X-ray	
Skeletal X-ray	
시술	
Biopsy	
Conization	
Hysteroscopy	
Colposcopy	
Endocervical curettage	
Cystoscopy	
Rectoscopy	

참고 *Final Check 부인과 500 page*

11

자궁경부 침윤암의 FIGO 병기설정 시 필수적으로 시행해야 할 검사 방법을 모두 고르시오.

(가) 마취하 직장-질 내진
(나) 전산화단층촬영
(다) 자궁경부 조직 생검
(라) 골반 초음파

① 가, 나, 다
② 가, 다
③ 나, 라
④ 라
⑤ 가, 나, 다, 라

11

정답 ②

해설

임상적 병기설정에 필요한 검사들

필수적인 검사	선택적인 검사
이학적 검진	Lymphangiography
림프절 촉진	Ultrasound
질 시진	CT
양손 직장-질 내진	MRI
방사선 검사	PET-CT
IVP	Bone scan
Barium enema	
Chest X-ray	
Skeletal X-ray	
시술	
Biopsy	
Conization	
Hysteroscopy	
Colposcopy	
Endocervical curettage	
Cystoscopy	
Rectoscopy	

참고 *Final Check 부인과 500 page*

12

49세 여성이 성교 후 출혈을 주소로 내원하였다. 자궁경부의 질확대경 및 조직검사를 시행하였고 cervical cancer로 진단되었다. 이 환자의 병기설정을 위해 필수적으로 시행해야 할 검사를 모두 고르시오.

(가) 직장경 검사
(나) 방광경 검사
(다) 정맥 요로조영술
(라) 혈중 SCC antigen 측정

① 가, 나, 다
② 가, 다
③ 나, 라
④ 라
⑤ 가, 나, 다, 라

12

정답 ①

해설

임상적 병기설정에 필요한 검사들

필수적인 검사	선택적인 검사
이학적 검진	Lymphangiography
림프절 촉진	Ultrasound
질 시진	CT
양손 직장-질 내진	MRI
방사선 검사	PET-CT
IVP	Bone scan
Barium enema	
Chest X-ray	
Skeletal X-ray	
시술	
Biopsy	
Conization	
Hysteroscopy	
Colposcopy	
Endocervical curettage	
Cystoscopy	
Rectoscopy	

참고 *Final Check 부인과 500 page*

13

임신력 3-0-3-3인 45세 여성이 성교 후 출혈을 주소로 내원하였다. 자궁경부에 3 x 3.5 cm 크기의 종양이 발견되었으며 질 상부 1/3까지 침윤한 상태지만 아직 양측 parametrium은 침윤하지 않았다. 자궁경부 조직검사에서 자궁경부암으로 진단되었다면 이 환자의 임상적 병기에 대한 내용으로 가장 적절한 것을 고르시오.

① 마취 하 직장-질 내진을 시행한다

② Chest X-ray, cystoscopy, proctoscopy, CT는 필요하지 않다

③ 수술적 병기가 가장 중요하다

④ 임상적 병기는 예후를 반영하지는 않는다

⑤ 암상적 병기 IB이다

13

정답 ①

해설

1. 양손 직장-질 내진 검사 : 필수검사
2. 병기설정을 위함 검사 시행
3. 임상적 병기가 매우 중요
4. 임상적 병기는 예후를 반영
5. 임상적 병기 IIA1

참고 *Final Check 부인과 500, 502, 503 page*

14

다음 중 cervical cancer의 기본 검사에 해당하지 않는 것을 고르시오.

① Colposcopy

② Hysterosalpingogram

③ Chest X-ray

④ Cystoscopy

⑤ IVP

14

정답 ②

해설

임상적 병기설정에 필요한 검사들

필수적인 검사	선택적인 검사
이학적 검진 림프절 촉진 질 시진 양손 직장-질 내진 **방사선 검사** IVP Barium enema Chest X-ray Skeletal X-ray **시술** Biopsy Conization Hysteroscopy Colposcopy Endocervical curettage Cystoscopy Rectoscopy	Lymphangiography Ultrasound CT MRI PET-CT Bone scan

참고 *Final Check 부인과 500 page*

15

다음 중 질확대경 소견에서 악성을 의심할 수 있는 것은 무엇인가?

① Erosion
② Acetowhite epithelium
③ Atypical vessels
④ Punctuation
⑤ Mosaicism

15

정답 ③

해설

침윤을 시사하는 질확대경 소견들

1. 비정형 혈관(atypical vascular pattern)
2. 불규칙한 표면(irregular surface contour)
3. 색조(color tone) 변화 : Yellow–orange color

참고 *Final Check 부인과 500 page*

16

29세 미혼 여성이 자궁경부에서 병변이 관찰되어 자궁경부 원추절제술을 시행하였다. 시행한 결과상 Adenocarcinoma in situ (AIS)로 나왔고, 절제면(resection margin)이 양성으로 나왔다면 이 환자에게 가장 적절한 치료는 무엇인가?

① Laser ablation
② Repeat conization
③ Hysterectomy
④ Radical hysterectomy
⑤ Radiation therapy

16

정답 ②

해설

Adenocarcinoma in situ (AIS)의 치료

1. 임신력 보존을 원하지 않을 때 : hysterectomy
2. 임신력 보존을 원할 때 : conization
   a. 반복적인 conization으로 경계면 음성 확인
      → Pap과 ECC를 6개월 간격으로 시행
      → 출산 후 자궁절제술(hysterectomy)
   b. 경계면 음성 : 반복적 검사하며 경과관찰

참고 *Final Check 부인과 498 page*

17

52세 여성이 conization 시행 후 Adenocarcinoma in situ (AIS)로 진단되어 내원하였다. 조직검사 결과 상 endocervical, deep endocervical margin 전부 negative로 확인되었다면 다음 처치로 가장 적절한 것을 고르시오.

① 경과관찰 ② 자궁절제술
③ 근치적 자궁절제술 ④ 방사선치료
⑤ 항암화학치료

17

정답 ②

해설

Adenocarcinoma in situ (AIS)의 치료

1. 임신력 보존을 원하지 않을 때 : hysterectomy
2. 임신력 보존을 원할 때 : conization
   a. 반복적인 conization으로 경계면 음성 확인
      → Pap과 ECC를 6개월 간격으로 시행
      → 출산 후 자궁절제술(hysterectomy)
   b. 경계면 음성 : 반복적 검사하며 경과관찰

참고 *Final Check 부인과 498 page*

18

자궁경부암에서 supraclavicular lymph node biopsy의 적응증 2가지(A) 및 양성으로 나왔을 때의 임상적 의의(B)를 쓰시오.

18

정답

(A) 적응증

1. Para-aortic node 양성 환자의 extended field radiation therapy 시행 전
2. 중앙부위 재발이 있을 경우 골반내용물적출술(exenteration)의 가능성 확인 전

(B) 임상적 의의

1. 완치가 불가능하다고 판정
2. 완화 항암화학치료(palliative chemotherapy) 시행

참고 *Final Check 부인과 512 page*

19

30세 미혼 여성의 질확대경생검(colposcopy directed biopsy)에서 자궁경부의 편평세포암(squamous cell carcinoma), 침윤 <1 mm가 발견되었다. 다음 처치로 가장 적절한 것을 고르시오.

① 3개월마다 추적관찰

② 6개월마다 추적관찰

③ 원추절제술

④ 레이저 치료

⑤ 단순 자궁절제술

19

정답 ③

해설

미세침윤암이 의심되는 환자의 관리

1. Pap smear with inadequate colposcopy
2. Microinvasive on punch biopsy

→ Cone biopsy

참고 *Final Check 부인과 505 page*

20

40세 여성이 성교 후 질 출혈을 주소로 내원하였다. 자궁경부 세포진검사에서 SCC가 의심되었고, 시행한 원추절제술 결과는 아래와 같았다면 이 환자의 임상적 병기를 고르시오.

- 편평세포암(squamous cell carcinoma)
- 침윤 : 깊이 4 mm, 폭 6 mm
- 림프–혈관공간 침윤(lymph–vascular space invasion) : positive

① IA1 ② IA2

③ IB1 ④ IB2

⑤ IIA

20

정답 ②

해설

자궁경부암의 FIGO stage

Stage	Description
IA1	Stromal invasion depth <3 mm
IA2	Stromal invasion depth ≥3 mm and <5 mm
IB1	Greatest dimension <2 cm
IB2	Greatest dimension ≥2 cm and <4 cm
IB3	Greatest dimension ≥4 cm
IIA	종양이 질 상부(upper) 2/3에 국한
IIA1	Greatest dimension <4 cm
IIA2	Greatest dimension ≥4 cm
IIB	Parametrial invasion
IIIA	질 하부(lower) 1/3 침윤
IIIB	골반벽 침윤 ± 수신증 또는 비기능성 신장
IIIC1	Pelvic lymph node 전이
IIIC2	Para–aortic lymph node 전이
IVA	인접 골반장기(adjacent pelvic organs) 침윤
IVB	원격 장기(distant organs) 전이

– 림프절 전이는 영상 및 병리학적 평가를 바탕으로 r (imaging) 및 p (pathology) 표기를 추가해 표기

참고 *Final Check 부인과 502 page*

21

50세 여성이 3개월 전부터 발생한 성관계 후 출혈을 주소로 내원하였다. 자궁경부에 분화구 양상의 3 cm 크기 궤양이 관찰되고 우측 질원개(vaginal fornix)에 도달해 있었다. 내진상 자궁은 전굴, 자궁체부는 달걀 크기였고, 자궁경부는 달걀보다 약간 크게 촉지되었다. 좌우 자궁주위조직 및 직장 전벽에는 특별한 소견이 없었고, 자궁의 이동성은 정상적으로 보존되어 있었다. 질확대경생검에서 편평세포암(squamous cell carcinoma)이 확인되었고, 시행한 MRI, IVP 등의 결과가 아래와 같다면 이 환자의 진단명과 임상적 병기를 고르시오.

- Vaginal invasion <upper 2/3
- Parametrial invasion (+)
- Pelvic wall invasion (−)
- Pelvic LN enlargement (−)
- No hydronephrosis

① 자궁경부암, stage IIA1
② 자궁경부암, stage IIB
③ 자궁경부암, stage IIIC1r
④ 자궁경부암, stage IIIC2r
⑤ 자궁경부암, stage IVA

21

정답 ②

해설

자궁경부암의 FIGO stage

Stage	Description
IA1	Stromal invasion depth <3 mm
IA2	Stromal invasion depth ≥3 mm and <5 mm
IB1	Greatest dimension <2 cm
IB2	Greatest dimension ≥2 cm and <4 cm
IB3	Greatest dimension ≥4 cm
IIA	종양이 질 상부(upper) 2/3에 국한
IIA1	Greatest dimension <4 cm
IIA2	Greatest dimension ≥4 cm
IIB	Parametrial invasion
IIIA	질 하부(lower) 1/3 침윤
IIIB	골반벽 침윤 ± 수신증 또는 비기능성 신장
IIIC1	Pelvic lymph node 전이
IIIC2	Para-aortic lymph node 전이
IVA	인접 골반장기(adjacent pelvic organs) 침윤
IVB	원격 장기(distant organs) 전이

- 림프절 전이는 영상 및 병리학적 평가를 바탕으로 r (imaging) 및 p (pathology) 표기를 추가해 표기

참고 *Final Check 부인과 502 page*

22

70세 여성이 질 출혈을 주소로 내원하여 시행한 자궁경부 조직 검사에서 자궁경부암으로 진단되었다. 자궁경부 암 부분에서 출혈이 심하였고, 깊은 분화구 모양의 궤양 양상이었다. 시행한 MRI 검사소견이 아래와 같다면 이 환자의 FIGO stage는 얼마인가?

- Tumor size : 5 cm
- 질 하부(lower) 1/3 침윤
- Parametrial invasion (+)
- Pelvic wall invasion (−)
- Both kidney hydronephrosis (−)
- Pelvic node enlargement (−)

① IB3 ② IIA
③ IIB ④ IIIA
⑤ IIIB

23

55세 여자 환자가 자궁경부암 의증으로 내원하였다. 질확대경 생검에서 편평세포암으로 확인되었고, MRI와 IVP 소견이 아래와 같다면 이 환자의 병기를 고르시오.

- Cervical mass size : 5 cm
- Vaginal upper 1/4 invasion
- Parametrial invasion (+)
- Pelvic lymph node enlargement (−)
- Para-aortic lymph node enlargement (−)
- Right hydronephrosis (+)

① IIA1 ② IIA2
③ IIB ④ IIIA
⑤ IIIB

22

정답 ④

해설

자궁경부암의 FIGO stage

Stage	Description
IA1	Stromal invasion depth <3 mm
IA2	Stromal invasion depth ≥3 mm and <5 mm
IB1	Greatest dimension <2 cm
IB2	Greatest dimension ≥2 cm and <4 cm
IB3	Greatest dimension ≥4 cm
IIA	종양이 질 상부(upper) 2/3에 국한
IIA1	Greatest dimension <4 cm
IIA2	Greatest dimension ≥4 cm
IIB	Parametrial invasion
IIIA	질 하부(lower) 1/3 침윤
IIIB	골반벽 침윤 ± 수신증 또는 비기능성 신장
IIIC1	Pelvic lymph node 전이
IIIC2	Para-aortic lymph node 전이
IVA	인접 골반장기(adjacent pelvic organs) 침윤
IVB	원격 장기(distant organs) 전이

- 림프절 전이는 영상 및 병리학적 평가를 바탕으로 r (imaging) 및 p (pathology) 표기를 추가해 표기

참고 *Final Check 부인과 502 page*

23

정답 ⑤

해설

자궁경부암의 FIGO stage

Stage	Description
IA1	Stromal invasion depth <3 mm
IA2	Stromal invasion depth ≥3 mm and <5 mm
IB1	Greatest dimension <2 cm
IB2	Greatest dimension ≥2 cm and <4 cm
IB3	Greatest dimension ≥4 cm
IIA	종양이 질 상부(upper) 2/3에 국한
IIA1	Greatest dimension <4 cm
IIA2	Greatest dimension ≥4 cm
IIB	Parametrial invasion
IIIA	질 하부(lower) 1/3 침윤
IIIB	골반벽 침윤 ± 수신증 또는 비기능성 신장
IIIC1	Pelvic lymph node 전이
IIIC2	Para-aortic lymph node 전이
IVA	인접 골반장기(adjacent pelvic organs) 침윤
IVB	원격 장기(distant organs) 전이

- 림프절 전이는 영상 및 병리학적 평가를 바탕으로 r (imaging) 및 p (pathology) 표기를 추가해 표기

참고 *Final Check 부인과 502 page*

24

2018년 개정된 FIGO Stage에서 IIA1과 IIA2의 기준이 되는 종양의 크기는 몇 cm인가?

25

35세 여자가 질 출혈을 주소로 내원하여 시행한 질경검사에서 자궁경부에 2 cm 크기의 궤양성 종괴가 관찰되었다. 궤양은 자궁경부에 국한되어 있었고 질 침윤의 소견은 보이지 않았다. MRI상 자궁주위조직(parametrium) 침윤이 관찰되었고 골반 림프절(pelvic lymph node)이 커져 있는 소견이 확인되었다면 이 환자의 병기를 고르시오.

① IIA1　　② IIB
③ IIIC1r　　④ IIIC2r
⑤ IVA

24

정답 4 cm

해설

자궁경부암의 FIGO stage

Stage	Description
IA1	Stromal invasion depth <3 mm
IA2	Stromal invasion depth ≥3 mm and <5 mm
IB1	Greatest dimension <2 cm
IB2	Greatest dimension ≥2 cm and <4 cm
IB3	Greatest dimension ≥4 cm
IIA	종양이 질 상부(upper) 2/3에 국한
IIA1	Greatest dimension <4 cm
IIA2	Greatest dimension ≥4 cm
IIB	Parametrial invasion
IIIA	질 하부(lower) 1/3 침윤
IIIB	골반벽 침윤 ± 수신증 또는 비기능성 신장
IIIC1	Pelvic lymph node 전이
IIIC2	Para-aortic lymph node 전이
IVA	인접 골반장기(adjacent pelvic organs) 침윤
IVB	원격 장기(distant organs) 전이

- 림프절 전이는 영상 및 병리학적 평가를 바탕으로 r (imaging) 및 p (pathology) 표기를 추가해 표기

참고 Final Check 부인과 502 page

25

정답 ③

해설

자궁경부암의 FIGO stage

Stage	Description
IA1	Stromal invasion depth <3 mm
IA2	Stromal invasion depth ≥3 mm and <5 mm
IB1	Greatest dimension <2 cm
IB2	Greatest dimension ≥2 cm and <4 cm
IB3	Greatest dimension ≥4 cm
IIA	종양이 질 상부(upper) 2/3에 국한
IIA1	Greatest dimension <4 cm
IIA2	Greatest dimension ≥4 cm
IIB	Parametrial invasion
IIIA	질 하부(lower) 1/3 침윤
IIIB	골반벽 침윤 ± 수신증 또는 비기능성 신장
IIIC1	Pelvic lymph node 전이
IIIC2	Para-aortic lymph node 전이
IVA	인접 골반장기(adjacent pelvic organs) 침윤
IVB	원격 장기(distant organs) 전이

- 림프절 전이는 영상 및 병리학적 평가를 바탕으로 r (imaging) 및 p (pathology) 표기를 추가해 표기

참고 Final Check 부인과 502 page

26

40세 여자가 질확대경하 조직검사에서 자궁경부 편평세포암이 나와 근치적 자궁절제술 및 후복막 림프절절제술을 시행하였다. 조직검사 결과는 아래와 같을 때 이 환자의 병기는 무엇인가?

- Uterus, cervix : Squamous cell carcinoma, Large cell, Keratinizing type
- Mass size : 3.5 cm
- Invasion depth : 18 mm/25 mm
- Lymph–vascular space invasion : negative
- Surgical margin : negative
- Parametrial invasion : negative
- Pelvic lymph node : negative
- Para–aortic lymph node : negative

① IB1 ② IB2
③ IB3 ④ IIA1
⑤ IIB

26

정답 ②

해설

자궁경부암의 FIGO stage

Stage	Description
IA1	Stromal invasion depth <3 mm
IA2	Stromal invasion depth ≥3 mm and <5 mm
IB1	Greatest dimension <2 cm
IB2	Greatest dimension ≥2 cm and <4 cm
IB3	Greatest dimension ≥4 cm
IIA	종양이 질 상부(upper) 2/3에 국한
IIA1	Greatest dimension <4 cm
IIA2	Greatest dimension ≥4 cm
IIB	Parametrial invasion
IIIA	질 하부(lower) 1/3 침윤
IIIB	골반벽 침윤 ± 수신증 또는 비기능성 신장
IIIC1	Pelvic lymph node 전이
IIIC2	Para–aortic lymph node 전이
IVA	인접 골반장기(adjacent pelvic organs) 침윤
IVB	원격 장기(distant organs) 전이

– 림프절 전이는 영상 및 병리학적 평가를 바탕으로 r (imaging) 및 p (pathology) 표기를 추가해 표기

참고 *Final Check 부인과 502 page*

27

자궁경부암 중 원추절제술만으로 치료가 가능한 경우를 고르시오.

① 50세, 깊이 3.1 mm, 넓이 6 mm, LVSI (+)
② 78세, 깊이 5 mm, 넓이 8 mm, LVSI (-)
③ 32세, 깊이 2 mm, 넓이 4 mm, LVSI (-)
④ 30세, 깊이 3.5 mm, 넓이 5 mm, LVSI (-)
⑤ 40세, 깊이 4 mm, 넓이 3 mm, LVSI (+)

27

정답 ③

해설

Therapeutic conization

1. 임신력 보존을 원하는 여성
2. IA1 + lymph–vascular space invasion (–)

참고 *Final Check 부인과 505 page*

28

20대 미혼 여성이 자궁경부암 검진에서 squamous cell carcinoma가 발견되어 시행한 질확대경생검상 stromal invasion depth = 2 mm, width = 4 mm로 확인되었다. 다음 처치로 가장 적절한 것을 고르시오.

① Conization

② Laser vaporization

③ Radical hysterectomy with pelvic lymph node dissection

④ Radiation therapy

⑤ Trachelectomy

28

정답 ①

해설

Therapeutic conization

1. 임신력 보존을 원하는 여성
2. IA1 + lymph–vascular space invasion (–)

참고 *Final Check 부인과 505 page*

29

분만력 3–0–0–3인 45세 여성이 자궁경부암 검진의 이상소견을 주소로 내원하였다. 원뿔생검(cone biopsy)을 시행하였고, 검사결과가 아래와 같다면 이 환자의 다음 처치로 가장 적절한 것을 고르시오.

– Stromal invasion = 2 mm
– Lymph–vascular space invasion (–)
– Resection margin : negative

① Cryotherapy

② Laser therapy

③ Simple hysterectomy

④ Radical hysterectomy

⑤ Observation

29

정답 ③

해설

Cervical Ca. Stage IA1의 치료

1. Stromal invasion <3 mm
2. Lymph–vascular space invasion (–)
3. Resection margin : negative

→ Conization or Extrafascial Hyst.
→ 임신력 유지가 필요 없어 Extrafascial Hyst.

참고 *Final Check 부인과 505 page*

30

자궁경부암 Stage IA의 주요 치료법이 아닌 것은 무엇인가?

① Extrafascial hysterectomy

② Irradiation therapy

③ Modified radical hysterectomy

④ Cone biopsy

⑤ Chemotherapy

30

정답 ⑤

해설

Cervical Ca. Stage IA1의 치료

1. Type I (extrafacial) hysterectomy : IA1
2. Type II (modified radical) hysterectomy : IA2
3. Conization : IA1, 임신을 원하는 경우
4. Primary radiation : 모든 병기에서 시행 가능

참고 *Final Check 부인과 505, 510 page*

31

50세 여성이 질 출혈을 주소로 내원하였다. 질확대경생검(colposcopy directed biopsy)에서 CIS로 진단받아 자궁절제술을 시행하였다. 수술 후 조직검사 결과가 아래와 같다면 다음 처치로 가장 적절한 것을 고르시오.

- Squamous cell carcinoma
- Stromal invasion depth = 2 mm, width = 5 mm
- Lymph–vascular space invasion (–)
- Peritoneal washing cytology : negative
- Pelvic lymph node, para–aortic lymph node : negative

① 추적관찰

② Chemotherapy

③ Radiation therapy

④ Combined chemotherapy and radiation therapy

⑤ Pelvic lymphadenectomy

31

정답 ①

해설

Cervical Ca. Stage IA1의 치료

1. Stromal invasion <3 mm
2. Lymph–vascular space invasion (–)
3. Resection margin : negative

→ Conization or Extrafascial Hyst.

참고 *Final Check 부인과 505 page*

32

45세 여자가 자궁경부세포검사 및 질확대경생검에서 침윤성 자궁경부암으로 확인되었다. 시행한 검사결과가 아래와 같다면 이 환자의 FIGO stage와 치료법으로 적절한 것을 고르시오.

- 종양 크기 : 5.5 cm
- MRI : 좌측 자궁주위조직 및 질 상부 1/3 침윤
- Cystoscopy, Sigmoidoscopy, IVP : 정상

① IIA - Radical hysterectomy with post-operative chemoradiation therapy

② IVB - Neoadjuvant chemotherapy + Radical hysterectomy + Pelvic lymph node dissection

③ IIB - Chemoradiation therapy

④ IIIA - Chemoradiation therapy

⑤ IIIB - Chemoradiation therapy

32

정답 ③

해설

Cervical Ca. Stage IIB

1. 자궁주위조직 침윤(parametrial invasion)
2. 치료 : Chemoradiation, pelvic field

참고 *Final Check 부인과 502, 505 page*

33

자궁경부암에서 수술적 치료의 장점을 서술하시오.(3가지)

33

정답

1. 난소의 보존
2. 적은 방광 및 장의 만성 합병증
3. 적은 성기능 이상 발생

참고 *Final Check 부인과 509 page*

34

48세 여성이 자궁경부암 IB2기로 radical hysterectomy + pelvic lymph node dissection을 시행하였다. 검사결과가 아래와 같다면 가장 적절한 다음 처치를 고르시오.

- Squamous cell carcinoma
- Stromal invasion depth = 9 mm
- Parametrial invasion (+)
- Pelvic lymph node : positive (8/20)
- Para-aortic lymph node : negative (0/20)

① Cisplatin based chemotherapy

② Cisplatin based CCRT

③ Ext. pelvic radiation therapy

④ Hydroxyurea based CCRT

⑤ Ext. pelvic radiation & intracavity radiation therapy

34

정답 ②

해설

Cervical Ca. Stage IIIC1r의 치료

1. Chemoradiation, pelvic ± extended field
2. Cisplatin을 기반으로 한 단일 또는 복합요법

참고 *Final Check 부인과 502, 505, 513 page*

35

49세 여성이 성교 후 질 출혈을 주소로 내원하였다. 자궁경부에는 6 cm 크기의 암성 종괴가 있었고 질 상부 1/3 및 오른쪽 자궁주위조직(parametrium)에 침윤이 확인되었다. 조직검사에서 침윤성 편평세포암으로 확인되었고, Chest X-Ray, MRI에서 특이소견은 없었다. 이 환자의 다음 처치로 가장 적절한 것을 고르시오.

① Radical hysterectomy followed by chemotherapy

② Radiation therapy followed by radical hysterectomy

③ Radical hysterectomy followed by radiation therapy

④ Chemoradiation therapy

⑤ Primary chemotherapy

35

정답 ④

해설

Stage IIB의 치료

1. Chemoradiation, pelvic field
2. Cisplatin을 기반으로 한 단일 또는 복합요법

참고 *Final Check 부인과 502, 505 page*

36

자궁경부암(cervix cancer)의 방사선치료(radiation therapy)에 대한 내용으로 옳은 것을 고르시오.

① 급성 합병증은 5,000 cGy 이상에서 발생한다
② 위장관 합병증이 있을 때 고단백 식사를 공급한다
③ 급성 합병증은 혈관염, 심부 유착이 발생한다
④ 만성 합병증은 분할 용량, 투여 총 용량, 조사 용적과 관련되어 발생한다
⑤ 만성 합병증은 1년 이내에 발생한다

36

정답 ④

해설

자궁경부암의 방사선치료 합병증

1. 급성 합병증(acute complications)
   a. 2,000 cGy 이상 투여될 때부터 발생 가능
   b. 자궁천공(uterus perforation)
   c. 종양괴사에 의한 발열 : 광범위 항생제
   d. 설사, 복통, 오심, 빈뇨, 일시적인 방광 및 항문 출혈 : 보존적 치료
2. 만성 합병증(chronic complications)
   a. 방사선치료 후 수개월~수년 뒤 발생
   b. 분할 용량, 투여 총 용량, 조사 용적과 연관
   c. 방광질누공 : catheter 삽입
   d. 직장구불창자염 : low–residue diet, 지사제
   e. 질협착 : 질 확장기 사용

참고 *Final Check 부인과 512 page*

37

자궁경부암 치료 시 강내근접치료 후 발생할 수 있는 만성 합병증을 쓰시오.(3가지)

37

정답

1. 방광질누공(vesicovaginal fistula)
2. 직장구불창자염(proctosigmoiditis)
3. 직장질누공(rectovaginal fistula)
4. 장천공(bowel perforation)
5. 장협착(bowel stricture)

참고 *Final Check 부인과 512 page*

38

다음 중 cervical cancer의 방사선치료 시 합병증을 모두 고르시오.

(가) Bladder irritability
(나) Diarrhea
(다) Vaginal stricture
(라) Rectal bleeding

① 가, 나, 다　② 가, 다
③ 나, 라　④ 라
⑤ 가, 나, 다, 라

39

Cervical cancer의 수술 후 방사선치료에 대한 설명으로 옳은 것을 고르시오.

① IB 환자의 생존율 향상에 큰 도움이 되지 못한다
② 한 개의 림프절만 전이되어도 방사선치료의 적응증이 된다
③ 질은 대개 방사선치료에 저항성을 가진다
④ 조직의 hyperoxygenation은 방사선 저항성을 유발한다
⑤ Point B는 자궁경부 외구 외측 2 cm, 질 원개 2 cm 상방이다

38

정답 ⑤

해설

자궁경부암의 방사선치료 합병증

1. 급성 합병증(acute complications)
   a. 2,000 cGy 이상 투여될 때부터 발생 가능
   b. 자궁천공(uterus perforation)
   c. 종양괴사에 의한 발열 : 광범위 항생제
   d. 설사, 복통, 오심, 빈뇨, 일시적인 방광 및 항문 출혈 : 보존적 치료
2. 만성 합병증(chronic complications)
   a. 방사선치료 후 수개월~수년 뒤 발생
   b. 분할 용량, 투여 총 용량, 조사 용적과 연관
   c. 방광질누공 : catheter 삽입
   d. 직장구불창자염 : low-residue diet, 지사제
   e. 질협착 : 질 확장기 사용

참고 *Final Check 부인과 512 page*

39

정답 ②

해설

Stage IA2, IB, IIA 수술 후 항암화학치료 적응증

1. Positive pelvic lymph nodes
2. Positive parametrial invasion
3. Positive vaginal resection margin

참고 *Final Check 부인과 513 page*

40

자궁경부암의 강내근접치료(intracavitary brachytherapy) 시 point B는 어디인가?

① Uterine canal axis lat. 2 cm, lat. vaginal fornix 상부 3 cm

② Uterine canal axis lat. 3 cm, lat. vaginal fornix 상부 3 cm

③ Uterine canal axis lat. 2 cm, lat. vaginal fornix 상부 2 cm

④ Uterine canal axis lat. 5 cm, lat. vaginal fornix 상부 2 cm

⑤ Uterine canal axis lat. 2 cm, lat. vaginal fornix 상부 5 cm

40

정답 ④

해설

강내근접치료(Intracavitary brachytherapy)

1. Point A
   a. 자궁경부에서 2 cm 외측, 2 cm 상방
   b. 원발병소 선량의 지표
2. Point B
   a. Point A에서 3 cm 외측 지점
   b. 골반벽 침윤 및 골반 림프절 선량의 지표

참고 *Final Check 부인과 511 page*

41

자궁경부암 환자가 강내근접치료(intracavitary brachytherapy)를 받을 때 발생할 수 있는 합병증에 대한 내용으로 적합한 것은 무엇인가?

① 자궁천공이 있어도 생존율에는 차이가 없다

② 급성 합병증 중 rectovaginal fistula가 흔하다

③ 급성 장증상은 지사제, 진통제, low lactose, high protein diet로 치료한다

④ 복부 수술력이 있는 경우 소장보다 대장에 합병증이 더 잘 발생한다

⑤ 고열 지속 시 광범위 항생제를 사용한다

41

정답 ⑤

해설

1. 자궁천공 발생 시 생존율은 약간 감소
2. Vesicovaginal fistula : 만성 합병증
3. 급성 장증상의 치료 : low gluten, low lactose, low protein 식이, 지사제 등
4. Small bowel complications : 이전 복부 수술 기왕력이 있을 시 발생 증가
5. 발열 시 광범위 항생제(cephalosporin) 투여

참고 *Final Check 부인과 512 page*

42

27세 미혼 여성이 건강검진에서 시행한 자궁경부세포진검사상 CIS로 진단되어 내원하였다. 시행한 conization 결과가 아래와 같다면 다음 처치로 가장 적절한 것을 고르시오.

- Squamous cell carcinoma, large cell nonkeratinizing type
- Stromal invasion = 5 mm, width = 8 mm
- Lymph-vascular space invasion : positive
- Resection margin : negative

① 6개월 뒤 추적관찰

② Transabdominal hysterectomy

③ Radical trachelectomy + Pelvic lymphadenectomy

④ Radical hysterectomy + Pelvic lymphadenectomy

⑤ Radiation therapy

42

정답 ③

해설

Cervical Ca. Stage IA1

1. <3 mm, LVSI (+)
2. 치료
   a. Modified Rad Trachel or Modified Rad Hyst
   b. Pelvic lymph or SLN

참고 *Final Check 부인과 505 page*

43

24세 미혼 여성이 조직검사 결과 자궁경부 편평세포암으로 진단되어 내원하였다. 자궁경부에는 1.5 cm 크기의 종양이 보였으나 질 및 자궁주변 조직의 침범은 보이지 않았다. 이 환자는 추후 임신을 원하는 상태라면 가장 적절한 치료는 무엇인가?

① Conization

② Total abdominal hysterectomy

③ Radical trachelectomy + bilateral pelvic lymph node dissection

④ Radical hysterectomy + bilateral pelvic lymph node dissection

⑤ Concurrent chemoradiation therapy

43

정답 ③

해설

Cervical Ca. Stage IB1

1. ≥5 mm, <2 cm
2. 치료
   a. Mod Rad/Rad Trachel or Mod Rad/Rad Hyst
   b. Pelvic lymph or SLN

참고 *Final Check 부인과 505 page*

44

24세 미혼 여성이 자궁경부암 의증 하에 자궁경부 원추절제술을 시행 받았다. 조직검사 결과가 아래와 같다면 다음 처치로 가장 적절한 것을 고르시오.

- Squamous cell carcinoma
- Stromal invasion depth = 4 mm, width = 6 mm
- Lymph–vascular space invasion : positive
- Resection margin : negative

① Observation
② Laser ablation
③ Chemotherapy
④ Simple trachelectomy
⑤ Radical trachelectomy + bilateral pelvic lymph node dissection

44

정답 ⑤

해설

Cervical Ca. Stage IA1

1. <3 mm, LVSI (+)
2. 치료
   a. Modified Rad Trachel or Modified Rad Hyst
   b. Pelvic lymph or SLN

참고 *Final Check 부인과 505 page*

45

45세 여성이 부인과 진찰에서 자궁경부에 5 cm 크기 종양이 확인되어 내원하였다. 질, 자궁주위조직의 침범은 보이지 않았고, 조직검사에서 squamous cell carcinoma로 확인되었다. 시행한 MRI 상 자궁경부에 국한되어 있었고, 자궁주위조직으로의 전이나 커진 림프절 등은 없었다. 이 환자의 치료로 적합한 것을 모두 고르시오.

(가) Brachytherapy + Pelvic radiation therapy
(나) Radical hysterectomy + Pelvic & para–aortic lymph node dissection
(다) Whole abdomen radiation therapy
(라) Chemoradiation

① 가, 나, 다
② 가, 다
③ 나, 라
④ 라
⑤ 가, 나, 다, 라

45

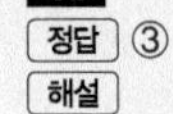
정답 ③

해설

Cervical Ca. Stage IB3

1. ≥4 cm
2. 치료 : Chemoradiation, pelvic field

참고 *Final Check 부인과 505 page*

46

분만력 2–0–2–2 인 37세 여성이 자궁경부암을 주소로 내원하였다. 시행한 검사결과가 아래와 같다면 다음 처치로 가장 적절한 것을 고르시오.

- Invasive adenocarcinoma
- Stromal invasion depth = 6 mm, width = 15 mm
- Parametrial invasion (–)
- Vaginal wall invasion (–)
- Pelvic node enlargement (–)

① Conization

② Laser vaporization

③ Radical hysterectomy with pelvic lymph node dissection

④ Radiation therapy

⑤ Trachelectomy

46

정답 ③

해설

Cervical Ca. Stage IB1

1. Invasion depth ≥5 mm, dimension <2 cm
2. 치료
   a. Mod Rad/Rad Trachel or Mod Rad/Rad Hyst
   b. Pelvic lymph or SLN

참고 *Final Check 부인과 502, 505 page*

47

52세 여자가 자궁경부암으로 진단받고 치료를 위해 내원하였다. 암이 질 상부 1/3을 침범하였고, 오른쪽 자궁주위조직 침범 소견도 보였다면 가장 적절한 치료는 무엇인가?

① Chemoradiation therapy

② Pelvic exenteration

③ Abdominal radiation therapy

④ Conization

⑤ Trachelectomy

47

정답 ①

해설

Cervical Ca. Stage IIB

1. 자궁주위조직 침윤(parametrial invasion)
2. 치료 : Chemoradiation, pelvic field

참고 *Final Check 부인과 502, 505 page*

48

자궁경부암 환자에서 시행하는 동시 항암화학방사선치료(concurrent chemoradiation therapy)에서 항암화학치료(chemotherapy)의 역할을 서술하시오.

48
정답
Radio-sensitizer로 작용하여 암세포들의 방사선 치료에 대한 반응성 증가
참고 *Final Check 부인과 513 page*

49

2년 전 자궁경부암으로 근치적 자궁절제술(radical hysterectomy)을 한 57세 여성이 자궁경부암 의증으로 내원하였다. 내원 시 골반벽 침윤 소견이 보였고, 검사상 폐 전이를 포함한 다발성 전이가 관찰되었다. 다음 중 이 환자에게 가장 올바른 치료는 무엇인가?

① 폐 절제　② 골반 절제
③ 방사선치료　④ 동시 항암화학방사선치료
⑤ 항암화학치료

49
정답 ⑤
해설
Cervical Ca. Stage IVB
1. 원격 장기(distant organs) 전이
2. 치료 : Systemic chemotherapy ± radiation, pelvic or modified field

참고 *Final Check 부인과 502, 505 page*

50

38세 여성이 복통과 질 출혈을 주소로 내원하였다. 시행한 질확대경생검(colposcopy biopsy)에서 squamous cell carcinoma로 확인되었고, MRI에서 폐 전이를 확인하였다. 이 환자의 다음 처치로 가장 적절한 것을 고르시오.

① 경과관찰　② 수술
③ 방사선치료　④ 동시 항암방사선치료
⑤ 전신 항암화학치료 후 방사선치료

50
정답 ⑤
해설
Cervical Ca. Stage IVB
1. 원격 장기(distant organs) 전이
2. 치료 : Systemic chemotherapy ± radiation, pelvic or modified field

참고 *Final Check 부인과 502, 505 page*

51

54세 여성이 자궁경부암을 주소로 내원하였다. 시행한 검사상 자궁경부에 6.5 x 4.5 cm 크기의 종괴가 있었고, 우측 자궁주위조직 침윤, 폐 전이가 있었다. 다음 중 이 환자에게 가장 적절한 치료를 고르시오.

① Concurrent chemoradiation therapy

② Neoadjuvant chemotherapy with radical hysterectomy

③ Chemotherapy

④ Radiation therapy

⑤ Hormone therapy

51

정답 ①

해설

Cervical Ca. Stage IVB

1. 원격 장기(distant organs) 전이
2. 치료 : Systemic chemotherapy ± radiation, pelvic or modified field

참고 *Final Check 부인과 502, 505 page*

52

53세 여자가 자궁경부암으로 진단받고 종양감축술과 Paclitaxel–Carboplatin 항암화학치료를 받은 후 완전 관해 판정을 받았다. 4개월 뒤 폐 전이와 자궁경부암 재발이 확인되었다면 치료로 가장 적절한 것을 고르시오.

① Carboplatin

② Topotecan

③ Paclitaxel-Carboplatin

④ 2차 종양감축술

⑤ 방사선치료

52

정답 ③

해설

원격 전이와 국소전이가 복합된 재발

1. 완치의 가능성은 극히 적은 경우
2. 전신 항암화학요법과 국소적 방사선 조사를 조합하여 치료
3. 치료의 목적 : 환자의 삶의 질의 향상과 생존기간의 연장

참고 *Final Check 부인과 516, 518 page*

53

55세 여자가 원추절제술 시행 결과 자궁경부암으로 진단되었다. 병변은 depth = 6 mm, width = 8 mm, 골반주위조직, 골반벽, 방광, 장 침윤은 없었다. 다음 중 가장 올바른 처치는 무엇인가?

① 단순 자궁절제술

② 단순 자궁절제술 및 양측 난소난관절제술

③ 근치적 자궁절제술

④ 근치적 자궁절제술 및 골반 림프절절제술

⑤ 골반내용물적출술

53

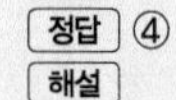

정답 ④

해설

Cervical Ca. Stage IB1

1. 종양 최대 직경(greatest dimension) <2 cm
2. 치료
   a. Mod Rad/Rad Trachel or Mod Rad/Rad Hyst
   b. Pelvic lymph or SLN

참고 *Final Check 부인과 502, 505 page*

54

51세 여자가 자궁경부의 편평세포암을 주소로 내원하였다. 자궁경부에 5 cm 크기의 출혈성 종괴가 보이고, 영상검사에서 좌측 자궁주위조직 침윤 소견이 확인되었지만 다른 부위의 전이소견은 없었다. 정맥신우조영술(IVP)상 좌측 수신증이 관찰되다면 다음 처치로 가장 적절한 것을 고르시오.

① 근치적 자궁절제술

② 항암화학치료 후 근치적 자궁절제술

③ 방사선치료

④ 항암화학치료

⑤ 항암화학방사선치료

54

정답 ⑤

해설

Cervical Ca. Stage IIIB

1. 종양이 골반벽까지 침윤 (and/or) 수신증 또는 비기능성 신장
2. 치료 : Chemoradiation, pelvic field

참고 *Final Check 부인과 502, 505 page*

55

근치적 자궁절제술(radical hysterectomy) 후 림프낭종(lymphocyst formation)의 예방법(A)과 치료법(B)을 서술하시오.

56

자궁경부암으로 수술적 절제를 받은 환자가 우측 다리에 림프부종(lymphedema)이 생겼다. 이 환자에 대한 올바른 처치를 모두 고르시오.

(가) Leg elevation
(나) 탄력 스타킹 착용
(다) 림프관염 발생 시 항생제 사용
(라) 우측 서혜부 방사선 조사

① 가, 나, 다　② 가, 다
③ 나, 라　④ 라
⑤ 가, 나, 다, 라

55

정답

(A) 예방법

1. 수술 후 적절한 배액(drainage)을 시행
2. 항생제와 수술 시 적절한 lymph tissue에 대한 결찰 시행

(B) 치료법

1. 증상이 없는 경우 : 경과관찰
2. 항생제(antibiotics)
3. 경피도관(percutaneous catheter)을 통한 장기간의 배액
4. 경화요법(sclerotherapy)
5. 수술적 제거 후 대장 또는 장간막을 이용한 flap 시행

참고 *Final Check 부인과 508 page*

56

정답 ①

해설

림프부종(lymphedema)의 치료

1. 다리 거상(leg elevation)
2. Stocking 착용
3. 림프관염(lymphangitis) 발생 시 항생제 투여

참고 *#Final Check 부인과 509 page*

57

자궁경부암으로 근치적 자궁절제술 및 림프절절제술을 시행하고 추적관찰 중인 환자가 1년 후 시행한 Pap smear와 serum SCC Ag는 정상이었으나 pelvic MRI 상 좌측 골반강에 2 x 4 cm의 종괴가 관찰되었다. 판독상 lymphocyst로 확인되었고, 현재 환자는 특별한 증상호소가 없다면 다음 처치로 가장 적절한 것을 고르시오.

① 경과관찰　② 항암화학치료
③ 방사선치료　④ 시험적 개복술
⑤ 수술적 절제

57

정답 ①

해설

림프낭종(lymphocyst) 치료법

1. 증상이 없는 경우 : 경과관찰
2. 항생제(antibiotics)
3. 경피도관을 통한 장기간의 배액
4. 경화요법(sclerotherapy)
5. 제거 후 대장 or 장간막을 이용한 flap 시행

참고 *Final Check 부인과 508 page*

58

Cervical cancer, Stage I으로 수술한 환자의 예후인자로 가장 중요성이 적은 것을 고르시오.

① Lymph node involvement
② Tumor size 5 cm
③ Parametrial involvement
④ Lymph-vascular space invasion
⑤ Adenocarcinoma

58

정답 ⑤

해설

초기 자궁경부암(Stage IA2~IIA) 중 재발위험군

중등도 위험인자(Intermediate risk factors)
- 종양의 큰 크기 : >4 cm
- 깊은 자궁경부 간질 침윤 : middle or deep 1/3
- 림프-혈관공간 침윤(LVSI) : 가장 의미가 적음
고위험인자(High risk factors)
- 림프절 침윤(lymph node involvement) : 가장 중요
- 수술 후 조직검사상 절제면 양성
- 자궁주위조직 침윤(parametrial involvement)

참고 *Final Check 부인과 514 page*

59

45세 여자가 자궁경부암 Stage IB3로 근치적 자궁절제술, 양측 골반 림프절절제술을 받았다. 검사결과는 아래와 같을 때 예후에 가장 중요한 인자를 고르시오.

- Tumor size 3.5 cm
- Invasion depth 18 mm
- Lymph–vascular space invasion (+)
- Parametrial invasion (+)
- Rt. common iliac lymph node (+)

① Tumor size

② Invasion depth

③ Lymph-vascular space invasion

④ Parametrial invasion

⑤ Lymph node involvement

59

정답 ⑤

해설

초기 자궁경부암(Stage IA2~IIA) 중 재발위험군

중등도 위험인자(Intermediate risk factors)
– 종양의 큰 크기 : >4 cm
– 깊은 자궁경부 간질 침윤 : middle or deep 1/3
– 림프–혈관공간 침윤(LVSI) : 가장 의미가 적음
고위험인자(High risk factors)
– 림프절 침윤(lymph node involvement) : 가장 중요
– 수술 후 조직검사상 절제면 양성
– 자궁주위조직 침윤(parametrial involvement)

참고 *Final Check 부인과 514 page*

60

자궁경부암 Stage IB 환자의 근치적 자궁절제술 후 나온 조직검사 소견에서 재발 예후인자로 가장 의미가 적은 것은 무엇인가?

① 림프절 전이

② 림프-혈관공간 침윤

③ 종양의 크기

④ 침윤의 깊이

⑤ 자궁주위조직 침윤

60

정답 ②

해설

초기 자궁경부암(Stage IA2~IIA) 중 재발위험군

중등도 위험인자(Intermediate risk factors)
– 종양의 큰 크기 : >4 cm
– 깊은 자궁경부 간질 침윤 : middle or deep 1/3
– 림프–혈관공간 침윤(LVSI) : 가장 의미가 적음
고위험인자(High risk factors)
– 림프절 침윤(lymph node involvement) : 가장 중요
– 수술 후 조직검사상 절제면 양성
– 자궁주위조직 침윤(parametrial involvement)

참고 *Final Check 부인과 514 page*

61

다음 중 자궁경부암의 재발 위험인자를 모두 고르시오.

(가) 림프절 전이
(나) 침윤 깊이
(다) 종양 크기
(라) 림프절 침윤

① 가, 나, 다
② 가, 다
③ 나, 라
④ 라
⑤ 가, 나, 다, 라

61

정답 ⑤

해설

초기 자궁경부암(Stage IA2~IIA) 중 재발위험군

중등도 위험인자(Intermediate risk factors)
– 종양의 큰 크기 : >4 cm – 깊은 자궁경부 간질 침윤 : middle or deep 1/3 – 림프-혈관공간 침윤(LVSI) : 가장 의미가 적음
고위험인자(High risk factors)
– 림프절 침윤(lymph node involvement) : 가장 중요 – 수술 후 조직검사상 절제면 양성 – 자궁주위조직 침윤(parametrial involvement)

참고 Final Check 부인과 514 page

62

초기 자궁경부암(Stage IA2~IIA)의 재발 고위험인자들을 쓰시오.(3가지)

62

정답

1. 림프절 침윤(lymph node involvement)
2. 수술 후 조직검사상 절제면 양성
3. 자궁주위조직 침윤(parametrial involvement)

참고 Final Check 부인과 514 page

63

FIGO stage IA2~IIA 자궁경부암 환자에서 근치적 자궁절제술 후 재발 가능성을 예측하는 중등도 위험인자(intermediate risk factors)를 쓰시오.(3가지)

63

정답

1. 종양의 큰 크기 : >4 cm
2. 깊은 자궁경부 간질 침윤 : middle or deep 1/3
3. 림프-혈관공간 침윤(LVSI) : 가장 의미가 적음

참고 *Final Check 부인과 514 page*

64

자궁경부암 IA2~IIA일 때 근치적 자궁절제술 후 보조 방사선치료(adjuvant radiation therapy) 또는 항암화학방사선치료(chemoradiation therapy)의 적응증을 서술하시오.

64

정답

1. 중등도 위험인자(Intermediate risk factors)
   a. 종양의 큰 크기 : >4 cm
   b. 깊은 자궁경부 간질 침윤 : middle or deep 1/3
   c. 림프-혈관공간 침윤(LVSI) : 가장 의미가 적음
2. 고위험인자(High risk factors)
   a. 림프절 침윤(lymph node involvement) : 가장 중요
   b. 수술 후 조직검사상 절제면 양성
   c. 자궁주위조직 침윤(parametrial involvement)

해설

초기 자궁경부암(Stage IA2~IIA) 중 재발위험군

1. 3년 이내에 30~40% 재발 위험
2. 수술 후 중등도 or 고위험인자가 있을 경우 보조 방사선치료(adjuvant radiation therapy) 또는 항암화학방사선치료(chemoradiation therapy) 고려

참고 *Final Check 부인과 514 page*

65

32세 여성이 cervical cancer IB1으로 근치적 자궁절제술 및 골반 림프절절제술 받은 후 다음과 같은 소견이 있었다. 다음으로 시행할 처치로 가장 올바른 것을 고르시오.

- Invasive squamous cell carcinoma
- Tumor size : 3.5 cm
- Resection margin (+)
- Parametrial invasion (+)
- Pelvic lymph node involvement : 3/20

① 경과관찰
② 대동맥주변 림프절절제술
③ 방사선치료
④ 동시 항암화학방사선치료
⑤ 복합 항암화학요법

65
정답 ④
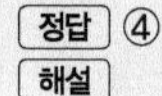
해설

초기 자궁경부암(Stage IA2~IIA) 중 재발위험군

중등도 위험인자(Intermediate risk factors)
– 종양의 큰 크기 : >4 cm
– 깊은 자궁경부 간질 침윤 : middle or deep 1/3
– 림프-혈관공간 침윤(LVSI) : 가장 의미가 적음
고위험인자(High risk factors)
– 림프절 침윤(lymph node involvement) : 가장 중요
– 수술 후 조직검사상 절제면 양성
– 자궁주위조직 침윤(parametrial involvement)

→ 수술 후 adjuvant radiation therapy 또는 chemoradiation therapy 고려

참고 *Final Check 부인과 514 page*

66

45세 여성이 cervical squamous cancer IB1으로 근치적 자궁절제술을 받았다. 수술 후 병리소견이 다음과 같다면 이 환자에게 가장 적절한 치료를 고르시오.

- Cervical stromal invasion >1/2
- Resection margin (+)
- Pelvic lymph node involvement (+)

① Chemoradiation therapy
② Neoadjuvant chemotherapy
③ Observation
④ Radiation therapy
⑤ Hormone therapy

66
정답 ①
해설

초기 자궁경부암(Stage IA2~IIA) 중 재발위험군

중등도 위험인자(Intermediate risk factors)
– 종양의 큰 크기 : >4 cm
– 깊은 자궁경부 간질 침윤 : middle or deep 1/3
– 림프-혈관공간 침윤(LVSI) : 가장 의미가 적음
고위험인자(High risk factors)
– 림프절 침윤(lymph node involvement) : 가장 중요
– 수술 후 조직검사상 절제면 양성
– 자궁주위조직 침윤(parametrial involvement)

→ 수술 후 adjuvant radiation therapy 또는 chemoradiation therapy 고려

참고 *Final Check 부인과 514 page*

67

자궁경부암 환자에서 근치적 자궁절제술 후 재발 고위험군에 해당하여 추가로 항암화학방사선치료를 해야 하는 기준을 모두 고르시오.

(가) 골반 림프절 전이
(나) 수술 절제면 악성세포 양성
(다) 자궁주위조직 악성세포 침윤
(라) Squamous cell carcinoma

① 가, 나, 다　② 가, 다
③ 나, 라　④ 라
⑤ 가, 나, 다, 라

67
정답 ①
해설
초기 자궁경부암(Stage IA2~IIA) 중 재발위험군

중등도 위험인자(Intermediate risk factors)
– 종양의 큰 크기 : >4 cm
– 깊은 자궁경부 간질 침윤 : middle or deep 1/3
– 림프–혈관공간 침윤(LVSI) : 가장 의미가 적음
고위험인자(High risk factors)
– 림프절 침윤(lymph node involvement) : 가장 중요
– 수술 후 조직검사상 절제면 양성
– 자궁주위조직 침윤(parametrial involvement)

참고 *Final Check 부인과 514 page*

68

임신 중 자궁경부 원추절제술을 시행하는 경우 적응증(A)과 그 시기(B)를 서술하시오.

68
정답
(A) 적응증
1. Pap에서 악성세포가 나오고 colposcopy와 조직검사에서 침윤암을 배제하기 힘든 경우
2. 조직검사에서 microinvasive cervical cancer가 의심되는 경우

(B) 시기 : 임신 제2삼분기

참고 *Final Check 부인과 518 page*

69

임신 중 발견한 cervical cancer의 침윤 깊이가 3 mm 이하일 때 원칙적 치료법을 서술하시오.

69

정답

1. 분만 시기 : 만삭에 질식분만(vaginal delivery) 시행
2. 분만 6주 후 다시 평가
3. 임신력 보존을 원하지 않을 경우 분만 6주 후 자궁절제술 시행

참고 *Final Check 부인과 519 page*

70

14주 초임부가 자궁경부 세포검사에서 HSIL, 자궁경부 질확대경생검에서 CIS로 확인되었다면 다음 처치로 가장 적절한 것을 고르시오.

① 임신 매 삼분기마다 세포검사, 질확대경 검사

② 냉동치료

③ 임신 중절 후 LEEP

④ Cold knife conization

⑤ Trachelectomy

70

정답 ④

해설

임신 중 원추절제술(conization)의 적응증

1. Pap에서 악성세포가 나오고 colposcopy와 조직검사에서 침윤암을 배제하기 힘든 경우
2. 조직검사에서 microinvasive cervical cancer가 의심되는 경우

참고 *Final Check 부인과 518 page*

71

다음 중 임신 중 자궁경부암에 대해 옳은 것을 모두 고르시오.

(가) 첫 방문 시 Pap smear를 시행한다
(나) Conization은 임신 제2삼분기에 시행한다
(다) IA1이면 만삭까지 기다리고 분만 후 치료한다
(라) Invasion depth 6 mm로 확인된 경우 분만 후 치료한다

① 가, 나, 다
② 가, 다
③ 나, 라
④ 라
⑤ 가, 나, 다, 라

71
정답 ①
해설
임신 중 진단된 자궁경부암
1. 임신으로 첫 방문 시 Pap 시행
2. 원추절제술(conization) : 제2삼분기에 시행
3. Stage IA1 : 만삭에 질식분만, 6주 후 재평가
4. Stage IB : 4주 이내까지만 치료 지연 가능

참고 *Final Check 부인과 518 page*

72

임신 15주에 실시한 자궁경부세포진검사에서 침윤암 소견으로 확인되어 원추절제술을 시행한 결과 침윤 4 mm, 폭 6 mm, 자궁경부 편평세포암(squamous cell carcinoma)으로 진단되었다. 이후 정기검진을 시행하였고, 현재 임신 35주라면 이 환자의 적합한 다음 처치는 무엇인가?

① 질식분만 6주 후
simple hysterectomy
② 질식분만 6주 후
modified radical hysterectomy with pelvic lymphadenectomy
③ 제왕절개 6주 후
simple hysterectomy
④ 제왕절개 6주 후
modified radical hysterectomy with pelvic lymphadenectomy
⑤ 제왕절개 후 즉시
modified radical hysterectomy with pelvic lymphadenectomy

72
정답 ⑤
해설
임신 중 Cervical Ca. Stage IA2
1. 만삭 또는 태아 폐 성숙 확인된 후 분만
2. 제왕절개 후 즉시 modified radical hysterectomy with pelvic lymphadenectomy 시행

참고 *Final Check 부인과 519 page*

73

임신 10주 산모가 질 출혈을 주소로 내원하였다. 검진상 자궁경부에 3 cm 크기의 종괴가 있었고, 시행한 조직검사에서 편평세포암으로 진단되었다. 주위 자궁주위조직 침범이 있으며 MRI 상 여러 개의 골반 림프절 전이가 확인되었다면 다음 처치로 가장 적절한 것을 고르시오.

① 즉시 항암화학방사선치료

② 만삭에 분만 및 수술

③ 만삭에 분만 및 동시 항암화학방사선치료

④ 태아 폐성숙 확인 후 분만 및 수술

⑤ 태아 폐성숙 확인 후 분만 및 동시 항암화학방사선치료

73

정답 ①

해설

임신 중 Cervical Ca. Stage II~IV

1. 표준 치료 : 방사선치료(radiation therapy)
2. 태아가 생존 가능성이 있으면 제왕절개 후 방사선치료 시행
3. 제1삼분기 : 외부선방사선치료를 시행
4. 제2삼분기 : 태아 성숙을 확인한 후 분만할 수 있으나 4주 이상 기다리지 않음

참고 *Final Check 부인과 519 page*

74

임신 26주 산모가 자궁경부에 3 cm 크기의 종괴가 있었고, 검사결과 invasive cervical cancer로 진단되었다. 산모는 임신의 유지를 강력히 원하고 있다면 가장 적절한 처치를 고르시오.

① 임신 30주까지 기다린 다음 질식분만하고 radical hysterectomy with PLND 시행

② 임신 30주까지 기다린 다음 제왕절개하고 radical hysterectomy with PLND 시행

③ 임신 30주까지 기다린 다음 제왕절개하고 방사선치료 시행

④ 항암화학요법을 하면서 임신 30주까지 기다린 다음 제왕절개 후 radical hysterectomy 시행

⑤ 항암화학요법을 하면서 임신 30주까지 기다린 다음 제왕절개 후 방사선치료 시행

74

정답 ②

해설

임신 중 Cervical Ca. Stage IB

1. 임신 주수와 환자가 원하는 바에 따라 치료 결정
2. 태아의 폐 성숙 확인 후 즉시 치료 시행
3. 치료를 4주 이상 연기하지 않음
4. Classical cesarean section 후 radical hysterectomy with pelvic lymphadenectomy 시행

참고 *Final Check 부인과 519 page*

75

재발성 자궁경부암에서 골반벽 침범을 시사하는 임상적 징후 (clinical triad)를 기술하시오.(3가지)

76

40세 여성이 자궁경부암으로 근치적 자궁절제술과 골반림프 절절제술을 받았다. 조직 검사 결과가 다음과 같을 때 다음 처치로 가장 적절한 것을 고르시오.

- Uterus : Squamous Cell Carcinoma, Large Cell, Keratinizing type
- Mass size : 3.5 cm
- Invasion depth : 11/25 mm
- No parametrial invasion
- Vaginal resection margin : positive
- Pelvic lymph node : 2/46
- Para-aortic lymph node : 0/18

① 경과관찰 ② 방사선치료
③ 항암화학치료 ④ 복합 항암방사선치료
⑤ 면역치료

75

정답
1. 한쪽 다리의 부종(unilateral leg edema)
2. 좌골통(sciatic pain)
3. 요관폐쇄(ureteral obstruction)

참고 *Final Check 부인과 516 page*

76

정답 ④

해설

항암화학방사선치료가 일차치료인 경우
1. IA2, IB, IIA 수술 후 아래 중 한가지 이상
2. 수술소견
   a. Positive pelvic lymph nodes
   b. Positive parametrial invasion
   c. Positive vaginal resection margin

참고 *Final Check 부인과 513 page*

77

자궁경부암 IIA 환자에서 Wertheim 수술 후 vaginal cuff (+), external iliac L/N (+)로 확인되었다면 다음 처치로 가장 적절한 것을 고르시오.

① Observation
② Chemotherapy
③ Radiation
④ Chemoradiation
⑤ Immunotherapy

77

정답 ④

해설

항암화학방사선치료가 일차치료인 경우

1. IA2, IB, IIA 수술 후 아래 중 한가지 이상
2. 수술소견
   a. Positive pelvic lymph nodes
   b. Positive parametrial invasion
   c. Positive vaginal resection margin

참고 *Final Check 부인과 513 page*

78

자궁경부암 재발로 인해 골반내용물적출술(pelvic exenteration) 수술 시 골반바닥 재건을 위한 가장 좋은 방법은 무엇인가?

① Gracilis flap
② Rectus flap
③ Gluteus maximus flap
④ Gore-tex
⑤ Omental mobilization

78

정답 ⑤

해설

골반바닥 재건(Pelvic floor reconstruction) 방법

1. Peritoneal patch
2. Omental mobilization

참고 *Final Check 부인과 517 page*

79

자궁경부암의 재발에 관한 내용으로 옳은 것은 무엇인가?

① 5년 내 재발율이 60%이다
② Serologic tumor marker로는 CEA가 가장 많이 사용된다
③ 방사선치료로 initial treatment를 한 경우 골반 중앙부 재발 시 다시 방사선치료가 가능하다
④ 추적관찰 시 IVP에서 ureteral stricture가 나타나면 대개 재발에 의한 것이다
⑤ 재발의 치료 결정에는 나이와 재발 시기가 중요하다

79

정답 ④

해설

재발성 자궁경부암

1. 재발율은 약 50% 정도
2. Serologic tumor marker : SCC, CEA, CA-125
3. 방사선치료 후 재발한 경우 수술 고려
4. 골반벽 침범 및 재발을 시사하는 임상적 징후
   a. 한쪽 다리의 부종(unilateral leg edema)
   b. 좌골통(sciatic pain)
   c. 요관폐쇄(ureteral obstruction)
5. 일차치료와 재발 위치에 따라 치료방법 결정

참고 *Final Check 부인과 515 page*

80

재발성 자궁경부암의 확진을 위해 가장 좋은 검사 방법을 고르시오.

① 세침흡인생검 ② 방광경검사
③ 직장경검사 ④ 정맥신우조영술
⑤ 자기공명영상

80
정답 ①
해설
재발성 자궁경부암의 진단
1. 혈청 종양표지자 : SCC, CEA, CA-125
2. 확진 : 세침흡인생검(fine-needle aspiration)

참고 Final Check 부인과 516 page

81

자궁경부암으로 수술 후 3기로 확진되어 항암화학방사선치료까지 받았던 환자에서 PET-CT상 양측 폐 전이 및 대동맥주위 림프절 전이가 확인되었다. 이 환자에게 가장 적절한 치료는 무엇인가?

① Radiation therapy
② Concurrent chemoradiation therapy
③ Debulking operation
④ Chemotherapy
⑤ Observation

81
정답 ④
해설
재발된 자궁경부암의 항암화학치료
1. 재발한 자궁경부암은 항암화학치료로 완치가 불가능
2. 방사선치료를 받은 골반조직은 혈류가 나빠 항암화학치료에 대한 반응이 좋지 않음

참고 Final Check 부인과 518 page

82

다음 중 근치적 자궁절제술 후 가장 많은 급성 합병증(acute complication)은 무엇인가?

① Pulmonary embolism
② Uterovaginal fistula
③ Vesicovaginal fistula
④ Bowel obstruction
⑤ Fever

82
정답 ⑤
해설
근치적 자궁절제술의 급성합병증
1. Febrile morbidity : 25~50%
2. Blood loss : 평균 0.8 L
3. Uterovaginal fistula : 1~2%
4. Pulmonary embolus : 1~2%
5. Small bowel obstruction : 1%

참고 Final Check 부인과 508 page

83

복식 자궁절제술(abdominal hysterectomy)을 시행 받고 1주일 후 작은 크기의 방광질누공(vesicovaginal fistula)이 생겼다면 가장 우선적인 처치는 무엇인가?

① 경과관찰

② 유치 카테터를 방광에 삽입

③ 즉시 수술

④ 3개월 후 수술 교정

⑤ 6개월 후 수술 교정

83

정답 ②

해설

방광질누공(Vesicovaginal fistula)

1. 작으면 catheter 삽입 후 경과관찰
2. 지속 시 bulbocavernosus flap, omental pedicle repair 시행

참고 *Final Check 부인과 512 page*

84

6개월 전 자궁경부암으로 복강경하 근치적 자궁절제술 시행 받은 46세 환자가 외래 추적관찰 중 발생한 우상복부 병변의 육안 소견과, CT 소견이다. 이 환자의 진단으로 가장 가능성이 높은 것은 무엇인가?

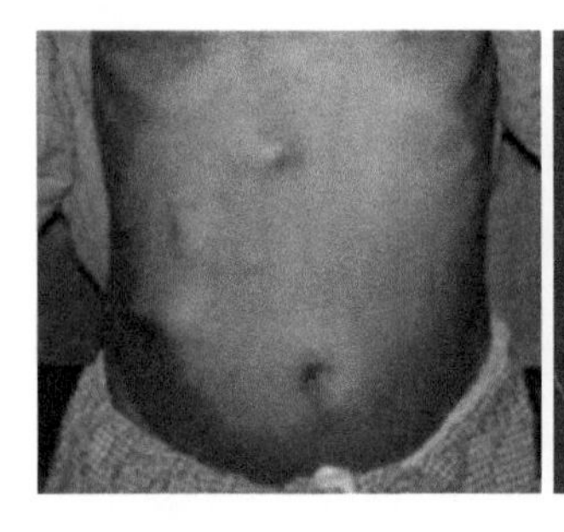

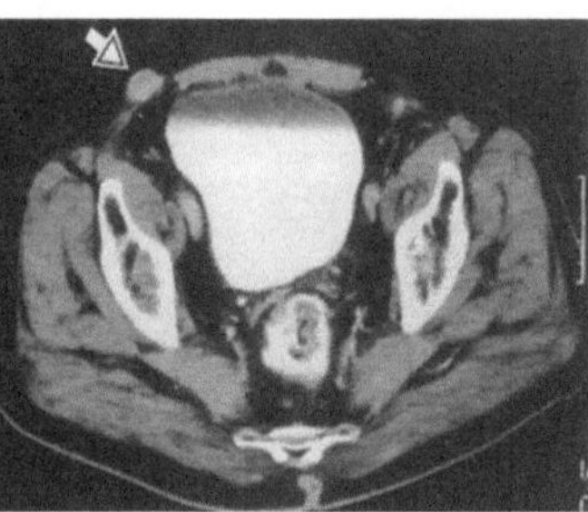

① Bowel hernia

② Bowel incarceration

③ Trocar site tumor recurrence

④ Keloid scar

⑤ Malignant skin cancer

84

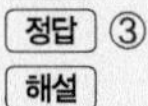

정답 ③

해설

복강경 trocar 삽입 부위의 종괴

→ Trocar 부위의 재발성 암 가능성

참고 *Final Check 부인과 515 page*

85

다음 중 근치적 자궁절제술(radical hysterectomy) 후 발생하는 만성 합병증으로 가장 많은 것은 무엇인가?

① Bladder hypotonia

② Fecal incontinence

③ Small bowel obstruction

④ Lymphedema

⑤ Urethral stricture

85

정답 ①

해설

Bladder hypotonia, Bladder atony

1. 3%에서 발생하는 근치적 자궁절제술의 가장 흔한 합병증
2. 원인 : 방광의 탈신경(denervation)
3. 치료
   a. 4~6시간마다 규칙적인 배뇨
   b. 간헐적 자가 도뇨

참고 *Final Check 부인과 509 page*

86

43세 여성이 자궁경부암으로 근치적 자궁절제술을 시행 받았고, 수술 후 좌측 옆구리 통증 및 발열이 발생하였다. 다음 중 수술 중 손상된 것으로 생각되는 구조물을 고르시오.

① Obturator nerve

② External iliac artery

③ External iliac vein

④ Uterine artery

⑤ Ureter

86

정답 ⑤

해설

요관 협착(Ureteral stricture)

1. 원인 : 수술 후 방사선치료, 암의 재발, 림프낭종 형성
2. 기능 보존을 위한 처치
   a. Retrograde ureteral stent
   b. Percutaneous nephrostomy catheter
   c. Ureteral reanastomosis
   d. Ureteral reimplantation

참고 *Final Check 부인과 509 page*

87

근치적 자궁절제술(radical hysterectomy) 시행 후 생길 수 있는 합병증 중 급성 합병증에 해당하는 것으로 가장 흔한 것은 무엇인가?

① Uterovaginal fistula

② Vesicovaginal fistula

③ Pulmonary embolus

④ Febrile morbidity

⑤ Small bowel obstruction

87

정답 ④

해설

Radical hysterectomy의 acute complications

1. Febrile morbidity : 25~50%
2. Blood loss : 평균 0.8 L
3. Uterovaginal fistula : 1~2%
4. Pulmonary embolus : 1~2%
5. Small bowel obstruction : 1%

참고 *Final Check 부인과 508 page*

88

Radical hysterectomy 시 ureter가 손상되는 부위는 어디인가?

(가) Infundibulopelvic ligament
(나) Uterosacral ligament
(다) Vesicouterine ligament
(라) Uterine artery

① 가, 나, 다 ② 가, 다
③ 나, 라 ④ 라
⑤ 가, 나, 다, 라

89

51세 여성이 자궁경부암으로 자궁절제술을 시행 받은 후 발생한 복부 불편감, 소변량의 감소 등을 주소로 내원하였다. 시행한 검사가 다음과 같다면 이 환자의 진단명으로 가장 가능성이 높은 것을 고르시오.

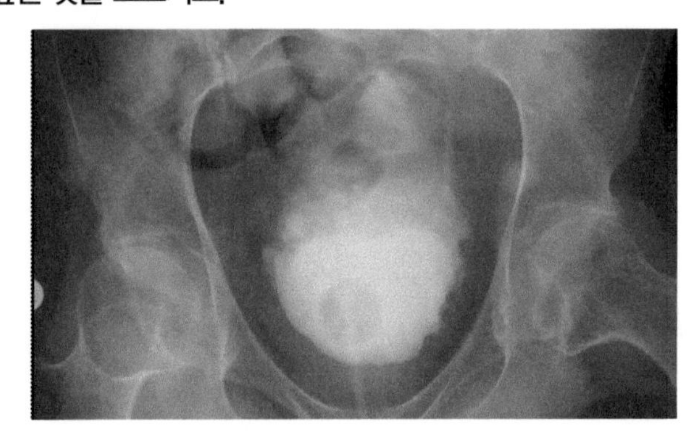

① 수신증 ② 방광 파열
③ 요관 파열 ④ 요도 파열
⑤ 방광질 누공

88

정답 ⑤

해설

Radical hysterectomy 시 요관손상이 흔한 위치

1. Infundibulopelvic ligament
2. Uterosacral ligament
3. Vesicouterine ligament
4. Uterine artery

참고 *Final Check 부인과 509 page*

89

정답 ②

해설

방광기능장애(Bladder dysfunction)

1. 수술 후 방광 용적이 감소하고 충만압이 증가
2. 조영제를 사용하여 복부 x-ray를 촬영 시 ureter가 아닌 복강 내로 조영제가 퍼지면 방광 파열을 고려

참고 *Final Check 부인과 508 page*

90

자궁경부암의 치료 방법 중 Modified radical hysterectomy (Type II hysterectomy)와 radical hysterectomy (Type III hysterectomy)의 차이점을 서술하시오.

90

정답

1. Uterine artery가 ureter level에서 절단됨으로써 ureteral branch를 보존
2. Cardinal ligament가 골반벽 가까이에서 절단되는 것이 아닌 ureteral dissection을 시행하는 부위인 중간지점에서 절단
3. Anterior vesicouterine ligament가 잘리지만 posterior vesicouterine ligament는 보존
4. 질 상부가 덜 제거됨

참고 *Final Check 부인과 507 page*

91

Radical hysterectomy 후 배뇨 곤란으로 자가 도뇨(self-catheterization)를 할 경우 요로 감염을 예방하기 위한 가장 중요한 조치는 무엇인가?

① 작은 플라스틱 도뇨관 사용

② 배뇨 후 도뇨관의 철저한 소독

③ 완전한 배뇨

④ 예방적 항생제 사용

⑤ 배뇨 전 요도 입구의 철저한 소독

91

정답 ③

해설

자가 도뇨 시 요로 감염의 예방 및 관리

1. 자주 그리고 완전히 방광을 비움 : 가장 중요
2. 14-fr small catheter 이용
3. Catheter는 비누, 물로 세척 후 건조하여 보관
4. 무균 처치는 필요 없고, 방광 내로 균이 들어가도 잦은 배뇨로 요로감염이 감소
5. 소변에서 세균 집락화가 있어도 증상이 있기 전까진 치료하지 않음

참고 *Final Check 부인과 508 page*

92

Radical hysterectomy 후 발생한 요관 협착(ureter stricture)에서 기능 보존을 위한 처치들을 서술하시오.

93

자가 도뇨법에 대한 내용으로 올바른 것을 모두 고르시오.

(가) 직경이 작은 플라스틱 도뇨관을 사용한다
(나) 완전한 배뇨는 요로감염을 예방한다
(다) 사용한 도뇨관을 비누, 물로 세척해 건조시켜 깨끗하게 보관한다
(라) 자가 도뇨법 기간 동안 예방적 항생제를 사용한다

① 가, 나, 다 ② 가, 다
③ 나, 라 ④ 라
⑤ 가, 나, 다, 라

92

정답
1. Retrograde ureteral stent
2. Percutaneous nephrostomy catheter
3. Ureteral reanastomosis
4. Ureteral reimplantation

참고 *Final Check 부인과 509 page*

93

정답 ①

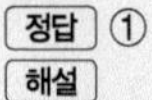

해설

자가 도뇨 시 요로 감염의 예방 및 관리
1. 자주 그리고 완전히 방광을 비움 : 가장 중요
2. 14-fr small catheter 이용
3. Catheter는 비누, 물로 세척 후 건조하여 보관
4. 무균 처치는 필요 없고, 방광 내로 균이 들어가도 잦은 배뇨로 요로감염이 감소
5. 소변에서 세균 집락화가 있어도 증상이 있기 전까진 치료하지 않음

참고 *Final Check 부인과 508 page*

94

40세 여성이 2년 전 right nephrectomy를 시행 받았다. 1주일 전 hysterectomy를 시행 받고, fever와 left frank pain이 있어 IVP를 시행한 결과 좌측 요관과 신우의 확장 소견이 보였다면 좌측 신장의 기능을 보전하기 위하여 시행할 수 있는 방법을 쓰시오.(4가지)

94

정답

1. Transurethral catheter insertion
2. Percutaneous nephrostomy
3. Ureteral reanastomosis
4. Ureteral reimplantation

참고 *Final Check 부인과 509 page*

95

Radical hysterectomy 시 nerve sparing surgery를 시행할 경우 보존하려는 신경을 쓰시오.(2가지)

95

정답

1. Hypogastric nerve
2. Pelvic splanchnic nerve
3. Uterovaginal plexus
4. 방광부위 말초 신경

참고 *Final Check 부인과 507 page*

<R-Type>

① Femoral nerve ② Genitofemoral nerve
③ Hypogastric nerve ④ Iliohypogastric nerve
⑤ Obturator nerve ⑥ Pelvic splanchnic nerve
⑦ Pudendal nerve ⑧ Sciatic nerve

96

근치적 자궁절제술에서 방광기능 손상을 막기 위해 보존해야 하는 신경을 고르시오. (2가지)

96

정답 ③, ⑥

해설

Nerve sparing radical hysterectomy

1. Bladder dysfunction, sexual dysfunction, colorectal motility 감소를 위해 시행
2. 보존하는 신경
   a. Hypogastric nerve
   b. Pelvic splanchnic nerve
   c. Uterovaginal plexus
   d. 방광부위 말초 신경

참고 *Final Check 부인과 507 page*

97

자궁경부암 IB1으로 자궁절제술 및 골반림프절 절제술을 시행 받은 환자가 대퇴부를 안쪽으로 모으기 어렵다고 했을 때 손상 받았을 것으로 생각되는 신경을 고르시오. (1가지)

97

정답 ⑤

해설

Obturator nerve

1. Motor : adductor muscles of thigh
2. Sensory : medial thigh and leg, hip and knee joints

참고 *Final Check 부인과 12 page*

CHAPTER 28

질암(Vaginal cancer)

01

자궁경부암 치료 5년 후 발생한 질암의 원인을 쓰시오.

01

정답

1. 자궁경부암 치료 시 질 내에 남은 병소
2. 인유두종바이러스(HPV)에 의한 새로운 병소
3. 방사선치료에 의해 발생한 병소

참고 *Final Check 부인과 521 page*

02

질암(vaginal cancer)에 대한 설명으로 옳은 것을 모두 고르시오.

(가) squamous cell carcinoma가 가장 흔하다
(나) 30%의 환자에서 과거 cervix cancer 치료의은 과거력이 있다
(다) 가장 호발하는 부위는 posterior wall 1/3이다
(라) 자궁경부 상피내종양과 동반되는 경우가 많다

① 가, 나, 다　② 가, 다
③ 나, 라　④ 라
⑤ 가, 나, 다, 라

02

정답 ①

해설

1. 가장 흔한 조직형 : Squamous cell carcinoma
2. 30%에서 5년 이내 자궁경부암 치료의 과거력
3. 질의 상부 1/3에서 호발
4. 자궁경부 상피내종양과 동반되는 경우가 많음

참고 *Final Check 부인과 521 page*

03

다음 중 질암(vaginal cancer)의 증상 중 가장 흔한 것을 고르시오.

① 무통성 질 출혈과 질 분비물 증가　② 질 종괴
③ 빈뇨　④ 뒤무직
⑤ 무증상

03

정답 ①

해설

질암(vaginal cancer)의 증상

1. 무통성 질 출혈, 과다 질 분비물 : 가장 흔함
2. 질 소양증, 폐경 후 질 출혈, 혈성 분비물
3. 진행된 종양 : 요폐, 혈뇨, 빈뇨, 방광 경련
4. 질 후벽에 발생 : 뒤무직, 변비, 혈변
5. 질 밖으로 전이 : 대부분 무증상, 골반통

참고 *Final Check 부인과 522 page*

04

질암(vaginal cancer)의 조직형 중 가장 흔한 것을 고르시오.

① Squamous cell carcinoma ② Melanoma
③ Adenocarcinoma ④ Sarcoma
⑤ Papillary carcinoma

04

정답 ①

해설

질암(vaginal cancer)의 조직학적 빈도

1. squamous cell carcinoma : 80~90%
2. Malignant melanoma : 2.8~5%
3. Adenocarcinoma : 가장 드묾

참고 Final Check 부인과 521 page

05

질암(vaginal cancer) 중 malignant melanoma가 가장 많이 발생하는 부위는 어디인가?

① Upper 1/3 of vagina ② Upper 2/3 of vagina
③ Lower 1/3 of vagina ④ Lower 2/3 of vagina
⑤ Posterior fornix

05

정답 ③

해설

Vaginal malignant melanoma

1. 두번째로 흔한 형태
2. 질 점막에 돌출되어 착색된 종양
3. 호발 부위 : 질 하부 1/3
4. 생존율은 종양 침범 깊이와 반비례

참고 Final Check 부인과 524 page

06

6년 전 자궁근종으로 자궁절제술을 시행 받은 46세 여성이 질 절단부에 1 cm 크기의 종괴가 관찰되어 시행한 조직 검사에서 편평세포암 진단을 받았다. 다음 중 치료 방법으로 가장 적절한 것을 고르시오.

① Laser ablation
② Simple vaginectomy
③ Simple vaginectomy + Pelvic lymphadenectomy
④ Radical vaginectomy + Pelvic lymphadenectomy
⑤ Pelvic exenteration

06

정답 ④

해설

질암(vaginal cancer)의 수술적 치료 적응증

1. 질 후벽 상부를 침범한 Stage I
   a. Radical vaginectomy + PLND
   b. 자궁 침범 (+) : Radical hysterectomy
   c. 절제면 (−), 림프절 (−) : 추가치료 필요 없음
2. 직장–질 또는 방광–질 누공이 있는 Stage IV : Primary pelvic exenteration + pelvic and para–aortic lymphadenectomy
3. 방사선치료 후 골반 중심에서 재발한 경우 : 골반내용물적출술(pelvic exenteration)
4. 종대된 림프절을 절제하며 외과적 병기설정술 후 방사선치료 시행

참고 Final Check 부인과 524 page

CHAPTER 29

난소암(Ovarian cancer)

01

난소 종괴의 초음파 중 악성의 가능성을 시사하는 소견을 고르시오.

① 낮은 혈류량

② 유두모양 돌기

③ 유동성이 있는 종괴

④ 벽이 얇은 단방성 종괴

⑤ 일측성의 표면이 매끄러운 종괴

02

초음파 검사 중 악성 난소종양을 시사하는 소견을 모두 고르시오.

(가) 불규칙한 표면
(나) 종괴 내 고형 성분
(다) 복수
(라) 다중격(multiseptation)

① 가, 나, 다
② 가, 다
③ 나, 라
④ 라
⑤ 가, 나, 다, 라

01

정답 ②

해설

악성을 시사하는 초음파 소견

악성을 시사하는 소견
– 표면이 불규칙한 고형종양(irregular solid tumor) – 복수(ascites) – 최소 4개의 유두상돌기(papillary projection) – ≥10 cm, 다방형 고형 종양(multilocular solid tumor) – 색 도플러 초음파에서 강한 혈류가 보이는 종양 – 두꺼운 낭종벽(thick wall) – 급격하게 자라는 경우(rapid growth) – Cul–de sac nodules – 인근 장기로의 침윤
수술의 적응증
– 폐경 전 : 악성 소견의 큰 종양인 경우 – 폐경 후 : 크기와 관계없이 악성종양 의심 시

참고 *Final Check 부인과 537 page*

02

정답 ⑤

해설

악성을 시사하는 초음파 소견

악성을 시사하는 소견
– 표면이 불규칙한 고형종양(irregular solid tumor) – 복수(ascites) – 최소 4개의 유두상돌기(papillary projection) – ≥10 cm, 다방형 고형 종양(multilocular solid tumor) – 색 도플러 초음파에서 강한 혈류가 보이는 종양 – 두꺼운 낭종벽(thick wall) – 급격하게 자라는 경우(rapid growth) – Cul–de sac nodules – 인근 장기로의 침윤
수술의 적응증
– 폐경 전 : 악성 소견의 큰 종양인 경우 – 폐경 후 : 크기와 관계없이 악성종양 의심 시

참고 *Final Check 부인과 537 page*

03

혈중 CA-125가 증가할 수 있는 부인과 질환을 쓰시오.(4가지)

03

정답
1. 양성 난소종양
2. 자궁근종
3. 자궁선근증
4. 자궁내막증
5. 자궁내막암
6. 골반염

참고 *Final Check 부인과 539 page*

04

골반 내 부속기 종괴가 있을 때 수술의 적응증에 해당하는 것을 고르시오.

① 낭성 종괴
② 종괴의 벽 두께 1 mm
③ 40세 여성
④ 직경 10 cm 크기의 종괴
⑤ 일측성의 표면이 매끄러운 종괴

04

정답 ④

해설

악성을 시사하는 초음파 소견

악성을 시사하는 소견
– 표면이 불규칙한 고형종양(irregular solid tumor) – 복수(ascites) – 최소 4개의 유두상돌기(papillary projection) – ≥10 cm, 다방형 고형 종양(multilocular solid tumor) – 색 도플러 초음파에서 강한 혈류가 보이는 종양 – 두꺼운 낭종벽(thick wall) – 급격하게 자라는 경우(rapid growth) – Cul-de sac nodules – 인근 장기로의 침윤
수술의 적응증
– 폐경 전 : 악성 소견의 큰 종양인 경우 – 폐경 후 : 크기와 관계없이 악성종양 의심 시

참고 *Final Check 부인과 537 page*

05

초음파 검사를 통한 난소암 진단의 정확도를 높이기 위한 방법 중 Sassone 등이 제시한 악성을 시사하는 형태학적 소견이 아닌 것은 무엇인가?

① Inner wall structure

② Tumor volume

③ Wall thickness

④ Septal thickness

⑤ Echogenicity

05

정답 ②

해설

Sassone criteria

Findings	Points
Inner wall structure	
smooth	1
irregularities ≤3 mm	2
papillarities >3 mm	3
lesion mostly solid (not applicable)	4
Wall thickness in mm	
thin (≤3 mm)	1
thick (>3 mm)	2
lesion mostly solid (not applicable)	3
Septa in mm	
no septa	1
thin (≤3 mm)	2
thick (>3 mm)	3
Echogenicity	
sonolucent	1
low echogenicity	2
low echogenicity with echogenic core	3
mixed echogenicity	4
high echogenicity	5

참고 *Final Check 부인과 538 page*

06

다음에서 상피성 난소암에 속하는 것을 모두 고르시오.

(가) Serous cystadenoma
(나) Malignant Brenner tumor
(다) Clear cell carcinoma
(라) Endometrioid carcinoma

① 가, 나, 다

② 가, 다

③ 나, 라

④ 라

⑤ 가, 나, 다, 라

06

정답 ⑤

해설

상피성 난소암의 분포

상피성 난소암(Epithelial ovarian cancer)	
장액성암(serous carcinomas)	75%
자궁내막양암(endometrioid carcinomas)	10~20%
점액성암(mucinous), 장액-점액성암	5~10%
투명세포암(clear cell carcinoma)	6%
악성 브레너종양, 미분화암	<1%

참고 *Final Check 부인과 531 page*

07

난소암 검진 및 조기 진단에 관한 설명으로 잘못된 것을 고르시오.

① 고위험군에서는 초음파와 CA-125가 가장 좋은 선별검사 방법이다

② 질 초음파가 복부 초음파에 비하여 더 성적이 좋다

③ 저위험군이 무증상 여성에서도 선별검사가 필요하다

④ CA-125는 젊은 여성에서는 효용도가 떨어진다

⑤ HNPCC인 경우 mammography, colonoscopy, endometrial biopsy를 정기적으로 시행한다

07

정답 ③

해설

1. 선별검사 : 골반 내진, CA-125, 초음파의 병합
2. 질 초음파가 복부 초음파에 비해 더 좋음
3. 난소암 저위험군, 무증상은 선별검사 비권장
4. 폐경 전 여성은 양성에서도 CA-125가 높아지는 경향이 있어 검사의 특이도가 낮음
5. HNPCC 돌연변이가 있는 여성은 매년 자궁내막조직검사, 질 초음파, 대장경검사 시행

참고 *Final Check 부인과 530, 537 page*

08

CA-125 수치가 높을 때 진단적 개복술이 필요한 경우가 아닌 것은?

(가) 자궁근종(Myoma)
(나) 자궁선근증(Adenomyosis)
(다) 골반염(PID)
(라) 자궁내막증(Endometriosis)

① 가, 나, 다　　② 가, 다
③ 나, 라　　④ 라
⑤ 가, 나, 다, 라

08

정답 ⑤

해설

CA-125가 증가하는 상황

CA-125의 증가	
– Ovarian cancer	– 다른 장기의 암(자궁내막암, 폐암, 유방암, 소화기암)
– Benign ovarian tumor	– Peritonitis
– Leiomyoma	– Hepatitis
– Adenomyosis	– Pancreatitis
– Endometriosis	– Renal failure
– PID	

참고 *Final Check 부인과 539 page*

09

40세 여성이 체중 감소와 하복부 종괴를 주소로 내원하여 시행한 초음파상 난소암이 의심되어 시험적 개복술을 시행하였다. 복강 내에는 약 150 cc의 복수가 있었고, 양측 난소가 주먹 크기 정도로 커져 있었으며 자궁과 난관의 심한 유착과 복막에 전이된 소견을 보였다. 양측 난소에서 시행한 frozen biopsy상 serous cystadenocarcinoma로 확인되었다면 이 환자에게 정상보다 증가되어 있을 가능성이 높은 종양표지자는 무엇인가?

① CEA ② CA-125

③ AFP ④ hCG

⑤ TA-4

09

정답 ②

해설

혈청 CA-125

1. 혈청 난소암 종양표지자
2. 정상 : 0~35 U/mL
3. 초기 난소암의 약 50%(낮은 민감도), 진행성 난소암의 85%에서 증가

참고 *Final Check 부인과 539 page*

10

난소암에서 CA-125의 임상적인 의의를 쓰시오.(2가지)

10

정답

1. 악성과 양성 골반 종양을 구별하는 데 유용
2. 치료에 대한 반응과 재발의 관찰
3. 이차 추시개복술 전에 임상적으로 완전 관해를 보인 환자들에서 암의 재발을 확인

참고 *Final Check 부인과 539 page*

11

부고환 내피세포에서 분비되며 난소암, 췌장암에서도 검출되는 종양표지자는 무엇인가?

① CEA
② CA-125
③ HE4
④ Osteopontin
⑤ OVX1

12

53세 폐경 여성이 검진 중 좌측 난소에서 4.5 cm unilocular cyst가 발견되었다. 현재 증상은 없었고, 난소암, 유방암의 가족력도 없었으며 CA-125 수치는 정상이었다면 다음 처치로 가장 적절한 것을 고르시오.

① 3개월 후 질 초음파
② PET-CT
③ MRI
④ 진단적 복강경
⑤ 시험적 개복술

11

정답 ③

해설

Human epididymis protein 4 (HE4)

1. 부고환 내피세포에서 분비
2. Protease inhibitor 기능
3. 난소암 조직에서 과발현 되는 특징
   a. 혈중 농도가 월경주기, 자궁내막증, 호르몬제 등에 영향을 받지 않음
   b. CA-125에 비해 폐경 전 여성에서도 높은 특이도(양성과 악성의 감별진단에 유용)

참고 *Final Check 부인과 539 page*

12

정답 ①

해설

양성을 시사하는 초음파 소견

양성을 시사하는 소견
– 단방형 낭종(unilocular cyst)
– 최대 길이가 7 mm 이하의 고형 성분
– 음향음영(acoustic shadow)이 있는 종양
– 표면이 매끄러운 10 cm 미만의 다방형 종양(multilocular tumor)
– 색 도플러 초음파 검사에서 혈류가 없는 종양
– 얇은 낭종벽(thin wall)

→ 경과관찰하며 초음파 추적검사 시행

참고 *Final Check 부인과 537 page*

13

50세 여성이 건강검진에서 시행한 초음파상 낭종이 관찰되어 내원하였다. 크기는 3.5 cm, 얇은 낭종벽을 가진 단방형 낭종(unilocular cyst)이었고, CA-125 수치는 정상이었다면 다음 처치로 가장 적절한 것을 고르시오.

① 3개월 후 초음파 추적검사

② 진단적 개복술

③ Chemotherapy

④ Baseline study 시행

⑤ MRI

13

정답 ①

해설

양성을 시사하는 초음파 소견

양성을 시사하는 소견
– 단방형 낭종(unilocular cyst)
– 최대 길이가 7 mm 이하의 고형 성분
– 음향음영(acoustic shadow)이 있는 종양
– 표면이 매끄러운 10 cm 미만의 다방형 종양(multilocular tumor)
– 색 도플러 초음파 검사에서 혈류가 없는 종양
– 얇은 낭종벽(thin wall)

→ 경과관찰하며 초음파 추적검사 시행

참고 *Final Check 부인과 537 page*

14

폐경 후 호르몬 대체요법 중인 55세 여성이 검진에서 시행한 초음파상 좌측 난소의 4 cm 크기, 종양막이 얇고 단방성 종양을 발견하여 내원하였다. 가족력상 특이사항이나 현재 환자의 특별한 증상이 없다면 다음 처치로 가장 적절한 것을 고르시오.

① 정기적 추적검사

② 골반경하 좌측 난소절제술

③ 개복하여 외과적 병기설정

④ 개복하여 동결절편의 병리학적 결과에 따른 처치

⑤ 개복하여 완전 자궁절제술 및 양측 부속기절제술

14

정답 ①

해설

악성을 시사하는 초음파 소견

악성을 시사하는 소견
– 단방형 낭종(unilocular cyst)
– 최대 길이가 7 mm 이하의 고형 성분
– 음향음영(acoustic shadow)이 있는 종양
– 표면이 매끄러운 10 cm 미만의 다방형 종양(multilocular tumor)
– 색 도플러 초음파 검사에서 혈류가 없는 종양
– 얇은 낭종벽(thin wall)

→ 경과관찰하며 초음파 추적검사 시행

참고 *Final Check 부인과 537 page*

15

다음 중 즉각적인 진단적 개복술을 요하는 경우를 모두 고르시오.

(가) 초경 전 초등학생의 직경 5 cm, 단단한 난소 종괴
(나) 35세 다분만부의 직경 6 cm 크기의 난소 낭종
(다) 폐경 직후 직경 9 cm 크기의 난소 낭종
(라) 23세 여성의 직경 4 cm 크기의 다낭성 난소

① 가, 나, 다
② 가, 다
③ 나, 라
④ 라
⑤ 가, 나, 다, 라

16

20세 초산모가 임신 18주에 우하복부에 불쾌감을 느껴 초음파를 시행하였다. 우측 난소에 10 cm 크기의 고형 성분이 있는 난소종양이 확인되었다면 다음 처치로 가장 적절한 것을 고르시오.

① 만삭 분만 후 난소종양절제술
② 분만 후 3개월마다 관찰
③ 2개월 후 난소종양절제술
④ 시험적 개복술
⑤ 32주 이후 제왕절개술과 난소종양절제술

15

정답 ②

해설

악성을 시사하는 초음파 소견

악성을 시사하는 소견
– 표면이 불규칙한 고형종양(irregular solid tumor) – 복수(ascites) – 최소 4개의 유두상돌기(papillary projection) – ≥10 cm, 다방형 고형 종양(multilocular solid tumor) – 색 도플러 초음파에서 강한 혈류가 보이는 종양 – 두꺼운 낭종벽(thick wall) – 급격하게 자라는 경우(rapid growth) – Cul-de sac nodules – 인근 장기로의 침윤
수술의 적응증
– 폐경 전 : 악성 소견의 큰 종양인 경우 – 폐경 후 : 크기와 관계없이 악성종양 의심 시

참고 *Final Check 부인과 537 page*

16

정답 ④

해설

악성을 시사하는 초음파 소견

악성을 시사하는 소견
– 표면이 불규칙한 고형종양(irregular solid tumor) – 복수(ascites) – 최소 4개의 유두상돌기(papillary projection) – ≥10 cm, 다방형 고형 종양(multilocular solid tumor) – 색 도플러 초음파에서 강한 혈류가 보이는 종양 – 두꺼운 낭종벽(thick wall) – 급격하게 자라는 경우(rapid growth) – Cul-de sac nodules – 인근 장기로의 침윤
수술의 적응증
– 폐경 전 : 악성 소견의 큰 종양인 경우 – 폐경 후 : 크기와 관계없이 악성종양 의심 시

참고 *Final Check 부인과 537 page*

17

상피성 난소암이 생길 위험성이 높은 경우를 모두 고르시오.

(가) 경구피임제 복용자
(나) 황석공장 여직공
(다) 다분만부
(라) 어머니가 난소암으로 사망한 여성

① 가, 나, 다
② 가, 다
③ 나, 라
④ 라
⑤ 가, 나, 다, 라

18

다음 중 난소암의 가장 흔한 조직학적 유형을 고르시오.

① Mucinous carcinoma
② Serous carcinoma
③ Endometrioid carcinoma
④ Dysgerminoma
⑤ Clear cell carcinoma

17

정답 ④

해설

상피성 난소암의 위험인자

요인	위험인자
생식학적	– 배란 증가 : 미분만부, 불임, 빠른 초경, 늦은 폐경 – 장기간 estrogen 노출, 호르몬 요법
유전적	– 가족력 : 가장 일관되고 의미 있는 인자 – 유전성 난소암 : BRCA1, BRCA2 germ-line mutation – Lynch II Syndrome에 의한 유전성 난소암 확인을 위해 유방암, 대장암, 자궁내막암, 소장암, 요관암, 담관암의 가족력 확인
환경적	– 유제품, 탄수화물 과섭취 – 주 2~4회 계란섭취 – 자궁절제술, 난관결찰술 과거력

참고 *Final Check 부인과 529 page*

18

정답 ②

해설

난소암의 조직학적 분포

상피성 난소암(Epithelial ovarian cancer)	
장액성 종양(serous tumors)	30%
점액성(mucinous), 장액-점액성 종양	15%
자궁내막양 종양(Endometrioid tumor)	2~4%
상피성 난소암(Epithelial ovarian cancer)	
장액성암(serous carcinomas)	75%
자궁내막양암(endometrioid carcinomas)	10~20%
점액성암(mucinous), 장액-점액성암	5~10%
투명세포암(clear cell carcinoma)	6%
악성 브레너종양, 미분화암	<1%

참고 *Final Check 부인과 531 page*

19

유전성 난소암에 대한 설명으로 옳은 것은 무엇인가?

① 보통염색체 열성(autosomal recessive)으로 유전된다

② 발생 연령이 비유전성 암에 비해 높다

③ 점액성이 장액성 난소암에 비해 많다

④ 어머니와 자매가 난소암인 경우 50%에서 이환 된다

⑤ BRCA1 (+)인 경우 이환율이 90% 이상이다

19

정답 ④

해설

BRCA 관련 난소암의 특징

1. 보통염색체 우성(autosomal dominant) 유전
2. 유전자의 위치 및 빈도
   a. BRCA1 : 17q21, 유전성 난소암의 75%
   b. BRCA2 : 13q12~13, 유전성 난소암의 15%
3. 난소암 발생 평균 연령
   a. BRCA1과 HNPCC 보인자 : 약 45세
   b. BRCA2 보인자 : 약 50세
4. 가장 흔한 형태 : 장액성암(serous carcinoma)

참고 *Final Check 부인과 529 page*

20

다음과 같은 가계도를 보이는 환자에서 검사해야 할 것을 고르시오.

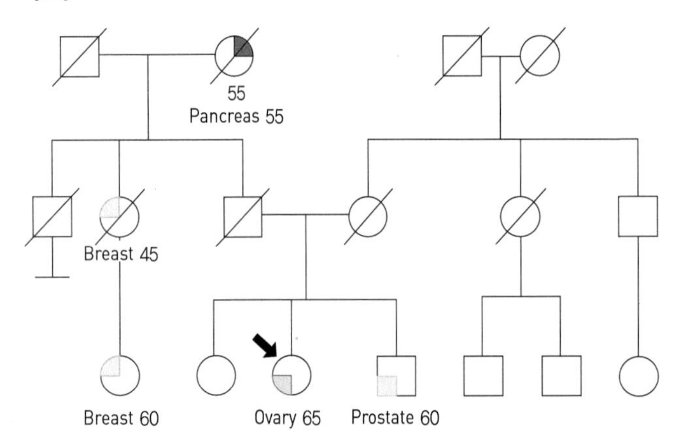

① p53 ② PTEN

③ BRCA ④ KRAS

⑤ HSH2

20

정답 ③

해설

BRCA 관련 난소암의 특징

1. 보통염색체 우성(autosomal dominant) 유전
2. 유전자의 위치 및 빈도
   a. BRCA1 : 17q21, 유전성 난소암의 75%
   b. BRCA2 : 13q12~13, 유전성 난소암의 15%
3. 난소암 발생 평균 연령
   a. BRCA1과 HNPCC 보인자 : 약 45세
   b. BRCA2 보인자 : 약 50세
4. 가장 흔한 형태 : 장액성암(serous carcinoma)

참고 *Final Check 부인과 529 page*

21

유전성 난소암과 연관이 있는 유전자를 쓰시오.(1가지)

21

정답
1. BRCA1, 2
2. MSH2, MLH1, PMS1, PMS2

해설

유전성 난소암과 연관이 있는 유전자
1. BRCA 돌연변이 : BRCA1, 2
2. HNPCC : MSH2, MLH1, PMS1, PMS2

참고 *Final Check 부인과 529 page*

22

난소암의 가족력이 있는 고위험 여성에게 권장해야 할 검사를 쓰시오.(2가지)

22

정답
1. CA-125
2. 질 초음파

해설

난소암 조기 선별검사
1. 난소암 발생 고위험군에서만 시행
2. 골반 내진, CA-125, 초음파의 병합을 권장

참고 *Final Check 부인과 537 page*

23

다음 중 breast, ovarian familial cancer syndrome에 대한 설명으로 맞는 것을 모두 고르시오.

(가) First degree relative 중에 2명이 이 질환이면 상염색체 우성 유전을 보인다
(나) 난소암 발생률은 일반 발생률의 약 3배이다
(다) 17번 염색체의 장완에 위치한 BRCA1 유전자가 이 질환과 관계가 있는 것으로 알려져 있다
(라) BRCA1 유전자의 돌연변이가 발생할 경우 난소암에 대한 cumulative life time risk는 90%이다

① 가, 나, 다　　② 가, 다
③ 나, 라　　④ 라
⑤ 가, 나, 다, 라

23

정답 ①

해설

BRCA 관련 난소암의 특징
1. 보통염색체 우성(autosomal dominant) 유전
2. 유전자의 위치 및 빈도
   a. BRCA1 : 17q21, 유전성 난소암의 75%
   b. BRCA2 : 13q12~13, 유전성 난소암의 15%
3. 난소암 발생 평균 연령
   a. BRCA1과 HNPCC 보인자 : 약 45세
   b. BRCA2 보인자 : 약 50세
4. 가장 흔한 형태 : 장액성암(serous carcinoma)

참고 *Final Check 부인과 529 page*

24

가족 중 여러 명이 난소암과 유방암의 병력이 있는 25세 여성이 내원하였다. 이 환자의 향후 관리에 대한 설명으로 잘못된 것을 고르시오.

① BRCA1/BRCA2 유전자검사가 난소암 발생 예측에 도움이 된다
② 30세 이후부터 6개월마다 질 초음파를 시행한다
③ HNPCC 증후군이 있다면 30세 이후부터 매년 대장내시경을 시행한다
④ HNPCC 증후군이 있다면 30세 이후부터 자궁내막조직검사를 시행한다
⑤ 양측 난소를 절제해도 암 발생을 완전히 예방할 수는 없다

24

정답 ③

해설

유전성 난소암 고위험군의 관리

1. 유전자 검사를 포함한 유전 상담
2. 30~35세부터 6개월마다 질 초음파, CA-125
3. 젊고, 아직 가족 구성 전이라면 경구피임제
4. 가임력 유지를 원하지 않는 경우 35세 이후에 예방적 난관난소절제술
   a. BRCA1 carriers : 35~40세에 시행 권장
   b. BRCA2 carriers : 40~45세에 시행 권장
5. BRCA mutation (+)
   a. 예방적 유방절제술 시행
   b. 25~29세 : 6~12개월마다 유방검진, MRI
   c. 30세 이상 : 매년 mammography, MRI
6. Lynch syndrome (HNPCC) 여성
   a. 20~25세 또는 가족의 대장암 진단 2~5년 전부터 1~2년마다 대장내시경
   b. 30~35세부터 1~2년마다 자궁내막조직검사
   c. 가임력 (–) : 40대부터 hysterectomy + BSO

참고 *Final Check 부인과 530 page*

25

임신력 0-0-1-0인 34세 미혼 여성이 상담을 위해 내원하였다. 어머니와 언니가 난소암으로 사망하였다면 이 여성에게 가장 적절한 검사를 모두 고르시오.

(가) 대장내시경
(나) 방광경
(다) 유방암 검진
(라) 위 내시경

① 가, 나, 다
② 가, 다
③ 나, 라
④ 라
⑤ 가, 나, 다, 라

25

정답 ②

해설

유전성 난소암 고위험군의 관리

1. 유전자 검사를 포함한 유전 상담
2. 30~35세부터 6개월마다 질 초음파, CA-125
3. 젊고, 아직 가족 구성 전이라면 경구피임제
4. 가임력 유지를 원하지 않는 경우 35세 이후에 예방적 난관난소절제술
   a. BRCA1 carriers : 35~40세에 시행 권장
   b. BRCA2 carriers : 40~45세에 시행 권장
5. BRCA mutation (+)
   a. 예방적 유방절제술 시행
   b. 25~29세 : 6~12개월마다 유방검진, MRI
   c. 30세 이상 : 매년 mammography, MRI
6. Lynch syndrome (HNPCC) 여성
   a. 20~25세 또는 가족의 대장암 진단 2~5년 전부터 1~2년마다 대장내시경
   b. 30~35세부터 1~2년마다 자궁내막조직검사
   c. 가임력 (–) : 40대부터 hysterectomy + BSO

참고 *Final Check 부인과 530 page*

26

BRCA1 유전자가 관련성이 있는 난소암의 조직형은 무엇인가?

① Serous type

② Mucinous type

③ Endometrioid type

④ Clear cell type

⑤ Undifferentiated type

26

정답 ①

해설

BRCA1 돌연변이 난소암

1. p53 과발현을 동반한 고등급 장액성 난소암
2. Platinum based 항암화학요법에 더 민감

참고 *Final Check 부인과 530 page*

27

고등급 장액성 난소암 발생 시 가장 흔한 유전자 돌연변이는 무엇인가?

① K-ras ② p53

③ PTEN ④ BRAF

⑤ HER-2

27

정답 ②

해설

BRCA1 돌연변이 난소암

1. p53 과발현을 동반한 고등급 장액성 난소암
2. Platinum based 항암화학요법에 더 민감

참고 *Final Check 부인과 530 page*

28

50세 여성이 장액성 난소암으로 진단되어 수술을 받고, 이후 6번의 Taxol + Carboplatin 항암화학치료를 시행하였다. 13개월 후 재발하여 다시 Taxol + Carboplatin 항암화학치료 후 완전 관해로 판정되었다. 검사에서 BRCA1 돌연변이가 확인되었다면 다음 치료로 가장 적절한 것을 고르시오.

① 이차 추시술(Second-look operation)

② Taxol + Carboplatin

③ Olaparib

④ Bevacizumab

⑤ Topotecan

28

정답 ③

해설

PARP inhibitor

1. Poly ADP-ribose polymerase (PARP)를 차단
2. PARP : 손상된 DNA를 복구하는 데 도움
3. BRCA 돌연변이가 있는 경우 더 효과적
4. 종류 : niraparib, olaparib, rucaparib, veliparib

참고 *Final Check 부인과 548 page*

29

난소암 중 자궁내막증과 관련된 조직학적 형태을 쓰시오. (2가지)

29

정답
1. Endometrioid carcinoma
2. Clear cell carcinoma

해설
자궁내막증과 관련된 난소암
1. Endometrioid tumor : 모든 형태에서 양성의 endometriosis 확인
2. Clear cell carcinoma : endometrioid carcinoma와 잘 동반

참고 *Final Check 부인과 533, 534 page*

30

50세 여자 환자가 좌측 난소 종괴로 수술을 하였다. 수술 시 소견과 나팔관의 조직소견이 다음과 같다면 다음 처치로 가장 적절한 것을 고르시오.

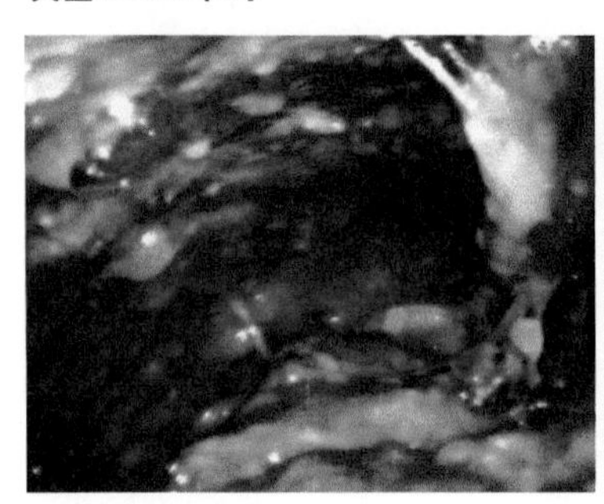
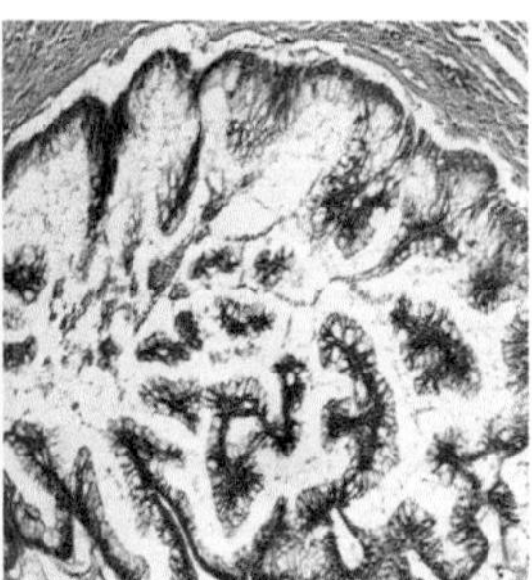

① 항생제 치료
② 항결핵제 치료
③ 난소낭종절제술
④ 자궁절제술 및 난소절제술
⑤ 수술적 병기설정

30

정답 ⑤

해설
복막 가성점액종(Pseudomyxoma peritonei)
1. 많은 점액질 들이 섬유조직에 둘러싸여 산재
2. 복강 내 비난소성 점액성 종양으로부터 발생
   a. 원발성 저등급 점액성 충수돌기암(m/c)
   b. 점액성 난소암(mucinous carcinoma)
   c. 위장관, 자궁경부, 방광, 간담도의 암 전이
3. 수술 시 충수돌기 절제 및 조직검사가 중요

참고 *Final Check 부인과 536 page*

31

진단적 개복술을 시행한 여성의 복강 내 소견이 아래와 같았고, 동결절편검사에서 borderline mucinous tumor로 확인되었다면 반드시 조직검사가 필요한 부위를 고르시오.

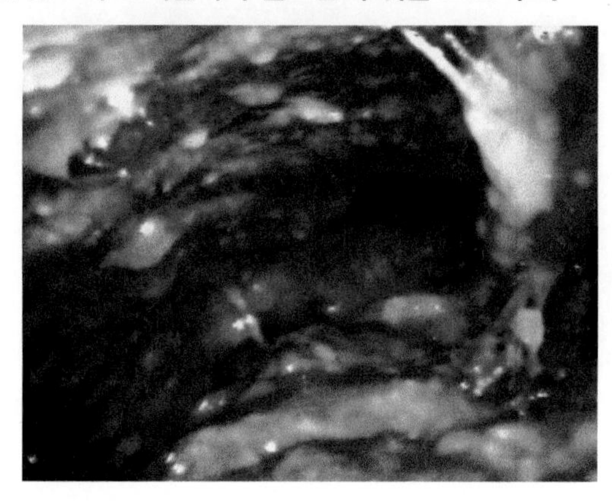

① 골반 림프절
② 대동맥주위 림프절
③ 대망
④ 충수돌기
⑤ 복막

31
정답 ④
해설
복막 가성점액종(Pseudomyxoma peritonei)
1. 많은 점액질 들이 섬유조직에 둘러싸여 산재
2. 복강 내 비난소성 점액성 종양으로부터 발생
   a. 원발성 저등급 점액성 충수돌기암(m/c)
   b. 점액성 난소암(mucinous carcinoma)
   c. 위장관, 자궁경부, 방광, 간담도의 암 전이
3. 수술 시 충수돌기 절제 및 조직검사가 중요

참고 *Final Check 부인과 536 page*

32

다음 중 복막 가성점액종(pseudomyxoma peritonei)을 일으킬 수 있는 난소암은 무엇인가?

① Serous carcinoma
② Mucinous carcinoma
③ Papilloma
④ Dysgerminoma
⑤ Fibroma

32
정답 ②
해설
복막 가성점액종(Pseudomyxoma peritonei)
1. 많은 점액질 들이 섬유조직에 둘러싸여 산재
2. 복강 내 비난소성 점액성 종양으로부터 발생
   a. 원발성 저등급 점액성 충수돌기암(m/c)
   b. 점액성 난소암(mucinous carcinoma)
   c. 위장관, 자궁경부, 방광, 간담도의 암 전이
3. 수술 시 충수돌기 절제 및 조직검사가 중요

참고 *Final Check 부인과 536 page*

33

하복부 불쾌감을 주소로 내원한 60세 여성의 수술 중 복강 내 소견 및 병리조직 사진이다. 이 질환의 가장 흔한 원발 부위를 고르시오.

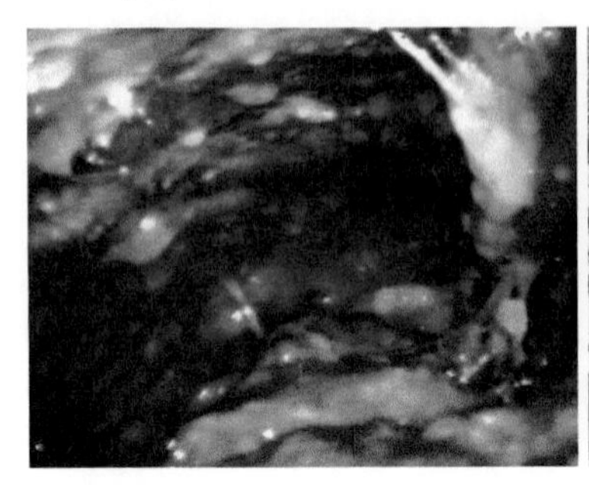
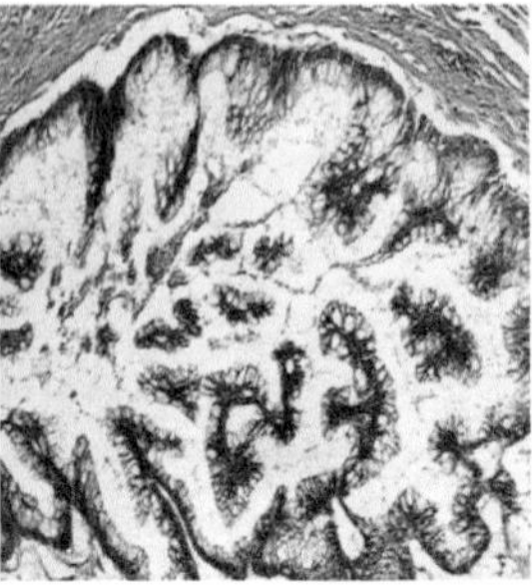

① 자궁내막 ② 유방
③ 위 ④ 충수돌기
⑤ 직장

33

정답 ④

해설

복막 가성점액종(Pseudomyxoma peritonei)

1. 많은 점액질 들이 섬유조직에 둘러싸여 산재
2. 복강 내 비난소성 점액성 종양으로부터 발생
   a. 원발성 저등급 점액성 충수돌기암(m/c)
   b. 점액성 난소암(mucinous carcinoma)
   c. 위장관, 자궁경부, 방광, 간담도의 암 전이
3. 수술 시 충수돌기 절제 및 조직검사가 중요

참고 *Final Check 부인과 536 page*

34

다음 중 상피성 난소암(epithelial ovarian cancer)의 예후인자를 모두 고르시오.

(가) Histologic grade
(나) Volume of ascites
(다) Stage
(라) Intraoperative rupture or spillage

① 가, 나, 다 ② 가, 다
③ 나, 라 ④ 라
⑤ 가, 나, 다, 라

34

정답 ①

해설

상피성 난소암의 예후인자

병리학적인자(Pathologic factors)
– 형태(morphology) – 조직학적 패턴(병변의 architecture, grade 포함)
임상적인자(Clinical factors)
– 독립적인 예후변수 : 병기, 일차수술 후 잔여질환의 정도, 복수의 양, 나이, 환자의 상태 – 난소암의 파열 • 수술 전 파열은 예후를 악화 • 수술 중 파열은 예후를 악화시키지 않음 – 초기 질환의 불량한 예후변수 : tumor grade, capsular penetration, surface excrescences, malignant ascites

참고 *Final Check 부인과 540 page*

35

다음 초기 상피성 난소암의 소견들 중 예후에 영향을 미치지 않는 것은 무엇인가?

① High grade ② Capsular penetration
③ Surface excrescence ④ Malignant ascites
⑤ Iatrogenic rupture

35

정답 ⑤

해설

상피성 난소암의 예후인자

병리학적인자(Pathologic factors)
– 형태(morphology) – 조직학적 패턴(병변의 architecture, grade 포함)
임상적인자(Clinical factors)
– 독립적인 예후변수 : 병기, 일차수술 후 잔여질환의 정도, 복수의 양, 나이, 환자의 상태 – 난소암의 파열 • 수술 전 파열은 예후를 악화 • 수술 중 파열은 예후를 악화시키지 않음 – 초기 질환의 불량한 예후변수 : tumor grade, capsular penetration, surface excrescences, malignant ascites

참고 *Final Check 부인과 540 page*

36

상피성 난소암의 임상적 예후인자 중 독립적인 예후변수를 쓰시오.(3가지)

36

정답

1. 병기
2. 일차수술 후 잔여질환의 정도
3. 복수의 양
4. 나이
5. 환자의 상태

해설

상피성 난소암의 예후인자

병리학적인자(Pathologic factors)
– 형태(morphology) – 조직학적 패턴(병변의 architecture, grade 포함)
임상적인자(Clinical factors)
– 독립적인 예후변수 : 병기, 일차수술 후 잔여질환의 정도, 복수의 양, 나이, 환자의 상태 – 난소암의 파열 • 수술 전 파열은 예후를 악화 • 수술 중 파열은 예후를 악화시키지 않음 – 초기 질환의 불량한 예후변수 : tumor grade, capsular penetration, surface excrescences, malignant ascites

참고 *Final Check 부인과 540 page*

37

35세 여성이 좌측 난소종양으로 수술을 시행하였고, frozen biopsy에서 serous carcinoma로 확인되었다. 좌측 난소 표면과 좌측 난관에 전이 소견은 보이지 않았고, 다른 곳의 육안적 전이도 관찰되지 않아 hysterectomy with BSO를 시행하였다. 최종 진단은 frozen biopsy와 동일하였다면 이 환자의 수술적 병기를 고르시오.

① Stage IB
② Stage IIA
③ Stage IIB
④ Stage IIC
⑤ Incomplete staging

37

정답 ⑤

해설

난소암의 수술적 병기설정 방법

1. 복부의 수직절개
2. 복수와 복강세척액을 통한 세포검사
3. 횡격막과 복강의 시진과 촉진
4. 의심 부위나 복막 표면의 유착 조직검사
5. 횡격막의 생검 및 샘플링
6. 결장위대망절제술(supracolic omentectomy)
7. 골반 및 대동맥주변 림프절 평가를 위한 후복막 공간(retroperitoneal space)을 탐색

참고 *Final Check 부인과 542 page*

38

난소암의 수술적 병기설정 시 가장 먼저 해야 할 것을 고르시오.

① 병소의 절제 생검
② 자궁절제술 및 양측 난관난소절제술
③ 간 및 횡경막 하면의 시진과 촉진
④ 골반 및 대동맥주변 림프절 채취
⑤ 복수 및 복강세척액의 세포검사

38

정답 ⑤

해설

난소암의 수술적 병기설정 방법

1. 복부의 수직절개
2. 복수와 복강세척액을 통한 세포검사
3. 횡격막과 복강의 시진과 촉진
4. 의심 부위나 복막 표면의 유착 조직검사
5. 횡격막의 생검 및 샘플링
6. 결장위대망절제술(supracolic omentectomy)
7. 골반 및 대동맥주변 림프절 평가를 위한 후복막 공간(retroperitoneal space)을 탐색

참고 *Final Check 부인과 542 page*

39

난소암의 병기설정술을 위하여 시행해야 하는 것을 모두 고르시오.

(가) Supracolic omentectomy
(나) Para-aortic lymph node sampling
(다) Peritoneal washing cytology
(라) Biopsy of the suspicious lesion

① 가, 나, 다
② 가, 다
③ 나, 라
④ 라
⑤ 가, 나, 다, 라

39

정답 ⑤

해설

난소암의 수술적 병기설정 방법

1. 복부의 수직절개
2. 복수와 복강세척액을 통한 세포검사
3. 횡격막과 복강의 시진과 촉진
4. 의심 부위나 복막 표면의 유착 조직검사
5. 횡격막의 생검 및 샘플링
6. 결장위대망절제술(supracolic omentectomy)
7. 골반 및 대동맥주변 림프절 평가를 위한 후복막 공간(retroperitoneal space)을 탐색

참고 *Final Check 부인과 542 page*

40

53세 여성이 좌측 난소 종괴로 시험적 개복술을 시행 받았다. 좌측 난소에 7 x 6 x 5 cm 크기의 종괴가 있어 동결절편을 시행하였고 점액성 낭선암(mucinous cystadenocarcinoma)로 확인되었으며, 우측 난소, 자궁, 골반 및 복강 내에 육안적 전이소견은 없었다. 이 환자의 다음 처치로 적절한 것을 모두 고르시오.

(가) 대망절제술(omentectomy)
(나) 복강세척액 세포검사(peritoneal washing cytology)
(다) 자궁절제술 및 양측 부속기절제술(hysterectomy with BSO)
(라) 골반림프절 절제술(pelvic lymphadenectomy)

① 가, 나, 다
② 가, 다
③ 나, 라
④ 라
⑤ 가, 나, 다, 라

40

정답 ⑤

해설

난소암의 수술적 병기설정 방법

1. 복부의 수직절개
2. 복수와 복강세척액을 통한 세포검사
3. 횡격막과 복강의 시진과 촉진
4. 의심 부위나 복막 표면의 유착 조직검사
5. 횡격막의 생검 및 샘플링
6. 결장위대망절제술(supracolic omentectomy)
7. 골반 및 대동맥주변 림프절 평가를 위한 후복막 공간(retroperitoneal space)을 탐색

참고 *Final Check 부인과 542 page*

41

초기 난소암에서 수술적 병기설정술의 방법에 대해서 서술하시오.

41

정답

1. 복부의 수직절개
2. 복수와 복강세척액을 통한 세포검사
3. 횡격막과 복강의 시진과 촉진
4. 의심 부위나 복막 표면의 유착 조직검사
5. 횡격막의 생검 및 샘플링
6. 결장위대망절제술(supracolic omentectomy)
7. 골반 및 대동맥주변 림프절 평가를 위한 후복막 공간(retroperitoneal space)을 탐색

참고 *Final Check 부인과 542 page*

42

난소암 수술적 병기설정 방법 중 hysterectomy with BSO 이외에 필요한 술기들을 쓰시오.(4가지)

42

정답

1. 복부의 수직절개
2. 복수와 복강세척액을 통한 세포검사
3. 횡격막과 복강의 시진과 촉진
4. 의심 부위나 복막 표면의 유착 조직검사
5. 횡격막의 생검 및 샘플링
6. 결장위대망절제술(supracolic omentectomy)
7. 골반 및 대동맥주변 림프절 평가를 위한 후복막 공간(retroperitoneal space)을 탐색

참고 *Final Check 부인과 542 page*

43

초기 상피성 난소암의 고위험 인자가 아닌 것을 고르시오.

① 복수(Ascites)

② 투명세포암(Clear cell carcinoma)

③ 수술 전 파열(Preoperative rupture)

④ 심한 유착(Dense adherence)

⑤ 이배수성 종양(Diploidy tumor)

43

정답 ⑤

해설

초기 상피성 난소암의 고위험 예후인자

1. High grade
2. Tumor growth through capsule
3. Surface excrescences
4. Ascites
5. Malignant cells in fluid
6. Preoperative rupture
7. Dense adherence
8. Aneuploid tumor

참고 *Final Check 부인과 543 page*

44

22세 미혼 여성이 난소암으로 진단받고 우측 난관난소절제술, 병기설정술을 시행 받았다. 조직검사 결과 분화도가 좋은 점액성 난소암으로 확인되었다. 종괴의 표면 손상이 없었고, 복강세척액 세포검사 음성, 림프절 및 다른 장기에 전이 소견도 없었다면 다음 처치로 가장 적절한 것을 고르시오.

① 추적관찰

② 호르몬치료

③ 항암방사선치료

④ 방사선치료

⑤ 자궁절제술 및 좌측 난관난소절제술

44

정답 ①

해설

초기 난소암 저위험군(Stage I, low risk)

1. 병기설정술과 난소 이외로 전이 (–)
   → Hysterectomy with BSO
2. 가임력 유지를 원하는 Stage IA, grade 1~2
   → Unilateral salpingo-oophorectomy
   a. 정기 추적관찰 : 골반검진, CA-125
   b. 다른 난소와 자궁은 출산 완료 후 제거

참고 *Final Check 부인과 544 page*

45

유측 난소 종괴로 수술을 시행한 30세 미혼 여성의 조직검사에서 serous carcinoma, grade I을 확인하였다. 수술 시 우측 난소 이외의 다른 곳에 전이는 없었다면 다음 처치로 가장 적절한 것을 고르시오.

① Observation

② Systemic chemotherapy

③ Radiation therapy

④ Intraperitoneal chemotherapy

⑤ Concurrent chemoradiation therapy

45

정답 ①

해설

초기 난소암 저위험군(Stage I, low risk)

1. 병기설정술과 난소 이외로 전이 (–)
   → Hysterectomy with BSO
2. 가임력 유지를 원하는 Stage IA, grade 1~2
   → Unilateral salpingo-oophorectomy
   a. 정기 추적관찰 : 골반검진, CA-125
   b. 다른 난소와 자궁은 출산 완료 후 제거

참고 *Final Check 부인과 544 page*

46

55세 기혼여성이 right ovary tumor를 주소로 진단적 개복술을 시행하였고 수술소견 및 검사결과는 아래와 같았다면 다음 처치로 가장 적절한 것을 고르시오.

- Operation : Hysterectomy with bilateral salpingo-oophorectomy
- Frozen section biopsy : Mucinous carcinoma
- Permanent biopsy : Mucinous carcinoma, Grade I
- Peritoneal washing cytology : negative
- Other L/N & metastasis : negative

① Observation　② Radiation therapy

③ Chemotherapy　④ IP chemotherapy

⑤ Reoperation

46

정답 ①

해설

초기 난소암 저위험군(Stage I, low risk)

1. 병기설정술과 난소 이외로 전이 (–)
   → Hysterectomy with BSO
2. 가임력 유지를 원하는 Stage IA, grade 1~2
   → Unilateral salpingo-oophorectomy
   a. 정기 추적관찰 : 골반검진, CA-125
   b. 다른 난소와 자궁은 출산 완료 후 제거

참고 *Final Check 부인과 544 page*

47

난소암으로 시행한 병기설정술과 조직검사 소견이 아래와 같다면 다음 처치로 가장 적절한 것을 고르시오.

- Left ovary : Serous adenocarcinoma, Grade 2, capsule involvement (−)
- Right ovary : Free
- Uterus, Tube : Free
- Omentum : Free
- Peritoneal washing cytology : Positive

① 경과관찰
② 항암화학치료
③ 동시 항암화학방사선치료
④ 이차 추시술
⑤ 방사선치료

47

정답 ②

해설

초기 난소암 고위험군(stage I, high risk)

1. 한쪽 난소에 국한 + 복강세척액 (+) : IC3
2. 철저한 외과적 병기설정술 시행
3. Hysterectomy with BSO
4. 수술 후 보조 항암화학요법 시행
   a. Carboplatin + Paclitaxel 3~6회
   b. 고령, 내과적 질환 : carboplatin 단일제제

참고 *Final Check 부인과 544 page*

48

진행된 병기의 상피성 난소암에서 가장 효과적인 chemotherapy regimen은 무엇인가?

① Carboplatin + Paclitaxel
② Cyclophosphamide + Paclitaxel
③ Cyclophosphamide + Cisplatin
④ Cyclophosphamide + Adriamycin + Cisplatin
⑤ 5-FU + Cisplatin

48

정답 ①

해설

복합 항암화학요법의 권장요법

1. Paclitaxel + Carboplatin
2. Paclitaxel + Cisplatin

참고 *Final Check 부인과 545 page*

49

상피성 난소암에서 platinum based Taxol 제제에 내성이 있을 때 선택할 수 있는 2nd line chemotherapy를 쓰시오.(2가지)

49

정답

1. Docetaxel
2. Liposomal doxorubicin
3. Topotecan
4. Etoposide

참고 *Final Check 부인과 545 page*

50

53세 여성이 난소의 종양이 의심되어 내원하였다. MRI 소견에서 난소 이외의 특이소견은 없었고, 병기설정을 위한 개복술을 시행하였다. 수술소견이 아래와 같다면 다음 처치로 가장 적절한 것을 고르시오.

- Operation : Hysterectomy with bilateral salpingo-oophorectomy
- Frozen section biopsy :
  Serous borderline tumor, stromal invasion (−)
- 수술 중 관찰된 육안적 병변 : negative
- Peritoneal washing cytology : negative
- Pelvic & para-aortic L/N : negative
- Omentum : 3 mm size, microscopic lesion

① 경과관찰

② IV platinum 3회

③ IV taxane + platinum 3회

④ IV taxane + platinum 6회

⑤ IP taxane + platinum 6회

50

정답 ④

해설

진행된 병기의 상피성 난소암의 치료

1. Omentum microscopic lesion : IIIA2
2. Optimal debulking
3. Chemotherapy 6~8 cycles
   a. Paclitaxel + Carboplatin
   b. Paclitaxel + Cisplatin

참고 *Final Check 부인과 544 page*

51

70세 여자 환자가 복부 팽만을 주소로 내원 하였다. Abd.-Pelvic CT에서 Rt adnexal mass 이외에 다른 전이나 림프절 종대 소견은 없었고, 복수 천자에서 점액성 암세포가 나왔다면 수술 후 항암화학요법으로 사용할 수 있는 가장 적절한 방법을 고르시오.

① Paclitaxel + Carboplatin

② Paclitaxel 단독요법

③ Etoposide + Cisplatin

④ Paclitaxel에 과민반응 시 Etoposide 경구투여

⑤ 정맥 투여 불가능 시, Liposomal Doxorubicin 복강내 투여

51

정답 ①

해설

진행된 병기의 상피성 난소암의 치료

1. Optimal debulking
2. Chemotherapy 6~8 cycles
   a. Paclitaxel + Carboplatin
   b. Paclitaxel + Cisplatin

참고 *Final Check 부인과 545 page*

52

병기설정을 위한 개복술에서 우측 난소에만 국한된 장액성 선암, Grade 3로 확인되었다면 다음 처치로 가장 적절한 것을 고르시오.

① Chemotherapy

② Radiation therapy

③ Concurrent chemoradiation therapy

④ Reoperation

⑤ Observation

52

정답 ①

해설

초기 난소암 고위험군(stage I, high risk)

1. 철저한 외과적 병기설정술 시행
2. Hysterectomy with BSO
3. 수술 후 보조 항암화학요법 시행
   a. Carboplatin + Paclitaxel 3~6회
   b. 고령, 내과적 질환 : carboplatin 단일제제

참고 *Final Check 부인과 545 page*

53

조기 상피성 난소암과 진행된 상피성 난소암의 항암제 사용 시 차이점은 무엇인가?

① 항암제의 종류
② 항암제의 용량
③ 항암제의 조합
④ 항암제의 투여 횟수
⑤ 차이 없음

53

정답 ④

해설

조기와 진행 상피성 난소암의 항암제

1. 조기 난소암, 저위험군
   a. Hysterectomy with BSO
   b. Unilateral salpingo-oophorectomy
2. 조기 난소암 고위험군, 진행된 상피성 난소암
   a. 철저한 외과적 병기설정술 시행
   b. Hysterectomy with BSO
   c. 수술 후 보조 항암화학요법 3~6회 시행

참고 *Final Check 부인과 545 page*

54

Taxane 사용 시 hypersensitivity의 예방을 위해 미리 투여해야 하는 것을 모두 고르시오.

(가) Dexamethasone
(나) Diphenhydramine
(다) Cimetidine
(라) Ondansetron

① 가, 나, 다
② 가, 다
③ 나, 라
④ 라
⑤ 가, 나, 다, 라

54

정답 ①

해설

Paclitaxel, carboplatin에 과민반응이 있는 경우

1. 대체약물 투여 : docetaxel, nanoparticle paclitaxel, cisplatin
2. Carboplatin 탈감작 시도
3. 예방을 위한 약물 : dexamethasone, diphenhydramine or pheniramine, cimetidine

참고 *Final Check 부인과 546 page*

55

Paclitaxel의 과민반응을 완화시키기 위해 diphenhydramine, cimetidine과 함께 항암제 투약 30분 전에 정맥 투여하는 약제를 쓰시오.

55

정답 Dexamethasone

해설

Paclitaxel, carboplatin에 과민반응이 있는 경우

1. 대체약물 투여 : docetaxel, nanoparticle paclitaxel, cisplatin
2. Carboplatin 탈감작 시도
3. 예방을 위한 약물 : dexamethasone, diphenhydramine or pheniramine, cimetidine

참고 *Final Check 부인과 546 page*

56

난소암으로 수술 후 항암화학치료 중이던 환자가 갑자기 어지러움증과 발한을 호소하며, 혈압 80/60 mmHg, 맥박 120회/min.으로 측정되었다. 이 환자의 항암치료요법에 사용되었을 것으로 생각되는 항암제는 무엇인가?

① Cisplatin ② Doxorubicin
③ Paclitaxel ④ Topotecan
⑤ Etoposide

56

정답 ③

해설

Paclitaxel, carboplatin에 과민반응이 있는 경우

1. 대체약물 투여 : docetaxel, nanoparticle paclitaxel, cisplatin
2. Carboplatin 탈감작 시도
3. 예방을 위한 약물 : dexamethasone, diphenhydramine or pheniramine, cimetidine

참고 *Final Check 부인과 546 page*

57

상피성 난소암으로 진단받고 치료 중인 67세 여자 환자가 오심, 구토를 호소하며 내원하였다. 환자는 2일 전 항암제(paclitaxel + cisplatin)를 투여 받았고, 그 후 아무것도 먹을 수 없었다고 하였다. 혈압은 90/50 mmHg, 맥박수는 124회/min., 체온은 37.5℃로 확인되었고, 복부는 부드러우며 장음(bowel sound)은 정상이었다. 다음 중 이 환자에게 가장 적절한 처치를 고르시오.

① 경과관찰
② 수액제 투여
③ 항생제 투여
④ 구토억제제 투여
⑤ 비위관 삽입

57

정답 ②

해설

Paclitaxel, carboplatin에 과민반응이 있는 경우

1. 대체약물 투여 : docetaxel, nanoparticle paclitaxel, cisplatin
2. Carboplatin 탈감작 시도
3. 예방을 위한 약물 : dexamethasone, diphenhydramine or pheniramine, cimetidine

참고 *Final Check 부인과 546 page*

58

난소암으로 인해 복합 항암화학요법을 시행하는 환자가 투여한지 일주일 후부터 발열, 오심, 구토 증상이 발생하여 응급실에 내원하였다. 검사 상 WBC 800/μL (Seg. 45%), Hb 4.5 g/dL, platelet 15,000/μL로 확인되었다면 이 환자에 대한 올바른 처치를 모두 고르시오.

(가) Oral gargling and sitz bath
(나) IV antibiotics
(다) Platelet concentration transfusion
(라) G-CSF

① 가, 나, 다
② 가, 다
③ 나, 라
④ 라
⑤ 가, 나, 다, 라

58

정답 ⑤

해설

항암치료 중 발생한 열성 호중구감소증의 치료

1. Laminar flow room으로 격리
2. 광범위 항생제(broad spectrum antibiotics)
3. 위장관계의 세척
4. 항생제 사용 48~72시간 후에도 효과가 없으면 amphotericin 투여

참고 *Final Check 부인과 547 page*

59

상피성 난소암으로 paclitaxel + carboplatin 항암화학요법 5 cycle 치료 중, 치료 10일 후부터 고열과 인후통이 발생하였다. 환자의 vital sign은 혈압 120/80 mmHg, 맥박 103회/분, 체온 39.4℃, 호중구 100/uL으로 확인되었다면 이 환자에게 가장 적절한 치료 방법을 고르시오.

① 외래 감염 예방 교육
② 외래 항생제 처방
③ 입원 후 경과관찰
④ 입원 후 항생제 치료
⑤ 항암화학 요법 지속

59

정답 ④

해설

항암치료 중 발생한 열성 호중구감소증의 치료

1. Laminar flow room으로 격리
2. 광범위 항생제(broad spectrum antibiotics)
3. 위장관계의 세척
4. 항생제 사용 48~72시간 후에도 효과가 없으면 amphotericin 투여

참고 *Final Check 부인과 547 page*

60

진행된 난소암에서 선행 항암화학요법(neoadjuvant chemotherapy)의 적응증(A)과 이점(B)을 각각 쓰시오.

60

정답

(A) 적응증
1. 최적의 종양감축술이 어려운 경우
2. 생활수행능력이 나빠 수술 전후 위험성이 높은 경우

(B) 이점
1. 출혈량의 감소
2. 수술관련 위험성 감소
3. 삶의 질 증가

해설

선행 항암화합요법(Neoadjuvant chemotherapy)

적응증
– 최적의 종양감축술이 어려운 경우
– 생활수행능력이 나빠 수술 전후 위험성이 높은 경우
효과
– 출혈량의 감소
– 수술관련 위험성 감소
– 삶의 질 증가

참고 *Final Check 부인과 547 page*

61

45세 여성이 난소암 3기로 수술 받고, paclitaxel + carboplatin으로 6회 치료 후 완전 관해 판정을 받았다. 추적관찰 3년 후 CA-125 357 U/mL로 증가하고, 복부 전산화단층촬영상 다량의 복수와 장간막 전이, 흉부 전산화단층촬영상 폐 전이가 확인되었다. 이 환자의 향후 처치로 적절한 것을 고르시오.

① 경과관찰

② 방사선치료

③ 이차 종양감출술

④ 호르몬치료

⑤ 항암화학치료

61

정답 ⑤

해설

이차 항암화학요법(Second-line chemotherapy)

1. 증상의 완화, 삶의 질 개선, 암 진행의 지연, 생존기간 연장 등을 위한 요법
2. 일차 항암치료 후 재발 시점에 따른 분류
   a. Platinum-sensitive : 처음의 platinum based chemotherapy에 대하여 반응을 한 그룹, Disease progression free interval이 6개월 이상인 경우
   b. Platinum-resistant : Disease progression free interval이 6개월 미만인 경우
   c. Platinum-refractory : 일차 항암치료 중 진행

참고 *Final Check 부인과 548 page*

62

다음 중 intraperitoneal chemotherapy의 장점을 모두 고르시오.

(가) Longer systemic exposure
(나) Longer half-life of regimens
(다) High IP concentration of regimens
(라) Short hospital stay

① 가, 나, 다
② 가, 다
③ 나, 라
④ 라
⑤ 가, 나, 다, 라

62

정답 ①

해설

복강 내 항암화학요법

장점
– 약물의 높은 복강 내 농도 – 복강 내 약물의 더 긴 반감기 – 항암제에 장기간 전신 노출
부작용
– 카테터 관련 : 감염, 유착 – 복강 내 투여 합병증 : 복통, 불편감, 메스꺼움 – 고용량 항암제 합병증 : 급성 및 만성 대사 불균형, 신경독성

참고 *Final Check 부인과 546 page*

63

난소암(ovarian cancer) 치료방법 중 복강 내 항암화학요법(intraperitoneal chemotherapy)에 대한 내용으로 맞는 것을 고르시오.

① 수술 후 2 cm 이상의 큰 종괴가 남았을 때 사용하면 효과적이다
② 가장 효과적인 약물은 cisplatin, paclitaxel이다
③ 전신적인 상태가 나빠도 사용할 수 있다
④ 복강 내 유착은 큰 장애요인이 되지 않는다
⑤ 약물 내성을 극복할 수 있는 좋은 방법이다

63

정답 ②

해설

복강 내 항암화학요법(IP chemotherapy)

1. 적응증
   a. 적절한 일차 종양감축술(잔류종양 <1 cm)
   b. 독성을 견딜 수 있는 환자의 상태
2. 약물 : (Carboplatin or Cisplatin) + Paclitaxel
3. 장점 및 부작용

장점
– 약물의 높은 복강 내 농도 – 복강 내 약물의 더 긴 반감기 – 항암제에 장기간 전신 노출
부작용
– 카테터 관련 : 감염, 유착 – 복강 내 투여 합병증 : 복통, 불편감, 메스꺼움 – 고용량 항암제 합병증 : 급성 및 만성 대사 불균형, 신경독성

참고 *Final Check 부인과 546 page*

64

상피성 난소암의 치료와 예후에 관한 설명으로 잘못된 것을 고르시오.

① 잔류 종양의 크기가 예후에 중요하다

② 보조 치료로 항암화학요법이 가장 주된 방법이다

③ IP chemotherapy는 수술 후 큰 난소암이 남은 경우 더 효과적이다

④ IP chemotherapy regimen으로는 cisplatin과 paclitaxel 이 가장 많이 사용된다

⑤ IP chemotherapy는 복강 내 유착이 있을 경우 효과적이지 않다

64

정답 ③

해설

복강 내 항암화학요법(IP chemotherapy)

1. 적응증
   a. 적절한 일차 종양감축술(잔류종양 <1 cm)
   b. 독성을 견딜 수 있는 환자의 상태
2. 약물 : (Carboplatin or Cisplatin) + Paclitaxel
3. 장점 및 부작용

장점
– 약물의 높은 복강 내 농도 – 복강 내 약물의 더 긴 반감기 – 항암제에 장기간 전신 노출
부작용
– 카테터 관련 : 감염, 유착 – 복강 내 투여 합병증 : 복통, 불편감, 메스꺼움 – 고용량 항암제 합병증 : 급성 및 만성 대사 불균형, 신경독성

참고 *Final Check 부인과 546 page*

65

다음 중 복강 내 항암화학요법(intraperitoneal chemotherapy)에 관한 내용으로 옳은 것을 고르시오.

① Adriamycin 단독으로 사용한다

② 복강 외 병변이 있는 환자에게 사용하는 것이 좋다

③ 적절한 일차 종양감축술을 받은 환자에게 사용하는 것이 좋다

④ 호중구감소증(neutropenia)가 적다

⑤ 재발된 환자에게는 사용이 불가능하다

65

정답 ③

해설

복강 내 항암화학요법(IP chemotherapy)

1. 적응증
   a. 적절한 일차 종양감축술(잔류종양 <1 cm)
   b. 독성을 견딜 수 있는 환자의 상태
2. 약물 : (Carboplatin or Cisplatin) + Paclitaxel
3. 장점 및 부작용

장점
– 약물의 높은 복강 내 농도 – 복강 내 약물의 더 긴 반감기 – 항암제에 장기간 전신 노출
부작용
– 카테터 관련 : 감염, 유착 – 복강 내 투여 합병증 : 복통, 불편감, 메스꺼움 – 고용량 항암제 합병증 : 급성 및 만성 대사 불균형, 신경독성

참고 *Final Check 부인과 546 page*

66

다음 중 복강 내 항암화학요법(intraperitoneal chemotherapy)의 부작용이 아닌 것을 고르시오.

① Abdominal pain and discomfort

② Abdominal bleeding

③ Metabolic imbalance

④ Abdominal adhesion

⑤ Neurotoxicity

66

정답 ②

해설

복강 내 항암화학요법(IP chemotherapy)

1. 적응증
   a. 적절한 일차 종양감축술(잔류종양 <1 cm)
   b. 독성을 견딜 수 있는 환자의 상태
2. 약물 : (Carboplatin or Cisplatin) + Paclitaxel
3. 장점 및 부작용

장점
– 약물의 높은 복강 내 농도 – 복강 내 약물의 더 긴 반감기 – 항암제에 장기간 전신 노출
부작용
– 카테터 관련 : 감염, 유착 – 복강 내 투여 합병증 : 복통, 불편감, 메스꺼움 – 고용량 항암제 합병증 : 급성 및 만성 대사 불균형, 신경독성

참고 *Final Check 부인과 546 page*

67

난소암 환자의 수술 후 paclitaxel + carboplatin 항암화학요법을 시행하려고 한다. Carboplatin 용량을 Calvert formula로 정하고자 할 때 적절한 용량은 얼마인가?(이 환자의 creatinine clearance = 75 mL/min.)

① 300 mg

② 400 mg

③ 500 mg

④ 600 mg

⑤ 700 mg

67

정답 ③

해설

Carboplatin의 용량 계산

1. Calvert formula = Target AUC x (GFR + 25)
2. Target AUC : Combination = 5, Single = 7
3. 5 x (75 + 25) = 500

참고 *Final Check 부인과 546 page*

68

68세의 여성이 난소암 3기로 진단받고 항암화학치료를 하려고 한다. 환자의 체중은 60 kg, serum creatinine 1.0 mg/dL, creatinine clearance 50 mL/min.로 확인되었다. Target AUC를 5로 할 때, 이 환자의 carboplatin 용량을 구하시오.

① 375 mg ② 400 mg
③ 425 mg ④ 450 mg
⑤ 475 mg

68

정답 ①

해설

Carboplatin의 용량 계산

1. Calvert formula = Target AUC x (GFR + 25)
2. Target AUC : Combination = 5, Single = 7
3. 5 x (50 + 25) = 375

참고 *Final Check 부인과 546 page*

69

종양과 관련 종양표지자가 바르게 연결된 것을 고르시오.

	Immature teratoma	Choriocarcinoma	Endodermal sinus tumor	Dysgerminoma
①	(−)	hCG	AFP	LDH
②	AFP	(−)	Inhibin	PLAP
③	Inhibin	AFP	PLAP	(−)
④	AFP	hCG	(−)	Inhibin
⑤	hCG	AFP	Inhibin	PLAP

69

정답 ①

해설

악성 종양과 종양표지자

Tumor	AFP	hCG	LDH
Dysgerminoma	−	+/-	+
Endodermal sinus tumor	+	−	−
Immature teratoma	+/−	-	-
Embryonal carcinoma	+/−	+	−
Choriocarcinoma	−	+	−
Polyembryoma	+/−	+	−

참고 *Final Check 부인과 550 page*

70

다음 중 난소의 종양표지자(tumor marker)로서 α-fetoprotein 이 가장 큰 역할을 하는 종양은 무엇인가?

① 미분화세포종(dysgerminoma)

② 미성숙 기형종(immature teratoma)

③ 내배엽동종양(endodermal sinus tumor)

④ 배아암(embryonal carcinoma)

⑤ 다배아종(polyembryoma)

71

혈청 알파태아단백(α-fetoprotein)이 증가하는 난소종양은 무엇인가?

① 난포막황체낭종(theca lutein cyst)

② Krukenberg 종양(Krukenberg tumor)

③ 배아암종(embryonal cell carcinoma)

④ 점액성암(mucinous carcinoma)

⑤ 장액성암(serous carcinoma)

70

정답 ③

해설

내배엽동종양(Endodermal sinus tumor, EST)

1. 세번째로 흔한 악성 생식세포종양
2. 발생 연령 : 16~18세, 1/3이 초경 전
3. 100% 일측성(unilateral)
4. 초경 전 환자에서 수술 전 염색체 분석 시행
5. AFP (α-fetoprotein) : 대부분의 EST에서 분비
6. AAT (α-1 antitrypsin) : 드물게 분비

참고 *Final Check 부인과 557 page*

71

정답 ③

해설

배아암종(Embryoinal carcinoma)

1. 매우 드문 질환, 발생 평균 연령 14세
2. AFP, hCG 분비
3. Estrogen 분비 시 성조숙증, 부정출혈 발생

참고 *Final Check 부인과 558 page*

72

다음 난소종양 중 혈청 AFP이 증가하는 것을 모두 고르시오.

(가) 미분화세포종(dysgerminoma)
(나) 배아암종(embryonal carcinoma)
(다) 융모막암종(choriocarcinoma)
(라) 내배엽동종양(endodermal sinus tumor)

① 가, 나, 다
② 가, 다
③ 나, 라
④ 라
⑤ 가, 나, 다, 라

73

생식세포종양(germ cell tumor)의 종양표지자(tumor marker)를 쓰시오.(4가지)

72

정답 ③

해설

악성 종양과 종양표지자

Tumor	AFP	hCG	LDH
Dysgerminoma	−	+/-	+
Endodermal sinus tumor	+	−	−
Immature teratoma	+/−	-	-
Embryonal carcinoma	+/−	+	−
Choriocarcinoma	−	+	−
Polyembryoma	+/−	+	−

참고 *Final Check 부인과 550 page*

73

정답

1. AFP (α−fetoprotein)
2. hCG (human chorionic gonadotropin)
3. LDH (lactate dehydrogenase)
4. PLAP (placental alkaline phosphatase)

해설

생식세포종양의 종양표지자

1. AFP (α−fetoprotein)
2. hCG (human chorionic gonadotropin)
3. LDH (lactate dehydrogenase)
4. PLAP (placental alkaline phosphatase)

참고 *Final Check 부인과 550 page*

74

생식세포종양(germ cell tumor) 중 LDH가 증가하는 종양을 모두 고르시오.

(가) Endodermal sinus tumor
(나) Mixed germ cell tumor
(다) Choriocarcinoma
(라) Dysgerminoma

① 가, 나, 다
② 가, 다
③ 나, 라
④ 라
⑤ 가, 나, 다, 라

74

정답 ③

해설

악성 종양과 종양표지자

Tumor	AFP	hCG	LDH
Dysgerminoma	−	+/-	+
Endodermal sinus tumor	+	−	−
Immature teratoma	+/−	-	-
Embryonal carcinoma	+/−	+	−
Choriocarcinoma	−	+	−
Polyembryoma	+/−	+	−
Mixed germ cell tumor : dysgerminoma + EST			

참고 Final Check 부인과 550, 559 page

75

8세의 여아가 하복부 종괴를 주소로 내원하여 시행한 초음파에서 12 cm 크기의 고형성 종괴(solid mass)가 관찰되었다. 다음 중 가능성이 높은 난소종양은 무엇인가?

① Epithelial tumor
② Germ cell tumor
③ Sex cord-stromal tumor
④ Lipoid cell tumor
⑤ Metastatic tumor

75

정답 ②

해설

생식세포종양(Germ cell tumor)

1. 난소종양의 20~25% 차지, 악성은 3%
2. 20세 이전 난소종양의 70%, 1/3이 악성
3. 평균 발생연령 16~20세, Stage I이 50~75%
4. 가장 흔한 양성 종양 : dermoid cyst
5. 가장 흔한 악성 종양 : dysgerminoma

참고 Final Check 부인과 550 page

76

다음 난소의 생식세포종양 중 가장 흔한 악성종양은 무엇인가?

① 미분화세포종(Dysgerminoma)
② 내배엽동종양(Endodermal sinus tumor)
③ 다배아종(Polyembryoma)
④ 배아암종(Embryonal carcinoma)
⑤ 유피낭종(Dermoid cyst)

76

정답 ①

해설

생식세포종양(Germ cell tumor)

1. 난소종양의 20~25% 차지, 악성은 3%
2. 20세 이전 난소종양의 70%, 1/3이 악성
3. 평균 발생연령 16~20세, Stage I이 50~75%
4. 가장 흔한 양성 종양 : dermoid cyst
5. 가장 흔한 악성 종양 : dysgerminoma

참고 Final Check 부인과 550 page

77

다음의 난소암들 중 원시생식세포(primitive germ cell)로부터 유래한 종양이 아닌 것을 고르시오.

① Dysgerminoma
② Endodermal sinus tumor
③ Embryonal carcinoma
④ Choriocarcinoma
⑤ Granulosa cell tumor

77

정답 ⑤

해설

생식세포종양(Germ cell tumor)의 종류

1. Dysgerminoma
2. Endodermal sinus tumor
3. Embryonal carcinoma
4. Polyembryoma
5. Choriocarcinoma
6. Teratoma (mature, immature)

참고 *Final Check 부인과 550 page*

78

다음 중 생식세포종(germ cell tumor)에 속하는 것을 모두 고르시오.

(가) 융모막암종(choriocarcinoma)
(나) 다배아종(polyembryoma)
(다) 배아암종(embryonal carcinoma)
(라) 음양모세포종(gynandroblastoma)

① 가, 나, 다
② 가, 다
③ 나, 라
④ 라
⑤ 가, 나, 다, 라

78

정답 ①

해설

생식세포종양(Germ cell tumor)의 종류

1. Dysgerminoma
2. Endodermal sinus tumor
3. Embryonal carcinoma
4. Polyembryoma
5. Choriocarcinoma
6. Teratoma(mature, immature)

참고 *Final Check 부인과 550 page*

79

미분화세포종(dysgerminoma)에 대한 설명으로 맞는 것을 모두 고르시오.

(가) 임신과 동시에 존재가 가능한 암이다
(나) 약 50%가 비정상적인 생식샘을 가진 표현형 여성이다
(다) 생식세포종양 중 가장 흔히 양측성으로 발생한다
(라) 여성에서만 발생한다

① 가, 나, 다 ② 가, 다
③ 나, 라 ④ 라
⑤ 가, 나, 다, 라

79

정답 ②

해설

미분화세포종(Dysgerminoma)

1. 가장 흔한 악성 생식세포종양
   a. 생식세포 기원 난소암의 약 30~40% 차지
   b. 전체 난소암의 1~3% 차지
2. 전 연령대에서 발생 가능, 10~30세에서 호발
3. Gonadotropin-producing syncytiotrophoblastic cell을 가진 경우 hCG 혹은 LDH 상승
4. 비정상적인 생식샘을 가진 표현형 여성 : 5%
   a. 46,XY : Pure gonadal dysgenesis
   b. 45,X/46,XY : Mixed gonadal dysgenesis
   c. 46,XY : Androgen insensitivity syndrome
5. 진단 시 65%가 Stage I
   a. 한쪽 난소에 국한된 경우 : 85~90%
   b. 양쪽 난소에 발생한 경우 : 10~15%
   c. 생식세포종양 중 유일하게 양쪽 발생 가능
6. 진단 시 25%에서 전이
7. 임신과 동시에 존재 가능

참고 *Final Check 부인과 552 page*

80

임신력 3-0-1-3인 30세 여성이 좌측 난소에 12 cm 크기의 종양이 있어 진단적 개복술을 시행하였다. 종양은 좌측 난소에만 국한되어 있었고, 수술 시 시행한 검사결과는 아래와 같았다면 다음 처치로 가장 적절한 것을 고르시오.

- Frozen section biopsy : Dysgerminoma
- Right ovary : Free
- Peritoneal washing cytology : Positive
- Pelvic & para-aortic lymph node : 0/16

① Observation
② Rt. salpingo-oophorectomy
③ Hysterectomy
④ Hysterectomy with BSO 후 radiation therapy
⑤ Hysterectomy with BSO 후 chemotherapy

80

정답 ⑤

해설

미분화세포종(dysgerminoma)의 치료

1. 수술(surgery)
   a. 임신력 보존 (+) : unilateral oophorectomy
   b. 임신력 보존 (-) : hysterectomy with BSO
   c. Y 염색체가 있는 경우 : BSO
   d. 병기설정술 시행
2. Dysgerminoma, Stage I : 수술
3. 피막 파막, 진행된 병기 : 보조 항암화학요법

참고 *Final Check 부인과 552 page*

81

18세 여자가 복부의 종괴를 주소로 내원하였다. 시험적 개복술을 시행하여 우측 난소에 국한된 6 cm 크기의 종양이 확인되어 제거하였고, 검사결과가 아래와 같다면 다음 처치로 가장 적절한 것을 고르시오.

- Frozen section biopsy : Dysgerminoma
- Left ovary : Free
- Peritoneal washing cytology : negative
- Pelvic & para-aortic lymph node : 0/16

① 우측 난소절제술

② 양측 난소절제술

③ 자궁절제술

④ 자궁절제술 및 양측 난관난소절제술

⑤ 광범위 자궁절제술 및 골반 림프절절제술

81

정답 ①

해설

미분화세포종(dysgerminoma)의 치료

1. 수술(surgery)
   a. 임신력 보존 (+) : unilateral oophorectomy
   b. 임신력 보존 (–) : hysterectomy with BSO
   c. Y 염색체가 있는 경우 : BSO
   d. 병기설정술 시행
2. Dysgerminoma, Stage I : 수술
3. 피막 파막, 진행된 병기 : 보조 항암화학요법

참고 *Final Check 부인과 552 page*

82

25세 미혼인 여성이 우측 난소에 8 cm, 좌측 난소에 1 cm 크기의 종양을 주소로 내원하였다. 진단적 개복술을 시행하였고, Rt. salpingo-oophorectomy, Lt. ovary wedge biopsy 후 동결절편검사상 모두 dysgerminoma로 확인되었다. 다음 처치로 가장 적절한 것을 고르시오.

① 수술 후 경과관찰

② 수술 후 chemotherapy

③ Lt. salpingo-oophorectomy 후 chemotherapy

④ Hysterectomy with Lt. salpingo-oophorectomy

⑤ 수술 후 radiation therapy

82

정답 ②

해설

미분화세포종(dysgerminoma)의 항암화학치료

1. Stage II 이상
2. 피막 파막
3. 병기설정술 없이 한쪽 난소절제술 후 확인

참고 *Final Check 부인과 553 page*

83

17세 여성이 골반 종괴를 주소로 시험적 개복술을 시행하였다. 수술 시 복수는 없었고, 좌측 난소에 국한된 직경 15 cm 크기의 종양이 있었다. 수술소견이 아래와 같다면 다음 처치로 가장 적절한 것을 고르시오.

- Frozen section biopsy : immature teratoma
- Immature neuroepithelium >5/LPF in slide
- Right ovary : free
- Ascites (−)
- Peritoneal washing cytology (−)
- Pelvic & para−aortic lymph node : 0/21

① TAH + BSO
② TAH + BSO + Chemotherapy
③ Chemotherapy
④ Radiation therapy
⑤ Observation

84

다음 중 미성숙 기형종(immature teratoma)에 대한 설명으로 맞는 것을 모두 고르시오.

(가) 예후에 가장 중요한 요소는 조직학적 등급(grade)이다
(나) 가장 많이 사용되는 항암제는 bleomycin, etoposide, cisplatin이다
(다) Stage I, grade 1에서 복수가 있으면 항암화학치료를 시행한다
(라) Stage IA, grade 2는 예후가 좋아 항암화학치료를 시행하지 않는다

① 가, 나, 다 ② 가, 다
③ 나, 라 ④ 라
⑤ 가, 나, 다, 라

83
정답 ③
해설
미성숙 기형종(immature teratoma)의 치료
1. 수술(surgery)
   a. 폐경 전 : unilateral oophorectomy, Staging
   b. 폐경 후 : hysterectomy with BSO, Staging
2. 항암화학요법(chemotherapy)

보조 항암화학요법 (+)	보조 항암화학요법 (−)
− Stage IA, grade 2, 3 − Grade 상관없이 복수 (+) − 약물 : BEP, VAC, VBP	- Stage IA, grade 1 − 매우 좋은 예후

참고 Final Check 부인과 556 page

84
정답 ①
해설
미성숙 기형종(Immature teratoma)
1. 등급(grade)
   a. 예후를 나타내는 가장 중요한 인자
   b. Grade가 높을수록 예후 불량
2. 수술(surgery)
   a. 폐경 전 : unilateral oophorectomy, Staging
   b. 폐경 후 : hysterectomy with BSO, Staging
3. 항암화학요법(chemotherapy)

보조 항암화학요법 (+)	보조 항암화학요법 (−)
− Stage IA, grade 2, 3 − Grade 상관없이 복수 (+) − 약물 : BEP, VAC, VBP	- Stage IA, grade 1 − 매우 좋은 예후

참고 Final Check 부인과 555 page

85

19세 여자가 우측 난소종양으로 우측 난소절제술을 시행 받았다. 수술 시 종양의 피막은 깨끗했고, 다른 장기로의 전이소견은 없었다. 수술 후 조직검사는 immature teratoma, grade 3로 확인되었다면 다음 처치로 가장 적절한 것을 고르시오.

① 경과관찰

② 방사선치료

③ 복합 항암화학치료

④ 수술적 병기설정

⑤ 복합 항암방사선치료

85

정답 ③

해설

미성숙 기형종(immature teratoma)의 치료

1. 수술(surgery)
   a. 폐경 전 : unilateral oophorectomy, Staging
   b. 폐경 후 : hysterectomy with BSO, Staging
2. 항암화학요법(chemotherapy)

보조 항암화학요법 (+)	보조 항암화학요법 (–)
– Stage IA, grade 2, 3	- Stage IA, grade 1
– Grade 상관없이 복수 (+)	– 매우 좋은 예후
– 약물 : BEP, VAC, VBP	

참고 *Final Check 부인과 556 page*

86

18세 여성이 8 x 9 cm 크기의 좌측 난소종괴로 좌측 난관난소절제술을 시행 받았다. 수술 중 시행한 동결절편검사에서 endodermal sinus tumor로 확인되었고, 자궁과 우측 난소에 종양의 흔적은 없었으며, 복강 내에도 전이의 흔적은 없었다. 이 환자의 다음 처치로 가장 적절한 것을 고르시오.

① 자궁절제술과 우측 난관난소절제술

② 적절한 수술적 병기설정

③ 주기적 골반진찰, AFP 측정

④ 방사선치료

⑤ 복합 항암화학요법

86

정답 ⑤

해설

내배엽동종양(Endodermal sinus tumor)의 치료

1. 수술(surgery)
   a. Unilateral salpingo–oophorectomy
   b. Frozen section
   c. Surgical exploration
   d. 수술적 병기설정 : 의미 없음
2. 항암화학요법(chemotherapy)
   a. 모든 환자에서 항암화학요법 시행
   b. 일차 치료법 : BEP 3~4주기

참고 *Final Check 부인과 558 page*

87

18세 여자가 우측 난소의 종양을 주소로 내원하였다. 종양표지자와 수술 소견이 아래와 같았다면 다음 처치로 가장 적절한 것을 고르시오.

종양표지자	수술 소견
– AFP : 200 ng/mL	– 우측 난소에 부드러운 갈색의 10 cm 크기
– hCG : 2 mIU/mL	– 복강 내 전이소견 : negative
– CA–125 : 30 U/mL	– Ascites : none
	– Peritoneal washing cytology : free
	– Pelvic & para–aortic lymph node : 0/12
	– Pathologic findings : Schiller–Duval body

① Rt. salpingo-oophorectomy + Observation

② Rt. salpingo-oophorectomy + Chemotherapy

③ Rt. salpingo-oophorectomy + Radiation therapy

④ Hysterectomy with BSO

⑤ Hysterectomy with BSO + Chemotherapy

87

 정답 ②

 해설

내배엽동종양(Endodermal sinus tumor)의 치료

1. 수술(surgery)
   a. Unilateral salpingo–oophorectomy
   b. Frozen section
   c. Surgical exploration
   d. 수술적 병기설정 : 의미 없음
2. 항암화학요법(chemotherapy)
   a. 모든 환자에서 항암화학요법 시행
   b. 일차 치료법 : BEP 3~4주기

참고 *Final Check 부인과 558 page*

88

17세 여자가 복통을 주소로 내원 하였다. 초음파에서 우측 난소에 15 cm 크기의 고형성 종괴가 관찰되었으며, 혈청 종양표지자 결과가 아래와 같다면 가장 가능성이 높은 진단명을 고르시오.

- AFP : 10,500 ng/mL (정상범위 0~20 ng/mL)
- hCG : 3 mIU/mL (정상범위 0~10 mIU/mL)
- CA-125 : 50 U/mL (정상범위 0~35 U/mL)

① Dysgerminoma

② Embryonal carcinoma

③ Mature cystic teratoma

④ Granulose cell tumor

⑤ Endodermal sinus tumor

88

정답 ⑤

해설

내배엽동종양(Endodermal sinus tumor, EST)

1. 세번째로 흔한 악성 생식세포종양
2. 발생 연령 : 16~18세, 1/3이 초경 전
3. 100% 일측성(unilateral)
4. 초경 전 환자에서 수술 전 염색체 분석 시행
5. AFP (α-fetoprotein) : 대부분의 EST에서 분비
6. AAT (α-1 antitrypsin) : 드물게 분비

참고 *Final Check 부인과 557 page*

89

Endodermal sinus tumor에 대한 내용으로 옳은 것을 모두 고르시오.

(가) 환자의 1/3이 사춘기 이전에 발생
(나) 일측성으로 발생
(다) 특징적인 병리소견 Schiller-Duval body
(라) 수술 후 모든 환자에서 항암화학요법 시행

① 가, 나, 다　　② 가, 다

③ 나, 라　　④ 라

⑤ 가, 나, 다, 라

89

정답 ⑤

해설

내배엽동종양(Endodermal sinus tumor, EST)

1. 세번째로 흔한 악성 생식세포종양
2. 발생 연령 : 16~18세, 1/3이 초경 전
3. 100% 일측성(unilateral)
4. 초경 전 환자에서 수술 전 염색체 분석 시행
5. AFP(α-fetoprotein) : 대부분의 EST에서 분비
6. AAT(α-1 antitrypsin) : 드물게 분비
7. 수술 후 모든 환자에서 항암화학요법 시행

참고 *Final Check 부인과 557 page*

90

난소암 중 Stage IA에서도 항암화학치료(chemotherapy)를 해야 하는 것을 고르시오.

① Dysgerminoma ② Immature teratoma
③ Endodermal sinus tumor ④ Serous carcinoma
⑤ Granulosa cell tumor

90

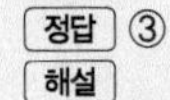

정답 ③

해설

내배엽동종양(Endodermal sinus tumor)의 치료

1. 수술(surgery)
   a. Unilateral salpingo-oophorectomy
   b. Frozen section
   c. Surgical exploration
   d. 수술적 병기설정 : 의미 없음
2. 항암화학요법(chemotherapy)
   a. 모든 환자에서 항암화학요법 시행
   b. 일차 치료법 : BEP 3~4주기

참고 Final Check 부인과 558 page

91

17세 여자가 우측 난소종양으로 진단적 개복술을 시행하였다. 수술소견상 종양은 우측 난소에 국한되어 있었고 다른 장기로의 전이는 없었다. 조직검사에서 Schiller-Duval body가 확인되었다면 다음 처치로 가장 적절한 것을 고르시오.

① Chemotherapy
② Radiation therapy
③ Hysterectomy
④ Hysterectomy with Lt. salpingo-oophorectomy
⑤ Observation

91

정답 ①

해설

내배엽동종양(Endodermal sinus tumor)의 치료

1. 수술(surgery)
   a. Unilateral salpingo-oophorectomy
   b. Frozen section
   c. Surgical exploration
   d. 수술적 병기설정 : 의미 없음
2. 항암화학요법(chemotherapy)
   a. 모든 환자에서 항암화학요법 시행
   b. 일차 치료법 : BEP 3~4주기

참고 Final Check 부인과 558 page

92

혼합 생식세포종양(mixed germ cell tumor) 중 가장 흔한 형태 2가지를 쓰시오.

92

정답

1. Dysgerminoma
2. Endodermal sinus tumor (EST)

해설

혼합 생식세포종양(Mixed germ cell tumor)

1. 두 가지 이상의 생식세포종양이 혼재된 종양

Germ cell tumor	Percentage
Dysgerminoma	80%
Endodermal sinus tumor (EST)	70%
Immature teratoma	53%
Choriocarcinoma	20%
Embryonal carcinoma	16%

→ 가장 흔한 조합 : Dysgerminoma + EST

2. AFP, hCG 상승 : 혼재된 성분에 따라 상승

참고 Final Check 부인과 559 page

93

62세 여자가 질 출혈을 주소로 내원하였다. 여성호르몬 투여의 과거력은 없었고, 질경검사상 위축성 질염의 소견과 다량의 점액성 질 분비물이 관찰되었다. 초음파에서 우측 난소에서 6 x 4 x 5 cm 크기의 종괴, 자궁내막두께 10 mm로 확인되어 자궁내막조직검사를 시행하였고 endometrial hyperplasia without atypia로 진단되었다. 가장 가능성이 높은 우측 난소 종괴의 진단명은 무엇인가?

① Serous adenoma

② Mucinous cystadenoma

③ Teratoma

④ Dysgerminoma

⑤ Granulosa tumor

93

정답 ⑤

해설

과립막세포종(Granulosa cell tumor)

1. Estrogen 연관 증상

초경 전 여성(Prepubertal girls)
– 성조숙증(precocious puberty) – 이차성징 발달 : 유방 증대, 주기적 자궁출혈, 액와모 및 음모 성장
가임기 여성(reproductive age women)
– 불규칙 월경(menstrual irregularities) – 이차성 무월경(secondary amenorrhea) – Cystic endometrial hyperplasia
폐경 후 여성(postmenopausal women)
– 생리양상의 불규칙 자궁출혈 – 자궁비대(uterine hypertrophy) – Endometrial hyperplasia (25~50%) – Endometrial cancer (최소 5%)

2. 복부팽만, 복통

참고 *Final Check 부인과 560 page*

94

다음 중 과립막세포종(granulosa cell tumor)이 있을 시 발생 가능성이 높아지는 것을 고르시오.

① Endometriosis

② Endometrial hyperplasia

③ Myoma

④ Dysgerminoma

⑤ Mature teratoma

94

정답 ②

해설

과립막세포종(Granulosa cell tumor)

1. Estrogen 연관 증상

초경 전 여성(Prepubertal girls)
– 성조숙증(precocious puberty) – 이차성징 발달 : 유방 증대, 주기적 자궁출혈, 액와모 및 음모 성장
가임기 여성(reproductive age women)
– 불규칙 월경(menstrual irregularities) – 이차성 무월경(secondary amenorrhea) – Cystic endometrial hyperplasia
폐경 후 여성(postmenopausal women)
– 생리양상의 불규칙 자궁출혈 – 자궁비대(uterine hypertrophy) – Endometrial hyperplasia (25~50%) – Endometrial cancer (최소 5%)

2. 복부팽만, 복통

참고 *Final Check 부인과 561 page*

95

월경 기간 중에 과도한 출혈이 생길 수 있는 원인을 고르시오.

① Adrenal hyperplasia

② Hyperparathyroidism

③ Anovulatory cycle

④ Granulosa cell tumor

⑤ Hypertension

95

정답 ④

해설

과립막세포종(Granulosa cell tumor)

1. Estrogen 연관 증상

초경 전 여성(Prepubertal girls)
– 성조숙증(precocious puberty) – 이차성징 발달 : 유방 증대, 주기적 자궁출혈, 액와모 및 음모 성장
가임기 여성(reproductive age women)
– 불규칙 월경(menstrual irregularities) – 이차성 무월경(secondary amenorrhea) – Cystic endometrial hyperplasia
폐경 후 여성(postmenopausal women)
– 생리양상의 불규칙 자궁출혈 – 자궁비대(uterine hypertrophy) – Endometrial hyperplasia (25~50%) – Endometrial cancer (최소 5%)

2. 복부팽만, 복통

참고 *Final Check 부인과 561 page*

96

31세 미혼 여성이 좌측 난소종양을 주소로 내원하였다. 진단적 개복술을 시행하여 수술 소견이 아래와 같다면 이 여성의 다음 처치로 가장 적절한 것을 고르시오.

- Operation : Left salpingo–oophorectomy
- Frozen section biopsy : Granulosa cell tumor
- Uterus, Right ovary : free
- 타 장기 전이소견 : free
- Ascites : none
- Peritoneal washing cytology : negative
- Pelvic & para–aortic lymph node : 0/16

① Right ovary wedge biopsy

② Right salpingo-oophorectomy

③ Total abdominal hysterectomy with right salpingo-oophorectomy

④ Appendectomy

⑤ Endometrial biopsy

96

정답 ⑤

해설

과립막세포종(Granulosa cell tumor)의 치료

1. 대부분 수술 자체로 일차적 치료 가능
2. 상피성 난소암의 수술적 원칙과 동일
3. Stage IA
   a. 가임력 보존 (+) : Unilateral oophorectomy
   b. 가임력 보존 (–) : Hysterectomy + BSO
4. 동결절편에서 granulosa cell tumor의 확인
   a. 병기설정술(staging operation)
   b. 반대쪽 난소가 커져 있으면 조직검사
5. 자궁을 보존하는 경우 자궁내막조직검사 시행

참고 *Final Check 부인과 562 page*

97

41세 여성이 난소의 종양이 발견되어 우측 난소절제술을 시행하였다. 수술 후 조직검사 결과에서 granulosa cell tumor로 확인되었다면 다음 처치로 가장 적절한 것을 고르시오.

① Observation

② Endometrial biopsy

③ Left salpingo-oophorectomy

④ Total abdominal hysterectomy and Lt. salpingo-oophorectomy

⑤ Appendectomy

97

정답 ②

해설

과립막세포종(Granulosa cell tumor)의 치료

1. 대부분 수술 자체로 일차적 치료 가능
2. 상피성 난소암의 수술적 원칙과 동일
3. Stage IA
   a. 가임력 보존 (+) : Unilateral oophorectomy
   b. 가임력 보존 (–) : Hysterectomy + BSO
4. 동결절편에서 granulosa cell tumor의 확인
   a. 병기설정술(staging operation)
   b. 반대쪽 난소가 커져 있으면 조직검사
5. 자궁을 보존하는 경우 자궁내막조직검사 시행

참고 *Final Check 부인과 562 page*

98

30세 미혼 여성이 부정 출혈 및 우측 난소 종괴를 주소로 내원하였다. 진단적 개복술을 시행하였고, Rt. salpingo-oophorectomy로 확인한 frozen biopsy에서 granulosa cell tumor로 확인되었다면 다음 처치로 가장 적절한 것을 고르시오.

① 자궁내막 조직검사

② 좌측 난관난소절제술

③ 좌측 난소 쐐기절제술

④ 자궁절제술 및 양측 난관난소절제술

⑤ 병기설정술

98

정답 ⑤

해설

과립막세포종(Granulosa cell tumor)의 치료

1. 대부분 수술 자체로 일차적 치료 가능
2. 상피성 난소암의 수술적 원칙과 동일
3. Stage IA
   a. 가임력 보존 (+) : Unilateral oophorectomy
   b. 가임력 보존 (–) : Hysterectomy + BSO
4. 동결절편에서 granulosa cell tumor의 확인
   a. 병기설정술(staging operation)
   b. 반대쪽 난소가 커져 있으면 조직검사
5. 자궁을 보존하는 경우 자궁내막조직검사 시행

참고 *Final Check 부인과 562 page*

99

과립막세포종(granulosa cell tumor)의 예후를 결정하는 요소를 모두 고르시오.

(가) Surgical stage
(나) Histologic type
(다) DNA ploidy
(라) Tumor size

① 가, 나, 다　② 가, 다
③ 나, 라　④ 라
⑤ 가, 나, 다, 라

100

다음 중 항암화학요법을 시행해야 하는 질환을 모두 고르시오.

(가) Dysgerminoma IA
(나) Endometrial sinus tumor IA
(다) Immature teratoma IA, grade 1
(라) Embryonal carcinoma IA

① 가, 나, 다　② 가, 다
③ 나, 라　④ 라
⑤ 가, 나, 다, 라

99

정답 ②

해설

과립막세포종(granulosa cell tumor)의 재발

1. 수술적 병기 : 가장 중요한 예후인자
2. DNA ploidy : 생존율의 중요한 예후인자

참고 *Final Check 부인과 563 page*

100

정답 ③

해설

항암화학치료의 적응증

1. Dysgerminoma
   a. Stage II 이상
   b. 병기설정 없이 한쪽 난소절제술 후 확인
2. Endodermal sinus tumor
   a. 수술적 병기설정 : 의미 없음
   b. 모든 환자에서 항암화학요법 시행
3. Immature teratoma
   a. Stage IA, grade 2, 3
   b. Grade 상관없이 ascites가 있는 경우
4. Embryonal carcinoma
   a. Endodermal sinus tumor와 동일
   b. 모든 환자에서 항암화학요법 시행

참고 *Final Check 부인과 553, 556, 558 page*

101

40세 여자가 양측 난소종양으로 수술을 받았다. 절제한 난소의 육안과 조직병리 소견이 다음과 같다면 이 질환의 가장 흔한 원발 부위를 고르시오.

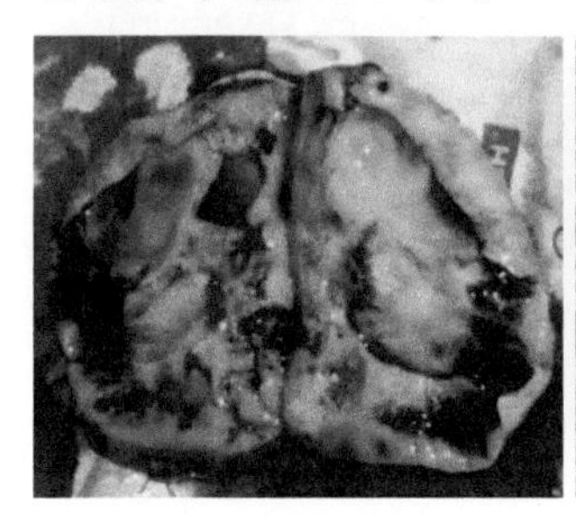
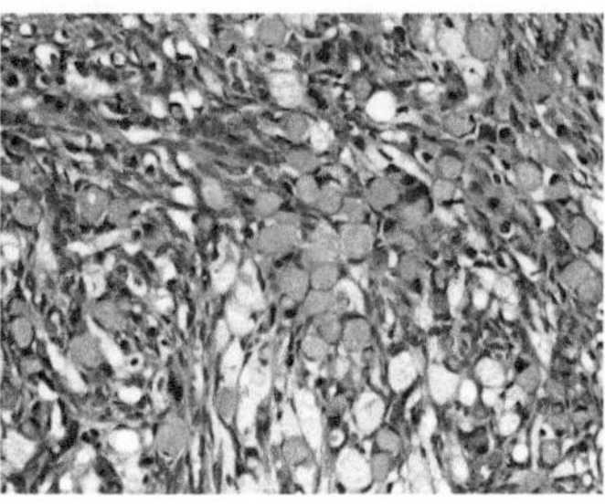

① 위 ② 충수
③ 담관 ④ 유방
⑤ 소장

101
정답 ①
해설
Krukenberg 종양(Krukenberg tumor)
1. 특성
 a. 특징 : 점액으로 차 있는 signet ring cells
 b. 난소 전이암의 30~40%, 난소암의 2%
 c. 흔히 양측성(bilateral)으로 존재
2. 원발성 종양의 위치
 a. 위(stomach) : 가장 흔한 위치
 b. colon, appendix, breast, biliary tract 등
 c. Abd-pelvic CT, GI endoscopy로 병변 확인

참고 *Final Check 부인과 564 page*

102

난소종양으로 수술 후 병리소견에서 signet ring cell이 보이는 경우 시행해야 하는 검사로 적절한 것을 모두 고르시오.

(가) Abd-pelvic CT
(나) Chest CT
(다) Upper and lower GI endoscopy
(라) IVP

① 가, 나, 다 ② 가, 다
③ 나, 라 ④ 라
⑤ 가, 나, 다, 라

102
정답 ②
해설
Krukenberg 종양(Krukenberg tumor)
1. 특성
 a. 특징 : 점액으로 차 있는 signet ring cells
 b. 난소 전이암의 30~40%, 난소암의 2%
 c. 흔히 양측성(bilateral)으로 존재
2. 원발성 종양의 위치
 a. 위(stomach) : 가장 흔한 위치
 b. colon, appendix, breast, biliary tract 등
 c. Abd-pelvic CT, GI endoscopy로 병변 확인

참고 *Final Check 부인과 564 page*

103

난소의 Krukenberg tumor에 대한 내용으로 옳은 것을 모두 고르시오.

(가) 난소에 전이된 종양 중 가장 흔하다
(나) 위장관 계통에 흔히 원발성 종양이 있다.
(다) 현미경적 특징은 signet ring cell이다
(라) 대개 양측성으로 발생한다

① 가, 나, 다
② 가, 다
③ 나, 라
④ 라
⑤ 가, 나, 다, 라

104

43세 여자가 소화 불량과 명치 부위 불쾌감을 주소로 내원하였다. 위내시경 조직검사에서 adenocarcinoma로 진단되었고, 복부 CT상 양측 자궁부속기에 고형성 덩이가 관찰되었다. 시행한 진단적 개복술에서 절제한 자궁부속기 덩이의 동결절편검사 소견이 아래와 같다면 가장 가능성이 높은 진단명은 무엇인가?

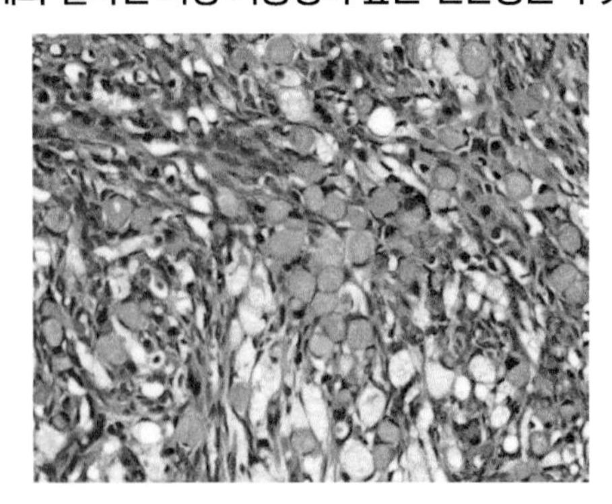

① 섬유난포막종(Fibrothecoma)
② 미성숙 기형종(Immature teratoma)
③ 과립막세포종(Granulosa cell tumor)
④ 크루켄베르그 종양(Krukenberg tumor)
⑤ 장액성 난소암(Serous carcinoma)

103

정답 ⑤

해설

Krukenberg 종양(Krukenberg tumor)

1. 특성
   a. 특징 : 점액으로 차 있는 signet ring cells
   b. 난소 전이암의 30~40%, 난소암의 2%
   c. 흔히 양측성(bilateral)으로 존재
2. 원발성 종양의 위치
   a. 위(stomach) : 가장 흔한 위치
   b. colon, appendix, breast, biliary tract 등
   c. Abd–pelvic CT, GI endoscopy로 병변 확인

참고 *Final Check 부인과 564 page*

104

정답 ④

해설

Krukenberg 종양(Krukenberg tumor)

1. 특성
   a. 특징 : 점액으로 차 있는 signet ring cells
   b. 난소 전이암의 30~40%, 난소암의 2%
   c. 흔히 양측성(bilateral)으로 존재
2. 원발성 종양의 위치
   a. 위(stomach) : 가장 흔한 위치
   b. colon, appendix, breast, biliary tract 등
   c. Abd–pelvic CT, GI endoscopy로 병변 확인

참고 *Final Check 부인과 564 page*

105

다음은 종양의 생성 기전 그림이다. (가)에 해당하는 종양 생성 인자는 무엇인지 고르시오.

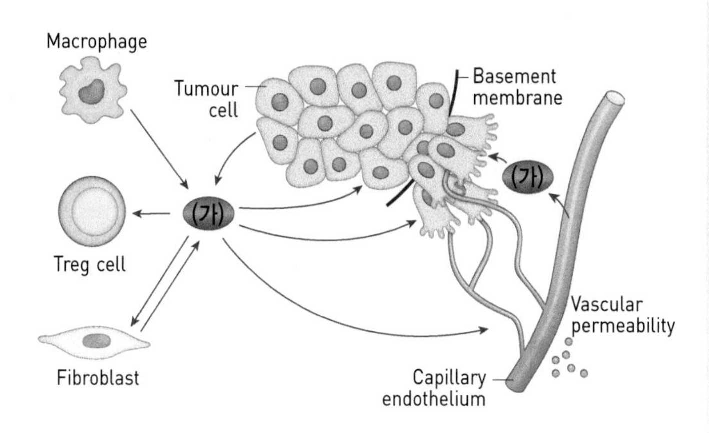

① INF　② Angiostatin
③ IL-23　④ IL-18
⑤ VEGF

105

정답 ⑤

해설

VEGF (vascular endothelial growth factor)

1. 종양의 혈관생성에 중요한 역할
2. 표적치료 방법
   a. VEGF를 억제
   b. VEGF 수용체를 억제
   c. 수용체 이하 신호전달 체계의 tyrosine kinase를 억제

참고 *Final Check 부인과 549 page*

<R-Type>

① Clear cell carcinoma
② Dysgerminoma
③ Endodermal sinus tumor
④ Endometrioid adenocarcinoma
⑤ Granulosa cell tumor
⑥ Immature teratoma
⑦ Mucinous adenocarcinoma
⑧ Serous adenocarcinoma
⑨ Sertoli–Leydig cell tumor

106

자궁내막증식증과 관련 있는 종양을 고르시오.(1가지)

106

정답 ⑤

해설

과립막세포종(Granulosa cell tumor)

1. Estrogen 연관 증상

초경 전 여성(Prepubertal girls)
– 성조숙증(precocious puberty) – 이차성징 발달 : 유방 증대, 주기적 자궁출혈, 액와모 및 음모 성장
가임기 여성(reproductive age women)
– 불규칙 월경(menstrual irregularities) – 이차성 무월경(secondary amenorrhea) – Cystic endometrial hyperplasia
폐경 후 여성(postmenopausal women)
– 생리양상의 불규칙 자궁출혈 – 자궁비대(uterine hypertrophy) – Endometrial hyperplasia (25~50%) – Endometrial cancer (최소 5%)

2. 복부팽만, 복통

참고 *Final Check 부인과 561 page*

107

난소암 중 자궁내막증과 관련된 조직학적 타입을 쓰시오. (2가지)

107

정답 ①, ④

해설

자궁내막증과 관련된 난소암

1. Endometrioid tumor : 모든 형태에서 양성의 endometriosis 확인
2. Clear cell carcinoma : endometrioid carcinoma와 잘 동반

참고 *Final Check 부인과 533, 534 page*

CHAPTER 30

외음부암(Vulvar cancer)

01

65세 여성이 외음부 가려움증을 주소로 내원하였다. 검진상 외음부에 백색 병변이 관찰되었다면 다음 처치로 가장 적절한 것을 고르시오.

① Topical steroid
② Keys punch biopsy
③ Laser ablation
④ Simple excision
⑤ Observation

01
정답 ②
해설
외음부 병변의 진단
1. 의심되는 모든 부위에서 조직검사 시행
2. 국소마취하 punch biopsy 또는 wedge biopsy
참고 *Final Check 부인과 570 page*

02

폐경 후 여성의 외음부에 흰색 병변이 보일 때 처치로 옳은 것을 고르시오.

① 경과관찰
② 조직검사를 시행한다
③ Steroid 연고를 도포한다
④ 외음부절제술을 시행한다
⑤ 5-FU 도포한다

02
정답 ②
해설
외음부 병변의 진단
1. 의심되는 모든 부위에서 조직검사 시행
2. 국소마취하 punch biopsy 또는 wedge biopsy
참고 *Final Check 부인과 570 page*

03

63세 여성이 심한 외음부 소양증을 주소로 내원하였다. 소음순에는 1 cm 크기의 궤양이 있었다. 다음으로 시행해야 할 가장 적절한 처치는 무엇인가?

① 자궁경부질세포진검사 ② 에스트로겐 크림 도포
③ 조직검사 ④ 냉동치료
⑤ 전기소작술

03

정답 ③

해설

외음부 병변의 진단

1. 의심되는 모든 부위에서 조직검사 시행
2. 국소마취하 punch biopsy 또는 wedge biopsy

참고 *Final Check 부인과 570 page*

04

임신력 2-0-3-2인 60세 여성이 우측 대음순 부위에 백반과 출혈을 동반한 궤양성 병변을 주소로 내원하였다. 다음 처치로 가장 적절한 것을 고르시오.

① Punch biopsy ② Cytology
③ HPV test ④ Toluidine blue test
⑤ Schiller test

04

정답 ①

해설

외음부 병변의 진단

1. 의심되는 모든 부위에서 조직검사 시행
2. 국소마취하 punch biopsy 또는 wedge biopsy

참고 *Final Check 부인과 570 page*

05

외음부 편평세포암(squamous cell carcinoma)로 내원한 환자의 주소로 가장 흔한 것은 무엇인가?

① 분비물 ② 배뇨곤란
③ 외음부 출혈 ④ 동통
⑤ 무증상

05

정답 ⑤

해설

외음부 편평세포암(SCC)의 증상

1. 대부분 무증상(asymptomatic)
2. 증상이 있는 경우 : 지속되는 가려움증, 종괴
3. 드문 증상 : 궤양, 출혈

참고 *Final Check 부인과 570 page*

06

다음 중 외음부 편평세포암 환자들이 호소하는 가장 흔한 증상을 고르시오.

① 외음부 가려움증 ② 분비물
③ 외음부 출혈 ④ 배뇨통
⑤ 골반통

06
정답 ①
해설
외음부 편평세포암(SCC)의 증상
1. 대부분 무증상(asymptomatic)
2. 증상이 있는 경우 : 지속되는 가려움증, 종괴
3. 드문 증상 : 궤양, 출혈
참고 *Final Check 부인과 570 page*

07

외음부암의 원인으로 가장 중요한 위험인자를 고르시오.

① HPV ② Chlamydia
③ Mycoplasma ④ N. Gonorrhoeae
⑤ Spirochetes

07
정답 ①
해설
외음부 편평세포암(SCC)의 위험인자
1. Human papillomavirus (HPV)
2. 외음부 상피내종양(VIN)
3. 자궁경부 상피내종양(CIN)
4. 경화태선(lichen sclerosus)
5. 자궁경부암(cervical cancer)의 과거력
6. 기타 : 흡연, 음주, 비만, 면역억제
참고 *Final Check 부인과 568 page*

08

외음부암(vulva cancer)에 대한 내용으로 옳은 것을 모두 고르시오.

(가) 고령의 여성에게 주로 발생하며 대부분 무증상이다
(나) 림프절에 전이된 개수가 환자 생존율에 가장 중요한 요소이다
(다) Microinvasion인 경우 림프절절제술은 생략할 수 있다
(라) 수술 후 방사선 조사는 재발을 줄일 수 있다

① 가, 나, 다 ② 가, 다
③ 나, 라 ④ 라
⑤ 가, 나, 다, 라

08
정답 ⑤
해설
1. 주로 폐경 후 여성에서 발생, 대부분 무증상
2. 가장 중요한 예후인자 : 림프절 전이 개수
3. Microinvasive vulva ca. : Wide local excision
4. 방사선치료 : 수술 후 재발 감소 위해 시행
참고 *Final Check 부인과 569, 572, 573 page*

09

다음 중 외음부암에 대한 내용으로 옳은 것을 모두 고르시오.

(가) 편평세포암이 가장 많다
(나) 가장 흔한 증상은 외음부 궤양이다
(다) Microinvasive vulva cancer의 치료는 wide local excision이다
(라) 외음부암은 방사선 치료가 수술 치료보다 좋다

① 가, 나, 다　② 가, 다
③ 나, 라　④ 라
⑤ 가, 나, 다, 라

09

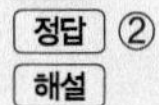
정답 ②

해설

1. Squamous cell carcinoma : Invasive vulvar cancer의 90~92 %를 차지
2. 외음부 소양감, 외음부 혹 또는 종괴가 흔함
3. Microinvasive vulva cancer : 광범위 국소 절제(Wide local excision)
4. 원발 병소 절제와 림프절 절제술이 기본

참고 *Final Check 부인과 569, 570, 573 page*

10

다음 중 외음부의 microinvasive squamous cell carcinoma에 관한 내용으로 옳은 것을 모두 고르시오.

(가) Lesion ≤2 cm in size
(나) Confined to the vulva or perineum
(다) Stromal invasion ≤1 mm
(라) No nodal metastasis

① 가, 나, 다　② 가, 다
③ 나, 라　④ 라
⑤ 가, 나, 다, 라

10

정답 ⑤

해설

외음부의 microinvasive vulva cancer

1. Microinvasive = Stage IA
2. 종양이 외음부에 국한
3. 종양의 크기 ≤2 cm
4. 간질 침윤(stromal invasion) ≤1 mm
5. 림프절 전이 없음

참고 *Final Check 부인과 572 page*

11

외음부암(vulvar cancer)에 대한 내용으로 옳은 것을 고르시오.

① Stromal invasion이 1 mm 미만이고, size가 2 cm 미만이면 micro-invasive cancer이다

② Inguinal L/N는 stromal invasion이 1 mm 미만인 경우 20%에서 전이된다

③ 가장 흔한 부위는 소음순이다

④ Cervix cancer의 과거 병력과는 무관하다

⑤ HPV DNA가 병변에서 거의 발현되지 않는다

11

정답 ①

해설

외음부암(Vulva cancer)

1. 발생 위치 : 대음순(1st), 소음순(2nd)
2. 위험인자 : HPV, VIN, CIN, lichen sclerosus, Cervical cancer의 과거력, 흡연, 음주, 비만 등
3. Microinvasive cancer
   a. 종양의 크기 ≤2 cm
   b. 간질 침윤(stromal invasion) ≤1 mm
4. 침윤 깊이 ≤1 mm : 림프절 전이 0%

참고 *Final Check 부인과 568, 571 page*

12

외음부암에서 lymph node (L/N)에 관한 설명으로 잘못된 것을 고르시오.

① 병변과 같은 위치의 inguinal L/N 전이가 없다면 반대쪽 L/N 전이는 드물다

② Inguinal L/N 전이 없이 femoral L/N 전이는 드물다

③ Clitoris, urethra 병변 시 inguinal-femoral L/N 전이가 없어도 pelvic L/N 전이가 흔하다

④ 병변의 침윤 깊이는 L/N 전이와 상관관계가 있다

⑤ Pelvic L/N의 가장 흔한 전이는 external iliac L/N이다

12

정답 ③

해설

외음부암의 림프절 전이

1. 질환 초기에 발생 가능
2. 2 cm 이하 종양의 12%에서 국소 전이 발생
3. 침윤 깊이 <1 mm에서 림프절 전이는 없음
4. 전이 방향 : inguinal nodes → femoral nodes → pelvic nodes (ext. iliac nodes)
5. Inguinal lymph nodes 전이 없는 pelvic nodes 전이는 매우 드묾

참고 *Final Check 부인과 571 page*

13

외음부 편평세포암(vulvar squamous cell carcinoma)에 대한 내용이다. 빈 칸에 알맞은 내용을 쓰시오.

	Basaloid, Warty types	Keratinizing, Differentiated, Simplex types
분포	(A)	(B)
발생 연령	젊은 여성 (younger age)	고령(older age)
원인	(C)와 연관	(C)와 연관
	usual type VIN (uVIN)	differentiated type VIN (dVIN)
	흡연, 면역억제	경화태선(lichen sclerosus), 만성 피부염

14

60세 여성이 우측 대음순에 1 cm 크기의 편평세포암으로 광범위 국소절제술을 시행 받았다. 조직검사 결과가 아래와 같았다면 다음 처치로 가장 적절한 것을 고르시오.

- 편평세포암(Squamous cell carcinoma)
- Tumor size : 1 cm
- Depth of invasion <1 mm
- Resection margin : negative

① 추적관찰
② 일측 서혜부림프절절제술
③ 양측 서혜부림프절절제술
④ 근치적 외음부절제술 및 동측 림프절절제술
⑤ 근치적 외음부절제술 및 양측 림프절절제술

13

정답
(A) 다발성
(B) 단일성
(C) HPV 감염

참고 *Final Check 부인과 568 page*

14

정답 ①

해설

외음부 미세침윤암(microinvasive vulvar cancer)

1. T_{1a} : 종양 크기 ≤2 cm and 간질 침윤 ≤1 mm
2. 광범위 국소절제술(wide local excision)

참고 *Final Check 부인과 573 page*

15

외음부암(vulvar cancer)의 조직검사 결과가 아래와 같다면 가장 적절한 치료법을 고르시오.

- 편평세포암(Squamous cell carcinoma)
- Tumor size : 2 cm
- Depth of invasion <1 mm

① Wide local excision

② Radical vulvectomy

③ Radical vulvectomy and inguinal lymphadenectomy

④ Radical vulvectomy and inguinal-femoral lymphadenectomy

⑤ Radiation theratpy

15

정답 ①

해설

외음부 미세침윤암(microinvasive vulvar cancer)

1. T_{1a} : 종양 크기 ≤2 cm and 간질 침윤 ≤1 mm
2. 광범위 국소절제술(wide local excision)

참고 *Final Check 부인과 573 page*

16

70세 여성이 외음부에 직경 1.5 cm 크기의 백색 병변을 주소로 내원하였다. 시행한 조직검사상 간질 침윤이 1 mm, 절제면에 잔류암이 없는 외음부암의 소견으로 확인되었다. 다음 중 가장 적절한 치료 방법을 고르시오.

① 방사선치료

② 광범위 국소절제술

③ 항암화학요법

④ 동시 항암화학방사선요법

⑤ 근치적 외음부절제술 및 서혜부림프절절제술

16

정답 ②

해설

외음부 미세침윤암(microinvasive vulvar cancer)

1. T_{1a} : 종양 크기 ≤2 cm and 간질 침윤 ≤1 mm
2. 광범위 국소절제술(wide local excision)

참고 *Final Check 부인과 573 page*

17

70세 여자가 우측 대음순 부위의 병변을 주소로 내원하였다. 병변의 조직검사상 편평세포암, 너비 10 mm, 침윤 깊이 0.8 mm로 확인되었다면 다음 처치로 가장 적절한 방법을 고르시오.

① Simple local excision

② Wide local excision

③ Simple local excision and Rt. inguinal lymphadenectomy

④ Wide local excision and Rt. inguinal lymphadenectomy

⑤ Wide local excision and bilateral inguinal lymphadenectomy

17

정답 ②

해설

외음부 미세침윤암(microinvasive vulvar cancer)

1. T_{1a} : 종양 크기 ≤2 cm and 간질 침윤 ≤1 mm
2. 광범위 국소절제술(wide local excision)

참고 *Final Check 부인과 573 page*

18

외음부암을 주소로 내원한 여성의 검사결과가 아래와 같다면 치료로 가장 적절한 것을 고르시오.

- Invasive squamous cell carcinoma
- Tumor size : 10 mm
- Depth of invasion : 8 mm

① 광범위 국소절제술

② 근치적 외음부절제술

③ 근치적 외음부절제술 및 동측 림프절절제술

④ 근치적 국소절제술 및 동측 림프절절제술

⑤ 근치적 외음부절제술 및 양측 림프절절제술

18

정답 ④

해설

조기 T_{1b} 외음부암(early T_{1b} vulvar cancer)

1. T_{1b} : 종양 크기 >2 cm or 간질 침윤 >1 mm
2. 1 cm의 안전경계(safety margin)를 두고 근치적 국소절제술(radical local excision)
3. 림프절절제술을 위한 분리절개술

참고 *Final Check 부인과 573 page*

19

60세 여성이 좌측 대음순 부위에 2 cm 크기의 종괴를 주소로 내원하였다. 조직검사상 침윤 깊이 2 mm인 침윤성 편평세포암으로 확인되었다면 다음 처치로 가장 적절한 것을 고르시오.

① Radical local excision

② Radical local excision with Lt. inguinal-femoral lymph node dissection

③ Radical vulvectomy with Lt. inguinal-femoral lymph node dissection

④ Radical vulvectomy with bilateral inguinal-femoral lymph node dissection

⑤ Radical vulvectomy with Rt. Inguinal-femoral lymph node dissection

19

정답 ②

해설

조기 T_{1b} 외음부암(early T_{1b} vulvar cancer)

1. T_{1b} : 종양 크기 >2 cm or 간질 침윤 >1 mm
2. 1 cm의 안전경계(safety margin)를 두고 근치적 국소절제술(radical local excision)
3. 림프절절제술을 위한 분리절개술

참고 *Final Check 부인과 573 page*

20

62세 여성이 대음순 소양감을 주소로 내원하였다. 우측 외음부 측방과 후방에 1 cm 크기의 궤양이 있어 조직검사를 시행하였고 3 mm 간질 침윤이 있는 침윤성 상피세포암으로 확인되었다. 양측 서혜부 림프절은 만져지지 않았다면 치료로 가장 적절한 것은 무엇인가?

① Wide local excision

② Simple vulvectomy

③ Radical local excision with Rt. inguinal-femoral lymphadenectomy

④ Radical vulvectomy

⑤ Radiotherapy

20

정답 ③

해설

조기 T_{1b} 외음부암(early T_{1b} vulvar cancer)

1. T_{1b} : 종양 크기 >2 cm or 간질 침윤 >1 mm
2. 1 cm의 안전경계(safety margin)를 두고 근치적 국소절제술(radical local excision)
3. 림프절절제술을 위한 분리절개술

참고 *Final Check 부인과 573 page*

21

45세 여성이 우측 외음부 소양감을 주소로 내원하였다. 검진상 우측 대음순 부위에 1 cm 크기의 종괴가 관찰되었고 시행한 검사결과가 아래와 같았다면 다음 처치로 가장 적절한 것을 고르시오.

- 편평세포암(squamous cell carcinoma)
- Tumor size : 1 cm
- Depth of invasion : 2 mm
- Abd-Pelvic CT : 서혜부림프절 침범과 주변 장기 침범 소견 없음

① 광범위 국소절제술

② 근치적 국소절제술

③ 근치적 외음부절제술

④ 근치적 국소절제술과 우측 서혜부림프절절제술

⑤ 근치적 국소절제술과 골반림프절절제술

21

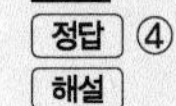

정답 ④

해설

조기 T_{1b} 외음부암(early T_{1b} vulvar cancer)

1. T_{1b} : 종양 크기 >2 cm or 간질 침윤 >1 mm
2. 1 cm의 안전경계(safety margin)를 두고 근치적 국소절제술(radical local excision)
3. 림프절절제술을 위한 분리절개술

참고 *Final Check 부인과 573 page*

22

66세 여성이 좌측 외음부에 1.5 cm 크기의 종양이 있어 내원하였다. 조직검사를 시행하였고 2 mm 간질 침윤이 있는 침윤성 상피세포암으로 확인되었다. 양측 서혜부에 만져지는 덩어리는 없었다면 이 환자에게 가장 적절한 치료는 무엇인가?

① Radical local excision

② Radical local excision with left inguinal-femoral lymphadenectomy

③ Radical vulvectomy with left inguinal-femoral lymphadenectomy

④ Radical vulvectomy with bilateral inguinal-femoral lymphadenectomy

⑤ Radical vulvectomy with pelvic lymphadenectomy

22

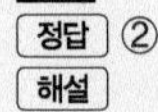

정답 ②

해설

조기 T_{1b} 외음부암(early T_{1b} vulvar cancer)

1. T_{1b} : 종양 크기 >2 cm or 간질 침윤 >1 mm
2. 1 cm의 안전경계(safety margin)를 두고 근치적 국소절제술(radical local excision)
3. 림프절절제술을 위한 분리절개술

참고 *Final Check 부인과 573 page*

23

외음부암(vulvar cancer)의 수술 결과가 아래와 같다면 다음 처치로 가장 적절한 것을 고르시오.

- 수술 : Radical local excision with inguinal–femoral lymphadenectomy
- 편평세포암(squamous cell carcinoma)
- 종양의 크기 : 1.5 cm
- Groin lymph node : positive (2/16)

① Observation

② Groin radiation therapy

③ Pelvic radiation therapy

④ Chemotherapy

⑤ Concurrent chemoradiation

23

정답 ②

해설

외음부암의 방사선치료(radiation therapy)

1. 수술 후 국소 재발의 감소를 위해 시행
2. 적응증

수술 전 항암화학방사선치료
– 골반내용물적출술의 적응증이 되는 진행된 질환 – 항문, 요도 기능의 소실이 예상되는 경우 – 고정되고 절제할 수 없는 서혜부 결절
수술 후 골반 및 서혜부림프절 치료
– 현미경적으로 양성인 다발성 서혜부림프절 – 서혜부림프절의 1개 이상 거대전이(10 mm 이상) – 피막외침범(extracapsular spread)의 증거

참고 *Final Check 부인과 573 page*

24

외음부암의 치료에 방사선치료가 도움이 되는 경우를 모두 고르시오.

(가) Multiple groin lymph node metastasis
(나) 15 mm enlargement of inguinal lymph node
(다) Anus involvement
(라) Advanced cancer require pelvic exenteration

① 가, 나, 다 ② 가, 다

③ 나, 라 ④ 라

⑤ 가, 나, 다, 라

24

정답 ⑤

해설

외음부암의 방사선치료(radiation therapy)

1. 수술 후 국소 재발의 감소를 위해 시행
2. 적응증

수술 전 항암화학방사선치료
– 골반내용물적출술의 적응증이 되는 진행된 질환 – 항문, 요도 기능의 소실이 예상되는 경우 – 고정되고 절제할 수 없는 서혜부 결절
수술 후 골반 및 서혜부림프절 치료
– 현미경적으로 양성인 다발성 서혜부림프절 – 서혜부림프절의 1개 이상 거대전이(10 mm 이상) – 피막외침범(extracapsular spread)의 증거

참고 *Final Check 부인과 573 page*

25

외음부암(vulvar cancer)의 예후인자 중 가장 중요한 것을 고르시오.

① Number of positive groin lymph nodes

② Depth of invasion

③ Lymph-vascular space invasion

④ Tumor size

⑤ Tumor ploidy

25

정답 ①

해설

외음부암(vulvar cancer)의 예후

1. 재발의 1/3 이상이 초기 치료 5년 후 발생
2. 림프절 전이 개수(number of positive L/N)
   a. 가장 중요한 단일 예후인자
   b. 전이의 양성 림프절의 수와 생존율 사이에는 강한 음의 상관관계

참고 *Final Check 부인과 572 page*

26

다음 중 외음부암 환자의 생존율에 가장 중요한 영향을 주는 인자를 고르시오.

① 간질 침윤 깊이

② 종양의 크기

③ 조직학적 형태

④ 종양 표지자의 수치

⑤ 서혜부림프절 전이의 수

26

정답 ⑤

해설

외음부암(vulvar cancer)의 예후

1. 재발의 1/3 이상이 초기 치료 5년 후 발생
2. 림프절 전이 개수(number of positive L/N)
   a. 가장 중요한 단일 예후인자
   b. 전이의 양성 림프절의 수와 생존율 사이에는 강한 음의 상관관계

참고 *Final Check 부인과 572 page*

27

외음부암에서 근치적 외음부절제술과 서혜부림프절절제술(radical vulvectomy with groin lymphadenectomy) 후 발생하는 급성 합병증 중 가장 많은 것은 무엇인가?

① Urinary tract infection

② Deep vein thrombosis

③ Wound infection & necrosis

④ Pulmonary embolism

⑤ Lymphocyst

27

정답 ③

해설

수술 후 초기 합병증(Early complications)
Groin wound infection necrosis, breakdown – 가장 흔함 : 53~85% – 치료 : 항생제, 괴사조직 제거, 소독
Urinary tract infection (UTI)
Seroma in femoral triangle
Deep venous thrombosis
Pulmonary embolism
Myocardial infarction
Hemorrhage
Osteitis pubis
Lymphocyst or groin seroma

참고 *Final Check 부인과 575 page*

28

다음 중 근치적 외음부절제술(radical vulvectomy) 후 발생하는 가장 흔한 급성 합병증은 무엇인가?

① 다리 부종 ② 림프낭
③ 수술부위 벌어짐 ④ 대퇴동맥 파열
⑤ 폐색전증

28
정답 ③
해설

수술 후 초기 합병증(Early complications)
Groin wound infection necrosis, breakdown – 가장 흔함 : 53~85% – 치료 : 항생제, 괴사조직 제거, 소독
Urinary tract infection (UTI)
Seroma in femoral triangle
Deep venous thrombosis
Pulmonary embolism
Myocardial infarction
Hemorrhage
Osteitis pubis
Lymphocyst or groin seroma

참고 Final Check 부인과 575 page

29

외음부암에서 근치적 외음부절제술과 서혜부림프절절제술(radical vulvectomy with groin lymphadenectomy) 후에 발생하는 후기 합병증으로 가장 많은 것을 고르시오.

① Wound infection & necrosis
② Urinary stress incontinence
③ Rectovaginal fistulas
④ Depression
⑤ Chronic lymphedema

29
정답 ③
해설

수술 후 후기 합병증(Late complications)
Chronic lymphedema : 가장 흔함(30%)
Recurrent lymphangitis and cellulitis
Urinary stress incontinence
Introital stenosis
Pubic osteomyelitis
Rectovaginal or rectoperineal fistula
Depression, sexual dysfunction

참고 Final Check 부인과 575 page

30

Vulvar Paget's disease와 감별해야 할 외음부질환과 그 방법으로 옳은 것을 고르시오.

① Nodular melanoma - Lugol solution
② Superficial spreading melanoma - Mucicarmine stain
③ Lentigo maligna melanoma - Gram's stain
④ Basal cell carcinoma - Hematoxylin eosin stain
⑤ Verrucous carcinoma - Gram's stain

30
정답 ②
해설

외음부 Paget disease의 감별진단

1. Superficial spreading melanoma와 감별 필요
2. 방법 : PAS 염색과 mucicarmine 염색
3. Paget disease는 두 염색에서 양성
4. Melanocyte는 염색이 되지 않음

참고 Final Check 부인과 578 page

31

외음부질환의 수술 시 절제면(resection margin) 양성 가능성이 가장 높은 것을 고르시오.

① Non-invasive tumor of melanocyte

② VIN I

③ VIN II

④ VIN III

⑤ Paget's disease

31

정답 ⑤

해설

외음부 Paget's disease의 치료

1. 광범위 국소절제술(wide local excision)
   a. 육안적으로 보이는 것보다 종양세포가 더 넓게 퍼져 있는 경우가 많음
   b. 여러 번의 동결절편을 수술 중 시행하여 병변의 완전절제가 중요
   c. 하부 진피까지 제거하여 선암 여부를 확인
2. 선암 동반 시 동측 서혜부림프절절제술 시행

참고 *Final Check 부인과 579 page*

32

72세 여성이 장기간의 외음부 소양증을 주소로 내원하였다. 외음부에는 4 x 3 cm 크기의 적색병변(red lesion)이 있었고 조직검사를 시행하였다. 검사결과 intraepithelial Paget disease로 확인되었다면 다음 처치로 가장 적절한 것을 고르시오.

① Wide local excision

② Superficial vulvectomy

③ Skinning vulvectomy

④ Modified radical vulvectomy

⑤ Radical vulvectomy

32

정답 ①

해설

외음부 Paget's disease의 치료

1. 광범위 국소절제술(wide local excision)
   a. 육안적으로 보이는 것보다 종양세포가 더 넓게 퍼져 있는 경우가 많음
   b. 여러 번의 동결절편을 수술 중 시행하여 병변의 완전절제가 중요
   c. 하부 진피까지 제거하여 선암 여부를 확인
2. 선암 동반 시 동측 서혜부림프절절제술 시행

참고 *Final Check 부인과 579 page*

CHAPTER 31

임신성 융모질환(Gestational trophoblastic disease)

01

다음 중 포상기태의 발생빈도를 증가시키는 요인을 모두 고르시오.

(가) 산모의 연령 증가
(나) 비타민 A 결핍
(다) 아시아인
(라) Carotene 과다섭취

① 가, 나, 다 ② 가, 다
③ 나, 라 ④ 라
⑤ 가, 나, 다, 라

01
정답 ①
해설
포상기태(hydatidiform mole)의 위험인자
1. 발생빈도 : 아시아 > 서양, 동양인 > 백인
2. 산모의 나이 증가
3. Carotene (Vit. A 전구체)과 동물성지방 저섭취

참고 *Final Check 부인과 581 page*

02

다음 중 포상기태(Hydatidiform mole)의 가장 흔한 증상을 고르시오.

① Vaginal bleeding
② Excessive uterine size
③ Preeclampsia
④ Hyperemesis gravidarum
⑤ Theca lutein cyst

02
정답 ①
해설
포상기태(hydatidiform mole)의 위험인자

Complete mole	Partial mole
– 질 출혈 – 거대 자궁 – Preeclampsia – Hyperemesis gravidarum – Hyperthyroidism – Theca lutein cyst	– 전형적인 임상증상 없음 – 불완전 또는 계류 유산 – 대부분 포상기태 제거 후 조직학적으로 진단

참고 *Final Check 부인과 584, 588 page*

03

임신성 융모종양(gestational trophoblastic neoplasia)의 예후 점수제(WHO prognostic scoring system)에서 4점에 해당하는 것을 고르시오.

① 치료 전 hCG >100,000 mIU/mL

② 신장 전이

③ 임신종료 후 항암화학요법 시작까지 간격 8개월

④ 이전 만삭임신

⑤ 여성의 나이 35세

03

정답 ①

해설

예후점수제 분류법(WHO, 2018)

1. hCG >100,000 mIU/mL : 4점
2. 신장 전이 : 1점
3. 임신종료 이후 약물치료 시작 8개월 : 2점
4. 만삭 임신 후 : 2점
5. 35세 여성 : 0점

참고 *Final Check 부인과 594 page*

04

32세 여성이 무월경 7주에 다량의 질 출혈을 주소로 내원하였다. 검사 결과가 아래와 같다면 이 여성의 출혈 원인으로 가장 가능성이 높은 것을 고르시오.

- 내진 : 임신 10주 크기의 자궁
- Hb : 7.7 mg/dL
- β-hCG : 127,000 mIU/mL

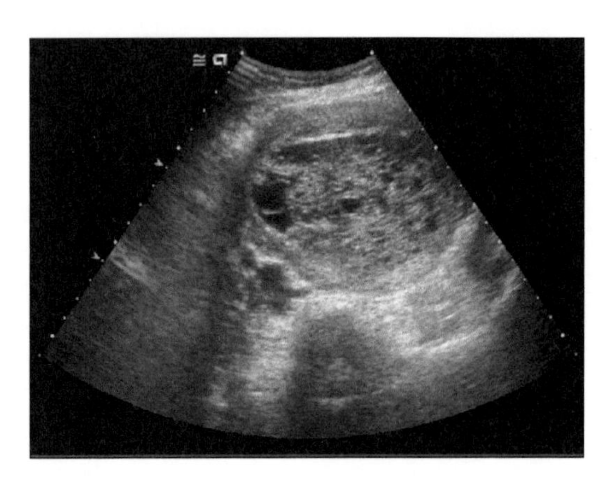

① 포상기태　② 자궁 외 임신

③ 자궁내막암　④ 자궁내막 용종

⑤ 기능성 자궁출혈

04

정답 ①

해설

완전 포상기태(Complete hydatidiform mole)

1. 유전적 이상으로 세포영양막의 비정상 증식
2. 임상증상
   a. 질 출혈 : 가장 흔한 증상
   b. 거대 자궁
3. 초음파 : 눈보라 양상(snowstorm pattern)

참고 *Final Check 부인과 583 page*

05

임신력 2-0-1-2인 33세 여성이 질 출혈을 주소로 내원하였다. 시행한 질 초음파는 아래와 같았고, 혈중 β-hCG 80,000 mIU/mL로 확인되어, 흡입 소파술을 시행하였다. 다음 처치로 가장 적절한 것을 고르시오.

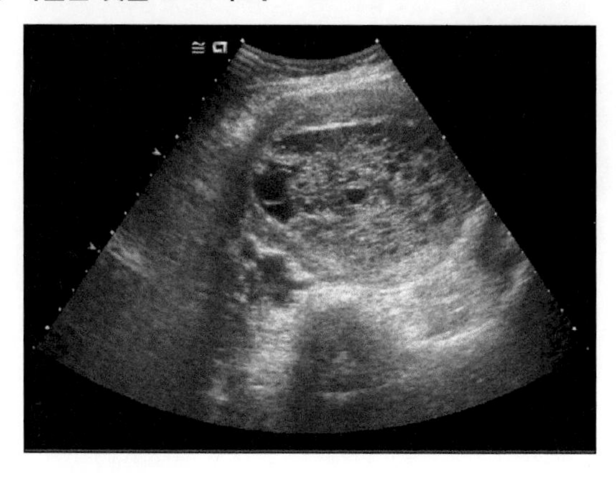

① β-hCG 추적관찰
② 자궁절제술
③ 단일 항암요법
④ 복합 항암요법
⑤ 방사선치료

05

정답 ①

해설

포상기태(Hydatidiform mole)

1. 치료 : 흡입 소파술
2. 추적검사 : hCG
   a. 자궁소파술 후 48시간 뒤에 확인
   b. 정상치에 도달할 때까지 매주 실시
   c. 3회 연속 정상에 도달하면 이후 매달 검사
   d. 저위험군 6개월, 고위험군 1년간 매달 측정

참고 *Final Check 부인과 590, 591 page*

06

임신성 융모질환 중 치료 전 β-hCG가 종괴의 크기에 비해 낮은 경우를 고르시오.

① Incomplete mole
② Invasive mole
③ Complete mole
④ Choriocarcinoma
⑤ Placental site trophoblastic tumor

06

정답 ⑤

해설

태반부착부위 융모종양(PSTT)

1. 주로 가임기 여성에서 발생(평균 30세 정도)
2. 주증상 : 무월경, 부정출혈, 자궁비대
3. 낮은 혈청 hCG 수치
4. 대부분 정상 임신, 비포상기태 유산 후 발생

참고 *Final Check 부인과 592 page*

07

33세 여자가 질 출혈을 주소로 내원하였다. 시행한 초음파 및 자궁제거술 후 육안소견이 아래와 같다면 이 질환에서 가장 흔한 핵형은 무엇인지 고르시오.

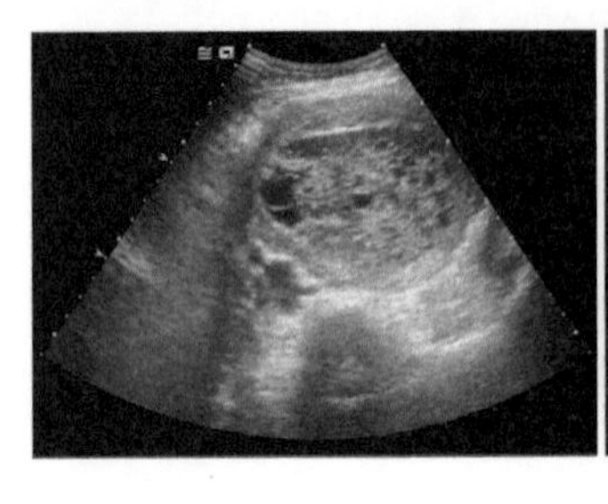

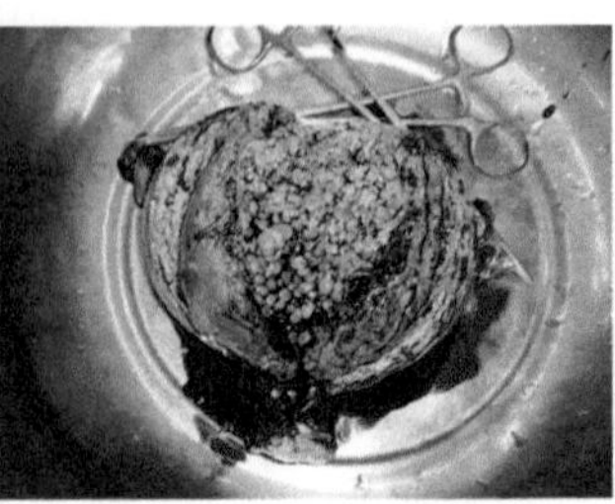

① 46,XX ② 46,XY
③ 47,XXX ④ 47,XXY
⑤ 47,XYY

07

정답 ①

해설

완전 포상기태(Complete mole)의 핵형

1. 46,XX (90%)
2. 46,XY (10%)

→ 핵형 모두가 부계로부터 받은 것

참고 *Final Check 부인과 583 page*

08

다음 중 완전 포상기태(complete hydatidiform mole)의 특징을 모두 고르시오.

(가) 전반적인 융모의 부종
(나) 태아나 배아 조직이 없다
(다) 핵형은 대개 46,XX 이다
(라) Trophoblastic stromal inclusion이 없다

① 가, 나, 다 ② 가, 다
③ 나, 라 ④ 라
⑤ 가, 나, 다, 라

08

정답 ⑤

해설

완전 포상기태(Complete mole)
핵형(karyotype) : 46,XX (90%), 46,XY
병리소견
Fetal or embryonic tissue : 없음
Hydatidiform swelling of chorionic villi : 전반적
Trophoblastic hyperplasia : 전반적
Scalloping of chorionic villi : 없음
Trophoblastic stromal inclusions : 없음

참고 *Final Check 부인과 582 page*

09

전이성 임신성 융모종양이 폐 다음으로 잘 전이되는 장기를 고르시오.

① 간 ② 뇌
③ 질 ④ 골반
⑤ 신장

09

정답 ③

해설

임신성 융모종양의 전이 부위

1. 폐(Lung) : 80%
2. 질(Vagina) : 30%
3. 간(Liver) : 10%
5. 뇌(Brain) : 10%

참고 *Final Check 부인과 593 page*

10

임신성 융모종양(gestational trophoblastic neoplasia)의 전이가 가장 잘 되는 장기를 쓰시오.

10

정답

폐(Lung)

해설

임신성 융모종양의 전이 부위

1. 폐(Lung) : 80%
2. 질(Vagina) : 30%
3. 간(Liver) : 10%
5. 뇌(Brain) : 10%

참고 *Final Check 부인과 593 page*

11

융모막암종(choriocarcinoma)으로 진단된 환자에게 시행할 영상검사를 모두 고르시오.

(가) Chest CT
(나) Chest X-ray
(다) Abd-pelvic CT
(라) Upper and lower GI endoscopy

① 가, 나, 다 ② 가, 다
③ 나, 라 ④ 라
⑤ 가, 나, 다, 라

11

정답 ①

해설

임신성 융모종양의 전이에 대한 검사

1. 복부 초음파 or CT : 간기능 검사에서 이상을 보이는 경우 간 전이 판단에 유용
2. 흉부 CT : 흉부 미세전이를 확인
3. 두부 CT or MRI : 무증상 뇌병변을 조기 발견

참고 *Final Check 부인과 595 page*

12

다음 중 포상기태에서 흔히 동반되는 난소 종양을 고르시오.

① Follicular cyst
② Corpus luteum cyst
③ Theca lutein cyst
④ Endometrioma
⑤ Dermoid cyst

12

정답 ③

해설

난포막황체낭(Theca lutein cyst)

1. 6 cm 이상이 50%
2. 대부분 양측성으로 발생
3. 과도한 hCG의 영향으로 발생
4. 포상기태 치료 후 2~4개월 안에 자연 소실

참고 Final Check 부인과 584 page

13

포상기태에 동반된 난포막황체낭(theca lutein cyst)의 치료로 적절한 것을 고르시오.

① Aspiration
② Irradiation
③ Wedge resection
④ Surgical removal
⑤ Observation

13

정답 ⑤

해설

난포막황체낭(Theca lutein cyst)

1. 6 cm 이상이 50%
2. 대부분 양측성으로 발생
3. 과도한 hCG의 영향으로 발생
4. 포상기태 치료 후 2~4개월 안에 자연 소실

참고 Final Check 부인과 584 page

14

완전 포상기태가 postmolar tumor로 진행할 가능성이 높을 것으로 예측할 수 있는 위험인자를 서술하시오.(3가지)

14

정답

1. 포상기태 제거 전 hCG ≥100,000 mIU/mL
2. 재태 연령에 비해 더 큰 자궁
3. 난포막황체낭(theca lutein cyst) ≥6 cm

참고 Final Check 부인과 587 page

15

임신 융모질환에 대한 설명으로 옳은 것을 고르시오.

① Placental site trophoblastic tumor은 항암화학치료에 반응을 잘한다

② H-mole에서 환자의 나이가 많을수록 예후는 좋다

③ Complete mole의 karyotype은 46,XX가 대부분이다.

④ Choriocarcinoma는 invasive mole과는 달리 병리조직 소견에 융모막이 있다

⑤ H-mole 환자의 난소 종괴는 수술을 해야 한다

15

정답 ③

해설

1. PSTT : 항암화학치료에 잘 반응하지 않음
2. H-mole : 39세를 넘으면 예후가 나빠짐
3. Complete mole : 46,XX (90%), 46,XY (10%)
4. Choriocarcinoma 조직학적 특징 : chorionic villi가 소실된 anaplastic syncytiotrophoblast와 cytotrophoblast
5. Theca lutein cyst는 포상기태 치료 후 2~4개월 안에 자연 소실

참고 *Final Check 부인과 583, 584, 591, 592, 594 page*

16

임신성 융모종양(gestational trophoblastic neoplasia)의 WHO scoring system에서 4점에 해당하는 것을 모두 고르시오.

(가) 치료 전 hCG >100,000 mIU/mL
(나) 간 전이
(다) 임신종결 후 약물치료 시작 간격 >12 months
(라) 이전 임신력 : term

① 가, 나, 다　② 가, 다
③ 나, 라　④ 라
⑤ 가, 나, 다, 라

16

정답 ①

해설

예후점수제 분류법(WHO, 2018) 중 4점

1. 임신종결 후 약물치료 시작 간격 >12 개월
2. 치료 전 혈중 hCG > 105 mIU/mL
3. 전이 부위 : Brain, Liver
4. 확인된 전이 종양의 개수 >8
5. 이전에 실패한 항암화학요법 ≥2 or more

참고 *Final Check 부인과 594 page*

17

임신성 융모종양에서 예후 인자에 따른 예후점수제 분류법상 가장 높은 점수를 보이는 경우를 고르시오.

① 40세의 연령

② 치료 전 serum β-hCG 120,000 mIU/mL

③ Lung metastasis

④ 만삭 임신 후 발생한 경우

⑤ 이전에 MTX 치료에 실패한 경우

17

정답 ②

해설

1. 40세 미만의 젊은 연령 : 2점
2. 치료 전 serum β-hCG 120,000 mIU/mL : 4점
3. Lung metastasis : 0점
4. 만삭 임신 후 발생한 경우 : 2점
5. 이전에 MTX 치료에 실패한 경우 : 2점

참고 *Final Check 부인과 594 page*

18

임신성 융모질환(gestational trophoblastic disease)의 위험인자에 대한 내용 중 잘못된 것은 무엇인가?

① PSTT는 화학요법에 잘 듣지 않는다

② Index pregnancy 부터 interval months가 짧을수록 예후가 나쁘다

③ Brain metastasis는 고위험 인자이다

④ 이전의 화학요법 실패는 고위험 인자이다

⑤ 이전 임신이 만삭 임신이었던 경우가 H-mole이었던 경우보다 예후가 나쁘다

18

정답 ②

해설

예후점수제 분류법(WHO, 2018) 중 4점

1. 임신종결 후 약물치료 시작 간격 >12 개월
2. 치료 전 혈중 hCG > 105 mIU/mL
3. 전이 부위 : Brain, Liver
4. 확인된 전이 종양의 개수 >8
5. 이전에 실패한 항암화학요법 ≥2 or more

참고 *Final Check 부인과 594 page*

19

27세 미혼 여성이 포상기태로 진단받고, 흡인 소파술 후 β-hCG를 추적관찰하였다. 검사 결과가 아래와 같다면 다음 처치로 가장 적절한 것을 고르시오.

검사 시기	수치 (mIU/mL)
흡인 소파술 전	85,000
소파술 1주 후	5,300
소파술 2주 후	850
소파술 3주 후	35
소파술 4주 후	<3

① MTX 투여　② Hysterectomy
③ β-hCG 추적관찰　④ Chest CT 시행
⑤ Pelvis MRI 시행

19
정답 ③
해설
포상기태(Hydatidiform mole)
1. 치료 : 흡입 소파술
2. 추적검사 : hCG
   a. 자궁소파술 후 48시간 뒤에 확인
   b. 정상치에 도달할 때까지 매주 실시
   c. 3회 연속 정상에 도달하면 이후 매달 검사
   d. 저위험군 6개월, 고위험군 1년간 매달 측정

참고 *Final Check 부인과 591 page*

20

42세 여성이 임신성 융모종양으로 진단되어 전원되었다. 10년 전 막내를 분만하였고, 검사상 폐 전이가 확인되었지만 다른 이상소견은 없었다. 이 환자의 치료로 가장 적절한 것을 고르시오.

① 폐 절제술　② 단독 항암화학요법
③ 복합 항암화학요법　④ 방사선 요법
⑤ 동시 항암화학방사선요법

20
정답 ②
해설
Stage III with low risk의 치료
1. Initial : Single agent chemotherapy
2. Resistant
   a. Combination chemotherapy
   b. Hysterectomy + adjunctive chemotherapy
   c. Local resection
   d. Pelvic infusion

참고 *Final Check 부인과 595 page*

21

26세의 미혼 여성이 질 출혈 및 복통을 주소로 내원하였다. 초음파는 아래와 같았고, 혈액검사상 β-hCG 170,000 mIU/mL, platelet 250,000/μL, Hb 11.0 g/dL로 확인되었다. 이 환자의 다음 처치로 가장 적절한 것을 고르시오.

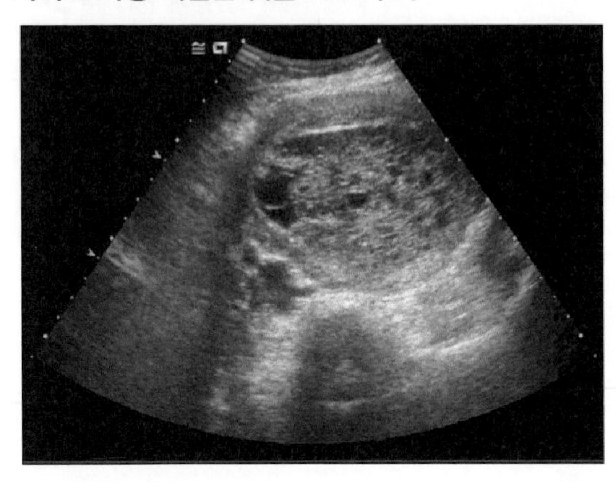

① Total abdominal hysterectomy

② β-hCG 추적 관찰

③ Chemotherapy

④ Suction curettage

⑤ Oral contraceptives

21

정답 ③

해설

포상기태의 치료

1. 흡입 소파술(suction curettage) : 가장 안전하고 효과적인 방법
2. 추적검사 : hCG
   a. 자궁소파술 후 48시간 뒤에 확인
   b. 정상치에 도달할 때까지 매주 실시
   c. 3회 연속 정상에 도달하면 이후 매달 검사
   d. 저위험군 6개월, 고위험군 1년간 매달 측정

참고 *Final Check 부인과 590, 591 page*

22

28세 미혼 여성이 완전 포상기태(complete H-mole)로 진단되었고, 다른 장기로의 전이는 없어 흡입 소파술을 시행하였다. β-hCG의 변화가 다음과 같을 때 이 환자에 대한 처치로 가장 적절한 것을 고르시오.

시기	수치 (mIU/mL)
치료 전	123,000
시술 1주 후	3,000
시술 2주 후	300
시술 3주 후	30
시술 4주 후	150
시술 5주 후	250

① 1주일 후 β-hCG 추적검사

② 흡입 소파술

③ 단일 항암화학요법

④ 복합 항암화학요법

⑤ 자궁절제술

22

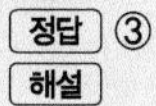

정답 ③

해설

Stage I with low risk의 치료

1. Initial
   a. Single-agent chemotherapy
   b. Hysterectomy + adjunctive chemotherapy
2. Resistant
   a. Combination chemotherapy
   b. Hysterectomy + adjunctive chemotherapy
   c. Local resection
   d. Pelvic infusion

참고 *Final Check 부인과 595 page*

23

31세 여자 환자가 만삭 분만 9개월 후 부정 출혈이 있어 내원하였다. 자궁내막 조직검사에서 임신성 융모종양으로 확인되었다. 시행한 검사상 β-hCG : 200,000 mIU/mL, 폐와 간 전이 소견이 있었다. 이 환자의 다음 처치로 가장 적절한 것을 고르시오.

① 단일 항암화학요법

② 복합 항암화학요법

③ 자궁절제술 후 복합 항암화학요법

④ 자궁절제술 후 단일 항암화학요법

⑤ 자궁절제술과 전이된 곳 국소 절제

23

정답 ②

해설

Stage IV의 치료

1. Initial : Combination chemotherapy
2. Brain
   a. Whole-head radiation (3,000 cGy)
   b. Craniotomy to manage complications
3. Liver : Resection or embolization
4. Resistant
   a. Second-line combination chemotherapy
   b. Hepatic arterial infusion

참고 *Final Check 부인과 595 page*

24

37세 여자 환자가 객혈, 기침을 주소로 내원 하였다. 과거력상 13개월 전 유산하였고, 당일 실시한 chest X-ray 상 폐 결절이 10개 관찰되었으며, 시행한 폐 결절의 조직검사 결과는 choriocarcinoma로 확인되었다. 방사선검사에서 다른 이상소견은 없었으며, serum β-hCG 120,000 mIU/mL였다. 이 환자의 치료로 가장 적절한 것을 고르시오.

① 단일 항암화학요법

② 복합 항암화학요법

③ 방사선 치료

④ 복합 항암화학방사선요법

⑤ 수술

24

정답 ②

해설

Stage III with high risk의 치료

1. Initial : Combination chemotherapy
2. Resistant : 2차 combination chemotherapy

참고 *Final Check 부인과 595 page*

25

36세 여자가 분만 후 8개월 동안 간헐적인 소량의 질 출혈을 주소로 내원하였다. 시행한 검사에서 choriocarcinoma로 진단되었고, 자궁은 주먹 크기로 커져 있었다. Chest PA상 폐 전이 소견이 관찰되었고, β-hCG >150,000 mIU/nL로 확인되었을 때 가장 적절한 처치를 고르시오.

① 경과 관찰

② 단일 항암화학요법

③ 복합 항암화학요법

④ 자궁절제술 후 부가적 단일 항암화학요법

⑤ 폐 절제술 후 부가적 단일 항암화학요법

25

정답 ③

해설

Stage III with high risk의 치료

1. Initial : Combination chemotherapy
2. Resistant : 2차 combination chemotherapy

참고 *Final Check 부인과 595 page*

26

임신성 융모종양(gestational trophoblastic neoplasia)의 치료에 대한 내용으로 옳은 것을 고르시오.

① FIGO stage I에서는 hysterectomy 시행 시 수술 전후 chemotherapy를 한다

② 폐 전이가 있는 환자에서 X-ray상 비정상 음영이 있으면 계속 치료한다

③ EMA-EP에 저항성을 보이는 환자에게는 EMA-CO를 시행한다

④ 간 전이에서는 방사선 치료를 한다

⑤ 뇌 전이에서는 방사선 치료를 한다

26

정답 ⑤

해설

1. Stage I
   a. 가임력 보존 : Single-agent chemotherapy
   b. 가임력 보존 (-) : Hysterectomy with adjunctive chemotherapy
2. 치료 후 추적검사는 hCG
3. EMA-CO에 내성이 있을 경우 EP-EMA 시행
4. Stage III의 초기 치료
   a. Low risk : Single agent chemotherapy
   b. High risk : Combination chemotherapy
5. Stage IV, Brain 전이의 치료
   a. Whole-head radiation (3,000 cGy)
   b. Craniotomy to manage complications

참고 *Final Check 부인과 595, 597, 598 page*

27

8개월 전 정상 질식분만 후 경구피임제를 복용하는 40세 다분만부가 객혈 및 질 출혈을 주소로 내원하였다. 이 환자에게 시행한 검사 결과는 아래와 같았다면 다음 처치로 가장 적절한 것을 고르시오.

- Chest PA : Discrete rounded density in left lung
- Abdomen, pelvic & brain CT : normal
- β-hCG : 120,000 mIU/mL

① 기관지 내시경하 조직생검
② 단일 항암화학요법
③ 복합 항암화학요법
④ 방사선치료
⑤ 국소 폐절제술

27

정답 ③

해설

Stage III with high risk의 치료

1. Initial : Combination chemotherapy
2. Resistant : 2차 combination chemotherapy

참고 *Final Check 부인과 594, 595 page*

28

26세 여성이 질 출혈과 객혈을 주소로 내원하였다. 환자는 7개월 전 정상 분만하였고, 이후 불규칙적인 질 출혈이 있었다고 하였다. 내진상 자궁은 거위알 크기였고, chest X-ray상 왼쪽 폐에 동전 크기의 종괴가 관찰되었으며, β-hCG 150,000 mIU/mL로 확인되었다. 이 환자에게 가장 적절한 치료 방법을 고르시오.

① D&C
② 단일 항암화학요법
③ 복합 항암화학요법
④ 자궁절제술
⑤ 방사선치료

28

정답 ③

해설

Stage III with high risk의 치료

1. Initial : Combination chemotherapy
2. Resistant : 2차 combination chemotherapy

참고 *Final Check 부인과 594, 595 page*

29

포상기태의 치료 후 추적관찰 방법을 기술하시오.

29

정답
1. 자궁소파술 후 48시간 뒤에 확인
2. 정상치에 도달할 때까지 매주 실시
3. 3회 연속 정상에 도달하면 이후 매달 검사
4. 저위험군 6개월, 고위험군 1년간 매달 측정

해설

포상기태(Hydatidiform mole)
1. 치료 : 흡입 소파술
2. 추적검사 : hCG
   a. 자궁소파술 후 48시간 뒤에 확인
   b. 정상치에 도달할 때까지 매주 실시
   c. 3회 연속 정상에 도달하면 이후 매달 검사
   d. 저위험군 6개월, 고위험군 1년간 매달 측정

참고 *Final Check 부인과 591 page*

30

다음 중 포상기태 제거 후 β-hCG의 변화가 없을 때 우선적으로 검사할 것을 모두 고르시오.

(가) Chest X-ray
(나) Pelvic ultrasonography
(다) Abd. & Pelvic CT
(라) Colposcopy

① 가, 나, 다 ② 가, 다
③ 나, 라 ④ 라
⑤ 가, 나, 다, 라

30

정답 ①

해설

임신성 융모종양의 전이에 대한 검사
1. 복부 초음파 or CT : 간기능 검사에서 이상을 보이는 경우 간 전이 판단에 유용
2. 흉부 CT : 흉부 미세전이를 확인
3. 두부 CT or MRI : 무증상 뇌병변을 조기 발견

참고 *Final Check 부인과 595 page*

31

포상기태에서 흉부 X-선 소견으로 맞는 것을 모두 고르시오.

(가) Snowstorm
(나) Solid nodule
(다) Pleural effusion
(라) Embolic pattern

① 가, 나, 다
② 가, 다
③ 나, 라
④ 라
⑤ 가, 나, 다, 라

32

임신력 3-0-1-3인 35세 여성이 완전 포상기태로 흡인 소파술(suction curettage)을 시행 받았다. hCG의 수치변화는 아래와 같았고, 질 초음파상 자궁근층 내 2 cm 크기의 종괴가 관찰되었다. Chest, abdomen, pelvis CT는 정상이었다면 향후 처치로 가장 적절한 것을 고르시오.

시기	수치 (mIU/mL)
치료 전	123,000
흡인 소파술 후	470
시술 7주 후	760
시술 8주 후	1,580
시술 9주 후	5,290

① MTX
② MAC III
③ EMA
④ EMA-CO
⑤ VBP

31

정답 ⑤

해설

임신성 융모성종양의 폐 전이 소견

1. Alveolar or snowstorm pattern
2. Discrete rounded density
3. Pleural effusion
4. Embolic pattern by pulmonary a. occlusion

참고 *#Final Check 부인과 593 page*

32

정답 ①

해설

Stage I with low risk의 치료

1. 단일 항암화학요법이 원칙
2. Methotrexate 또는 actinomycin D 단독 투여

참고 *Final Check 부인과 598 page*

33

25세 여자가 완전 포상기태(complete mole)로 흡인 소파술을 시행 받았다. β-hCG의 수치가 아래와 같다면 다음 처치로 가장 적절한 것을 고르시오.

시기	수치 (mIU/mL)
치료 전	125,000
시술 5주 후	<3
시술 16주 후	4,000

① 매주 β-hCG 추적검사
② 2주마다 β-hCG 추적검사
③ 매달 β-hCG 추적검사
④ 흡인 소파술
⑤ 질 초음파

33
정답 ⑤
해설
임신성 융모질환의 치료 전 검사

기본 검사
- 병력 청취 : 월경력, 산과력, 선행임신, 치료 내용 - 전신 진찰(physical examination) - 혈청 hCG 측정 - 기능검사(Liver, Kidney, Thyroid) - 혈액학적 검사(Hb, WBC, platelet)
전이 여부 확인을 위한 검사
- 흉부 X-선 검사 혹은 CT - 복강 및 골반의 초음파 또는 CT - 두부의 CT 또는 MRI - PET-CT

참고 *Final Check 부인과 595 page*

34

28세 미혼 여성이 완전 포상기태(complete mole)로 진단받고 1개월 전 흡인 소파술을 시행 받았다. 치료 전 확인한 hCG는 120,000 mIU/mL, 시술 후 정상적으로 감소하다 점차 다시 증가하여 500 mIU/mL로 확인되었다. 이 환자의 다음 처치로 가장 적절한 것을 고르시오.

① 골반 초음파
② 단일 항암화학요법
③ 복합 항암화학요법
④ 자궁절제술
⑤ 경과관찰

34
정답 ①
해설
임신성 융모질환의 치료 전 검사

기본 검사
- 병력 청취 : 월경력, 산과력, 선행임신, 치료 내용 - 전신 진찰(physical examination) - 혈청 hCG 측정 - 기능검사(Liver, Kidney, Thyroid) - 혈액학적 검사(Hb, WBC, platelet)
전이 여부 확인을 위한 검사
- 흉부 X-선 검사 혹은 CT - 복강 및 골반의 초음파 또는 CT - 두부의 CT 또는 MRI - PET-CT

참고 *Final Check 부인과 595 page*

35

산과력 0-0-1-0인 30세 여성이 임신 8주로 내원하였다. 환자는 3년 전 임신성 융모종양(gestational trophoblastic tumor)으로 항암화학치료를 받았고 완치 판정을 받았다. 초음파상 태아와 태아 심박동을 관찰할 수 있었고, 태아의 크기는 임신 주수와 일치하였다. 이 환자의 임신 예후로 맞는 것을 고르시오.

① 사산이 증가한다

② 조산이 예상된다

③ 저체중출생아가 예상된다

④ 선천성 기형이 증가한다

⑤ 정상 임신과 차이가 없다

35

정답 ⑤

해설

임신과 임신성 융모질환

1. 합병증이 없는 포상기태 후 임신
   a. 정상 임신이 가능
   b. 선천성 기형이나 합병증이 증가하지 않음
   c. 다음 임신의 1%에서 임신성 융모질환 발생
2. 악성 임신성 융모질환 후 임신
   a. 성공적인 항암화학치료 후 정상 임신 가능
   b. 선천성 기형이 증가하지 않음

참고 *Final Check 부인과 600 page*

36

포상기태 치료 후 다음 임신의 예후를 서술하시오.

36

정답

1. 정상 임신이 가능
2. 선천성 기형이나 합병증이 증가하지 않음
3. 다음 임신의 1%에서 임신성 융모질환 발생

참고 *Final Check 부인과 600 page*

37

34세 여성이 2년 전 완전 포상기태로 치료받았고, 다시 임신을 원해 내원하였다. 산부인과 의사의 상담으로 올바른 것을 고르시오.

(가) 초기 임신 시 반드시 배아의 발육을 초음파로 확인해야 한다
(나) 유산되면 유산 조직은 조직학적으로 검사를 해야 한다
(다) 분만 6~8주 후 β-hCG 검사를 해야 한다
(라) 정상 분만 후 태반을 조직학적으로 검사를 해야 한다

① 가, 나, 다 ② 가, 다
③ 나, 라 ④ 라
⑤ 가, 나, 다, 라

37

정답 ②

해설

합병증 없는 포상기태 후 임신 시 필요한 검사

1. 정상 임신이 확인될 때까지 임신 제1삼분기 동안 초음파를 시행
2. 임신성 융모질환을 제외할 수 있도록 임신 종결 6주 후 hCG 측정

참고 *Final Check 부인과 600 page*

38

포상기태의 과거력이 있는 여성이 임신을 한 경우 필요한 검사를 서술하시오.

38

정답

1. 정상 임신이 확인될 때까지 임신 제1삼분기 동안 초음파를 시행
2. 임신성 융모질환을 제외할 수 있도록 임신 종결 6주 후 hCG 측정

참고 *Final Check 부인과 600 page*

39

산과력 1-0-2-1인 27세 여성이 2년 전 완전 포상기태로 치료 받았고 완치 판정을 받았다. 최근 월경이 없어 시행한 임신검사에서 양성으로 확인되었다면 앞으로 시행할 검사로 적절한 것을 모두 고르시오.

(가) 임신 제1삼분기 동안 초음파
(나) 분만 후 태반의 조직검사
(다) 분만 6주 후 혈청 hCG 검사
(라) 분만 6주 후 갑상샘기능검사

① 가, 나, 다
② 가, 다
③ 나, 라
④ 라
⑤ 가, 나, 다, 라

39

정답 ②

해설

합병증 없는 포상기태 후 임신 시 필요한 검사

1. 정상 임신이 확인될 때까지 임신 제1삼분기 동안 초음파를 시행
2. 임신성 융모질환을 제외할 수 있도록 임신 종결 6주 후 hCG 측정

참고 *Final Check 부인과 600 page*

CHAPTER 32

유방암(Breast cancer)

01

54세 여성이 좌측 유방 상부에 2 cm 정도의 종괴가 만져지고, 유방촬영술에서 BI-RADS category 4로 확인되었다. 다음으로 시행할 검사로 가장 적절한 것을 고르시오.

① 초음파 검사

② Mammographic localization biopsy

③ Stereotactic core biopsy

④ Fine needle aspiration

⑤ Open biopsy

01

정답 ④

해설

BI-RADS Category 4

1. 악성 의심병소(suspicious abnormality)
2. 악성 병변이 의심되어 조직검사가 필요
3. 4A : 낮은 악성 가능성(2~10%)
4. 4B : 중간 악성 가능성(10~50%)
5. 4C : 높은 악성 가능성(50~95%)

참고 *Final Check 부인과 607 page*

02

유방 촬영술 후 조직 검사를 해야 하는 BI-RADS category는 무엇인가?

① Category 0

② Category 1

③ Category 2

④ Category 3

⑤ Category 4

02

정답 ⑤

해설

BI-RADS Category 4

1. 악성 의심병소(suspicious abnormality)
2. 악성 병변이 의심되어 조직검사가 필요
3. 4A : 낮은 악성 가능성(2~10%)
4. 4B : 중간 악성 가능성(10~50%)
5. 4C : 높은 악성 가능성(50~95%)

참고 *#Final Check 부인과 607 page*

03

43세 여자가 BI-RADS Category 4로 확인되었다. 다음 처치로 가장 적절한 것을 고르시오.

① 6개월 뒤 유방촬영술

② 1년 뒤 유방촬영술

③ 유방 세침흡인생검

④ 유엽절제술

⑤ 유방절제술

03

정답 ③

해설

BI-RADS Category 4

1. 악성 의심병소(suspicious abnormality)
2. 악성 병변이 의심되어 조직검사가 필요
3. 4A : 낮은 악성 가능성(2~10%)
4. 4B : 중간 악성 가능성(10~50%)
5. 4C : 높은 악성 가능성(50~95%)

참고 *Final Check 부인과 607 page*

04

42세 여성이 한달 전 언니가 유방암을 진단받아 본인의 유방암 검진을 위해 내원 하였다. 유방 진찰 및 유방 촬영(mammography)에서는 특별한 이상이 보이지 않았다. 향후 검사 계획으로 적절한 것을 고르시오.

① 1달마다 자가 유방 검사

② 1년마다 유방 진찰

③ 1년마다 유방촬영술

④ 1년마다 유방 초음파

⑤ 1년마다 유방 MRI

04

정답 ③

해설

Breast cancer screening

1. 유방촬영술(mammography)
   a. 40세부터 매년 시행
   b. 가족력, 유전학적 요인, 유방암 과거력 : 40세 이전부터 시작, 추가 영상기법 권장
2. 유방 진찰(CBE)
   a. 20~40세 사이 : 3년에 한번 시행
   b. 40세 이후 : 매년 시행
   c. 이상이 있던 경우 : 매년 시행
3. 유방 자가검진(BSE)
   a. 20세 이상에서 추천
   b. 폐경 전 : 생리 시작 7~10일 후
   c. 폐경 후 : 매월 일정한 때에 시행

참고 *Final Check 부인과 604, 606 page*

05

여성의 유방 자가검진 시기로 옳은 시기를 고르시오.

① 월경 중 ② 월경 시작 후 7~10일
③ 황체기 중반 ④ 월경 직전
⑤ 월경 직후

05
정답 ②
해설
유방 자가검진(BSE)
1. 20세 이상에서 추천
2. 폐경 전 : 매달 월경이 끝난 후 1주일 이내, 유방통증이 가장 없을 때 시행
3. 폐경 후 : 매달 1일 또는 일정한 날짜에 시행

참고 *Final Check 부인과 605 page*

06

월경 전 여성의 자가 유방 검사의 시기는 언제인가?

06
정답
1. 폐경 전 : 매달 월경이 끝난 후 1주일 이내, 유방통증이 가장 없을 때 시행
2. 폐경 후 : 매달 1일 또는 일정한 날짜에 시행

참고 *Final Check 부인과 605 page*

07

유방암(breast cancer)에 대한 설명으로 옳은 것을 고르시오.

① 자가검진은 월경 시작 후 10~14일에 실시하는 것이 좋다
② 섬유선종(fibroadenoma)는 암 전구 단계이다
③ 외측 상부에 가장 흔히 발생한다
④ 유방 초음파는 screening으로 가장 좋다
⑤ 30세 이후부터 매년 mammography를 시행하는 것이 좋다

07
정답 ③
해설
1. 자가검진 : 매달 월경이 끝난 후 1주일 이내
2. Fibroadenoma : 가장 흔한 양성 유방 질환
3. Upper outer quadrant가 호발 부위
4. 표준선별검사 : 유방촬영술, 유방진찰
5. 유방촬영술 : 40세부터 매년 시행

참고 *Final Check 부인과 605, 606, 609 page*

08

32세 여자가 좌측 유방에 2 cm 크기의 단단한 종괴가 만져진다는 증상으로 내원하였다. 2개월간 경과 관찰하였으나 크기의 변화는 없었다. 다음 중 가장 적절한 처치는 무엇인가?

① Observation
② Mammography
③ Biopsy
④ Diagnostic laparoscopy
⑤ Tamoxifen 5개월 복용

08

정답 ②

해설

유방촬영술(Mammography)

1. 유방질환을 발견하고 진단하는 데 가장 간단하면서도 기본이 되는 검사
2. 40세부터 매년 시행

참고 *Final Check 부인과 606 page*

09

60세 여성이 좌측 유방에서 혈액이 섞인 유즙 분비를 주소로 내원하였다. 환자는 항고혈압제와 호르몬요법(conjugate estradiol and MPA)을 받고 있었다. 다음 중 우선 시행해야 할 처치는 무엇인가?

① 유방 진찰
② 유방촬영술
③ 유방 초음파
④ 유방 세침흡인생검
⑤ 호르몬 약제 변경

09

정답 ②

해설

유방촬영술(Mammography)

1. 유방질환을 발견하고 진단하는 데 가장 간단하면서도 기본이 되는 검사
2. 40세부터 매년 시행

참고 *Final Check 부인과 606 page*

10

유방촬영술(mammography)이 유방 초음파와 비교하여 진단적 장점이 있는 경우를 모두 고르시오.

(가) Dense breast
(나) Fatty breast
(다) Cystic breast
(라) Microcalcification

① 가, 나, 다
② 가, 다
③ 나, 라
④ 라
⑤ 가, 나, 다, 라

10

정답 ③

해설

유방 초음파의 특징

장점	단점
– Dense breast의 noncalcified cancer 검출에 유용 – Solid tumor 중 benign cyst를 구분하는데 유용	– 미세석회화(microcalcification) 검출이 어려움 – Fatty breast는 mammography가 더 정확

참고 *Final Check 부인과 607 page*

11

치밀 유방을 가진 41세 여성이 유방 촬영술 시행한 후 BI-RADS 0으로 확인되어 내원하였다. 다음으로 시행할 처치로 가장 적절한 것을 고르시오.

① 즉시 유방 촬영술

② 6개월 뒤 유방촬영술

③ 유방 초음파

④ 세침흡인생검(fine-needle aspiration)

⑤ 맘모톰(mammotome)

11

정답 ③

해설

BI-RADS Category 0

1. 판정유보(incomplete, needs further imaging)
2. 추가검사 또는 이전 검사와 비교가 필요

참고 *Final Check 부인과 607 page*

12

다음 중 유방암의 위험 인자를 모두 고르시오.

(가) 비만
(나) 수유력
(다) 자궁내막암
(라) 이른 초경

① 가, 나, 다 ② 가, 다

③ 나, 라 ④ 라

⑤ 가, 나, 다, 라

12

정답 ⑤

해설

유방암의 발생인자

1. 성별과 나이
2. 유전학적 요인(가족/유전성 유방암)
   a. 가족력
   b. 유전성 유방암
3. 호르몬 요인
   a. 이른 초경, 늦은 폐경 : 위험도 증가
   b. 이른 폐경 : 위험도 감소
   c. 미분만부(nullipara) : 위험도 증가
   d. 호르몬치료 : 단기 사용에도 위험도 증가
   e. 모유 수유 : 연관 관계 없음
4. 식이 요인
   a. 고지방식이, 폐경 후 체중증가 : 위험 증가
   b. Alcohol : 연관 관계가 명확치 않음
5. 암 과거력

참고 *Final Check 부인과 601 page*

13

양성 유방 질환 중 가장 흔한 것은 무엇인가?

① Fibroadenoma

② Phyllodes tumor

③ Hemangioma

④ Fibrocystic change

⑤ Adenoid cystic carcinoma

14

정상적으로 생리하는 여성이 장기간 투여 받았을 때 자궁내막이 두꺼워지는 약물은 무엇인가?

① Raloxifene

② Tamoxifen

③ Letrozole

④ GnRH agonist

⑤ MPA

13

정답 ①

해설

섬유선종(Fibroadenoma)

1. 가장 흔한 양성 유방 질환
2. 젊은 여성에서 주로 나타남(20~35세)
3. 25세 이하에서 cyst보다 더 흔함
4. 폐경 후에는 드묾
5. Breast cancer의 위험도를 증가시키지 않음

참고 *Final Check 부인과 609 page*

14

정답 ②

해설

Tamoxifen

1. 전체 생존률 및 무병생존율을 향상시키고, 반대측 유방암의 발생율이 감소
2. 자궁내막암
   a. 가장 큰 부작용
   b. 증상 (–) : 1년 단위 규칙적인 골반암 검사
   c. 질 출혈 (+) : 질 초음파를 시행

참고 *Final Check 부인과 613 page*